Raymond E. Feist

Les Fragments d'une couronne brisée

La Guerre des Serpents - livre quatre

Traduit de l'anglais (États-Unis) par Isabelle Pernot

Bragelonne

Collection dirigée par Stéphane Marsan et Alain Névant

Titre original : *Shards of a Broken Crown - volume four of the Serpentwar Saga*
Copyright © Raymond E. Feist 1998

© Bragelonne 2005 pour la présente traduction

Illustration de couverture :
© Stéphane Collignon

ISBN : 2-915549-49-4

Bragelonne
35, rue de la Bienfaisance - 75008 Paris - France

E-mail : info@bragelonne.fr
Site Internet : http://www.bragelonne.fr

Pour Jon et Anita Everson,
qui me soutiennent depuis le début.

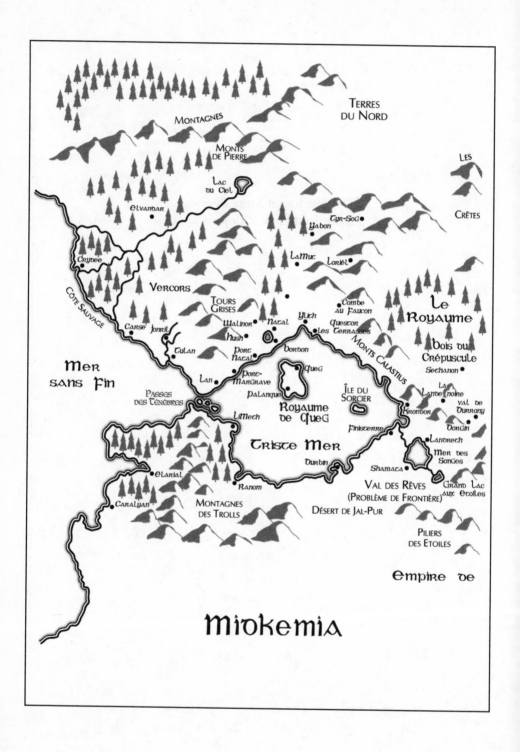

MIDKEMIA

MONTAGNES SOTHU

Lac Serpent

TERRES BRÛLANTES

GRANDES FALAISES

Rivière Mansera

CAP TÊTE-DE-CHEVAL

MONTAGNES SUMANU

Fleuve Serpent

Sulth

Hamsa

Irabek

Forêt d'Irabek

Kilbar

GRANDES STEPPES

TERRES ORIENTALES

NAUFRAGE DE L'AIGLE ROYAL

baie de Sulth

Khaipur

TERRES FLUVIALES

TERRES OCCIDENTALES

PLAINE DE DJAMS

Lanana

DÉBARCADÈRE DE SHINGAZI

Rivière Satpura

Maharta

Cité du Fleuve Serpent

Pointe de Pûnt

Rivière Dee

Port-chagrin

baie de Maharta

MONTS DE LA MER

Palamos

La Verte Mer

Chatisthan

La Mer bleue

Grande Forêt Méridionale

Ispar

RATN'GARY (LE PAVILLON DES DIEUX)

Golfe du Ratn'Gary

CAP MAUDIT

novinous

Protagonistes

Acaila : chef des Eldars à la cour de la reine des Elfes
Adelin : elfe en Elvandar
Aglaranna : la reine des Elfes en Elvandar, épouse de Tomas, mère de Calin et Calis
Akee : un Hadati, un homme des collines
Akier : lieutenant à bord du *Bulldog Royal*
Aleta : jeune disciple du temple de Arch-Indar
Asham Ibn Al-Tuk : général keshian
Avery, Rupert, dit Roo : marchand de Krondor
Avery, Karli : épouse de Roo

Boyse : capitaine des armées de Duko
Brian : duc de Silden

Calhern, Thomas : lieutenant suppléant de la garde du palais
Calin : elfe, héritier du trône d'Elvandar, demi-frère de Calis, fils d'Aglaranna et du roi Aidan
Calis : duc connu sous le nom de « l'Aigle de Krondor », agent spécial du prince de Krondor, fils d'Aglaranna et de Tomas, demi-frère de Calin
Chalmes : l'un des magiciens qui dirigent le port des Étoiles
Chapac : fils d'Ellia et frère jumeau de Tilac

D'Lyes, Robert : magicien du port des Étoiles
De la Lande Noire, Erik : capitaine des Aigles cramoisis
De la Lande Noire, Gerd : baron de la Lande Noire, fils de Rosalyn et Stefan de la Lande Noire, neveu d'Erik
De la Lande Noire, Mathilda : baronne de la Lande Noire, grand-mère de Gerd
De Savona, Luis : ancien soldat, assistant de Roo
Delwin : policier de Krondor
Desgarden : bretteur de Krondor
Dokins, Kirby : mouchard de Krondor
Dominic : abbé de l'abbaye d'Ishap, à Sarth
Duga : capitaine mercenaire originaire de Novindus
Duko : général dans l'armée de la Reine Émeraude

Duval, Marcel : écuyer originaire de Bas-Tyra

Ellia : elfe, mère de Chapac et Tilac
Enares, Malar : serviteur découvert en pleine nature
Erland : frère du roi et oncle du prince Patrick

Fadawah : ancien général des armées de la Reine Émeraude qui s'est auto-proclamé roi de la Triste Mer
Francine, dite Francie : fille du duc de Silden

Greylock, Owen : maréchal de l'armée du prince

Hammond : lieutenant dans l'armée du roi
Herbert de Rutherwood : secrétaire de Port-Vykor

Jacoby, Helen : veuve de Randolph Jacoby, mère de Natally et Willem
Jallom : capitaine dans l'armée de Duko
Jameson, Dashel, dit Dash : fils cadet d'Arutha, petit-fils du duc James
Jameson, James, dit Jimmy : fils aîné d'Arutha, petit-fils du duc James

Kahil : chef du renseignement dans l'armée de Fadawah
Kalied : l'un des magiciens qui dirigent le port des Étoiles

Leland : fils de Richard de Mukerlic
Lerétameur, Gustave : prisonnier en compagnie de Dash, deviendra plus tard policier
Livia : fille de messire Vasarius

Mackey : sergent de la garde du palais
Matak : vieux soldat aux ordres de Duko
Milo : propriétaire de l'*Auberge du Canard Pilet* à Ravensburg, père de Rosalyn
Miranda : magicienne, alliée de Pug et de Calis

Nakor l'Isalani : joueur, magicien, ami de Pug
Nardini : capitaine d'un navire quegan capturé par le royaume
Nordan : général dans l'armée de Fadawah

Pahaman : ranger du Natal
Patrick : prince de Krondor, fils du roi Borric, neveu du prince Erland

Pug : magicien, duc du port des Étoiles, cousin du roi, grand-père d'Arutha et arrière-grand-père de Dash et Jimmy

Reese : voleur de Krondor
Richard : comte de Mukerlic
Rigger, Lysle : le Juste, chef des Moqueurs
Rosalyn : fille de Milo, épouse de Rudolph, mère de Gerd
Rudolph : boulanger de Ravensburg, époux de Rosalyn, beau-père de Gerd
Runcor : capitaine dans l'armée de Duko
Ryana : dragon métamorphe, amie de Tomas et Pug

Shati, **Jadow** : lieutenant dans la compagnie d'Erik
Sho Pi : Isalani, disciple de Nakor, ancien compagnon d'Erik et de Roo
Songti : capitaine dans l'armée de Duko
Styles : capitaine du *Bulldog Royal*
Subai : capitaine des Pisteurs royaux de Krondor

Talwin : espion d'Arutha
Tilac : fils d'Ellia et frère jumeau de Chapac
Tomas : chef de guerre d'Elvandar, époux d'Aglaranna, père de Calis, héritier des pouvoirs d'Ashen-Shugar
Trina : voleuse, maître de jour des Moqueurs
Tuppin, John : voleur, chef des « gros bras » de Krondor

Vasarius : noble marchand quegan

Wendell : capitaine de Krondor
Wiggins : maître des cérémonies du prince Patrick
Wilkes : soldat dans l'armée d'Erik

Zaltais : ?

LIVRE QUATRIÈME

L'histoire des deux frères

On ne saurait avoir le sens du devoir si l'on n'a pas la foi.

Benjamin Disraeli, comte de Beaconsfield
Tancrède, livre II, chapitre I

Prologue

On frappa à la porte.

— Entrez, ordonna le roi de la Triste Mer.

Ce faisant, il leva les yeux d'une note écrite à la hâte que venait juste de lui remettre Kahil, le capitaine de son service de renseignement.

Le général Nordan entra et brossa son manteau pour en ôter la neige.

— C'est une terre bien froide que vous avez trouvé à gouverner, Majesté, commenta-t-il en souriant.

Kahil ne reçut de sa part qu'un très bref hochement de tête.

— Il fait froid mais, au moins, cette terre nous offre de la nourriture et du bois pour nous chauffer, répliqua Fadawah. (L'ancien général en chef des armées de la reine Émeraude était devenu depuis le souverain de la cité d'Ylith et de ses environs.) Parmi les traînards qui continuent à nous rejoindre, certains viennent d'aussi loin que la Lande Noire et la description qu'ils nous font de la situation dans le royaume de l'Ouest est plutôt désespérée.

Nordan désigna une chaise et Fadawah hocha la tête, l'autorisant à s'asseoir. Bien qu'ils fussent de vieux compagnons, ils n'en observaient pas moins les formalités d'usage. Fadawah, qui préparait son offensive de printemps, portait encore sur ses joues les cicatrices rituelles qu'il avait reçues en jurant fidélité aux Panthatians. Il avait songé à faire venir une sorcière ou un prêtre guérisseur pour effacer ces marques car, depuis, il s'était aperçu que les Panthatians avaient été manipulés, tout comme lui.

15

Il avait alors tué leur dernier grand-prêtre. En ce qui le concernait, Fadawah ne se sentait plus lié à quiconque. Il était libre désormais et se trouvait dans un pays riche, à la tête d'une armée. Mais Kahil lui avait rappelé que les cicatrices intimidaient ses hommes et entretenaient la peur et le respect qu'ils éprouvaient vis-à-vis de leur chef. Kahil avait été au service de la reine Émeraude avant que le démon ne la tue. Mais depuis que l'armée d'envahisseurs avait changé de commandant, il avait prouvé qu'on pouvait lui faire confiance et qu'il donnait de bons conseils.

Au dernier recensement, plus de trente mille guerriers avaient réussi à atteindre la frontière méridionale de la province de Yabon. Fadawah les avait organisés et postés à différents endroits-clés, si bien qu'il contrôlait à présent toutes les terres autour d'Ylith : de Questor-les-Terrasses au sud jusqu'à la périphérie de Zûn au nord et la cité de Natal à l'ouest. Les soldats de Fadawah étaient d'ailleurs plus nombreux dans cette dernière ville que ses propres défenseurs, pitoyables. Le général s'était également emparé de la combe aux Faucons, une petite ville, certes, mais qui lui permettait de contrôler un col très important indispensable pour franchir les montagnes à l'est.

— Certains de nos gars n'aiment pas l'idée de s'établir ici, lui apprit Nordan. (Le soldat à la forte carrure se frotta le menton, qu'il avait barbu, et se racla la gorge.) Ils parlent de trouver un navire pour retourner chez eux.

— Qu'espèrent-ils y retrouver ? s'enquit Fadawah. Un pays dévasté et envahi par les barbares des plaines ? En dehors des bastions des nains dans les montagnes du Ratn'Gary et des quelques Jeshandis qui ont réussi à survivre au nord, que reste-t-il de la civilisation ? Avons-nous laissé une seule cité debout ? Reste-t-il quelque chose là-bas pour nous permettre de survivre ?

Fadawah se gratta la tête. Il avait le crâne rasé, à l'exception d'une longue queue-de-cheval, un autre emblème de son allégeance aux sombres pouvoirs de la reine Émeraude.

— Dis à tous ceux qui parlent de repartir, qu'au printemps, s'ils réussissent à trouver un navire et à s'en emparer, ils seront libres de s'en aller. (Ses yeux se perdirent dans le vague, comme s'il voyait quelque chose dans le vide.) Je refuse de garder quiconque n'est pas prêt à me servir. De durs combats nous attendent.

— Le royaume des Isles ?

— Tu ne crois tout de même pas qu'ils vont rester plantés là et renoncer à récupérer leur territoire ? répliqua Fadawah.

— Non, mais ils ont été terriblement malmenés à Krondor et à la Lande Noire. Les prisonniers nous ont avoué qu'ils n'ont pratiquement plus d'armée à aligner sur le champ de bataille.

— C'est vrai, à condition qu'ils n'envoient pas leurs armées de l'Est, qui se trouvent en ce moment à la Lande Noire. Auquel cas il nous faudra être prêts.

— Quoi qu'il en soit, on ne le saura pas avant le printemps, conclut Nordan.

— Ce n'est que dans trois mois. Nous devons nous y préparer, insista Fadawah.

— Vous avez un plan ?

— Toujours, répondit le vieux général rusé. Je préfère éviter de combattre sur deux fronts à la fois. Si j'étais stupide, je pourrais même avoir à combattre quatre adversaires différents.

Il désigna une carte accrochée sur l'un des murs de la pièce. Ils occupaient actuellement la résidence du comte d'Ylith, que tout le monde disait mort, tout comme le duc de Yabon et le comte de LaMut.

— Si nos informations sont exactes, c'est un gamin que nous allons affronter à LaMut. (Il se frotta le menton.) Nous devons nous emparer de cette ville dès que le dégel commencera, et je veux Yabon sous contrôle d'ici le solstice d'été. (Il sourit.) Envoyons un message au dirigeant du Natal... (Il se tourna vers Kahil.) Quel est son titre ?

— Premier conseiller, répondit son maître espion.

— Remercie le premier conseiller de s'être montré si hospitalier en offrant des quartiers à nos hommes cet hiver et envoie-lui un peu d'or. Un millier de pièces devrait faire l'affaire.

— Un millier ? s'étonna Nordan.

— Nous avons cette somme. Et bientôt nous en aurons encore davantage. Ensuite rapatrie nos hommes ici. (Il regarda son vieil ami.) Comme ça, au moins, cela nous permettra de garder les faveurs du premier conseiller jusqu'à ce que nous puissions retourner au Natal, prendre la cité et la garder. (Il se tourna de nouveau vers la carte.) D'ici là, je veux que Duko et ses hommes s'emparent de Krondor.

Nordan haussa un sourcil interrogateur.

— Duko me gêne, avoua Fadawah. C'est un homme ambitieux. (Il fronça les sourcils.) Seul le hasard a fait de nous deux le premier et le second dans la hiérarchie de l'armée des Panthatians. Nous pourrions très bien recevoir nos ordres de Duko à l'heure qu'il est.

Nordan acquiesça.

— Mais c'est un bon meneur d'hommes et on lui obéit toujours sans protester.

— Exact, reconnut le général, c'est pourquoi je le veux sur le front. Toi, je t'envoie sur ses arrières, à Sarth.

— Mais pourquoi Krondor ? (Nordan secoua la tête.) Il n'y a rien là-bas.

— Bientôt ce ne sera plus le cas, prédit Fadawah. C'est la capitale de l'Ouest, la cité de leur prince, si bien qu'ils y retourneront dès qu'ils le pourront. (Il hocha la tête, comme pour approuver ce qu'il venait de dire.) Si Duko pouvait les occuper jusqu'à ce que nous nous soyons emparés de toute la province de Yabon, alors nous pourrions tourner notre regard vers les Cités libres et cette région qu'ils appellent la Côte sauvage. (Il désigna la côte occidentale du royaume.) Nous occuperions à nouveau Krondor et pourrions repartir en direction de l'ancienne ligne de combats. Quel est le nom de cet endroit ?

— Les crêtes du Cauchemar.

— Elles portent bien leur nom. (Fadawah soupira.) Je ne suis pas un homme avide. Être le roi de la Triste Mer me suffit. Nous laisserons le royaume des Isles garder la Lande Noire et les territoires qui s'étendent à l'est. (Puis il sourit.) Pour l'instant.

— Mais d'abord, nous devons reprendre Krondor.

— Non. D'abord, nous devons leur faire croire que nous voulons reprendre Krondor, rectifia Fadawah. Ces nobles du royaume ne sont pas stupides, ils ne sont pas pétris d'orgueil comme ceux de chez nous. (Il se souvint comme le roi-prêtre de Lanada avait eu l'air choqué quand son armée et lui avaient refusé de lui obéir et de laisser sa cité en paix.) Ce sont des hommes de devoir, des gens intelligents. Ils vont venir à nous en grand nombre. Nous devons nous y attendre.

» Donc, laissons-les croire que c'est Krondor que nous voulons. Ensuite, lorsqu'ils s'apercevront que nous sommes fermement établis à Yabon, ils décideront ou non de négocier. Quoi qu'il en soit, une fois que nous contrôlerons Yabon, nous serons bel et bien en place. Laissons Duko recevoir une leçon, de peur qu'il ne devienne trop ambitieux.

Nordan se leva.

— Avec votre permission, je vais dire à nos hommes que ceux qui souhaitent partir au printemps le peuvent.

D'un geste de la main, Fadawah lui en donna l'autorisation.

— Majesté, le salua Nordan avant de le laisser seul avec Kahil.

Fadawah se tourna vers son maître espion.

— Attends, puis suis Nordan et vois à qui il s'adresse. Repère les hommes qui dirigent les groupes de dissidents. Arrange-toi pour qu'ils aient un accident avant le dégel ; ainsi, nous n'entendrons plus parler de cette stupide histoire de retour sur Novindus.

— Bien sûr, Majesté, approuva Kahil. J'applaudis également les intentions qui vous poussent à envoyer Nordan à Sarth.

— Quelles intentions ? s'enquit Fadawah.

Kahil se pencha, passa un bras autour des épaules de son souverain et chuchota à son oreille :

— Envoyez tous vos commandants déloyaux au sud ; comme ça, lorsque l'ennemi viendra réclamer le prix de notre conquête, les hommes qui le paieront seront ceux que nous pouvons nous permettre de perdre.

Les yeux de Fadawah se perdirent dans le vague, comme s'il écoutait une voix lointaine.

— Oui, voilà qui est sage.

— Il faut vous entourer de personnes dont la loyauté ne fait aucun doute. Il faut rendre aux Immortels une place prééminente.

— Non ! protesta Fadawah. Ces fous étaient au service de sombres pouvoirs…

Kahil l'interrompit.

— Non pas sombres, Majesté, mais vastes. Ces mêmes pouvoirs pourraient affermir votre règne, non seulement ici, à Yabon, mais aussi à Krondor.

— Krondor ?

Kahil frappa deux fois dans ses mains. La porte s'ouvrit sur deux guerriers dont les joues s'ornaient des mêmes cicatrices rituelles que Fadawah.

— Protégez le roi au prix de votre vie.

— Krondor, répéta Fadawah.

Kahil se leva et s'en alla, fermant la porte derrière lui. Un faible sourire apparut sur son visage, avant qu'il s'en aille accomplir sa nouvelle mission : suivre Nordan et condamner à mort les hommes qui feraient preuve ne serait-ce que d'un soupçon de déloyauté.

Fadawah regarda les deux Immortels et leur fit signe de s'écarter de lui. Les cicatrices sur leur visage lui rappelaient l'époque terrible et lointaine où il était prisonnier de la reine Émeraude, ainsi que les mois qu'il avait perdus pendant que le démon régnait sur son armée. Fadawah détestait se sentir manipulé et tuerait quiconque essayerait de nouveau de l'utiliser comme l'avait fait la reine Émeraude. Il s'approcha de la carte sur le mur et commença à planifier sa campagne du printemps.

Chapitre un

L e vent s'était tu.

Dash attendait, scrutant la route en contrebas, les yeux pleins de larmes en raison de la morsure glaciale de l'air. La reconstruction de la Lande Noire avait été fastidieuse et constamment ralentie par la pluie ou la neige, car tout le monde avait eu droit à un hiver capricieux. Quand le verglas ne mettait pas en péril l'équilibre des ouvriers qui restauraient les remparts à l'ouest de la cité, c'était la boue dans laquelle on pataugeait jusqu'aux genoux qui bloquait les chariots transportant des marchandises vitales.

Cet après-midi-là, le verglas était de retour, mais Dash s'estimait heureux qu'il n'y ait pas de neige. Dans le ciel dégagé, le soleil promettait une chaleur qui n'était pas vraiment là. Dash avait l'impression de n'avoir jamais connu un hiver aussi long de toute sa jeune vie, même s'il savait que c'était dû à son humeur autant qu'au climat.

Les bruits de la cité résonnaient dans l'air immobile et froid à mesure que la journée s'écoulait. Avec un peu de chance, la nouvelle porte serait achevée avant le coucher du soleil et un minimum de sécurité supplémentaire serait ajouté aux innombrables tâches qui auraient dû être achevées la veille.

En vingt ans de vie, Dash ne se rappelait pas avoir déjà connu pareille fatigue. C'était en partie dû à la liste apparemment interminable des choses qui réclamaient son attention, mais il y avait aussi l'inquiétude : son frère Jimmy était en retard.

21

Ce dernier remplissait le rôle d'officier explorateur et était parti en reconnaissance derrière les lignes ennemies. Le prince de Krondor, Patrick, avait décidé d'agir avec fermeté contre les Keshians qui menaçaient d'envahir le sud du royaume au printemps. En conséquence de quoi, c'était à Owen Greylock, maréchal de Krondor, et Erik de la Lande Noire, capitaine des Aigles cramoisis – une unité d'élite, mobile, composée d'hommes triés sur le volet – qu'il incomberait de reprendre les territoires perdus lors de l'invasion, l'été précédent.

Pour cette raison, le prince avait besoin d'informations sur les agissements des envahisseurs qui se trouvaient entre la Lande Noire et Krondor. Jimmy s'était porté volontaire pour aller voir ce qui se passait.

Il aurait dû rentrer depuis trois jours déjà.

Dash s'était posté à la limite de la zone patrouillée par les soldats du royaume, matérialisée par une série de remparts calcinés qui s'élevaient à l'ouest de la Lande Noire. L'armée du prince veillait à ce qu'il n'y ait guère de danger à s'éloigner à moins d'une journée de cheval de la cité, mais ces murs à moitié effondrés et ces tas de débris de maçonnerie fournissaient des emplacements idéaux pour une embuscade et avaient abrité plus d'une bande de pillards ou de hors-la-loi.

Dash balaya l'horizon du regard, à la recherche de son frère. Mais seuls quelques bruits rares montaient des bois endormis par l'hiver. De temps en temps, on entendait le bruissement de la neige qui se détachait des branches ou le craquement de la glace à quelques kilomètres de là, signe que le dégel commençait. Parfois résonnaient également le cri d'un oiseau ou le bruit d'un animal dans les fourrés. Les sons portaient à des kilomètres à la ronde par ce froid hivernal.

Puis Dash entendit quelque chose, un bruit faible, venant de très loin. Mais ce n'était pas le son qu'il espérait, celui des sabots résonnant sur la roche ou la terre gelée. Il annonçait plutôt l'arrivée d'un individu à pied, broyant le verglas sous lui. Il avançait dans la direction de Dash d'un pas régulier, méthodique et lent.

Dash fléchit ses doigts gantés et sortit lentement son épée de son fourreau. S'il y avait bien une chose qu'il avait apprise au cours de cette récente guerre, c'était de toujours être prêt. Il n'existait aucune position sûre en dehors de la forteresse qu'était la cité de la Lande Noire.

Dans le lointain, Dash vit quelque chose bouger et concentra son regard dessus. Une silhouette solitaire cheminait péniblement sur la route. L'homme avançait d'un pas lourd. Tandis que Dash l'observait, il accéléra et se mit à trottiner. Dash comprit alors qu'il marchait pendant cent pas, puis qu'il trottinait pendant cent autres pas, une habitude que le jeune homme et son frère avaient apprise de leurs maîtres d'armes lorsqu'ils étaient enfants. Cela permettait à un homme à pied de couvrir une distance presque aussi grande que celle d'un cheval au cours d'une journée et plus au fil des semaines.

Dash plissa les yeux. La silhouette prit la forme d'un homme enveloppé dans une épaisse cape grise, un vêtement grâce auquel on le distinguait mal dans la faible luminosité hivernale. On ne devait le repérer facilement que par beau temps, lorsque le ciel était dégagé.

Alors que l'individu se rapprochait, Dash vit qu'il ne portait pas de chapeau mais qu'une étoffe épaisse lui couvrait la tête, sans doute un foulard ou un pan de tissu arraché à un vêtement. Une épée lui battait la cuisse et des gants dépareillés protégeaient ses mains. De la boue et de la glace maculaient ses bottes.

Le crissement de la neige sous les pas du voyageur se fit de plus en plus fort jusqu'à ce que ce dernier arrive devant Dash. Il s'arrêta et leva les yeux.

— Tu es en travers de mon chemin, finit-il par dire.

Dash déplaça sa monture sur le côté et lui fit faire demi-tour pour reprendre la direction de la Lande Noire. Puis il rangea son épée, talonna son cheval et le fit avancer aux côtés de l'homme à pied.

— Tu as perdu ta monture ? interrogea-t-il.

Jimmy, le frère de Dash, pointa son pouce par-dessus son épaule.

— Quelque part là-bas.

— Quelle négligence de ta part, commenta le plus jeune des deux frères. Ce cheval coûtait très cher.

— Je sais, soupira Jimmy. Mais je ne me sentais pas de le porter jusqu'ici. Il était mort.

— Dommage. C'était vraiment un bon cheval.

— Crois-moi, il ne te manque pas autant qu'à moi, rétorqua Jimmy.

— Tu aimerais que je te fasse faire un bout de chemin ? s'enquit Dash.

Jimmy s'arrêta et se tourna pour dévisager son frère. Les deux fils de messire Arutha, duc de Krondor, ne se ressemblaient pas du tout. James avait hérité de la minceur et de la blondeur de leur grand-mère et possédait des traits finement dessinés et des yeux couleur saphir. Dash, quant à lui, ressemblait à leur grand-père, avec ses cheveux châtain bouclés, ses yeux sombres et son expression moqueuse. Cependant, de nature, ils se ressemblaient autant que des jumeaux.

— Il est temps que tu le proposes ! grommela Jimmy en levant le bras pour attraper la main de son frère.

Il sauta en selle derrière Dash. Lentement, leur monture reprit la direction de la cité.

— Alors, c'était terrible ? s'enquit Dash.

— Pire encore, répondit Jimmy.

— Pire que ce qu'on pensait ?

— Pire que tout ce qu'on aurait pu imaginer.

Dash s'abstint de poser d'autres questions, car il savait qu'il aurait tous les détails lorsque son frère ferait son rapport au prince.

Jimmy prit la tasse de café chaud, le sucra avec du miel, y ajouta de la crème, et hocha la tête en guise de remerciement. Le domestique s'en alla rapidement et ferma la porte derrière lui. Jimmy était assis dans les appartements du prince qui attendait patiemment qu'il fasse son rapport en compagnie du maréchal Owen Greylock, du duc Arutha de Krondor et d'Erik de la Lande Noire.

Patrick, prince de Krondor et souverain de l'Ouest du royaume des Isles, prit la parole :

— Très bien. Qu'avez-vous trouvé ?

Jimmy prit une première gorgée de café avant de répondre :

— La situation est bien pire qu'on le craignait.

Patrick avait envoyé cinq hommes dans l'Ouest avec pour mission d'atteindre Krondor, sa capitale. Jusque-là, seuls trois d'entre eux étaient revenus. On ne pouvait qualifier que de désespérée la description qu'ils lui avaient faite de la situation.

Jimmy posa sa tasse sur la table et entreprit de retirer sa lourde cape tout en expliquant :

— J'ai réussi à atteindre Krondor. Ça m'a demandé quelques efforts, mais la plupart des soldats qui vadrouillent encore entre la Lande Noire et Krondor ne sont guère plus que des bandits. Après deux mois de neige, de pluie, et de grésil, ils ne s'éloignent que peu de leurs feux de camp et s'efforcent surtout de rester en vie.

— Qu'en est-il de Krondor ? demanda Patrick.

— La cité est presque déserte. Il reste bien quelques personnes, mais aucune n'a voulu me parler et très franchement, je n'avais moi-même pas très envie d'engager la conversation. La plupart des gens que j'ai aperçus étaient des soldats qui fouillaient les débris pour récupérer ce qu'ils pouvaient. (Jimmy s'étira, comme s'il était fatigué, et prit une autre gorgée de café.) Mais je serais très surpris qu'ils puissent en tirer quoi que ce soit. (Il regarda Patrick.) Altesse, Krondor ne ressemble à rien de ce que j'ai pu voir ou rêvé, même dans mes pires cauchemars. Pas une pierre qui ne soit noircie et pratiquement pas une planche qui n'ait brûlé. L'odeur plane encore dans l'air et pourtant des mois se sont écoulés depuis les incendies. La pluie et la neige n'ont pas réussi à nettoyer la cité.

» Quant au palais…

— Qu'en est-il ? s'enquit Patrick d'une voix anxieuse.

— Il n'existe plus. Les remparts tiennent encore, mais avec de larges brèches. Le palais proprement dit n'est guère plus qu'un immense tas de débris calcinés – le feu était si violent que la charpente en bois a complètement disparu et que certains murs intérieurs se sont effondrés. Seul l'ancien donjon tient encore debout, mais je suis généreux en disant cela ; ce n'est plus qu'une coquille de pierres noircie. À l'intérieur, j'ai grimpé l'escalier en pierre – car il ne reste plus rien en bois – et je suis monté sur le toit. De là, j'ai pu voir la cité tout entière et les terres qui s'étendent au nord et à l'ouest.

» Le port n'est plus qu'une étendue de navires coulés dont les mâts calcinés sont en train de pourrir. Les quais sont partis en fumée et la majeure partie de la rue qui s'en éloignait a disparu. Tous les bâtiments du côté occidental de la cité ont été éventrés ou réduits à un tas de décombres, comme si à cet endroit la chaleur des incendies avait été extrêmement forte.

Arutha, duc de Krondor, hocha la tête. Son père, le duc James, qui assumait cette charge avant lui, avait mis le feu à la cité afin de piéger les envahisseurs dans les flammes. Il était mort dans l'opération, ainsi que la mère d'Arutha. Ce dernier savait que les hommes de son père avaient disposé des barils de feu quegan dans les égouts sous la cité aux endroits jugés stratégiques par James : sous les quais, près des navires déchargeant les troupes ennemies, puis à travers tout le labyrinthe qui était autrefois le quartier pauvre, et enfin celui du quartier des marchands.

— Le centre de la cité est sérieusement endommagé, reprit Jimmy, mais il doit bien rester un bâtiment ou deux qui puissent être récupérés dans chacune des rues. Les autres devront être rasés avant que la reconstruction puisse commencer. La partie la plus à l'est est elle aussi très abîmée, mais on peut y restaurer beaucoup de bâtiments.

— Qu'en est-il des propriétés autour de Krondor ? demanda Erik en songeant à la vaste demeure de son ami Rupert, située à une journée de cheval de la cité.

— Beaucoup ont été incendiées et rasées ; d'autres ont été pillées et entièrement vidées. Quelques-unes servaient de quartier général à des compagnies de soldats qui m'ont semblé faire partie des envahisseurs, si bien que je ne me suis pas trop approché.

» J'étais sur le point de partir quand ça a commencé à devenir intéressant, ajouta Jimmy en buvant un peu de café.

Patrick et Arutha le regardèrent d'un air interrogateur. Le jeune homme prit une nouvelle gorgée, puis poursuivit son récit.

— Une troupe d'environ cent cavaliers est passée à côté de l'endroit où je campais. (Il jeta un coup d'œil à son frère.) Tu te rappelles de cette petite auberge en haut de la rue qui prolongeait la route des Tisserands, là où tu t'es laissé entraîner dans une bagarre ? (Dash acquiesça. Jimmy se tourna de nouveau vers le prince.) Elle se situe au sommet d'une butte et disposait d'un toit encore intact, lequel était le bienvenu. Mieux encore, elle m'a fourni une vue dégagée de la grand-rue et de la route du Palais, ainsi que de plusieurs autres voies qui s'éloignent de la porte du Nord.

— Qui étaient ces hommes que vous avez vus ? le pressa Owen Greylock.

— Si je ne me trompe pas sur les insignes employés par les compagnies mercenaires, le général Duko fait route vers Krondor ou s'y trouve déjà.

Erik proféra un juron, puis se tourna presque aussitôt vers Patrick.

— Pardonnez-moi, Altesse.

— Je peux comprendre. Tous les rapports que j'ai lus me présentent Duko comme un ennemi à ne pas négliger.

— Il nous a donné du fil à retordre, convint Erik. Il n'a cessé de nous harceler sur notre flanc nord le long des crêtes du Cauchemar, et ce sans même gaspiller de soldats. De par ses connaissances en matière de stratégie et de déploiement, il est, parmi les envahisseurs, celui qui ressemble le plus à un général du royaume.

Owen hocha la tête en guise d'approbation.

— S'il occupe Krondor et a reçu l'ordre de tenir la cité, notre tâche s'en trouve d'autant plus compliquée.

Patrick parut inquiet mais resta silencieux un moment. Puis il reprit la parole.

— Mais pourquoi envahir Krondor en grand nombre ? Il n'y reste rien et les envahisseurs n'en ont pas besoin pour protéger leur flanc sud. Seraient-ils au courant de l'existence de notre nouvelle base à Port-Vykor ?

— Peut-être, admit Owen. À moins qu'ils souhaitent simplement nous empêcher d'utiliser Krondor comme base avancée.

Jimmy songea que Patrick avait brusquement l'air fatigué et soucieux.

— Nous avons besoin de davantage d'informations, fit remarquer le prince après un autre long silence.

Les deux frères échangèrent un regard, chacun admettant ce que l'autre savait déjà : ils comptaient parmi ceux qui risquaient certainement d'être envoyés à la recherche de ces informations.

— Combien de temps êtes-vous resté là-bas ? demanda Patrick à Jimmy.

— Suffisamment longtemps pour voir qu'ils commençaient à sécuriser les environs. J'ai donc pris le chemin de la porte de l'Est pour m'échapper avant qu'ils me remarquent. J'ai réussi à sortir de la ville mais je suis tombé dans les bras d'une patrouille entre Krondor et Ravensburg. J'ai réussi à les semer dans les bois, mais ils ont tué mon cheval.

— Une patrouille ? répéta Patrick. Si loin à l'est ?

Owen acquiesça en disant :

— Erik ?

L'expression du jeune homme prouvait qu'il était aussi perplexe que les autres occupants de la pièce.

— D'après les informations fournies par les réfugiés, il est possible que le général Fadawah pousse à nouveau vers le sud, ou du moins qu'il nous fasse sentir sa présence. Si Duko est bien à Krondor, alors ces rumeurs sont vraies. Mais si leurs patrouilles sont déjà descendues si loin, cela signifie qu'ils se déploient rapidement afin de nous intercepter si nous décidons de rentrer chez nous.

— Il fait un froid glacial, protesta Patrick. Qu'est-ce qu'il mijote ?

— Si on le savait, répliqua sèchement Dash, on ne serait pas obligés de s'aventurer dehors par un froid pareil.

Owen sourit. Le duc Arutha tenta de dissimuler son propre amusement, mais en vain.

— C'est vrai, reconnut Patrick en ignorant le manquement à l'étiquette.

Le fait de passer l'hiver confiné dans ces quartiers avait transformé ce groupe en une bande d'amis qui ne se souciaient guère du protocole lorsque la cour n'était pas réunie de façon officielle.

Les envahisseurs avaient été vaincus à la bataille des crêtes du Cauchemar, mais l'ouest du royaume des Isles avait été dévasté de façon inimaginable. Le printemps approchait et avec lui la possibilité de déployer de nouveau ses armées. Patrick essayait donc désespérément de se représenter le sort de sa principauté.

Il se tourna vers Greylock.

— Quand pouvez-vous partir, au plus tôt ?

— Altesse ?

— Combien de temps encore avant que vous puissiez partir reprendre la cité ?

— Je peux rassembler nos troupes et faire en sorte qu'elles soient prêtes à partir dans un délai d'une semaine. Une partie de la garnison est dispersée sur les crêtes et du côté du val des Rêves, mais la plupart des hommes sont suffisamment proches pour les faire revenir. Cependant, d'après ce que j'ai vu, nous allons avoir besoin d'informations plus complètes pour connaître exactement la puissance de nos ennemis.

Patrick se redressa.

— Je m'attendais à de meilleures informations.

Jimmy jeta un coup d'œil à son père, qui secoua discrètement la tête pour le décourager de faire le moindre commentaire. Cependant, en haussant très légèrement les sourcils, Dash confirma à son frère que le prince venait de faire une remarque maladroite.

— Les principales unités des armées de l'Est sont prêtes à contrer la moindre invasion de Kesh, reprit Patrick, mais nous ne disposons que de ressources limitées pour reconquérir le royaume de l'Ouest.

Jimmy ne dit pas un mot.

Finalement, le prince parut le remarquer, hocha la tête et balaya l'air de la main.

— Vous pouvez disposer. Allez donc prendre un bain et revêtir des habits propres. Nous discuterons de tout cela en détail après le dîner.

Jimmy s'en alla et s'aperçut que son père et son frère le suivaient hors de la pièce. Ils s'arrêtèrent juste devant la porte.

— Il faut que j'y retourne, expliqua Arutha, mais je voulais m'assurer que tu allais bien.

— Je vais bien, répondit Jimmy avec un petit sourire, content que son père s'inquiète pour lui.

Depuis la mort de ses parents, Arutha avait les traits tirés et l'air hagard, parce qu'il se faisait trop de soucis et ne dormait pas assez.

— J'ai juste quelques orteils gelés, ajouta son fils.

Arutha hocha la tête et lui serra l'épaule pendant quelques instants.

— Va manger et repose-toi un peu. Cette histoire est loin d'être terminée. Patrick est peut-être prêt à tomber à bras raccourcis sur nos ennemis, mais nous avons besoin de beaucoup plus de renseignements.

Il rouvrit la porte et reprit sa place au conseil du prince.

— Je t'accompagne à la cuisine, déclara Dash à son frère.

— Entendu, répondit Jimmy.

Les deux frères s'éloignèrent dans le long couloir.

Erik entra dans la cuisine et agita la main à l'intention de Milo, qui se trouvait à l'autre bout de la grande pièce aux murs de pierre. L'ancien aubergiste de Ravensburg – la ville natale d'Erik – avait été engagé comme cuisinier au château en compagnie de son épouse, afin qu'ils puissent veiller sur leur fille, Rosalyn, qui était la mère du prochain baron de la Lande Noire. La jeune femme et son époux, Randolph, boulanger de son état, vivaient également au château où ils élevaient le futur baron.

La mère d'Erik habitait quant à elle dans l'un des bâtiments à proximité du château. Il existait une animosité de longue date entre elle et la baronne de la Lande Noire, si bien qu'il était plus prudent de garder les deux femmes éloignées l'une de l'autre. Pendant des années, Freida, la mère d'Erik, n'avait cessé d'humilier publiquement la baronne en proclamant sur tous les toits que son enfant était le fils illégitime du défunt baron Otto. Nathan, le beau-père du jeune homme, travaillait comme un fou dans la forge de la baronnie, préparant les armes et autres objets en fer pour la campagne du printemps. Parfois, la situation devenait quelque peu délicate, mais Erik appréciait le fait d'avoir sa famille à proximité.

Il s'assit.

— Vous allez bien ? demanda-t-il à Jimmy.

— Je suis juste fatigué. J'ai failli me faire tuer à un moment donné, mais il n'y a pas grand-chose à en dire. J'ai simplement perdu mon cheval et j'ai dû me cacher pendant quelque temps pour éviter une patrouille ; résultat, j'ai bien failli finir gelé à rester caché là sous un tronc. À cause de la neige, ils ont perdu ma trace après que je fus passé sur plusieurs rochers mais, quand ils sont enfin partis, je pouvais à peine bouger.

— Vous avez eu des engelures ? demanda Erik.

— Sais pas, répondit Jimmy. Je n'ai pas encore enlevé mes bottes. Mes doigts vont bien, ajouta-t-il en les remuant.

— Nous avons un prêtre guérisseur au château. Le temple de Dala, à Rillanon, nous l'a envoyé pour conseiller le prince.

Dash sourit d'un air ironique.

— Dites plutôt que le roi a forcé les prêtres à envoyer l'un des leurs auprès de Patrick au cas où il se ferait blesser.

— Quelque chose comme ça, admit Erik en lui rendant son sourire. Demandez donc au guérisseur de jeter un coup d'œil à vos pieds. Vous auriez l'air malin si on devait vous amputer des orteils.

Jimmy mâcha puis avala sa nourriture.

— Pourquoi ai-je l'impression que vous vous inquiétez plus de ma capacité à servir le royaume que de ma santé, capitaine ?

Erik haussa les épaules d'un air théâtral.

— Parce que vous comprenez comment fonctionnent les choses à la cour, j'imagine ?

Brusquement, Jimmy apparut très fatigué, comme s'il laissait tomber le masque.

— Quand dois-je repartir ?

Erik le dévisagea avec compassion.

— Avant la fin de la semaine. Dans trois ou quatre jours.

Jimmy acquiesça et se leva en disant :

— Je ferais mieux d'aller trouver ce prêtre.

— Il loge au bout du couloir où se trouvent les appartements du prince, juste à côté de ma chambre. Il s'appelle Herbert. Dites-lui qui vous êtes, parce que vous avez l'air d'un chiffonnier.

Dash regarda son frère s'en aller.

— Quand ses pieds ont commencé à se réchauffer, il pouvait à peine marcher, commenta-t-il. Je crois que ce prêtre pourra justifier son salaire.

Erik prit une tasse de café des mains de Milo, le remercia puis se tourna vers Dash.

— C'est déjà fait. Une vingtaine de mes hommes vont pouvoir reprendre du service alors qu'ils seraient encore au lit sans l'intervention de ce prêtre. Et de Nakor.

— Où se cache donc ce fou rachitique ? Cela fait une semaine que je ne l'ai pas vu.

— Il se balade en ville pour convertir les gens à sa nouvelle foi.

— Est-ce que le rassemblement des Bienheureux destinés à répandre la parole du Bien avance ?

Erik éclata de rire.

— Même Nakor l'intrigant a du mal à recruter des gens désireux de faire le bien, alors qu'on est au beau milieu de l'hiver et qu'une guerre a pratiquement réduit la population à la famine.

— Aucun adepte ?

— Quelques-uns. Un ou deux sont sincères, les autres font ça pour manger.

Dash acquiesça.

— Est-ce que je ne pourrais pas effectuer cette nouvelle mission ? Jimmy aurait bien besoin de repos.

— Comme nous tous, soupira Erik avant de secouer la tête. Mais vous ne serez pas davantage épargné, mon ami, car nous partons tous.

— Où ça ? s'enquit Dash.

— Pour Krondor. Patrick ne peut pas rester assis là éternellement. Si les informations de votre frère concordent avec les autres rapports que nous avons reçus, plus nous attendons et plus Fadawah renforce sa position à l'intérieur de Krondor. Il se pourrait qu'on soit obligé de l'attaquer avec toutes les forces qui nous restent plus tôt que prévu.

» Jusqu'ici, avec Kesh qui menace d'envahir le royaume par le sud, Patrick s'est fait tirer l'oreille pour laisser les armées de l'Est rentrer au pays. Mais le roi a ordonné le retour de certaines troupes. Apparemment, certains de nos voisins orientaux commencent de nouveau à grogner maintenant qu'il n'y a plus une grande armée ou une flotte immense à leur porte pour les obliger à filer droit. Patrick a donc hâte de récupérer

Krondor avant que le roi Borric oblige davantage de soldats à rentrer chez eux, dans l'Est.

— Combien d'entre nous vont se rendre à Krondor ? demanda Dash.

— Eh bien, les Aigles au grand complet, répondit Erik en faisant allusion à cette unité spéciale dont les membres avaient été rassemblés et entraînés par James, le défunt duc de Krondor. Plus quelques auxiliaires, comme Duga et ses hommes, ajouta-t-il en mentionnant cette fois la grosse troupe de mercenaires qui s'étaient rangés du côté du royaume durant l'invasion. Nous travaillerons également avec les Pisteurs du capitaine Subai.

— C'est tout ?

— Pour commencer, oui. On ne va pas essayer de reconquérir toute la principauté dès la première semaine. (Erik but une gorgée de café.) On veut juste trouver un bon endroit pour pouvoir rassembler toutes nos forces, puis on se lancera à l'assaut de Krondor et on s'emparera de la cité.

— Dit comme ça, ça semble facile, commenta Dash d'un ton sarcastique. Si seulement une autre armée n'était pas déjà en place. Pourquoi Patrick a-t-il tellement hâte de récupérer la cité ? Je dois pouvoir citer une bonne demi-douzaine d'endroits mieux situés pour reconquérir l'Ouest si on choisissait d'ignorer Krondor ; nous pourrions isoler la cité et affamer ceux qui s'y trouvent en prenant pour base un camp à l'est.

— Je sais, soupira Erik, mais Patrick est en partie motivé par l'orgueil. C'est sa cité, la capitale de son royaume. Il n'était pas prince de Krondor depuis très longtemps lorsque la cité est tombée. Et ce n'est pas facile de succéder à une légende.

Dash acquiesça.

— Nous avons grandi à Rillanon, Jimmy et moi, si bien que nous n'avons rencontré le prince Arutha qu'en de rares occasions. Lorsque j'ai été assez grand pour l'admirer, lui commençait à se faire vieux. Mais ce que mon père et les autres nous ont raconté à son sujet le rendait impressionnant à nos yeux, malgré tout. (Dash regarda Erik avant d'ajouter :) Vous croyez que Patrick pense qu'Arutha aurait réussi à garder la cité, d'une manière ou d'une autre ?

— Plus ou moins. Le prince ne se confie pas à moi. Mais ce n'est pas qu'une question d'orgueil blessé. Il s'agit également de logistique. Le port de Krondor risque d'être inutilisable pendant des années. Même si nous disposions de la main-d'œuvre et de l'équipement que nous avions à Krondor avant la guerre – les ouvriers, le matériel pour draguer la rade, et quelques magiciens coopératifs –, cela prendrait un an pour tout nettoyer, peut-être plus. Dans l'état actuel des choses, je ne sais pas si Krondor redeviendra un jour le grand port qu'elle a été.

» Mais nous possédons un nouveau port au sud, dans la baie de Shandon, Port-Vykor, et pour pouvoir nous en servir, nous devons disposer d'une route commerciale sûre entre cette ville et le reste de l'Ouest, c'est pourquoi nous devons reprendre Krondor. Nous n'avons pas besoin de la cité, mais nous ne pouvons certes pas laisser les généraux de Fadawah s'en servir de base pour nous attaquer. (Il baissa d'un ton, comme s'il redoutait que, par quelque perversité du destin, ses craintes se réalisent s'il les formulait à haute voix.) Si nos ennemis réussissent à nous couper de Port-Vykor, nous ne serons peut-être plus jamais en mesure de réunir le royaume de l'Ouest avec celui de l'Est.

Dash hocha la tête.

— Je comprends.

Erik reposa sa tasse de café, qui était vide à présent.

— C'est malheureusement tout ce qu'il y a à comprendre.

Dash hocha de nouveau la tête en guise d'approbation tandis qu'Erik se levait. Le jeune noble leva les yeux vers le grand capitaine bâti comme un taureau et lui demanda :

— Je n'ai pas vu mon employeur occasionnel dans les parages ces derniers temps. Comment va votre ami Rupert ?

Erik sourit.

— En dépit de la boue et de la glace, Roo s'épuise à transporter des quantités ridicules de marchandises pour être le premier à apporter à la Lande Noire ce dont nous avons besoin. (Il se mit à rire.) Il m'a avoué que, d'après ses comptes, il est l'homme le plus riche du monde, mais qu'il n'a pratiquement plus d'or, si bien que son seul espoir de se refaire est de veiller à ce que le royaume survive assez longtemps pour le rembourser.

— Quelle étrange marque de patriotisme, vous ne trouvez pas ?

Erik sourit en hochant la tête.

— Si vous connaissiez Roo aussi bien que moi, vous sauriez que ça lui ressemble tout à fait.

Erik se tut un moment et regarda sa tasse vide d'un air de regret, comme s'il envisageait de reprendre du café. Après quelques instants de silence, il reprit :

— Je ferais mieux de retourner au conseil, demander à Owen ce qu'il veut que je fasse.

Il s'en alla. Dash réfléchit aux paroles qui venaient d'être échangées, au milieu du remue-ménage qui régnait dans la cuisine, puis se leva pour aller voir comment se portait son frère.

Le prêtre sortait à peine des appartements de Jimmy quand Dash arriva.

Le jeune homme s'assit sur le lit à côté de son frère, étendu sous une épaisse couverture en laine.

— C'était rapide, commenta-t-il.

— Il m'a donné quelque chose à boire, m'a badigeonné les pieds avec un onguent et m'a dit de dormir un peu.

— C'est grave ?

— J'aurais perdu quelques orteils, au moins, s'il n'avait pas été là.

Jimmy fit un signe de tête en direction de la porte par laquelle le prêtre venait juste de sortir.

— Tu nous dépeins une image plutôt désespérée de ce qui nous attend là-dehors, fit remarquer Dash.

Jimmy soupira.

— J'ai vu des endroits où des hommes avaient arraché l'écorce des arbres pour se faire de la soupe.

Dash se redressa.

— Patrick ne va pas être content.

— Qu'est-ce qui s'est passé ici en mon absence ? demanda Jimmy en étouffant un bâillement.

— D'après nos informations, la situation est stable dans le Nord, même si personne n'a vu ce bâtard de Duko récemment.

— Si Fadawah envoie Duko au sud, Krondor pourrait être très difficile à reprendre.

— Je suis d'accord, approuva Dash. Les Keshians ne digèrent pas ce qui s'est passé au port des Étoiles et les soldats de la garnison de Ran et la moitié du régiment du Roi n'attendent qu'une excuse pour descendre au sud. Les Keshians se sont retirés de Shamata, mais ils sont encore trop près au goût de Patrick, et le val est redevenu une zone de conflit. Des négociations ont lieu au moment même où nous parlons.

— Qu'en est-il de l'Est ? demanda Jimmy, incapable cette fois de réprimer son bâillement.

— On ne le saura pas avant le printemps, mais certains des petits royaumes pourraient entrer dans la partie. Patrick et le roi ont échangé des messages et j'ai l'impression que Borric veut récupérer une partie de son armée dès que le dégel commencera.

— Que dit notre père ?

— Qu'est-ce qu'il m'a dit à moi ? s'enquit Dash. (Jimmy acquiesça.) Pas grand-chose, répondit Dash avec un sourire qui rappela à son frère le visage de leur grand-père lorsqu'il était d'humeur espiègle. Il se montre peu bavard ces temps-ci.

— À cause de notre mère ? demanda Jimmy.

Dash acquiesça de nouveau.

— J'ai le sentiment qu'il risque de s'écouler un bon moment avant que Mère ne nous rende à nouveau visite. Il semble qu'elle préfère la vie à la cour de Roldem plutôt que d'habiter sous une tente dans les décombres de Krondor, même si elle en est la duchesse.

Jimmy ferma les yeux.

— Je parie qu'elle et tante Polina écument les magasins en ce moment même ou qu'elles se font faire des robes pour un banquet ou un bal.

— C'est probable, approuva Dash. Mais c'est dur pour notre père. Tu t'es absenté une partie de l'hiver, et les rares fois où tu es revenu, il était occupé.

— Il souffre à cause de Grand-père et Grand-mère ?

— Oui. Quand il est seul et pense que je ne le vois pas, il déprime. Il sait qu'il n'aurait rien pu faire, mais il enrage en silence. J'espère qu'avec le retour du printemps et le début de la campagne, il sortira de cet état, mais pour le moment, il boit plus qu'à l'accoutumée et paraît renfermé la plupart du temps.

Comme Jimmy ne répondait pas, Dash jeta un coup d'œil à son frère et vit qu'il avait le menton sur la poitrine et les yeux à demi fermés, mais qu'il luttait pour rester éveillé. Dash se leva silencieusement et se dirigea vers la porte. Il observa longuement son frère et, pendant un moment, vit sur ses traits un écho de leur grand-mère disparue, dont il possédait le teint pâle et les cheveux blonds presque blancs. Comme les larmes lui montaient aux yeux sans prévenir, Dash sortit rapidement de la pièce et referma avec douceur la porte derrière lui. En son for intérieur, il remercia Ruthia, déesse de la Chance, que son frère soit rentré sain et sauf.

— Erik !

Dash se retourna et vit Rosalyn arriver en courant dans le couloir. Il s'écarta pour laisser passer la jeune femme. Il savait qu'elle se sentait parfois dépassée par le fait d'être la mère du prochain baron – elle avait donné naissance à Gerd après que le demi-frère d'Erik l'eut violée. Erik était l'ami le plus proche de Rosalyn car ils avaient été élevés comme frère et sœur. Il était également la première personne vers qui elle se tournait en cas de problème. Dash la regarda s'arrêter devant les appartements du capitaine et frapper à sa porte.

— Qu'y a-t-il ? demanda Erik en ouvrant.

Dash hésita quelques instants puis se remit en route et dépassa Rosalyn alors qu'elle expliquait :

— C'est la baronne. Elle refuse de me laisser baigner mon propre fils ! C'est encore un droit qu'elle m'a enlevé ! Fais quelque chose !

Dash s'arrêta.

— Excusez-moi.

Erik et Rosalyn se tournèrent tous deux vers le jeune homme.

— Oui ? demanda Erik.

— J'hésite à intervenir dans une discussion qui ne me regarde pas, mais pour vous éviter de vous mettre dans l'embarras, me permettrez-vous de faire une remarque ?

— Laquelle ? questionna Rosalyn.

— Compte tenu de sa nature plutôt... énergique, la baronne a jusqu'ici fait preuve d'une certaine patience en familiarisant votre fils avec ses nouvelles fonctions.

Rosalyn secoua la tête. Elle avait été jolie autrefois, lorsqu'elle vivait encore à Ravensburg avec Erik, mais la naissance de deux enfants, le dur labeur qu'elle effectuait dans la boulangerie de son mari et récemment l'épreuve de la guerre lui avaient donné des cheveux gris avant l'heure et effacé de son visage la douceur qu'Erik avait connu dans sa jeunesse. Il y avait de la dureté dans ses yeux, désormais, et elle refusait d'entendre Dash prononcer des paroles qui l'éloigneraient davantage de son fils.

— Gerd est baron de la Lande Noire à présent, reprit Dash en essayant d'avoir l'air patient et instructif plutôt que condescendant – Rosalyn était une femme du peuple sans éducation, mais elle n'était pas stupide. Durant toute sa vie, il aura des serviteurs pour effectuer la plupart des choses que vous faites pour lui. Si vous aviez été baronne, vous ne lui auriez jamais donné son bain, ni changé ses couches. Vous ne l'auriez peut-être même pas allaité vous-même.

» Il est temps pour vous de commencer son éducation de baron. (Dash fit un geste de la main, désignant le château.) Pour le moment, ces lieux servent de frontière au royaume, jusqu'à ce que l'Ouest soit reconquis. Il se peut que la Lande Noire demeure un bastion stratégique pendant des années et ce bien après que Gerd soit devenu adulte. Il a presque cinq ans et passera bientôt la plus grande partie de ses journées avec ses tuteurs et ses professeurs. Il va devoir apprendre à lire et à écrire, connaître l'histoire de son peuple et maîtriser l'équitation, l'escrime et l'étiquette de la cour...

Erik acquiesça et posa la main sur l'épaule de Rosalyn.

— Dash a raison.

La jeune femme le regarda d'un air méfiant. Erik sentit l'épaule de son amie se raidir sous sa main. Il lui sourit.

— Mais rien ne t'empêche de rester à proximité pour regarder les serviteurs s'occuper de lui.

Sur le moment, Rosalyn ne réagit pas. Puis elle hocha la tête et fit demi-tour pour rejoindre son fils, qui logeait dans les appartements seigneuriaux. Erik la regarda s'éloigner puis se tourna vers Dash.

— Merci, votre remarque était pertinente.

— J'ai hésité à me mêler de votre conversation, mais je n'ai fait que lui montrer la vérité.

Erik observa le bout du couloir, au coin duquel Rosalyn venait de disparaître. Il laissa son regard se perdre dans le vague.

— Il y a eu tellement de changements. Tant de choses auxquelles nous devons tous nous habituer.

— Encore une fois, je ne cherche pas à me montrer présomptueux, capitaine, mais si vous avez besoin d'aide…

Erik sourit.

— J'imagine que ce sera bientôt le cas. Et je ne manquerai pas de compter sur vous et votre frère. Je ne sais pas si vous êtes déjà au courant, mais vous êtes passés sous mon commandement.

— Oh ? fit Dash.

— C'est une idée de votre père. Il a décidé de prendre part personnellement à notre prochaine campagne.

Dash acquiesça.

— C'est le fils de son père.

— Je dois reconnaître que je n'ai pas bien connu votre grand-père, avoua Erik, mais je l'ai suffisamment côtoyé pour comprendre qu'il s'agit d'un compliment.

Dash sourit d'un air malicieux.

— Si vous l'aviez mieux connu, vous ne penseriez peut-être pas la même chose. Demandez donc à ma mère, si jamais elle décide de rentrer dans l'Ouest.

— Quoi qu'il en soit, reprit Erik, le roi ne sait plus où donner de la tête à Rillanon ; pas facile d'empêcher les royaumes orientaux de se rebeller avec la plupart de ses soldats au loin et ses navires au fond de l'eau. Kesh menace le prince au sud, si bien que c'est à notre joyeuse petite bande qu'il revient de reconquérir l'Ouest.

— Pourquoi je ne saute pas de joie ? demanda Dash pour la forme.

— Je crois que dans le cas contraire vous auriez besoin d'un guérisseur, car de toute évidence vous auriez perdu la raison.

— Quand débute cette campagne ?

— Quand vous entendrez la glace se fendiller, commencez à faire vos bagages.

— J'ai entendu la glace se fendre ce matin.

— Dans ce cas, allez préparer vos affaires, conclut Erik. Nous partons pour Krondor avant la fin de la semaine.

Dash hocha la tête.

— Très bien, capitaine.

— Autre chose, ajouta Erik comme le jeune noble faisait mine de s'éloigner.

— Oui, capitaine ?

— Votre titre de baron de la cour ne vaut rien dans l'armée, c'est pourquoi James et vous serez nommés lieutenants.

— Je suppose que je dois vous dire merci.

— Demain, allez voir le quartier-maître et prenez un uniforme pour James et vous.

— À vos ordres, capitaine.

Dash esquissa un vague salut militaire. Puis il fit demi-tour et prit la direction de ses propres appartements.

— Merde, marmonna-t-il pour lui-même, je suis dans l'armée.

Jimmy tira sur la tunique noire qui ne lui allait pas très bien.

— Merde. Je suis dans l'armée.

Dash se mit à rire et donna discrètement un coup de coude à son frère pour lui signaler que le prince était sur le point de parler.

— Mes seigneurs, messieurs, commença Patrick en s'adressant aux personnes rassemblées dans la salle d'audience qui était autrefois celle du baron de la Lande Noire. Le roi requiert la présence de la plus grande partie des armées de l'Est le long de la frontière keshiane et de la frontière orientale du royaume. Il incombe donc aux survivants des armées de l'Ouest de repousser les derniers envahisseurs à la mer.

— On n'aurait peut-être pas dû couler tous leurs navires, chuchota Dash à l'oreille de son frère. Ça va être beaucoup plus dur pour eux de rentrer à la maison.

Arutha, duc de Krondor, lança un regard noir à son fils cadet qui se tut, tandis que Jimmy s'efforçait de ne pas rire tout haut. S'il y avait bien une chose qu'il admirait chez Dash, c'était cette capacité qu'il avait à trouver quelque chose d'amusant dans n'importe quelle situation, aussi désespérée fût-elle.

— De toute évidence, commenta Patrick en regardant Dash droit dans les yeux.

Le jeune homme eut la bonne grâce de rougir devant son prince.

— Mais nous pourrons organiser leur rapatriement plus tard. Ils doivent d'abord se rendre.

Dash aurait bien voulu pouvoir se rendre invisible.

— Les informations que nous avons rassemblées confirment que ce général Fadawah tente de profiter de la défaite de la reine Émeraude pour se tailler un petit empire personnel, reprit Patrick.

Il se rendit auprès d'une carte, prit une baguette et désigna la région qui s'étendait entre Krondor et Ylith.

— De Sarth à Ylith, les troupes de Fadawah contrôlent toute la région. (La baguette se déplaça vers l'est.) Elles contrôlent également les forêts jusqu'aux montagnes et la plupart des cols qui mènent aux crêtes du Cauchemar. Là, nous avons un front stable tout le long des crêtes.

» Au nord, ajouta Patrick en pointant sa baguette au-dessus d'Ylith, Fadawah se heurte à une résistance farouche à LaMut. Le comte Takari continue à tenir bon, mais plus pour longtemps. Seul l'hiver rigoureux a empêché Fadawah de prendre la cité. (Le prince se tourna vers Arutha.) Parlez-moi du duc Carl.

— Ce n'est encore qu'un gamin, dix-sept ans à peine. Et le comte Takari n'a que trois ans de plus que lui.

Tous les hommes présents dans la pièce savaient que les pères des deux nobles étaient morts durant l'invasion.

— Mais Takari a du sang tsurani dans les veines et étudie l'escrime sous la direction de son maître d'armes depuis qu'il est en âge de marcher, poursuivit Arutha. Sous ses ordres, les LaMutiens résisteront jusqu'au dernier s'il le faut.

» Quant à Carl, ce n'est peut-être qu'un gamin, mais il est entouré d'une armée puissante, bien que réduite.

Arutha hocha la tête à l'intention d'un homme qui se tenait debout derrière Erik de la Lande Noire. L'individu, grand et brun, portait un kilt et une épée longue accrochée dans le dos. Dash et Jimmy savaient qu'il dirigeait une compagnie de Hadatis originaires de Yabon. Il s'appelait Akee.

— La plupart des gens de mon peuple servent Yabon, rappela-t-il. Fadawah ne prendra pas Yabon.

— Mais au printemps, il envahira LaMut et tout l'honneur tsurani de la cité ne saurait l'en empêcher, répliqua Patrick presque pour lui-même. (Il se tut un moment avant de reprendre :) Les troupes du duc Carl peuvent-elles sauver LaMut ?

— Oui, à supposer que la confrérie de la Voie des Ténèbres nous laisse en paix et que l'on puisse compter sur les elfes, les nains, et les Cités libres pour continuer à stabiliser le front occidental, répondit Owen en faisant référence à leurs ennemis de toujours, les Moredhels, ces elfes noirs qui vivaient dans le Nord. Dans ce cas, Carl pourra vider sa garnison, laisser les forces dont il a besoin pour garder son flanc droit et envoyer le gros de ses troupes au sud, à LaMut. Dans de telles circonstances, il devrait être capable de résister à Fadawah.

— S'il y parvient, pourra-t-il ensuite reprendre Ylith ? s'enquit Patrick.

Akee lança un regard interrogateur à Erik et à Arutha, qui hochèrent tous deux la tête. Le Hadati se tourna alors vers Patrick.

— Non, il ne le pourra pas. Il aurait besoin de trois fois plus d'épées qu'il ne peut en réunir pour se donner une chance de prendre Ylith. Il peut tenir sa position, jusqu'à ce que ce général Fadawah envoie toute son armée au nord – ce qu'il ne fera pas s'il déplace ses soldats au sud pour occuper Krondor. Mais le duc Carl ne peut pas reprendre Ylith.

— Mes seigneurs, messieurs, LaMut est, par nécessité, l'enclume. (Patrick regarda Owen Greylock et ajouta :) Messire le maréchal, votre armée se doit de devenir le marteau.

— C'est un petit marteau, Patrick, rétorqua Owen.

— Il est vrai, mais les Keshians se sont déployés en force le long de notre frontière méridionale et ce qui reste de notre flotte tient en respect Queg et les pirates de Durbin. Ajoutons à cela que nos voisins à l'est commencent à faire preuve d'ambition. Il va donc falloir vous contenter des troupes dont vous disposez.

— Cela représente à peine vingt mille hommes contre, combien, cent mille ? protesta Owen.

— Nous ne pouvons tout de même pas les laisser conserver les terres qu'ils ont prises jusqu'à ce que nous ayons résolu nos autres problèmes, n'est-ce pas ? répliqua le prince.

Seul le silence répondit à sa question. Patrick dévisagea tour à tour chaque personne présente dans la pièce.

— Je n'ignore pas les défauts de mes propres ancêtres. Pour former le royaume de l'Ouest, nous avons pris chaque pouce de terrain à quelqu'un d'autre. Seule Yabon est volontairement entrée dans le royaume, et ce parce que nous avions sauvé ses habitants de la confrérie de la Voie des Ténèbres et que sans nous ils auraient tous péri.

» Mais s'il existe un baron de la Lande Noire aujourd'hui, c'est parce que le bandit qui sert d'ancêtre à votre capitaine Erik était un dur à cuire et qu'il était plus facile de le laisser garder les terres dont il s'était emparé que de le tuer pour le remplacer par un quelconque neveu du roi. (Patrick commença à élever la voix.) Plusieurs compromis identiques ont été faits au fil des ans, permettant à d'anciens ennemis de devenir de précieux vassaux. (Cette fois, Patrick éleva la voix au point de se mettre à crier :) Mais par le Septième Cercle de l'Enfer, que je sois damné si je laisse ce bâtard assassin prendre le titre de « roi de la Triste Mer » et régner sur ma principauté ! Pour que Fadawah gagne, il devra d'abord marcher sur mon cadavre !

Dash et James échangèrent un regard. Ils n'avaient pas besoin de dire quoi que ce soit. Le message était clair. Owen Greylock, Erik de la Lande Noire et les survivants des armées de l'Ouest allaient devoir reconquérir la principauté sans aide extérieure.

Owen s'éclaircit la gorge. Patrick regarda son maréchal de Krondor.

— Oui ?

— Y a-t-il autre chose, Altesse ?

Patrick garda le silence pendant un long moment avant de répondre :

— Non. (Il s'adressa aux autres hommes présents dans la pièce.) Mes seigneurs, messieurs, à compter de ce moment, vous êtes tous sous les ordres du maréchal Greylock. Obéissez-lui comme s'il s'agissait de moi. (Il baissa la voix.) Et que les dieux nous sourient.

Sur ce, il s'en alla.

Les nobles se mirent à échanger des commentaires jusqu'à ce qu'Owen s'exclame :

— Mes seigneurs !

Le silence revint dans la salle.

— Nous partons demain matin. Je veux des unités avancées à Ravensburg avant la tombée de la nuit et des éclaireurs au pied des remparts de Krondor avant la fin de la semaine. (Il regarda chacun, puis conclut :) Vous savez ce que vous avez à faire.

Les hommes commencèrent à sortir de la pièce en file indienne. Erik rejoignit Dash et James.

— Vous venez avec moi, leur dit-il avant de faire demi-tour et de se diriger vers une petite porte sur le côté.

Les deux frères s'aperçurent en entrant que leur père attendait déjà dans la pièce. Quelques instants plus tard, Owen entra à son tour et referma la porte derrière lui.

— Je voulais juste que vous sachiez tous les deux que vous allez avoir le boulot le plus sale et le plus ingrat que nous ayons à vous donner.

Dash sourit.

— Super !

Jimmy lança un regard noir à son frère avant de demander :

— De quoi s'agit-il ?

— Jimmy, tu as la charge de notre unité spéciale avancée.

— Une unité spéciale avancée ? répéta le jeune homme.

Arutha hocha la tête.

— C'est-à-dire lui, fit-il en désignant Dash.

L'intéressé leva les yeux au ciel mais ne protesta pas. Il s'était depuis longtemps habitué à devoir obéir à son frère aîné chaque fois qu'ils travaillaient ensemble.

— Owen m'a dit qu'il lui fallait deux bâtards rusés pour s'infiltrer derrière les lignes ennemies. (Il sourit à ses fils.) Je lui ai répondu que notre lien de parenté ne faisait aucun doute mais que vous étiez assez rusés pour ce boulot.

— Quand partons-nous ? demanda Jimmy.

— Maintenant, répondit Erik. Deux chevaux vous attendent près de la poterne, avec des provisions pour une semaine.

— Une semaine ? s'exclama Jimmy. Cela signifie qu'il faut qu'on soit à l'intérieur de Krondor quand vos éclaireurs atteindront les remparts ?

Owen acquiesça.

— Oui, ou que vous n'en soyez pas loin. Laissez ces uniformes ici et habillez-vous comme deux mercenaires sans contrat. Si vous vous faites prendre, dites que vous venez du val et que vous cherchez du travail.

Dash sourit mais s'exprima d'un ton moqueur.

— Oh, génial, on va encore jouer les espions.

Jimmy regarda de nouveau son frère comme s'il était fou.

— C'est vraiment bizarre tout ce que tu peux trouver amusant.

Arutha contempla ses fils.

— Nous venons juste de recevoir la confirmation que Duko est descendu au sud.

— C'est le coup de pied dans la fourmilière, j'imagine ? fit Dash.

Arutha acquiesça.

— En effet. Si Duko réussit à s'établir à Krondor avant nous, il va menacer Port-Vykor. Coupés de cette ville, nous ne pourrons plus communiquer avec la flotte ; coupés de la flotte, nous n'aurons plus aucune chance de récupérer des vivres et des marchandises dans les îles du Couchant ou sur la Côte sauvage.

— Ce n'est peut-être qu'une feinte, peut-être que Sarth est son véritable objectif, ajouta Owen. Mais on a appris qu'une deuxième armée se dirige au sud et suit la route de la combe aux Faucons sous le commandement de Nordan, le second de Fadawah.

— Ça fait beaucoup de soldats pataugeant dans la boue et dans la glace, objecta Jimmy.

— Le port de Krondor est inutilisable et Fadawah le sait, reprit Arutha. J'ignore s'il est au courant de l'existence de Port-Vykor, dans la baie de Shandon, mais si c'est le cas, alors cette manœuvre n'est pas une feinte.

Jimmy lança un regard à son frère avant de demander à leur père :

— Donc tu veux qu'on découvre quelle hypothèse est la bonne ?

— Si possible, répondit Arutha. Si Fadawah essaye simplement de nous ralentir afin de pouvoir renforcer sa position à Sarth, nous devons le savoir.

Dash balaya la pièce du regard.

— Autre chose ?

— Restez en vie ? suggéra Arutha.

Jimmy sourit.

— Ça, ça fait toujours partie du plan, père.

Arutha s'avança et étreignit ses fils, Dash en premier, puis Jimmy.

— Allez, viens, dit Dash à son frère. Une chevauchée nous attend cette nuit.

Une expression dubitative se peignit de nouveau sur le visage de Jimmy tandis qu'il quittait la pièce.

Chapitre 2

DANS LA NATURE

D ash leva la main.

Jimmy dégaina son épée et s'accroupit derrière le rocher. Dash abandonna sa position, au sud de la route du Roi, et se laissa tomber dans un fossé qui longeait la route sur plusieurs centaines de mètres.

Les deux frères chevauchaient depuis deux jours. Le dégel avait commencé et le soleil donnait un peu de véritable chaleur lorsqu'il réussissait à percer la couche des nuages visiblement peu décidés à s'en aller. Malgré tout, la température ne tombait plus en dessous de zéro désormais et la pluie contribuait à faire fondre la neige. Cependant, en s'allongeant dans la boue froide, Dash se surprit à regretter la glace. Son frère et lui se trouvaient ralentis par la gadoue et n'arrivaient pas à se réchauffer, même lorsqu'ils se blottissaient près d'un feu de camp le soir.

Quelques minutes plus tôt, ils avaient entendu des voix dans les bois devant eux. Ils avaient alors mis pied à terre, attaché leurs chevaux et continué à pied. Comme les bruits de pas se rapprochaient, Dash risqua un coup d'œil par-dessus le rebord du fossé et aperçut un groupe de voyageurs en guenilles qui suivaient la route du Roi en direction de l'est et regardaient autour d'eux d'un air apeuré. Il y avait là un couple et trois enfants, dont l'un paraissait avoir pratiquement atteint l'âge adulte, à en juger par sa taille. Dash n'aurait su dire s'il s'agissait d'un garçon ou d'une fille à cause de l'épaisse capuche qui dissimulait ses traits.

Dash se leva au moment où Jimmy apparaissait derrière le rocher.

Un homme se trouvait à la tête du petit groupe de réfugiés ; il tira une faucille visiblement bien affûtée de sous sa cape déchirée et la brandit d'un air menaçant tandis que les autres faisaient demi-tour pour s'enfuir.

— Attendez ! s'écria Jimmy. Nous ne vous ferons aucun mal.

L'homme les dévisagea avec méfiance et les autres leur jetèrent un regard apeuré, mais tous s'immobilisèrent. Jimmy et Dash rangèrent tous deux leurs armes et s'approchèrent lentement.

L'homme refusa de baisser sa faucille.

— Qui êtes-vous ? demanda-t-il avec un accent prononcé.

Jimmy et Dash échangèrent un regard surpris car l'individu s'exprimait avec l'accent des natifs de Novindus. À un moment donné, il avait fait partie de l'armée de la reine Émeraude.

Dash leva les mains pour montrer qu'il ne tenait plus d'arme. Jimmy s'arrêta en expliquant :

— Nous sommes des voyageurs. Qui êtes-vous ?

La femme se risqua à faire quelques pas en avant, abandonnant la protection que lui offrait son compagnon. Avec son visage émacié, elle paraissait affaiblie. Jimmy jeta un coup d'œil en direction des trois enfants et vit qu'ils semblaient eux aussi amaigris. Le plus grand était une fille, âgée d'environ quinze ans, même si les larges cernes noirs qui entouraient ses yeux la vieillissaient. Jimmy tourna de nouveau son attention vers la femme qui le regarda en expliquant :

— Nous étions des fermiers. (Elle désigna l'est.) Nous essayons de nous rendre à la Lande Noire. On a entendu dire qu'il y a de quoi manger là-bas.

Jimmy acquiesça.

— C'est vrai. Vous venez d'où ?

— De Tannerus, répondit la femme.

Dash désigna l'individu qui l'accompagnait.

— Vous peut-être, mais pas lui.

L'homme hocha la tête et porta sa main libre à sa poitrine en disant :

— Je suis Markin. De la Cité du fleuve Serpent. (Il regarda tout autour de lui.) Loin d'ici.

— Vous étiez un soldat de la reine Émeraude ? lui demanda Jimmy.

L'autre cracha sur le sol, un geste qui parut lui ôter la plupart de ses maigres forces.

— Je crache sur elle !

Il commença à vaciller, si bien que la femme passa les bras autour de sa taille.

— C'est un fermier, expliqua-t-elle. Il nous a raconté son histoire quand il nous a trouvés.

Jimmy lança un regard à son frère et fit un signe de tête en direction de l'endroit où ils avaient laissé les chevaux. Dash n'avait nul besoin que son aîné lui explique ce qu'il voulait ; il fit demi-tour et partit chercher les bêtes tandis que Jimmy disait :

— Et si vous nous répétiez cette histoire ?

— Mon mari est parti se battre pour le roi, dit la femme. C'était il y a deux ans. (Elle jeta un coup d'œil par-dessus son épaule, en direction des trois enfants.) Mes filles sont capables de travailler – d'ailleurs, Hildi est presque adulte. La première année, on s'en est bien sorties. Puis les soldats sont arrivés et se sont emparés de notre ville. Notre ferme était loin, alors au début on nous a laissées tranquilles.

Dash revint en menant les chevaux par la bride. Il tendit les rênes à Jimmy, puis alla ouvrir l'une des sacoches de selle. Il revint quelques instants plus tard avec un paquet qu'il déballa. Le paquet contenait un gros pain de guerre fourré aux noisettes et aux fruits secs avec une épaisse couche de miel, ainsi que du bœuf séché. Sans hésiter, les enfants passèrent devant leur mère et attrapèrent autant de nourriture que leurs mains pouvaient en contenir.

Dash regarda Jimmy et hocha discrètement la tête. Il donna le reste du paquet à l'homme qui le tendit à sa compagne en disant :

— Merci.

— Comment se fait-il qu'un soldat ennemi escorte votre famille jusqu'à la Lande Noire ? demanda Dash.

Le couple se mit presque à pleurer de gratitude en goûtant au gros pain de guerre.

— Quand les soldats sont venus, reprit la femme après la première bouchée, nous nous sommes cachées dans les bois. Les envahisseurs nous ont tout pris. Il ne nous restait plus que ce que nous avions emporté. Par dépit, ils ont brûlé le toit de notre maison et abattu la porte. Ce n'était jamais que du bois et de la paille, mais c'était la seule maison que les filles aient jamais connue. (Elle regarda autour d'elle comme si elle craignait que d'autres dangers surgissent des bois environnants.) Markin nous a trouvées alors que nous tentions de rebâtir notre maison. Elle n'était pas jolie – elle ne l'avait jamais été –, cependant mon homme avait passé des années à travailler dessus et à ajouter des choses pour en faire plus qu'une cabane. Les soldats l'ont réduite en cendres et mes filles et moi on n'avait pas d'outils.

— Je les ai trouvées, renchérit Markin. Elles avaient besoin d'aide.

— Il est arrivé et il s'est battu pour nous. D'autres hommes sont venus, et beaucoup avaient un arc et une épée, mais il les a empêchés de m'emmener, moi ou une des filles. (Elle couvrit son compagnon d'un regard ouvertement affectueux.) C'est mon homme maintenant, et un bon père pour mes filles.

Jimmy soupira et se tourna vers Dash.

— On risque d'entendre une centaine d'histoires comme celle-là avant d'en avoir fini. Pourquoi la Lande Noire ? ajouta-t-il en regardant de nouveau la femme.

— On a entendu dire que le roi s'y trouvait et qu'il suffit de demander pour avoir à manger.

Jimmy sourit.

— Non, le roi n'y est pas, il y a seulement séjourné l'année dernière. Et il ne suffit pas de demander, il faut travailler en échange.

— Je travaille bien, répliqua aussitôt le soldat étranger.

— Est-ce qu'on peut partir ? demanda la femme.

— Oui, répondit Dash en leur faisant signe de passer.

— Vous êtes soldats ? s'enquit Markin.

Jimmy esquissa un sourire.

— Pas si on peut l'éviter.

— Mais vous êtes nobles. Markin le voit.

— Je le connais depuis toujours et je peux vous dire que, la plupart du temps, il est loin d'être noble, répliqua sèchement Dash en parlant de son frère.

Le vieux soldat dévisagea les deux hommes avant de répondre :

— Si vous essayez de ressembler à des hommes du peuple, c'est pas bon. (Il désigna les pieds de Jimmy.) Elles sont sales mais ce sont des bottes d'aristocrate.

Il fit signe à la femme et aux filles de cette dernière de se remettre en route. Prudent, il ne quitta pas les deux frères des yeux tant qu'elles ne furent pas passées devant lui. Puis il tourna les talons et repartit à son tour. Il se hâta alors de reprendre la tête du petit groupe au cas où ils feraient d'autres rencontres inattendues.

— C'est la première fois que je regrette de posséder une bonne paire de bottes, marmonna Dash.

Jimmy baissa les yeux.

— Bon, c'est vrai qu'on est couverts de boue, mais il a raison, admit-il avant de regarder tout autour de lui. C'est un endroit où nous ne trouverons guère de nourriture et encore moins de confort, ajouta-t-il.

Dash se remit en selle.

— J'imagine que le temps d'arriver à Krondor, nous n'aurons plus l'air si prospère.

Jimmy sauta à son tour sur le dos de sa monture.

— Peut-être qu'on devrait quitter cette route.

— Et prendre celle du nord ? demanda son frère.

Il faisait référence à un vieux chemin que son ancien employeur, Rupert Avery, utilisait régulièrement pour transporter des marchandises et éviter ainsi de régler le péage sur la route du Roi.

Jimmy secoua la tête.

— Non, on y croisera presque autant de monde et je parie que ces bois regorgent de déserteurs et de bandits.

— On descend au sud alors ?

— On ira plus lentement mais il y a suffisamment de chemins le long des lacs, à condition de ne pas s'aventurer trop loin dans les collines méridionales.

— Depuis que Kesh s'est retiré au sud jusqu'à l'ancienne frontière, toutes les terres entre ici et leur garnison la plus proche doivent être désertées.

Jimmy se mit à rire.

— Quelle différence ça fait, si on tombe sur cinquante déserteurs de l'armée de la reine Émeraude, cinquante bandits ou cinquante mercenaires keshians ?…

Il haussa les épaules. Dash fit mine de frissonner sous son épais manteau.

— Espérons que les types qui sont là-bas se blottissent autour de leurs feux de camp. C'est ce que tout homme sain d'esprit devrait faire.

Il talonna son cheval pour le faire avancer. Bientôt les deux frères chevauchaient vers le sud à une allure régulière.

— Pourquoi est-ce qu'on fait ça ? s'interrogea Dash.

— Parce que notre roi l'ordonne et que nous obéissons, répondit Jimmy.

Dash laissa échapper un soupir théâtral.

— Je me disais bien que c'était quelque chose dans ce goût-là.

Doucement, Jimmy entonna une très vieille chanson :

*« Des rudes rivages de Queg jusqu'au cœur de Kesh nous irons
Notre sang, notre cœur, notre vie et plus encore nous sacrifierons
Au nom de l'honneur nous obéirons
Et par-delà les collines nous partirons… »*

Le bruit de la glace qui se brise résonna dans l'air froid du matin. Aussitôt, les deux frères, sur le point de pénétrer dans une clairière, tirèrent sur les rênes de leurs montures. Par gestes, Jimmy indiqua à Dash de longer la clairière par le sud tandis que lui-même en faisait le tour par le nord.

Dash hocha la tête, mit pied à terre et attacha son cheval à la branche d'un petit bouleau. Jimmy fit de même et s'éloigna en silence.

Dash s'avança entre les bois clairsemés qui longeaient une ferme incendiée, à en juger par l'aspect des souches d'arbre toutes proches. Le bruit se clarifia, devint identifiable : il s'agissait de coups répétés sur la glace.

Dash aperçut un homme non loin de là.

Grand et mince, il était penché sur l'eau gelée d'un grand étang, à une centaine de mètres de l'endroit où se tenait Dash, et s'efforçait de briser la glace à l'aide d'une pierre. Celle-ci ne cessait de s'élever pour retomber aussitôt et Dash ne put s'empêcher d'observer la scène un moment, fasciné par ce manège.

Il lui était impossible de distinguer clairement l'individu, mais sa tenue se composait d'un fatras de chiffons et de vêtements mal assortis. Peut-être portait-il des bottes, mais tout ce que Dash pouvait voir à ses pieds, c'était une collection de chiffons destinés à les tenir au chaud.

Dash vit quelque chose bouger dans les bois derrière l'étang et comprit que Jimmy devait être en position. Le jeune homme décida d'attendre.

Son frère sortit lentement des bois ; aussitôt l'homme bondit sur ses pieds avec une rapidité étonnante. Il tourna les talons au moment où Jimmy s'écriait :

— Attendez ! Je ne vous ferai pas de mal !

Dash sortit tout doucement son épée du fourreau pour ne pas alerter l'homme en guenilles qui se précipitait dans sa direction. Au moment où l'individu atteignait l'orée du bois, Dash sortit à découvert et lui fit un croche-pied.

L'homme s'effondra, empêtré dans ses vêtements. Il se remit sur le dos et recula précipitamment en criant :

— Ne me tuez pas !

Aussitôt, Dash lui agita la pointe de son épée sous le nez tandis que Jimmy, hors d'haleine, les rejoignait enfin.

— On ne vous veut aucun mal, assura Dash.

Pour prouver ses bonnes intentions, il remit rapidement son épée au fourreau et invita le malheureux à se relever.

L'homme se redressa lentement tandis que Jimmy se penchait en avant, les mains sur les genoux :

— Il est rapide, haleta-t-il.

Dash sourit.

— Tu l'aurais eu si on t'avait laissé un kilomètre ou plus pour le rattraper. Tu as toujours eu de l'endurance, même si tu n'es pas rapide. (Il tourna de nouveau son attention vers l'individu à terre.) Qui êtes-vous et que faisiez-vous au bord de cet étang ?

L'homme se leva doucement, comme s'il était prêt à s'échapper à la moindre alerte.

— Je m'appelle Malar Enares, jeunes maîtres.

Il était mince et affligé d'un nez en bec d'aigle qui saillait au-dessus du gros chiffon enroulé autour de son visage. De ses yeux sombres, il ne cessait de décocher un regard tantôt à l'un, tantôt à l'autre frère.

— Je pêchais.

Jimmy et Dash échangèrent un regard.

— Avec une pierre ? rétorqua Dash.

— Pour briser la glace, mon jeune monsieur. Lorsque les poissons seraient remontés à la surface pour se dorer au soleil, j'aurais pris l'écorce d'un arbre pour faire un piège.

— Vous aviez l'intention de piéger un poisson ? répéta Jimmy, incrédule.

— C'est facile lorsqu'on est patient et que l'on a la main sûre.

— Vous avez un accent keshian, il me semble, fit remarquer Dash.

— Oh, non, pitié, mon jeune monsieur. Je ne suis que l'humble serviteur d'un grand marchand de Shamata, Kiran Hessen.

Jimmy et Dash avaient déjà entendu ce nom-là. Il s'agissait d'un négociant qui avait des relations à Kesh et faisait beaucoup d'affaires avec le défunt Jacob d'Esterbrook. Depuis la chute de Krondor, messire Arutha, le père des garçons, avait réussi, en comparant plusieurs rapports, à établir clairement deux faits : d'Esterbrook était depuis longtemps un agent de Kesh la Grande et sa fille et lui étaient morts tous les deux. Jimmy savait à quoi pensait son frère en ce moment même : si d'Esterbrook était un agent keshian, alors Kiran Hessen pouvait très bien l'être également.

— Où se trouve votre maître à présent ? demanda James.

— Oh, il est mort, je le crains, répondit le maigre individu d'un air de regret. Je l'ai servi durant quatorze ans et je peux vous dire que c'était un maître généreux. À présent, me voilà tout seul dans cet endroit glacé.

— Eh bien, si vous nous racontiez votre histoire ? suggéra Jimmy.

— En nous montrant comment vous aviez l'intention d'attraper ces poissons, ajouta Dash.

— Si je pouvais avoir quelques crins de la crinière de vos chevaux, demanda l'individu en haillons, ce serait tellement plus facile.

— Quels chevaux ? se récria Dash.

— Deux jeunes nobles comme vous ne sont pas venus à pied dans cette contrée sauvage et reculée, j'en suis sûr, répondit Malar. En plus, j'ai entendu l'un d'eux s'ébrouer il y a un moment. Ça venait de là, ajouta-t-il en indiquant une direction.

Jimmy acquiesça.

— Bien vu.

— Pourquoi avez-vous besoin de leurs crins ? s'enquit Dash.

— Laissez-moi vous montrer.

Malar prit la direction de l'endroit où était attaché le cheval de Dash et expliqua en chemin :

— La glace était presque brisée quand vous m'avez surpris, mon jeune monsieur. Si vous pouviez utiliser la poignée de votre épée pour finir le travail, vous me rendriez un grand service.

Jimmy acquiesça et reprit le chemin de l'étang gelé.

— Maintenant, racontez-moi comment vous vous êtes retrouvé perdu dans cette « contrée sauvage et reculée », le pressa Dash.

— Comme vous le savez sans doute, il y a eu de nombreux conflits entre Kesh et le royaume dernièrement, commença Malar. Pendant un temps, Shamata a même été cédé à l'empire.

— Oui, nous sommes au courant.

— Mon maître étant originaire du royaume, il décida qu'il était plus sage d'aller voir les intérêts qu'il possédait dans le Nord, d'abord à Landreth puis à Krondor.

» Nous étions en route pour Krondor quand nous avons croisé les envahisseurs. Ils nous ont capturés et ont passé mon maître et la plupart de ses serviteurs au fil de l'épée. J'ai réussi à m'enfuir en compagnie de quelques autres dans les collines au sud d'ici.

Il indiqua la direction avec son menton au moment où il arrivait devant le cheval de Dash. Il leva les mains vers la crinière et empoigna quelques longs crins qu'il arracha avec adresse. Cette pression inattendue fit bouger l'animal qui s'ébroua pour manifester son mécontentement. Dash tendit la main et récupéra les rênes après les avoir détachées de la branche ; Malar en profita pour prélever plusieurs autres crins à deux reprises, selon le même procédé.

— Voilà qui est suffisant, affirma-t-il.

— Alors, ça fait combien de temps que vous errez dans ces collines ?

— Plus de trois mois, mon jeune monsieur, répondit Malar qui entreprit de tresser adroitement les crins ensemble. La vie est rude, croyez-moi. Certains de mes compagnons sont morts de faim et de froid ; deux d'entre eux ont été capturés par un groupe d'hommes – bandits ou envahisseurs, je ne sais pas. Je crois que ça fait deux ou trois semaines que je suis seul. Il est difficile de garder la notion du temps, ajouta-t-il d'un air contrit.

— Vous avez survécu dans ces bois pendant trois semaines sans autres ressources que vos mains nues ? s'étonna Dash.

Malar reprit le chemin de l'étang tout en continuant à tresser les crins de cheval.

— Oui, mais ça a été terrible, mon jeune monsieur.

— Comment avez-vous fait ? insista Dash.

— Enfant, j'ai vécu dans les collines au-dessus de Landreth, au nord du val des Rêves. Ces terres ne sont pas aussi hostiles que celles-ci, mais c'est quand même un endroit où les imprudents peuvent mourir facilement. Mon père était un forestier, qui remplissait nos assiettes grâce à son arc et à ses pièges, et avec l'or qu'il gagnait en guidant les gens dans les collines.

Dash éclata de rire.

— Il guidait des contrebandiers, vous voulez dire !

— Peut-être, répondit Malar en haussant les épaules. Dans tous les cas, même si les hivers chez moi n'étaient pas aussi impitoyables que par ici, un homme doit posséder certains talents pour survivre.

Malar ralentit en s'approchant du trou dans la glace. Il jeta un coup d'œil en direction du ciel pour déterminer l'angle du soleil, puis se déplaça pour se retrouver face à lui.

— Veillez à ce que votre ombre ne tombe pas sur le trou, recommanda-t-il.

Dash et Jimmy se placèrent derrière lui. L'homme du val s'agenouilla lentement en expliquant :

— On m'a appris que les poissons voient le mouvement, c'est pour ça qu'on doit bouger très très lentement.

— Il faut que je voie ça, marmonna Dash.

Jimmy hocha la tête.

— Le soleil passe à travers le trou dans la glace et les poissons remontent à la surface pour sentir la chaleur, poursuivit Malar.

Jimmy regarda par-dessus l'épaule de l'homme et vit une grosse truite nager paresseusement sous le trou. Avec des gestes d'une infinie lenteur, Malar glissa le nœud en crin de cheval dans l'eau, derrière le poisson. La truite s'immobilisa pendant quelques instants, mais Malar résista à l'impulsion d'agir rapidement et fit avancer le piège en direction de la queue du poisson centimètre par centimètre.

Au bout d'une longue minute, la truite s'enfuit en un éclair.

— D'autres vont venir, assura Malar. Les poissons voient la lumière et croient que des insectes peuvent se poser à la surface.

Cinq minutes s'écoulèrent en silence, au bout desquelles une autre truite apparut au bord du trou. Dash n'aurait su dire s'il s'agissait du même poisson ou d'un autre. De nouveau, Malar avança le nœud et le passa autour de la queue de la truite. Puis il tira un grand coup et la sortit du trou. Le poisson atterrit sur la glace où il continua à bouger, animé de soubresauts.

Dash ne pouvait distinguer le visage de Malar sous les chiffons qui le recouvraient, mais les rides autour de ses yeux indiquaient qu'il souriait.

— Si l'un de vous, jeunes gens, voulait bien avoir l'amabilité d'allumer un feu pendant que j'en attrape d'autres…

Jimmy et Dash échangèrent un regard. L'aîné finit par hausser les épaules.

— Je vais chercher du bois, céda l'autre. Toi, tu nous trouves un endroit où camper.

Ils s'éloignèrent tandis que l'étrange homme du val tentait de pêcher un autre poisson pour leur dîner.

Trois jours durant, ils cheminèrent lentement vers Krondor. Plusieurs fois, ils entendirent des voix dans le lointain, indiquant la présence d'autres voyageurs dans ces bois, mais les deux frères et leur nouveau compagnon évitèrent tout contact avec quiconque.

Pour Jimmy comme pour Dash, Malar était une énigme. Il possédait une étonnante capacité à survivre dans la nature, lui qui se prétendait le serviteur d'un riche négociant. D'un autre côté, Jimmy avait fait remarquer à son frère que le serviteur d'un riche contrebandier devait bel et bien avoir besoin d'une telle capacité. Quoi qu'il en soit, les deux frères étaient bien contents de l'avoir à leurs côtés car il avait trouvé plusieurs raccourcis à travers les sous-bois et déniché des plantes comestibles pour compléter leurs provisions. De plus, la nuit, il faisait une sentinelle tout à fait digne de confiance. Enfin, la plupart du temps, Jimmy et Dash menaient leurs chevaux par la bride, si bien que Malar n'avait aucune difficulté à les suivre à pied. Jimmy estimait qu'ils se trouvaient à présent à moins d'une semaine de marche de Krondor.

Vers midi, ils entendirent des chevaux au loin, vers le nord. Jimmy s'adressa à ses compagnons sur le ton de la conversation, mais à voix basse :

— Vous pensez que ce sont les hommes de Duko sur la grand-route ?

Dash hocha la tête.

— Sûrement. Si on peut les entendre d'ici, c'est que nous sommes retournés vers la grand-route. (Il se tourna vers Malar.) Est-ce que vous connaissez un chemin qui permettrait d'arriver à Krondor par le sud ?

— Je ne connais que la route qui décrit une boucle en partant de Finisterre, mon jeune monsieur. Mais si nous sommes proches de la route du Roi, d'ici quelques jours, nous devrions commencer à passer devant des fermes.

Jimmy garda le silence un long moment avant de répliquer :

— Elles auront sûrement toutes été incendiées.

— Si c'est le cas, personne ne doit y vivre, rappela Dash, ce qui nous permettra de rentrer en ville furtivement, sans que personne ne nous voie.

— Tu veux dire qu'il ne doit plus y avoir aucun fermier, le corrigea son frère. En revanche, je parie que ces ruines servent d'abri à des types très désagréables qui adorent les armes.

Dash plissa le front, comme s'il se disait qu'il aurait dû penser à ça. Cependant son sourire réapparut quelques instants plus tard :

— Dans ce cas, nous n'aurons qu'à nous mêler à eux. Tu m'as assez souvent rappelé à quel point je peux être désagréable et il est vrai que j'adore mes armes.

Jimmy acquiesça.

— On ne risque guère de remarquer deux mercenaires de plus. Et si l'on peut s'approcher de la cité, on trouvera bien un moyen d'y entrer. Il y a bien assez de trous dans les murailles pour ça.

— Vous êtes donc allé à Krondor, mon jeune monsieur ? s'étonna Malar. Depuis la guerre, je veux dire.

Jimmy ignora la question :

— Nous avons entendu parler des dégâts.

Dash approuva d'un signe de tête.

— De nombreuses personnes ont quitté Krondor et sont parties à l'est.

— Ça, je le sais, répliqua Malar avant de sombrer dans le mutisme.

Ils continuèrent à cheminer dans les bois pendant le reste de la journée et n'allumèrent pas de feu de camp ce soir-là. Blottis sous leurs couvertures, Jimmy et Dash restèrent l'un près de l'autre tandis que Malar prenait le premier tour de garde. Les deux frères dormirent très mal et se réveillèrent souvent.

Au matin, ils reprirent leur voyage.

Les bruits du dégel retentissaient à travers tout le bois. Dans le lointain, le craquement de la glace résonnait dans l'air qui s'était brusquement réchauffé tandis que les étangs et les lacs commençaient à perdre leur pellicule de gel. En passant sous les arbres, les voyageurs se faisaient assaillir par de gros paquets de neige ou tremper par les gouttes qui ne cessaient de dégouliner des branches. Bottes et sabots, lorsqu'ils ne broyaient pas le verglas qui recouvrait encore le sol par endroits, s'enlisaient dans la boue épaisse des chemins. Tout cela créait un fond sonore au sein duquel on entendait parfois les petits bruits annonciateurs du printemps, comme le lointain appel d'un oiseau, déjà de retour après sa migration et à la recherche des siens. Le bruissement ténu des petites créatures qui pointaient le nez hors des terriers où elles avaient passé l'hiver s'interrompait au passage des voyageurs pour reprendre quelques instants plus tard.

Lorsqu'ils firent une halte, Jimmy attacha son cheval à une branche basse et fit signe à son frère de faire de même. Dash obéit et se tourna vers Malar :

— On a besoin de se soulager. Ouvrez l'œil en notre absence.

Il rejoignit Jimmy à l'endroit où il faisait semblant d'uriner dans la neige.

— Qu'est-ce qu'il y a ? chuchota Dash en imitant son aîné.

— Est-ce que tu t'es fait une opinion sur ce compagnon rencontré par hasard ?

Dash secoua légèrement la tête.

— Pas vraiment. Je suis certain qu'il n'est pas qu'un simple serviteur, mais j'ignore ce qu'il cache.

— Il est plutôt maigre, mais il ne ressemble pas à un homme qui est resté longtemps affamé, approuva Jimmy.

— Tu as une théorie ?

— Non. Mais s'il n'est pas le serviteur d'un riche négociant, qu'est-ce qu'il fait par ici ?

— De la contrebande ?

— Peut-être, admit Jimmy en refermant son pantalon. On peut tout imaginer.

— Dans ce cas, mieux vaut ne rien imaginer du tout, rétorqua Dash en se rappelant que leur grand-père n'avait jamais cessé de les mettre en garde contre les conclusions hâtives.

— Attendons, nous verrons bien, dit Jimmy.

Ils retournèrent auprès des chevaux. De son côté, Malar s'éloigna en hâte pour se soulager à son tour à l'écart du chemin. Lorsqu'il fut hors de portée de voix, les deux frères reprirent leur discussion.

— Tu te souviens de cette ferme abandonnée à une journée de marche de l'endroit où nous avons trouvé Malar ?

— Celle à qui il manquait la moitié de son toit de chaume, avec l'étable en ruine ?

— Celle-là même. Si on doit se sauver et qu'on est séparés, attends-moi là.

Dash acquiesça. Ni lui ni Jimmy ne parlèrent de ce qu'il faudrait faire si l'un d'eux ne revenait jamais.

Lorsque Malar fut de nouveau là, ils se remirent en route. Depuis qu'il les avait rejoints, le serviteur originaire du val des Rêves se montrait aussi taciturne que les deux frères et ce en partie à cause de leur environnement. La nuit, il régnait un silence de mort mais, même de jour, le moindre bruit portait très loin. Les trois hommes savaient qu'ils approchaient d'une région certainement patrouillée par les envahisseurs, c'était la raison pour laquelle ils menaient leurs chevaux par la bride plutôt que de les monter. En effet, même dans ces bois, un cavalier faisait de loin une meilleure cible qu'un homme à pied ou un cheval. Régulièrement, ils s'arrêtaient pour tendre l'oreille.

Plus tard dans l'après-midi, la pluie se mit à tomber. Les trois voyageurs se cherchèrent un abri et trouvèrent une espèce de cabane à laquelle on avait mis le feu, mais dont le toit avait en partie résisté, suffisamment pour leur procurer un peu de répit contre l'humidité.

Assis sur leurs selles, qu'ils avaient hâtivement retirées afin de les protéger, ils firent l'inventaire de leurs provisions.

— Il nous reste juste assez de grain pour nourrir les chevaux jusqu'à demain, c'est tout, conclut Dash en sachant que son frère était tout aussi conscient du problème que lui.

— Ne devrait-il pas y avoir des graminées sous la neige, messieurs ?

Jimmy approuva d'un hochement de tête.

— Ce n'est guère nourrissant, mais les chevaux les mangeront.

— S'il y a des cavaliers à Krondor, il y aura également du fourrage, ajouta Dash.

— La difficulté sera de les convaincre de le partager, mon frère, rétorqua Jimmy.

Dash sourit.

— Que serait la vie sans un ou deux défis ?

La pluie s'arrêta et les voyageurs repartirent.

Un peu plus tard encore dans l'après-midi, Malar annonça brusquement :

— Jeunes gens, je crois que j'entends quelque chose.

Toute conversation cessa aussitôt. Les trois hommes s'arrêtèrent et tendirent de nouveau l'oreille. Les jours glacés de l'hiver avaient cédé face à la promesse du printemps, mais il faisait encore suffisamment froid pour que l'haleine des voyageurs fût visible dans l'air de ce début de soirée. Dash était sur le point de parler, après quelques instants de silence, lorsqu'une voix résonna devant eux. Son propriétaire s'exprimait dans une langue qu'aucun des deux frères ne connaissait. Cependant, ils devinèrent qu'il s'agissait du dialecte très proche du yabonais que parlaient les envahisseurs.

Jimmy regarda tout autour de lui à la recherche d'un endroit où se cacher. Lorsqu'il l'eut trouvé, il le montra du doigt en articulant silencieusement : « Là ».

Il s'agissait d'un gros taillis au cœur duquel se dressait un affleurement de rochers. Dash n'était pas sûr de pouvoir dissimuler les chevaux derrière, mais c'était le seul endroit à proximité susceptible de leur servir de cachette.

Malar s'empressa de contourner les rochers et écarta une branche basse, permettant ainsi à Jimmy et Dash de mener leurs chevaux jusqu'à une cachette relativement bien abritée. On entendit alors plusieurs chevaux hennir dans le lointain.

Les naseaux de la jument de Dash se dilatèrent et sa tête se redressa instantanément.

— Que se passe-t-il ? s'inquiéta Jimmy.

— Cette sacrée jument est en chaleur, chuchota Dash en tirant d'un coup sec sur la bride de sa monture. Ignore-les, regarde-moi ! ordonna-t-il.

— Vous montez une jument ? s'étonna Malar.

— C'est une bonne bête, insista Dash.

— La plupart du temps, admit Jimmy entre ses dents serrées. Mais pas aujourd'hui !

Dash tira de nouveau sur la bride de la jument pour essayer d'attirer son attention. En tant que cavalier expérimenté, il savait que s'il réussissait à retenir son attention, la bête n'appellerait pas les chevaux qui arrivaient.

Tous ces événements semblaient laisser le hongre de Jimmy relativement indifférent, même s'il manifestait un certain intérêt à la jument dont l'excitation ne cessait de croître. Dash serra fermement la bride de sa monture tout en lui caressant les naseaux et en lui parlant à l'oreille d'une voix rassurante.

Les cavaliers approchaient ; à en juger par le boucan qu'ils faisaient, Dash estimait qu'ils devaient être au nombre de douze. Plusieurs voix retentirent et un homme éclata de rire. De toute évidence, ces gens patrouillaient une région qui leur était familière et ne prévoyaient pas le moindre incident.

Sans lâcher la bride, Dash continua à parler doucement à sa monture lorsque les autres chevaux passèrent tout près d'eux. Brusquement, la jument tira en arrière et releva la tête.

L'espace d'un instant, Dash eut le faible espoir que la bête reviendrait vers lui. Mais l'instant passa et la jument hennit bruyamment pour saluer l'arrivée de ses congénères mâles.

Brusquement, des cris s'élevèrent tandis que les autres chevaux répondaient à l'appel de la jument. Jimmy n'hésita pas une seconde.

— Par là !

Malar se jeta dans les fourrés au mépris des égratignures infligées par les branches et prit la direction que venait d'indiquer Jimmy. Ce dernier le suivit en tirant par la bride le hongre qui avait les yeux écarquillés et les naseaux dilatés par l'excitation. La jument, quant à elle, se déroba et résista tout en continuant à hennir pour attirer les autres chevaux. Un étalon lui répondit par un cri. Dash comprit alors qu'il ne lui restait plus qu'à sauter sur le dos de sa jument s'il voulait conserver encore une petite chance de la contrôler. Il laissa la bête tourner la tête en direction de l'étalon et bondit rapidement en selle, s'exposant ainsi à la vue de tous.

Sans hésiter, il enfonça ses talons dans les flancs de sa monture et la lança au galop. Il parut comme surgir du sous-bois vers les cavaliers déployés sur le chemin. Puis il les dépassa et continua à s'éloigner dans la direction opposée à celle prise par Malar et son frère. Alors la poursuite commença.

De son poste d'observation à quelques mètres de là, Jimmy vit les cavaliers faire volte-face pour donner la chasse à son frère.

— Est-ce qu'ils vont le rattraper, monsieur ? haleta Malar, essoufflé.

Jimmy jura.

— Probablement. Mais s'il réussit à leur échapper, il essayera sûrement de retourner à la ferme que nous avons vue. C'est ce dont nous avons convenu.

— Devrions-nous faire demi-tour ?

Jimmy attendit quelques instants avant de répondre :

— Non. Soit Dash se fera capturer, auquel cas il nous sera impossible de l'aider à s'échapper, soit il parviendra à les semer. S'il retourne à la ferme devant laquelle nous sommes passés le jour où l'on vous a rencontré, il attendra là-bas un jour ou deux avant de rentrer à la Lande Noire. Si nous abandonnons maintenant, nous ne ramènerons pas plus d'informations que lui.

— Alors nous allons à Krondor ?

— Oui, on va à Krondor.

Jimmy regarda aux alentours en se demandant s'il y avait d'autres cavaliers dans le coin.

— Par là, dit-il en indiquant une direction, tandis que les bruits de poursuite diminuaient dans le lointain.

Aussi silencieusement que possible, le duo se remit en route.

* * *

Dash chevauchait aussi vite qu'il le pouvait en dépit de la jument rétive qui ne souhaitait qu'une chose : faire demi-tour et aller à la rencontre des étalons. Cependant, dès qu'elle faisait mine d'hésiter, Dash la récompensait d'un bon coup de talon dans les flancs. Il lui fallait faire appel à toute sa science de cavalier pour qu'elle continue à suivre ce sentier forestier, balayé par le vent et rendu dangereux par la boue, le verglas, les branches basses et les virages en épingle.

Si son ancien professeur d'équitation, le maître des écuries du roi en personne, avait pu voir Dash en cet instant précis, il aurait crié à pleins poumons pour lui ordonner de ralentir. En effet, le jeune homme savait cette course-poursuite sur un terrain dangereux incroyablement périlleuse et imprudente.

Il ne pouvait prendre le risque de jeter un coup d'œil par-dessus son épaule pour voir à quelle distance se trouvaient ses poursuivants. Cependant, le boucan derrière lui indiquait tout ce que Dash avait besoin de savoir : ils étaient tout près. Seul un coup de chance pouvait le sauver désormais. Il savait qu'à leurs yeux il ne formait qu'une silhouette vaguement entraperçue dans la faible luminosité du sous-bois. Mais tant qu'il resterait sur le sentier, ses poursuivants n'auraient aucun mal à le pourchasser.

Le jeune homme avait une vague idée de l'endroit où il se trouvait. Il existait plus d'une douzaine de chemins forestiers à l'est de Krondor qui menaient aux fermes disséminées dans cette région. Dash savait qu'au bout du compte, il finirait par revenir sur la route du Roi – à condition de semer les cavaliers. Brusquement, l'un d'eux poussa un cri de panique tandis que son cheval hennissait de douleur. Dash comprit que la monture de l'un de ses poursuivants avait glissé et s'était probablement brisé une jambe.

Dash jeta un coup d'œil sur sa gauche et vit que les arbres s'espaçaient à l'approche des champs à ciel ouvert entre lesquels on apercevait des bâtiments incendiés. Il hésita un moment mais reconnut qu'essayer de traverser au galop des champs boueux risquait d'être bien pire que de rester sur le sentier. Dans les bois, la boue était une gêne, une gadoue glissante à la surface du chemin de terre battue rendue compacte par tous les chariots, les chevaux et les gens à pied qui passaient par là depuis des années. Mais la boue dans les champs risquait d'être suffisamment profonde pour qu'un cheval adulte s'y enlise au point de ne plus pouvoir bouger.

La jument peinait en raison des efforts que lui demandait son cavalier. Elle n'était pas aussi endurante qu'à l'ordinaire à cause du manque de grain et de fourrage et haletait de plus en plus en s'efforçant d'obéir aux ordres de Dash. Ce dernier aperçut brusquement un chemin pavé et vit apparaître une faible lueur d'espoir.

Il faillit faire chuter sa monture tant il tira abruptement sur les rênes pour lui faire faire volte-face. Mais dès que ses sabots se retrouvèrent de nouveau en contact avec le sol, la jument fonça dans la bonne direction. Dash adressa une prière silencieuse à Ruthia, déesse de la Chance, et fit comprendre à sa monture qu'ils allaient devoir sauter. La barrière qui longeait la route était en grande partie effondrée, mais le jeune homme allait devoir atterrir sur un chemin relativement étroit fermé par un portail, lequel était encadré par une section qui tenait encore debout.

La jument était fatiguée mais suffisamment athlétique pour passer la barrière sans problème et retomber sur les pavés mouillés. Dash comprit, à en juger par le fracas rassurant des sabots sur la pierre, qu'au moins Ruthia ne le boudait pas.

Il risqua un coup d'œil sur sa gauche et vit certains cavaliers s'aventurer dans les champs boueux pour tenter de lui barrer la route. Dash sourit.

S'assurant que la jument faisait exactement ce qu'il voulait, il jeta à nouveau un coup d'œil derrière lui et vit que les chevaux s'étaient à moitié enlisés et essayaient tant bien que mal de sortir leurs sabots de la gadoue épaisse et profonde.

Dash gagna de précieuses secondes d'avance lorsque les cavaliers qui étaient restés sur la route préférèrent faire demi-tour pour contourner la partie intacte de la barrière. À présent, le jeune homme avait une petite chance de s'en sortir.

Le soleil venait de disparaître derrière les arbres devant Dash et les ombres de ce début de soirée grignotaient peu à peu les champs. Le jeune homme passa devant un corps de ferme incendié et s'aperçut que le chemin pavé sur lequel il se trouvait continuait jusqu'aux fondations d'une grange également réduite en cendres. Sans cesser d'avancer, il ralentit l'allure jusqu'à ce qu'il atteigne le bout du chemin.

Il ne pouvait laisser à la jument que quelques instants de repos, car des jurons derrière lui indiquaient que certains autres poursuivants s'étaient également enlisés dans la boue. Dash observa le terrain et décida que le sol était un peu plus solide sur sa droite – ou du moins l'espérait-il. Il se remit en route et laissa la jument aller au trot jusqu'à ce qu'elle ralentisse à cause de la gadoue.

Dash sentit naître en lui un regain d'espoir en entendant les sabots de sa monture heurter de nouveau la terre battue. Mais cet espoir mourut rapidement lorsqu'il entendit les cavaliers fonçant à toute allure sur le chemin pavé.

Les arbres semblaient suffisamment proches pour lui donner l'illusion qu'il serait bientôt en sécurité. Mais Dash savait que s'il ne pouvait rentrer dans ces bois avec au moins une minute d'avance sur les cavaliers, il lui serait impossible de les semer.

Il poussa sa jument au petit galop et jeta un coup d'œil par-dessus son épaule. Les cavaliers venaient tout juste d'atteindre le corps de ferme. Une nouvelle vague d'espoir submergea Dash. Les chevaux étaient couverts d'écume, les naseaux dilatés. Ils paraissaient presque aussi épuisés que sa propre monture. Les cavaliers arrivaient sans doute à la fin de leur patrouille lorsqu'ils étaient tombés sur Dash, à moins qu'ils ne donnent pas assez à manger à leurs chevaux. Quoi qu'il en soit, les pauvres bêtes paraissaient ne plus avoir assez de forces pour le rattraper – tant que lui-même parvenait à convaincre sa jument éreintée de continuer à avancer.

Il atteignit l'orée du bois et se pencha pour passer sous une branche basse. Il se fraya un chemin parmi les arbres, aussi rapidement que possible, en changeant plusieurs fois de trajectoire et en s'efforçant de maintenir l'écart qui le séparait de ses poursuivants. Il se prit à espérer qu'il n'y avait pas de Pisteur parmi eux avant de s'apercevoir que, compte tenu du terrain, même un aveugle n'aurait aucun mal à le suivre.

Il regarda tout autour de lui et repéra un petit affleurement rocheux qui s'élevait à un angle très léger et paraissait plat à son sommet. Dash fit tourner la jument dans cette direction puis lui fit monter la pente avant de s'apercevoir que le long de la roche s'étendait apparemment un petit chemin. Le jeune homme sauta à terre et prit la bride de sa monture pour l'emmener sur ce chemin.

La fatigue refrénait le désir de la jument d'appeler l'étalon. D'ailleurs, elle avait déjà bien assez de mal à reprendre suffisamment son souffle pour suivre Dash. Ce dernier tira sur les rênes et la bête, non sans réticence, adopta une allure plus rapide.

Les ombres s'allongèrent à mesure que le soleil baissait à l'ouest et que Dash s'enfonçait plus avant dans les bois. Si Jimmy et Malar avaient réussi à s'enfuir, ils devaient se trouver à plusieurs kilomètres au sud de sa position, en route vers Krondor. Dash se demanda s'il devait tenter de revenir sur ses pas, contourner ses poursuivants et essayer de retrouver son frère et l'étranger du val des Rêves.

Puis il se dit qu'en choisissant cette solution, il ne ferait au mieux que se perdre davantage. Il ne devait pas y avoir tant de gens que ça à Krondor. Si les deux frères y parvenaient sains et saufs, ils pourraient sûrement se retrouver – du moins Dash l'espérait-il.

Il entendit les cavaliers approcher de l'endroit où il avait quitté l'autre chemin en contrebas. Aussitôt, le jeune homme s'enfonça plus loin sous les arbres.

Jimmy agrippa le bras de Malar.

— C'est là que nous nous joignons aux autres.

Il désigna un endroit sur la route où un flot régulier de voyageurs s'écoulait, longeant un bois, à la limite de l'endroit où se dressaient autrefois les faubourgs de Krondor, en dehors de l'enceinte de la cité.

— Je suis un mercenaire de Landreth et vous mon serviteur.

— Non, un voleur de chien, rétorqua Malar.

— Pardon ?

— Le terme exact, c'est « un voleur de chien ». Pour nourrir son maître, le serviteur d'un mercenaire est parfois prêt à voler son os à un chien si nécessaire. (Il sourit.) Je l'ai moi-même été autrefois. Vous, en revanche, ne parviendrez pas à abuser un homme du val s'il y en a dans cette ville.

— Vous pensez que c'est le cas ?

— Ce serait mieux si vous vous faisiez passer pour un jeune homme de l'Est qui a récemment servi dans le val. Ne donnez aucun nom de compagnie. Dites que vous travailliez pour mon défunt maître. Je ne sais pas ce que vous vous attendez à trouver à Krondor, mon jeune monsieur, mais il se passe beaucoup de choses après une guerre, comme nous pouvons déjà le constater.

Jimmy était bien obligé d'admettre la véracité de ces propos. Là où, quelques semaines auparavant, il n'avait aperçu que des pavés couverts de gel et quelques rares feux de camp, se dressaient à présent des dizaines de cabanes et de tentes formant une véritable communauté qu'on eût dite sortie de terre pratiquement du jour au lendemain. Tout en remontant la route en compagnie de Malar qui guidait son cheval, Jimmy absorba tout ce qu'il voyait et entendait.

La nuit était tombée et de nombreux feux de camp ponctuaient le paysage. Loin devant, on entendait crier les colporteurs qui proposaient à manger, à boire ou la compagnie d'une femme. Des hommes rudes, qui se prélassaient près de leurs feux, regardèrent passer Jimmy et Malar d'un air méfiant.

Un individu accourut en tenant à la main un bol fumant :

— Un repas chaud, messieurs ! C'est du ragoût de lapin, il vient juste d'être fait ! J'y ai même ajouté des carottes et des navets !

À en juger par l'expression des gens qui se tenaient autour, Jimmy comprit deux choses : le « lapin » n'était pas aussi comestible que son propriétaire le prétendait et la plupart de ces personnes étaient affamées.

Mais il devait régner un certain ordre au sein de cette communauté car des hommes armés, qui paraissaient presque prêts à tuer pour se nourrir, se contentaient pourtant de regarder passer le colporteur et son repas d'un air figé.

— Combien ? demanda Jimmy sans s'arrêter.

— Qu'est-ce que vous avez à proposer ? répliqua l'autre.

Malar donna un coup de coude à Jimmy.

— Hors de ma vue, ô tueur de chats ! Mon maître n'a que faire de ce rebut nauséabond !

Aussitôt, les deux hommes se retrouvèrent pratiquement nez à nez à échanger des insultes en hurlant. Étonnamment, ils parvinrent à un accord presque aussi rapidement. Malar donna au colporteur une pièce de cuivre, une bobine de fil qu'il transportait jusque-là dans sa poche, et une très vieille dague rouillée.

L'homme lui remit le ragoût et s'empressa de retourner à son campement où une femme lui tendit un autre bol en terre. Il partit ensuite à la recherche d'un autre client. Malar fit signe à Jimmy de s'arrêter sur le bas-côté de la route et s'accroupit en lui tendant le bol.

— Mangez le premier et donnez-moi ce qui restera, dit-il à voix basse.

Jimmy, peu désireux de s'asseoir dans la boue, s'accroupit également et goûta le ragoût. Si c'était vraiment du lapin, le pauvre animal avait dû être bien chétif. Même les carottes et les navets avaient un goût bizarre. Jimmy se dit qu'il valait mieux ne pas songer au temps que ces légumes avaient dû passer à l'abandon dans un cellier avant que ce hardi colporteur ne les trouve.

Il mangea la moitié du contenu du bol et donna le reste à Malar. Tandis que son nouveau serviteur mangeait à son tour, Jimmy regarda autour de lui. Il avait vu suffisamment de camps militaires pour comprendre qu'il venait juste de s'aventurer dans l'un d'eux. Guerriers, filles à soldats, colporteurs et voleurs se reposaient tous jusqu'à ce qu'ils trouvent une raison de poursuivre leur voyage.

Jimmy se demanda quelle était la raison de ce rassemblement et ce qui pourrait bien pousser ces gens à partir. La plupart des guerriers appartenaient à l'armée d'envahisseurs qui avaient ravagé le royaume de l'Ouest l'année précédente. Mais parmi eux se trouvaient quelques rares Quegans, et surtout suffisamment de Keshians pour faire comprendre à Jimmy qu'il s'agissait de déserteurs, d'opportunistes, de trafiquants d'armes et de tous ces rebuts de la société que la guerre laissait sur le rivage lorsqu'elle se retirait avec la marée.

Malar mit le bol de côté et regarda Jimmy.

— Que va-t-on faire, mon jeune monsieur ?

— Entrer en ville.

— Pour y faire quoi ? s'enquit l'homme du val.

— Chercher mon frère.

— Je croyais qu'il était censé repartir vers l'est.

— C'est ce qu'il devrait faire, mais qu'il ne fera pas.

— Pourquoi ?

— Parce que c'est Dash, tout simplement.

Ils repartirent et traversèrent le village de toile en direction des portes de la cité.

Chapitre 3

CONFRONTATIONS

P ug fronça les sourcils.

L'ambassadeur keshian affichait un sourire forcé, presque douloureux, lorsqu'il acheva de lire le dernier message de son gouvernement.

— Seigneur Gadesh, lui répondit le représentant du roi, le baron Marcel d'Greu, c'est impossible.

Pug jeta un coup d'œil à Nakor, assis à sa droite. Les dernières négociations entre le royaume et l'empire de Kesh la Grande s'avéraient n'être qu'une simple reformulation des précédentes.

Nakor intervint en secouant la tête :

— Peut-être devrions-nous faire une courte pause, mes seigneurs, afin de nous donner le temps de réfléchir aux requêtes qui viennent d'être formulées ?

— Excellente idée, mon ami, approuva Kalari, un Très-Puissant tsurani qui représentait son gouvernement, l'empire de Tsuranuanni, en tant qu'observateur neutre.

Les deux ambassadeurs se retirèrent dans les appartements qui leur étaient réservés tandis que Pug conduisait Nakor et Kalari dans une autre pièce, où Miranda l'attendait en compagnie de Kalied. Il existait trois factions au sein de la communauté de magiciens sur l'île du port des Étoiles et Kalied dirigeait la plus puissante d'entre elles.

En apparence, il semblait plus âgé que Pug, bien que ce dernier fût son aîné de près de vingt ans. La libération des énergies vitales emprisonnées dans la Pierre de Vie lui avait fait l'effet d'une cure de jouvence, si bien que Pug paraissait désormais âgé d'environ vingt-cinq ans.

Miranda, qui avait bénéficié du même traitement et semblait avoir le même âge, sourit à son mari.

— Les nouvelles sont bonnes ?

— Non, répondit Pug.

Il accepta la chope de bière que lui tendait un étudiant. Ce dernier jouait les serviteurs auprès des représentants du port des Étoiles pendant toute la durée des négociations entre le royaume des Isles et l'empire de Kesh la Grande.

— Je dois avouer que ces négociations me semblent bien plus ritualistes que je m'y attendais, confessa Kalari.

Il porta à ses lèvres une tasse de café chaud et hocha la tête d'un air approbateur après avoir goûté le breuvage. Le Tsurani était un homme chauve, d'âge moyen, qui possédait un corps mince et sain et un regard bleu pénétrant.

— Est-ce dû à ma méconnaissance de la culture keshiane ou à mon ignorance des nuances de la langue du roi, ou s'agit-il simplement d'une réaffirmation des revendications et des exigences de chacun ?

— Non, vous avez parfaitement bien évalué la situation, le rassura Nakor.

— Dans ce cas, quel est l'objet de ces discussions ? Les négociations font partie des traditions de mon empire, mais elles ne concernent d'ordinaire que les seigneurs tsurani. J'ai peur que votre notion de la diplomatie ne me soit quelque peu étrangère.

Kalari avait été envoyé par l'Assemblée des magiciens de Kelewan. Ces derniers voulaient s'assurer que les intérêts qu'ils possédaient au port des Étoiles étaient bien représentés. Au fil des ans, le commerce entre les deux anciens ennemis qu'étaient le royaume des Isles et l'empire de Tsuranuanni avait repris de façon cyclique. Presque cinquante ans auparavant, un incroyable bouleversement au sein de la société tsurani avait permis à la maison Acoma d'accéder au-devant de la scène grâce à sa dirigeante, dame Mara. Cette femme au tempérament novateur avait reçu le titre de pair de l'empire. Son fils, Justin, était parvenu à régner sur l'empire en dépit de tous les complots destinés à rétablir les vieilles traditions abolies par Mara. De nombreux troubles s'étaient produits à la suite de ces changements, ce qui avait parfois eu pour effet de limiter les échanges entre les deux mondes. Cependant, Tsuranuanni connaissait actuellement une période de stabilité qui durait depuis dix ans, et ses habitants ne souhaitaient pas que des événements extérieurs viennent perturber leurs relations commerciales avec Midkemia.

— Eh bien, imaginez que le royaume est un peu comme la Confédération thuril, mais avec davantage de soldats, expliqua Pug. Vous comprendrez alors quel est le problème qu'il nous faut résoudre.

Kalari acquiesça. Sur son monde natal, la Confédération thuril avait été la seule nation capable de résister à l'Empire tsurani, forçant ce dernier à accepter une paix réservée.

— Il est vrai que depuis que Mara, pair de l'empire, a supprimé la plupart des prérogatives de l'Assemblée, nous autres magiciens avons dû constamment réapprendre des choses. Cependant, de là à discuter pendant des heures autour d'une table sans parvenir au moindre résultat... je crois que c'est quelque chose que j'aurais du mal à supporter.

Nakor éclata de rire.

— En fait, c'est très facile. C'est pour ça que les diplomates le font tout le temps.

Kalari dévisagea l'étrange petit homme. C'était Pug qui avait offert à Nakor un siège à la table des négociations. Sur Kelewan, Pug était connu sous le nom de Milamber et sa légende inspirait presque autant de crainte et de respect que celle de dame Mara. Le Très-Puissant avait donc accepté la présence de Nakor, bien qu'il fût très étonné de le voir là. De fait, en apparence, ce soi-disant « grand-prêtre » d'un ordre inconnu avait l'air d'un vagabond en guenilles, ou peut-être d'un escroc qui jouait les idiots. Cependant, Kalari se retenait de le juger trop hâtivement, car il percevait autre chose derrière cette façade. On sentait que sous cet humour irrévérencieux et constamment présent se cachait un puissant intellect. Au plus profond de lui-même, le Très-Puissant devinait qu'il avait affaire à un très grand magicien qui se faisait passer pour un simple joueur récemment devenu religieux. Nakor pouvait bien prétendre que ses pouvoirs lui venaient des dieux ou qu'il ne savait faire que des « tours », comme il le disait souvent. Kalari sentait, pour sa part, qu'en dehors de Pug, personne n'était aussi puissant que lui à la table des négociations.

Kalari écarta les doutes tenaces qu'il nourrissait au sujet de Nakor. Indépendamment du reste, il trouvait l'Isalani amusant et aimable.

— Eh bien, dans ce cas, dit-il, vous allez devoir m'apprendre quelle est la meilleure manière de supporter ces querelles inutiles.

— Trouvez quelqu'un d'autre, répliqua Nakor. Moi aussi, je les trouve pénibles. (Il prit une gorgée de bière.) De plus, je sais déjà comment les choses vont se terminer.

— Vraiment ? fit Pug. Et que dirais-tu de partager ce raisonnement avec nous ?

Nakor sourit d'un air malicieux, comme toujours lorsqu'il était sur le point de partager ses impressions et ses intuitions.

— C'est facile. (Il balaya la pièce d'un geste de la main.) Toi aussi, tu aurais deviné, si tu avais fait l'effort d'y réfléchir. (Miranda échangea un sourire ironique avec son époux tandis que Nakor poursuivait :) Le royaume a reçu une terrible blessure, certes, mais celle-ci n'est pas fatale et Kesh le sait. Les Keshians ont des espions. Ils savent que si le roi veut rapatrier ses troupes à l'Est, c'est parce qu'elles ne sont plus vraiment utiles ici. Mais si Kesh devait lui créer des ennuis, le roi ordonnerait au prince de garder ses soldats. Or, plus Kesh attend le départ des armées de l'Est pour agir, plus cela donne du temps à Patrick pour consolider sa position et se préparer à réagir en cas d'invasion.

» Non, ajouta Nakor en secouant la tête, les Keshians savent qu'en voulant pousser leur avantage, ils ont perdu ce que leur avait offert le royaume. Ils sont conscients qu'ils peuvent au mieux obtenir un accord commercial ou quelque chose dans ce genre mais qu'ils ne récupéreront jamais les territoires que leur avait accordés le royaume en échange de leur protection. (Il jeta un coup d'œil à chacun de ses compagnons.) Ils essayent de trouver un moyen d'admettre publiquement qu'ils ont été stupides sans pour autant admettre leur stupidité.

Kalari éclata de rire. Même Kalied, d'ordinaire si taciturne, fut obligé de sourire.

— C'est donc une question d'honneur ? résuma Pug.

Nakor haussa les épaules.

— Je dirais plutôt que les responsables essayent d'éviter la sanction qu'ils recevront quand ils rentreront chez eux. Les généraux Rufi ibn Salamon et Behan Solan auront beaucoup de choses à expliquer à leur empereur quand ils arriveront dans la cité de Kesh. Ils auront besoin d'une histoire vraiment convaincante pour expliquer à l'empereur comment, en voulant se montrer trop gourmands, ils ont perdu ce que l'empereur avait réussi à obtenir par sa générosité. Tu ne savais donc pas qu'en essayant de s'emparer du val des Rêves dans son entier, ils agissaient de leur propre initiative, sans en avoir reçu l'ordre ?

Pug regarda l'Isalani en plissant les yeux.

— Et comment sais-tu ça, toi ?

— Je vais ici et là. J'écoute les gens parler. Les généraux gardent le silence, mais les soldats, eux, bavardent. Ils servent sous la tente de leur général, puis se confient aux marchands et aux filles à soldat ; les marchands et les filles à soldat parlent aux charretiers et bientôt tout le monde sait ce que le général fabrique.

» Kesh ne veut pas la guerre, même si le royaume est affaibli. Ils n'ont jamais réussi à pacifier les nations qui se trouvent au sud de la Ceinture de Kesh. Les habitants de la Confédération keshiane sont prêts à se soulever à la moindre occasion et votre roi le sait. Donc, en résumé, Kesh ne veut pas de conflit et le royaume ne veut pas d'une autre guerre – il est déjà bien assez occupé avec celle qu'il a sur les bras. Et voilà comment on reste tous assis là alors qu'on sait déjà comment ça va finir.

— À une exception près, rétorqua Pug.

— Le port des Étoiles, reconnut Nakor.

— Cette question est réglée, intervint Kalied.

Pug haussa les épaules.

— Je sais qu'elle l'est. J'ai demandé à Nakor de conclure un accord avec vous, quel qu'il soit, en échange de votre aide pour sauver le royaume. C'est en menaçant d'agir contre les Keshians s'ils nous déclaraient la guerre que vous avez fait pencher la balance en notre faveur. Maintenant, il me reste à expliquer au roi comment j'ai réussi à céder l'un de ses duchés à quelqu'un d'autre.

— Je dois dîner avec les membres du conseil, lui apprit Kalied. Puisque Robert d'Lyes a décidé de rester à la Lande Noire pour servir le prince, nous devons lui trouver un remplaçant. Mais gardez bien à l'esprit, Pug, que nonobstant vos pouvoirs légendaires et notre éternel respect pour le travail que vous avez accompli ici, le port des Étoiles n'est plus votre fief. Nakor nous a juré que vous honoreriez les termes de l'accord qu'il a passé avec nous en échange de notre aide. Désormais, le conseil ne gouverne plus en votre nom mais au nom de tous les résidents. Vous ne représentez désormais plus qu'une seule voix, comme n'importe quel membre de l'académie.

Pug observa le silence pendant quelques instants avant de dire :

— Très bien. J'honorerai ce serment et veillerai à ce que le royaume reconnaisse votre autonomie.

— Autonomie ? répéta Kalied. Intéressant. Nous préférons pour notre part parler d'indépendance.

Nakor balaya cette remarque d'un geste de la main.

— Ne soyez pas stupide. Pug peut convaincre le roi de vous laisser vous gouverner vous-mêmes, mais n'allez pas croire qu'il réussira à lui faire accepter l'idée d'un territoire indépendant à l'intérieur même des frontières du royaume. De plus, pendant que vous protégez le royaume d'une invasion keshiane, le royaume vous rend le même service. Pouvez-vous croire un seul instant que l'empereur, dans la même situation, se montrerait aussi généreux ?

Kalied ne répondit pas pendant un long moment. Puis :

— Très bien. J'aborderai ce sujet devant le conseil et je suis certain que mes compagnons choisiront de ne pas se montrer « stupides ».

Il lança un regard noir à Nakor puis s'inclina devant les autres occupants de la pièce avant de s'en aller.

Kalari se tourna vers Nakor.

— J'imagine que vos commentaires sur la diplomatie relèvent plus du domaine théorique que de la pratique ?

Miranda éclata de rire. Pug se joignit à elle.

— Bon, c'est bien joli tout ça, mais j'ai toujours beaucoup de choses à expliquer au prince et je ne vois pas comment l'éviter. J'imagine que l'idée d'avoir un port des Étoiles autonome au sein même des frontières du royaume enchantera encore moins Patrick que Kalied.

— Nous partons pour la Lande Noire ? s'enquit Miranda.

Pug acquiesça.

— Nakor, tu nous accompagnes ?

Le petit Isalani hocha la tête.

— Mon travail ici est terminé. Il y a parmi les étudiants de nouveaux Cavaliers Bleus, qui veilleront à ce que les magiciens qui étudient dans cet endroit ne deviennent pas trop bouchés. Et puis, il faut que je passe un peu de temps en compagnie de Dominic et des autres Ishapiens qui se trouvent aux côtés du prince. Laissez-moi aller chercher Sho Pi ; ensuite nous pourrons partir tous ensemble.

Il quitta la pièce.

— Pug, j'ai une question pour vous, déclara Kalari.

L'intéressé se tourna vers le Très-Puissant.

— Depuis que je suis arrivé au port des Étoiles pour représenter mon empereur, j'ai glané quelques informations qui m'ont permis de mieux me représenter la situation et les événements que vous avez vécus. Je serais curieux de savoir pourquoi vous n'êtes pas venu demander l'aide de l'Assemblée pour mettre fin à la menace de cette reine Émeraude. (Il baissa la voix.) Je ne sais pas ce qui s'est vraiment passé ici, mais j'ai la forte impression qu'il y avait beaucoup plus en jeu que ce que la plupart des gens l'imaginent.

Miranda et Pug se regardèrent.

— Vous avez raison, reconnut le magicien, mais je n'ai pas le droit de vous révéler tous les détails de cette affaire. Quant à savoir pourquoi nous n'avons pas demandé d'aide aux Tsurani, c'est parce que nos relations avec l'empire n'ont plus jamais été les mêmes depuis l'histoire de Makala.

— Ah, fit Kalari avant de hocher la tête pour montrer qu'il comprenait.

Makala était un Très-Puissant tsurani qui, des années auparavant, s'était présenté à la cour du prince de Krondor en déclarant vouloir servir d'agent de liaison entre l'Assemblée de Kelewan et le prince. En réalité, c'était un espion qui agissait de son propre chef, bien déterminé à découvrir ce qui s'était réellement passé à Sethanon à la fin de la guerre de la Faille.

Motivé par sa loyauté envers l'empire et par la crainte que le royaume complote contre sa nation ou possède une arme très puissante, il avait fini par découvrir le secret de la Pierre de Vie. Par l'intermédiaire d'agents qui s'étaient retrouvés par hasard près de Sethanon, Makala avait pris part à une conspiration impliquant la confrérie de la Voie des Ténèbres. Seul l'intervention d'un chef moredhel renégat avait permis d'éviter une terrible catastrophe.

Makala et quatre de ses alliés tsurani avaient réussi à ensorceler le grand dragon qui abritait l'oracle et résidait sous la cité de Sethanon. Ils étaient sur le point de défaire la Pierre de Vie lorsque Pug et ses compagnons étaient arrivés. Le secret était mort avec Makala et ses quatre complices dans la salle profondément enfouie sous la cité, mais la trahison du Très-Puissant avait tendu les relations entre le royaume et l'empire pendant une décennie. Seuls les membres de l'Assemblée sur Kelewan et les conseillers en qui le prince de Krondor avait le plus confiance étaient au courant de l'incident qui servait désormais d'avertissement des deux côtés de la faille. Depuis cette histoire, toutes les affaires entre l'empire de Tsuranuanni et le royaume des Isles avaient été gérées avec une extrême prudence et de manière très formelle. On avait même suggéré à plusieurs reprises de refermer définitivement la faille entre les deux mondes, mais ces derniers avaient néanmoins continué à commercer ensemble. Cependant, les échanges étaient désormais limités à une seule faille, située sur l'île du port des Étoiles – ce qui expliquait la présence du Très-Puissant à la table des négociations. Les Tsurani tenaient à s'assurer que ce passage entre les mondes resterait ouvert.

— Et malgré tout, reprit Kalari, il vous a paru prudent de nous demander notre aide afin de démontrer votre puissance aux Keshians ?

Pug secoua la tête et haussa les épaules.

— C'était une idée de Nakor.

Kalari sourit à son tour.

— C'est un individu vraiment étonnant.

Pug acquiesça.

— Que vas-tu dire à Patrick ? lui demanda Miranda.

Son mari poussa un long soupir fatigué.

— J'ai beaucoup de choses à lui apprendre et il ne va en apprécier aucune.

Le prince Patrick paraissait sur le point de sortir de ses gonds. Son teint, d'ordinaire pâle, avait viré au rouge et sa voix ne cessait de s'élever.

— Autonome ? Qu'est-ce que ça veut dire ? s'époumona-t-il.

Pug soupira. Contrairement à son prédécesseur, le prince Arutha, Patrick n'était pas un visionnaire. Pug se répéta que le prince était encore jeune en bien des domaines et que, devenu dirigeant sans l'avoir jamais souhaité, il n'avait pas été forgé au feu de la guerre. Pendant que les envahisseurs détruisaient sa cité, Patrick se trouvait en sécurité dans l'Est, sur l'insistance du roi. Pug se disait que la mauvaise humeur du prince provenait de sa frustration et de son incapacité à faire autre chose que suivre les volontés de son père.

D'un ton égal, Pug expliqua :

— Les magiciens du port des Étoiles exigent...

— Comment ! s'exclama Patrick. Ils exigent ? (Il se leva de son trône, autrefois le fauteuil seigneurial du baron de la Lande Noire, et descendit une marche pour venir se placer juste devant Pug.) Laissez-moi vous dire ce qu'exige leur roi. Il exige leur indéfectible loyauté et leur obéissance !

Pug regarda son petit-fils, le duc Arutha, qui secoua discrètement la tête pour montrer qu'il ne servait à rien de parler au prince lorsqu'il était dans une telle rage. Mais Pug s'en moquait. Il avait trois fois l'âge du prince, avait vu plus de choses que la plupart des hommes en une douzaine de vies et se sentait fatigué.

— Patrick, reprit-il d'une voix toujours aussi calme, à ces jeux-là, parfois, on perd.

— Mais ce sont nos sujets ! Ils vivent à l'intérieur du royaume !

Nakor, qui jusque-là s'était tenu en retrait avec son disciple Sho Pi, intervint.

— Seulement si les anciennes frontières sont toujours d'actualité, Altesse.

Patrick tourna brusquement la tête dans sa direction :

— Qui vous a donné la permission de parler, Keshian ?

Nakor lui répondit avec un sourire insolent :

— Votre roi, il y a plusieurs années de cela, vous ne vous rappelez pas ? Et je suis originaire d'Isalan, pas de Kesh.

Pug, qui commençait à se lasser de cette scène, intervint à nouveau.

— Patrick, ce qui est fait est fait. Cette solution n'est pas très heureuse mais, au moins, ce problème-là est résolu. On ne peut pas à la fois s'occuper des envahisseurs à l'ouest, de Kesh au sud et des magiciens au port des Étoiles. Il fallait bien commencer quelque part et le problème du port des Étoiles était le plus facile à résoudre. Puisque nous avons garanti aux magiciens leur autonomie, Kesh devra se replier jusqu'à l'ancienne frontière. Voilà qui résout en réalité deux problèmes. Maintenant, vous allez pouvoir reconquérir l'Ouest.

Patrick ne répondit pas, s'obligeant d'abord à retrouver son calme.

— Je n'aime pas ça.

— Le roi n'aimera pas ça non plus, reprit Nakor, mais il comprendra. Le prince Erland a passé du temps à Kesh. Il a sauvé l'empereur et connaît bien l'impératrice – très bien même, ajouta-t-il avec un sourire malicieux. Il n'aura qu'à leur rendre visite de nouveau et bientôt, les choses reviendront à la normale le long de la frontière.

— Sauf que j'aurai perdu le port des Étoiles.

— Vous perdrez bien plus si vous leur refusez leur autonomie, prévint Pug. (Il regarda le jeune prince droit dans les yeux.) Parfois, un souverain se doit de faire des choix difficiles entre une mauvaise solution et une autre pire encore. Laissez les magiciens gouverner le port des Étoiles de façon autonome et vous vaincrez Kesh.

Formulé de cette manière, le problème fit hésiter le jeune prince qui finit par céder, au bout de quelques instants.

— Très bien. Préparez tous les documents nécessaires, messire, ordonna-t-il en faisant référence au titre officiel de Pug, à savoir duc du port des Étoiles. Il s'agit de votre duché après tout. Je suis sûr que mon père vous trouvera une autre charge. Il est vrai qu'il a dit que vous êtes une espèce de cousin de la famille et qu'il faut vous traiter comme tel.

Pug lança un regard à son épouse qui haussa discrètement les épaules. *Il est jeune*, semblait-elle vouloir dire, comme en écho aux pensées de Pug. Ce dernier fit mine de tourner les talons, mais Patrick continua à parler.

— Je pense, cependant, que vous feriez mieux d'expliquer vous-même au roi ce qui se passe ici.

Pug se retourna pour faire face à Patrick.

— Vous souhaitez que je prépare un rapport pour le roi.

L'expression qu'afficha le prince à cet instant montrait que son mauvais caractère commençait à prendre le dessus.

— Non, je souhaite que vous employiez vos arts magiques pour vous rendre à Rillanon. En fait, je vous l'ordonne, messire duc ! Étant sans doute plus sage que moi, le roi pourra décider s'il ne s'agit pas d'une forme de trahison. (Il jeta un coup d'œil en direction de Miranda.) Que je sois pendu si votre femme n'est pas un agent de l'empire.

Pug plissa les yeux mais préféra continuer à se taire.

— Si vous souhaitez rentrer dans mes bonnes grâces, vous allez devoir faire preuve de cette loyauté qui, à mon avis, vous fait défaut, magicien.

— Vraiment ? fit Pug d'une voix douce. J'ai pourtant fait mon possible pour empêcher la destruction de tout ce qui nous est cher.

— J'ai lu les rapports, répliqua Patrick. J'ai entendu toutes les histoires de démons, de créatures des enfers inférieurs, de magie destinée à faire basculer le monde dans les ténèbres et tout le reste.

Arutha regarda les deux hommes et s'interposa :

— Votre Altesse ! Grand-père ! Je vous en prie ! Nous avons beaucoup à faire et des dissensions entre nous n'amèneront rien de bon.

Pug regarda son petit-fils et répondit en détachant bien ses mots :

— Je n'essaye pas de nous diviser, Arutha. Mon intention, depuis le début, a toujours été de servir ce royaume. (Il s'avança d'un pas et reprit d'une voix lourde de menaces :) Si vous l'ordonnez, mon prince, j'obéirai. Je prendrai le temps de rendre visite au roi. Si vous n'êtes pas satisfait du travail que j'ai accompli ces derniers mois, peut-être réussirai-je à le convaincre, lui, que le prix que j'ai payé prouve amplement ma loyauté.

— Peut-être ? répéta Patrick en crachant ces mots. Vous avez cédé un duché que, de l'avis général, vous négligiez depuis des années alors que moi, ma cité gît en ruine et tout l'ouest de ma principauté se trouve aux mains de forces hostiles. Lequel d'entre nous a souffert le plus de pertes ?

Pug sentit sa gorge le brûler et le rouge lui monter aux joues.

— Vous osez venir me parler de pertes ? s'exclama-t-il d'une voix rauque. (S'avançant d'un pas pour n'être plus qu'à quelques centimètres du prince, Pug leva les yeux vers le jeune homme, plus grand que lui.) J'ai presque tout perdu, enfant ! J'ai perdu un fils et une fille, ainsi que l'homme qu'elle aimait et qui était comme un second fils pour moi. William, Gamina et James ont donné leur vie pour Krondor et le royaume. Occupez donc ce trône pendant quelques années, Patrick. Quand vous aurez vécu aussi longtemps que moi, si vous en avez la chance, vous vous souviendrez de ces paroles.

Patrick prit un air embarrassé lorsqu'il réalisa qu'il avait omis que les enfants de Pug étaient morts dans cette guerre. Malgré tout, sa colère reprit le dessus. Tandis que Pug faisait mine de s'éloigner, le prince s'exclama d'une voix tonitruante :

— Je ne tolérerai pas qu'on s'adresse ainsi à moi, magicien ! Duc ou pas, cousin ou pas, vous allez revenir ici et me demander pardon.

Pug fit volte-face. Cependant, avant que son grand-père ait le temps de dire un mot, Arutha vint se placer directement devant son prince.

— Altesse ! (Il posa une main apaisante sur l'épaule de Patrick et ajouta dans un murmure :) Ceci n'apportera rien de bon ! Calmez-vous, nous reparlerons de tout cela demain. Votre père ne sera pas content, Patrick, chuchota-t-il encore. (Sans laisser au prince le temps de répondre, il se tourna vers Pug.) Grand-père, si vous et votre dame voulez bien venir dîner avec moi ce soir, nous pourrions déterminer quelle forme de communication avec la couronne doit être choisie. Ce sera tout pour aujourd'hui, ajouta-t-il à l'intention des courtisans présents dans la salle. L'audience de la cour est suspendue.

Afin d'éviter que le prince envenime davantage la situation, Arutha le fit sortir par la porte qui menait aux appartements qu'on lui avait réservés durant la durée de son séjour dans le château de la Lande Noire. Pug, de son côté, se tourna vers Miranda qui déclara :

— Ce gamin a besoin d'être éduqué.

Pug ne répondit pas et se contenta d'offrir son bras à son épouse afin de l'escorter jusqu'à leurs propres appartements. Il savait que son petit-fils viendrait les y rejoindre dès qu'il aurait apaisé le prince.

Arutha ressemblait à un homme qui aurait vieilli de plusieurs années en seulement quelques heures. Ses yeux, d'ordinaire brillants et alertes, étaient désormais enfoncés dans leurs orbites et cernés de cercles noirs. Il soupira et hocha la tête pour remercier Miranda qui lui tendait un verre de vin.

— Comment ça se passe avec le prince ? demanda Pug.

Arutha haussa les épaules.

— C'est difficile. Pendant la guerre, il paraissait content de suivre les directives de mon père et d'oncle William. Il faut dire que les préparatifs étaient déjà pas mal avancés lorsqu'il est arrivé à Krondor, si bien qu'il s'est contenté d'approuver tout ce que voulait mon père.

» À présent, il n'est plus dans son élément. On lui demande de prendre des décisions qui mettraient déjà à l'épreuve l'intelligence des meilleurs généraux de toute l'histoire du royaume. (Il but une gorgée de vin.) Tout ça est en partie ma faute.

Pug secoua la tête.

— Non, Patrick est responsable de ses propres décisions.

— Mais mon père aurait…

Pug interrompit son petit-fils.

— Tu n'es pas lui. (Il laissa échapper un petit soupir.) Personne ne l'est. James était unique. Comme le prince Arutha. Le royaume de l'Ouest ne reverra peut-être jamais d'aussi grands hommes qu'eux réunis à une même époque. (Pug devint songeur.) Tout a commencé avec le duc Borric. Je n'ai jamais rencontré son égal. Arutha l'était en bien des façons, et le dépassait peut-être même dans certains domaines, mais dans l'ensemble, on peut dire que Borric a élevé les deux fils dont le royaume avait besoin.

» Depuis, la lignée ne cesse de s'affaiblir. Ses voyages à Kesh ont endurci le roi Borric, mais tout ça n'est rien comparé à son père le prince. (Pug contempla par la fenêtre la lointaine lueur des torches sur les remparts du château.) C'est peut-être dû au temps qui passe ou à la possibilité que j'ai de repenser à tous ces événements à la lumière de ce qui s'est produit ensuite ; en tout cas, à l'époque de la guerre de la Faille, on avait le sentiment qu'en fin de compte on réussirait à gagner. Aujourd'hui, je m'aperçois que c'était dû au prince Arutha, à ton père dans tout ce qu'il avait d'impertinent et d'imprudent, aux autres dirigeants et à ceux qui les suivaient.

» Tu dois monter sur le devant de la scène, Arutha, ajouta le magicien en regardant son petit-fils. Tu ne seras jamais comme l'homme dont tu portes le nom et tu ne seras jamais comme ton père, mais la nature ne l'a pas voulu ainsi. Tu n'es pas destiné à égaler ces hommes, peu importe leur valeur. En revanche, tu te dois de donner le meilleur de toi-même. Je sais que la guerre t'a pris autant qu'à moi. Toi seul ici sais ce que je ressens. Des hommes tels qu'Owen Greylock et Erik de la Lande Noire doivent s'élever pour répondre aux besoins de la nation. Tu es capable d'accomplir davantage que tu le penses, ajouta-t-il en souriant. Tu feras un bon duc de Krondor.

Arutha hocha la tête. Sa mère, Gamina, n'était la fille de Pug que par adoption, mais le magicien l'avait aimée et chérie autant que son propre fils, William. Cela avait été terrible pour lui de perdre ses deux enfants à quelques jours d'intervalle.

—Je sais que cela a été pire pour vous, grand-père. Je pleure mes parents. Vous pleurez vos enfants.

Pug ne répondit pas mais avala sa salive en serrant très fort la main de Miranda. Depuis la fin de la guerre, une vague de douleur et de profond chagrin venait régulièrement le submerger. Il avait espéré que ce sentiment de perte disparaîtrait, mais ce n'était pas le cas. La sensation s'assourdissait parfois, se faisant même oublier pendant plusieurs heures d'affilée, uniquement pour revenir en force dans des moments de calme et de réflexion.

Pug avait même organisé son mariage avec Miranda à la va-vite, comme si le moindre délai aurait pu les priver d'un seul moment à deux. Le magicien et sa nouvelle épouse avaient passé autant de temps ensemble que possible, éprouvant le besoin d'apprendre à gérer les révélations concernant leur vie passée et de discuter de leur avenir. Cependant, leurs instants de complicité, aussi joyeux fussent-ils, restaient toujours assombris par ce sentiment de perte et de mission non accomplie et par cette impression qu'ils ne pourraient jamais retrouver ce qu'ils avaient perdu.

Pug hocha la tête en réponse aux paroles de son petit-fils et soupira de nouveau.

— Arutha, nous n'avons jamais eu l'occasion de nous rapprocher, toi et moi. À la mort de ma première femme, j'ai mis de la distance entre ta mère et moi. Je m'efforçais de ne pas la voir vieillir. (Il regarda son petit-fils au fond des yeux.) Il y a beaucoup de tes deux parents en toi. Je sais que ton père t'a formé dès la naissance à servir le royaume et que ta vie ne t'a jamais vraiment appartenu, mais je sais aussi qu'il aurait moins exigé de toi s'il ne t'avait pas cru à la hauteur. De même, on ne te permettrait pas de lui succéder si tu n'étais pas l'homme que tu es. C'est pourquoi, je le répète, tu dois prendre le devant de la scène. Patrick deviendra peut-être un grand souverain, mais ce jour n'est pas encore là. Il est souvent arrivé de par le passé qu'un homme occupant le poste de conseiller soit amené à limiter les choix à présenter à son souverain. (Pug se souvint du règne du roi Rodric le Dément et ajouta :) Nous aurions eu besoin de davantage d'hommes dans ce genre.

— J'essayerai, grand-père, promit Arutha.

— Loin de moi l'idée de vouloir vous donner un conseil, intervint Miranda, car je n'étais pas très douée en mon temps dès qu'il s'agissait d'obéir aux dirigeants. Mais il vous faudra faire plus qu'essayer avant que tout ceci soit terminé.

Arutha paraissait sur le point de se laisser abattre.

— Je sais.

Un domestique vint annoncer que le dîner était prêt. Pug, Miranda et Arutha passèrent dans la pièce voisine. Le magicien, qui précédait son petit-fils, songea qu'il connaissait l'une des causes de l'épuisement d'Arutha : son inquiétude au sujet de ses fils.

Jimmy regarda autour de lui. Depuis les deux derniers jours, un certain nombre de patrouilles traversaient la région. Elles avaient tenté d'entrer en ville et découvert que personne ne passait au-delà des postes de contrôle établis par les envahisseurs. L'homme en charge de Krondor – Duko ou un autre – avait bouclé la cité, estimant que toute tentative d'infiltration de la part du royaume représentait une sérieuse menace.

En revanche, il laissait en paix les mercenaires et les négociants rassemblés à l'extérieur des murs de la cité tant que ces derniers se tenaient tranquilles. La nuit précédente, une bagarre avait éclaté près d'un grand feu de camp. Jimmy n'en connaissait pas la cause – dette de jeu, échange d'insultes ou rivalité au sujet d'une femme ? En tout cas, un détachement de guerriers était sorti de Krondor et avait rapidement mis fin à cette rixe, dispersant toutes les personnes présentes. Ils n'avaient pas fait les choses en douceur et manquaient visiblement d'un sens de l'organisation mais, cependant, cette expédition de dispersion avait été rondement menée, avec diligence et efficacité. Ensuite, les guerriers étaient retournés en ville, laissant derrière eux une demi-douzaine de cadavres et plusieurs blessés gémissants. Malgré tout, l'ordre avait été restauré. La plupart des individus qui campaient au pied des remparts étaient venus pour gagner de l'argent, soit au moyen des pillages, soit en travaillant pour un salaire régulier. Ils n'étaient pas là pour prendre d'assaut une cité fortifiée.

Jimmy estimait que la ville aurait été facile à reprendre si Patrick et son armée s'étaient trouvés au pied des remparts au même moment. Cependant, ce n'était pas le cas. Ils se trouvaient encore à la Lande Noire ou étaient peut-être déjà en chemin mais, le temps qu'ils arrivent, les fortifications atteindraient déjà des proportions imposantes. Les ouvriers – travailleurs libres ou forçats, Jimmy n'aurait su le dire – se levaient tous les jours à l'aube pour réparer les dégâts subis par la cité lors de l'assaut final, l'été précédent.

Il avait pris le risque de faire une petite promenade à cheval du côté des portes de l'Est et avait constaté qu'elles avaient toutes été remplacées à neuf. Moins majestueuses que celles d'origine, les nouvelles portes n'en paraissaient pas moins robustes et fabriquées avec soin. Les envahisseurs comptaient dans leurs rangs de très bons charpentiers, car la plupart des hommes en âge de se battre sur le continent de Novindus avaient été intégrés de force dans l'armée de la reine Émeraude.

Ils étaient là depuis deux jours lorsque Malar demanda à Jimmy, alors que le soleil se couchait :

— Allons-nous chercher un endroit sûr pour la nuit, mon jeune monsieur ?

Jimmy secoua la tête.

— Je crois avoir vu tout ce qu'il y avait à voir là-dehors. Il est temps d'entrer en ville.

— Pardonnez mon ignorance, mais si toutes les portes et les brèches dans les remparts sont gardées comme celles devant lesquelles nous sommes déjà passés, comment comptez-vous vous y prendre ?

— Tous les moyens d'entrer et de sortir de Krondor ne sont pas forcément visibles. Mon grand-père les connaissait tous et il a veillé à ce que Dash et moi les connaissions aussi avant notre départ.

— Vous pensez que votre frère réussira à entrer dans Krondor de la même façon que nous ?

Jimmy fit signe à son « serviteur » de le suivre. Ensemble, ils passèrent d'un pas lent devant un groupe de combattants à l'air morne qui s'apprêtaient à endurer une autre nuit dans le froid, autour d'un feu de camp, avec peu de nourriture et de perspectives à venir.

— Connaissant Dash, il est déjà à l'intérieur.

Dash était assis contre le mur de pierre sale, comme les autres prisonniers. Tous ces hommes se serraient les uns contre les autres mais Dash ne s'en plaignait pas. Il faisait toujours aussi froid et leurs geôliers gardaient tout le combustible pour eux sans prendre la peine de chauffer l'enclos aux esclaves. Le jeune homme ne portait plus que son maillot de corps et son pantalon. On lui avait pris ses bottes, sa veste, sa cape et tout le reste de ses affaires.

Il avait réussi à échapper à la patrouille qui le poursuivait et avait chevauché jusqu'aux abords de Krondor. Là, il était tombé sur une communauté grouillante de vie composée de négociants, de voleurs, de filles à soldat et d'autres individus rassemblés sous les remparts de la cité. Les envahisseurs interdisaient l'entrée de Krondor à quiconque ne faisait pas partie de leurs propres troupes si bien qu'une trêve étrange était observée le long des remparts à l'est de la cité.

Il existait tant de brèches dans les murailles que les envahisseurs étaient obligés de faire des patrouilles à cheval parmi les camps installés à l'extérieur de la ville. Des déserteurs de l'armée du royaume s'y mêlaient à des fermiers privés de leurs terres et des ouvriers et des mercenaires à la recherche d'un emploi. Parmi les envahisseurs et les soldats du royaume se trouvaient un certain nombre de Keshians, de Quegans et de combattants originaires des Cités libres du Natal.

Dash avait commis l'erreur d'essayer de s'introduire en ville furtivement. Si l'on pouvait se promener à sa guise en dehors de la cité, à l'intérieur seuls ceux qui avaient servi sous les ordres du général Duko allaient et venaient librement. Dash avait réussi à ne pas se faire repérer pendant toute une journée avant de tomber sur une patrouille. En voulant lui échapper, il s'était précipité à l'intérieur d'un bâtiment apparemment vide qui abritait en réalité une demi-douzaine de soldats en repos. Ils l'avaient retenu jusqu'à l'arrivée de la patrouille et, sans même lui demander les raisons de sa présence à Krondor, l'avaient battu et privé de ses affaires avant de l'emprisonner.

Trois jours s'étaient écoulés depuis. Dash laissait récupérer son corps douloureux et contusionné. Il ne doutait pas de pouvoir s'échapper à la moindre occasion et comptait bien cette fois ne plus faire l'erreur de croire la cité déserte. Elle ne l'était pas. Bien au contraire, il y régnait une plus grande animation qu'il ne l'aurait crue en raison du témoignage de Jimmy.

Dash venait pendant deux jours de restaurer des fortifications au nord de la ville. Il avait bien tenté d'espionner les gardes occupés à bavarder, mais en vérité il pouvait à peine les comprendre. C'était Jimmy qui avait un don pour les langues, pas lui. Dash parlait passablement le keshian et le roldem car il avait passé son enfance à les étudier à la cour du roi, à Rillanon.

Mais il n'était guère familier des langues quegane, natalaise et yabonaise qui, bien que dérivant du keshian, paraissaient complètement différentes à son oreille. Quant au langage commun de Novindus, il était encore plus éloigné du keshian que les trois autres.

Malgré tout, Dash était capable de dire que quelque chose d'étrange était en cours ou allait se produire. Les soldats qui patrouillaient et ceux qui gardaient la cité s'inquiétaient visiblement autant des événements qui se déroulaient au nord que des forces armées qui risquaient de venir de l'est.

— Il est temps d'y aller, fit une voix à côté de Dash.

Le jeune homme se leva tout en faisant un signe de la tête à son voisin. Ce dernier s'appelait Gustave Lerétameur, un nom de famille qui faisait sans doute référence au métier de ses ancêtres, car lui-même était un mercenaire originaire du val des Rêves. Dash avait découvert lors de sa première nuit que la plupart des prisonniers étaient d'infortunés Krondoriens, citadins, pêcheurs et fermiers de la région. Gustave était donc l'objet d'une certaine curiosité car les soldats du royaume étaient gardés à l'écart des autres prisonniers. On ne les faisait pas travailler, mais on ne les exécutait pas non plus. Dash ne savait pas ce que le général Duko pouvait bien vouloir faire d'eux. Peut-être avait-il l'intention de les utiliser comme otages. Quoi qu'il en soit, à cause de cette ségrégation, sur les cinquante hommes rassemblés chaque nuit dans une pièce conçue pour six personnes, seuls Gustave et un ou deux autres individus feraient de précieux alliés lorsque Dash prendrait la fuite.

L'un de ces hommes, Talwin, était sans doute un voleur, mais Dash évitait de trop lui parler. Lorsqu'il se retrouverait dans les égouts de la cité, il serait content d'avoir un voleur originaire du coin pour le guider. Mais tant qu'ils partageaient la même cellule, Talwin, en échange d'une ration supplémentaire, était tout aussi susceptible de révéler aux gardes que Dash était un espion du royaume que de l'aider à s'enfuir.

La porte s'ouvrit. Les prisonniers furent contents de sortir de la pièce exiguë et s'engagèrent dans le couloir d'un pas traînant. Ils étaient enfermés dans une tannerie à moitié incendiée située dans le quartier nord de la cité. La plupart des commerces à l'odeur nauséabonde – abattoirs, teinturiers et poissonniers entre autres exemples – étaient rassemblés là, si bien que les envahisseurs y trouvaient deux avantages : ils profitaient de grands bâtiments relativement intacts à proximité d'une portion de murailles qui avait grand besoin de réparations. Dans le quartier est, au contraire, les ouvriers devaient être logés dans les étables abandonnées.

Sur un signe du garde, le premier prisonnier de la rangée sortit du couloir dans la froide lumière du petit matin. Lorsque Dash sortit à son tour, il cligna des yeux et fut surpris de découvrir que la couche nuageuse qui avait paru vouloir s'installer définitivement au-dessus de Krondor s'était déplacée vers l'intérieur des terres. La journée promettait d'être chaude, ce qui n'était pas forcément une bonne chose. En effet, durant la journée, Dash sentait à peine le froid, étant donné la quantité de travail que l'on exigeait de lui. Au moins, la nuit suivante serait peut-être un peu moins éprouvante côté température.

Il suivit ses compagnons de cellule et attendit jusqu'à ce que le garçon qui s'occupait de l'eau et de la nourriture fasse son apparition. Dash attrapa l'unique morceau de pain auquel il avait droit avec autant d'impatience que les autres. C'était un repas fruste et peu appétissant car le blé était si mal moulu que certains prisonniers s'étaient cassé une dent sur l'enveloppe des grains ou sur de petits morceaux de gravier. Les rations d'eau qu'on leur distribuait étaient additionnées d'un peu de vin ; en effet, certains prisonniers étaient morts de la dysenterie un jour ou deux avant la capture de Dash et les envahisseurs étaient certains que le vin empêcherait l'épidémie de se répandre.

Trop rapidement, le petit déjeuner prit fin et les prisonniers s'en allèrent travailler. Dash se joignit à quatre individus qui tentaient de déplacer un très gros pavé tombé de la muraille lors de la bataille de Krondor. Ils devaient l'apporter jusqu'à une grue de fortune construite par un ingénieur de Novindus qui s'y connaissait mieux en machines de guerre qu'en engins de construction. Malgré tout, Dash avait vu cet édifice de bois soulever des pierres encore plus grosses au cours des deux jours précédents. Il était certain que la grue servirait encore quelque temps.

Mais pourquoi reconstruire Krondor dans une telle hâte ? Il était logique que Duko veuille empêcher Patrick de reprendre sa cité. Cependant ça l'était beaucoup moins de vouloir garder Krondor pendant une durée indéterminée. Dash flairait là un mystère. Malgré tout son désir de retrouver la liberté, il voulait découvrir ce qui se passait vraiment en ville avant de s'échapper.

Un homme grogna tandis que l'on soulevait la pierre. Rapidement, d'autres prisonniers passèrent un filet en dessous et l'attachèrent à la grue. Dash mit à profit ce moment de répit pour se tourner vers Gustave et lui demander :

— Tu tiens beaucoup à rester dans les parages ?

Le soldat, un homme calme et de corpulence moyenne, afficha un petit sourire – son expression la plus révélatrice – et répondit :

— Évidemment. On nous offre une telle opportunité d'avancement.

— C'est vrai, approuva Dash. Encore une douzaine d'autres décès et tu seras le premier de la rangée à recevoir le pain et l'eau au petit déjeuner.

— Qu'est-ce que t'as en tête ? chuchota Gustave.

Dash s'aperçut que Talwin les observait et répliqua :

— Je te raconterai plus tard.

Sans faire de commentaire, Gustave hocha la tête tandis que l'équipe s'éloignait pour répéter l'opération avec une autre grosse pierre.

Chapitre 4

Dash tressaillit.

Le vent s'était de nouveau rafraîchi après la chaleur printanière de la veille. Or, le jeune homme souffrait toujours de nombreuses contusions que le temps froid rendait plus douloureuses encore. Malgré tout, le travail l'empêchait de s'ankyloser. Dash n'avait pas eu l'occasion de reparler à Gustave depuis qu'il avait évoqué la possibilité d'une évasion car Talwin avait pris l'habitude de rester à proximité, ce qui inquiétait le jeune homme. Il ne pouvait que deviner les motivations de l'autre prisonnier : soit il cherchait lui aussi à s'échapper et considérait Dash et Gustave comme de possibles alliés, soit il jouait les informateurs. Dash jugeait qu'il valait mieux attendre encore un jour ou deux pour découvrir laquelle de ces hypothèses était la bonne.

Les gardes annoncèrent la pause déjeuner et des gamins passèrent dans les rangs pour distribuer le pain et le vin coupé avec de l'eau que les prisonniers reçurent avec gratitude. Dash s'assit à l'endroit même où il travaillait, sur une nouvelle grosse pierre qui devait réintégrer la muraille tandis que Gustave s'adossait au mur qu'ils réparaient actuellement.

— C'est moi qui commence à m'y habituer ou ils ont trouvé un meilleur boulanger ? demanda Dash après la première bouchée.

— C'est toi qui t'y habitues, répliqua Gustave. Souviens-toi de ce vieux proverbe : « La faim est la meilleure sauce qui soit. »

Dash dévisagea le guerrier du val. Au début, toute conversation de sa part se limitait à des hochements de tête, des grognements et un occasionnel « oui » ou « non ». Mais, depuis la veille au soir, il s'était un peu ouvert à Dash.

— Comment tu t'es fait attraper ici ?

— Ça ne s'est pas passé ici, répondit Gustave en terminant son maigre repas et en buvant son vin à petites gorgées. Je gardais une caravane… (Il regarda autour de lui.) C'est une longue histoire. Disons, pour être bref, que nous avons été interceptés et capturés par les hommes de Duko et que ceux d'entre nous qui ont survécu au combat se sont retrouvés ici.

— Ça fait longtemps ?

— Beaucoup trop, tu peux le dire ! (Il fronça les sourcils.) Ça doit bien faire deux mois maintenant. Je commence à perdre la notion du temps. Il neigeait quand je suis arrivé ici.

Dash acquiesça.

— Alors comme ça, tu gardais une caravane ?

Gustave haussa les épaules.

— Mon patron n'était pas le seul marchand à penser qu'il pourrait réaliser des bénéfices en étant le premier à apporter des marchandises en ville. D'après ce que j'ai vu dans les parages, le commerce n'a pas l'air d'intéresser beaucoup le général. Il laisse les civils se débrouiller de l'autre côté de ces remparts mais ici, à l'intérieur, c'est un campement militaire.

Les gardes passèrent dans les rangs pour donner l'ordre de reprendre le travail.

— C'est également mon impression, approuva Dash.

Gustave sourit.

— Tu n'es donc pas si bête que tu en as l'air.

— Remettez-vous au boulot ! cria un garde.

Les quatre prisonniers les plus proches de Dash et de Gustave commencèrent à bouger la pierre pour la remettre en place.

Jimmy inclina légèrement la tête. Malar acquiesça pour montrer qu'il avait compris et fit signe au garçon d'approcher. Le gamin des rues était couvert de suie et de crasse de la tête aux pieds et puait comme s'il s'était baigné dans une fosse d'aisance. Jimmy était persuadé qu'il pourrait leur donner des informations.

Malar s'entretint avec le gamin pendant quelques minutes puis lui donna une pièce en lui disant de filer. Il revint vers Jimmy qui, adossé à la muraille, affichait un air d'indifférence.

— Vous aviez raison, mon jeune monsieur. Ce gamin travaille dans les égouts. Ils le payent pour ramper dans les conduits les plus étroits et les débarrasser du bois brûlé et de la boue.

Jimmy secoua légèrement la tête en signe d'irritation.

— Merde. Qu'est-ce qu'ils font là-dessous ?

— Apparemment, ils remettent les égouts en état, tout comme ils réparent ce qui se trouve en surface de l'autre coté des remparts, d'après ce que tout le monde raconte, répondit Malar à voix basse.

— Mais pourquoi ? insista Jimmy tout en sachant qu'il posait là une question rhétorique. Les égouts sont bien suffisants pour son armée. Il suffit juste d'un peu d'entretien pour que les eaux s'écoulent bien et que ses hommes ne tombent pas malades. (Jimmy se gratta la joue.) Mais non, d'après les rumeurs, il essaye de les remettre dans l'état où ils étaient avant… (Il s'interrompit juste avant de dire : « que Grand-père fasse exploser la cité » et se reprit :) la chute de la cité.

— Peut-être que ce général Duko aime les choses bien ordonnées.

Jimmy secoua la tête, déconcerté. Il avait lu tous les rapports concernant leurs ennemis avant et après la bataille des crêtes du Cauchemar.

Sur le terrain, Duko était sûrement leur meilleur général et occupait la troisième place dans la chaîne de commandement, juste derrière Fadawah et Nordan. Jimmy n'arrivait pas à comprendre ce que Duko pouvait bien fabriquer. S'il avait fortifié la cité par crainte d'une attaque venue de l'est ou du sud, cela aurait pu paraître logique, même si ces défenses ne tiendraient guère lorsque l'armée de Patrick arriverait.

Il aurait été plus logique de continuer à dévaster Krondor afin que le royaume ne puisse plus la reconstruire. Mais réparer les dégâts causés par sa propre armée comme s'il avait l'intention d'occuper la cité un bon moment n'avait aucun sens.

— À moins…, murmura Jimmy.

— Oui, mon jeune monsieur ?

— Non, rien. (Le jeune homme regarda autour de lui.) Il va faire nuit d'ici une heure. Venez, suivez-moi.

Il guida Malar dans les rues encombrées du village de toile jusqu'à une petite allée qui n'était guère plus qu'un passage entre deux pans de mur encore debout, seuls souvenirs des magasins qui s'étaient dressés là. Jimmy s'enfonça dans cette allée sans attendre de voir si on l'espionnait et entendit Malar le suivre.

Il savait, depuis sa dernière visite, qu'il était facile de se perdre dans Krondor. Au milieu de toute cette destruction, les repères familiers avaient disparu. Cependant, le tracé des rues n'avait pas changé. Il devait donc être possible de retrouver son chemin à condition de toujours garder à l'esprit où l'on se trouvait par rapport aux quelques grands monuments encore debout – du moins Jimmy l'espérait-il.

Il entendit des bruits de pas avant même de voir la personne arriver et recula aussitôt, manquant de renverser Malar au passage. Quelqu'un venait de s'engager dans cette rue abandonnée et s'avançait dans leur direction. Jimmy et Malar s'accroupirent au sein de l'ombre qui régnait entre les murs.

Quelques secondes plus tard, ils virent passer deux hommes en armes visiblement pressés. Jimmy se demanda quel pouvait bien être l'objet de leur présence et attendit quelques instants pour voir s'ils revenaient ou si d'autres les suivaient. La rue étant toujours déserte au bout de quelques minutes, le jeune homme se leva et la traversa pour rejoindre les décombres noircis d'une auberge.

Jimmy s'accroupit de nouveau derrière un pan de mur ayant résisté à l'incendie et chuchota à l'intention de son compagnon :

— On peut rejoindre les égouts par le sous-sol de cette auberge. Si le passage n'est pas bloqué et que le système d'évacuation des eaux est encore intact, on va pouvoir entrer en ville. La plupart des égouts sont bloqués d'ici à là-bas, ajouta-t-il en désignant la cité, mais je connais une vieille citerne dont les murs sont à moitié effondrés ; nous devrions pouvoir passer par là.

— Êtes-vous sûr que c'est une bonne idée, mon jeune monsieur ? s'enquit Malar. D'après les rumeurs, il est difficile de séjourner dans Krondor sans être réquisitionné pour des travaux forcés. C'est du moins l'opinion générale.

— Je n'ai pas l'intention de me faire prendre, répliqua Jimmy. À présent, vous êtes libre de suivre votre propre chemin, si vous le souhaitez.

— J'ai l'habitude de vivre d'expédients, mon jeune monsieur, mais je crois que votre frère et vous êtes ma meilleure chance de trouver autre chose. (Il dévisagea Jimmy pendant quelques instants, comme s'il pesait le pour et le contre.) J'ai le sentiment que vous possédez tous les deux une bonne situation. Si c'est le cas et si notre expédition se termine bien, il sortira peut-être quelque chose de bon de ce qui, jusqu'ici, n'a été pour moi qu'un terrible coup du sort. (Il se tut un moment avant d'ajouter :) Si vous voulez bien me prendre à votre service, j'irai avec vous.

Jimmy esquissa un petit haussement d'épaules.

— Dans ce cas, j'imagine que cela fait réellement de vous mon serviteur. Je vais vous dire ce que vous allez faire. S'il devait m'arriver quoi que ce soit, faites de votre mieux pour retourner dans l'Est. Bien avant de rejoindre l'armée du royaume, vous serez certainement intercepté par des éclaireurs – des Hadatis ou des Pisteurs Krondoriens. Si vous tombez sur les Hadatis, demandez à voir Akee. Si ce sont les Pisteurs, demandez le capitaine Subai. Dites-leur de vous conduire auprès d'Owen Greylock ou Erik de la Lande Noire et racontez-leur tout ce que vous avez vu. Sans cela, on vous prendrait pour un déserteur ou un pillard keshian et il pourrait s'écouler un bon moment avant que quelqu'un entende votre histoire. Il faut qu'ils apprennent ce qui se passe ici.

— Mais on ne sait pas ce qui se passe, protesta Malar, perplexe.

— C'est vrai, je ne suis sûr de rien, c'est pourquoi nous devons entrer dans la ville. Mais quoi qu'il se passe, ce n'est pas quelque chose que nous avions prévu.

— C'est mauvais signe.

Jimmy sourit.

— Pourquoi ?

— Parce que les imprévus ne présagent jamais rien de bon.

Le sourire de Jimmy s'élargit.

— Jamais ?

— Jamais. Les surprises agréables, ça n'existe pas.

— Pourtant, je me souviens d'une fois où une fille…

— Mais n'a-t-elle pas fini par vous briser le cœur ? l'interrompit Malar.

Jimmy acquiesça et son sourire se fit contrit.

— Si.

— Vous voyez. Quand on peut prévoir les choses, il ne peut rien nous arriver de mal.

— Vous semblez parler d'expérience, avança Jimmy.

Malar plissa les yeux.

— J'ai vécu plus de choses que la plupart des gens, mon jeune monsieur.

Jimmy regarda autour de lui. Les ombres s'étaient épaissies à mesure que le soleil déclinait à l'ouest et le ciel au-dessus de leurs têtes se parait de superbes teintes de violet à l'approche de la nuit.

— Je pense qu'il fait suffisamment sombre pour que personne ne nous remarque, affirma le jeune homme.

Il conduisit Malar à l'arrière de la vieille auberge en se frayant un chemin avec soin au milieu des poutres effondrées, seuls vestiges d'un chambranle et d'un pan de mur tombés ainsi que d'une partie du plafond. Le toit avait disparu et les poutres noircies de la charpente se détachaient nettement sur le ciel qui s'obscurcissait. Les deux hommes s'avancèrent avec précaution jusqu'à ce que Jimmy déclare :

— C'est quelque part par ici.

Il s'agenouilla et regarda autour de lui. Il déplaça plusieurs débris de petite taille couverts d'une épaisse couche de suie, libérant au passage une épouvantable odeur de charbon mouillé.

— Une partie de ce bois est en train de pourrir.

— J'aperçois un anneau en fer, mon jeune monsieur, annonça Malar.

— Donnez-moi un coup de main, demanda Jimmy en dégageant la trappe. (Tandis que les deux hommes unissaient leurs efforts pour la soulever, il ajouta :) Nous nous trouvons dans l'ancienne arrière-salle d'une auberge contrôlée par les Moqueurs.

— Les Moqueurs ?

— La guilde des voleurs. J'aurais cru que leur réputation aurait franchi les frontières du val.

— Les seuls voleurs que j'ai côtoyés maniaient non pas la dague et la fourberie mais des plumes et du parchemin : c'étaient des hommes d'affaires.

Jimmy éclata de rire.

— Mon frère serait d'accord avec vous ; avant il travaillait pour le pire d'entre eux, Rupert Avery.

— J'ai déjà entendu ce nom-là, mon jeune monsieur. Mon défunt maître l'a maudit en plus d'une occasion.

Ils firent bouger la trappe et la rabattirent en arrière, la laissant retomber sur le sol. Devant eux s'ouvrait un trou noir béant.

— Si seulement on avait de la lumière, déplora Jimmy.

— Vous avez l'intention de vous déplacer dans cette pénombre ? s'écria Malar avec une pointe d'incrédulité dans la voix.

— Il n'y a jamais de lumière là-dessous, même par journée très ensoleillée. (Jimmy trouva ce qu'il cherchait, à savoir l'échelle pour descendre, et se glissa dans l'ouverture en posant les pieds sur le premier barreau.) On peut trouver de quoi s'éclairer là en bas ; il suffit de savoir où regarder.

— Si vous le dites, maugréa Malar dans sa barbe.

Ils entamèrent avec précaution leur descente dans les ténèbres.

Dash frémit, non pas à cause du froid, mais en raison du claquement d'un fouet sur le dos d'un homme en contrebas. En compagnie de Gustave, de Talwin et de quelques autres individus qu'il avait appris à connaître, il travaillait au sommet de la muraille qui se trouvait au nord de la principale porte de Krondor. Dash jeta un coup d'œil à Gustave qui hocha la tête pour montrer que tout allait bien. Brusquement, tous les deux firent volte-face. À quelques mètres de là, un homme venait de pousser un hurlement en perdant l'équilibre. En un éclair, il avait eu la terrible certitude qu'il allait tomber et que ni sa volonté ni les prières ne lui sauveraient la vie. Son angoisse et son épouvante retentirent dans l'air de cet après-midi-là tandis qu'il basculait à la renverse et allait s'écraser sur les pavés en contrebas. Gustave fit la grimace en entendant le corps se briser sur le sol. Les prisonniers restauraient les créneaux et avaient bien du mal à garder leur équilibre rendu plus précaire encore par les pierres descellées et le brouillard qui revenait invariablement matin et soir.

— Fais attention où tu poses les pieds, recommanda Dash.

— Pas besoin de me le dire deux fois, répliqua Gustave.

Dash risqua un coup d'œil par-dessus la muraille et vit qu'il régnait toujours le même désordre au-dehors : le village de toile qui avait remplacé le faubourg de Krondor grouillait de soldats, de vendeurs à la criée et de tous ces gens que la guerre de l'année précédente avait laissés pour compte. Il espérait ardemment que son frère Jimmy se trouvait quelque part au sein de cette foule et qu'il réussirait à dénicher les informations nécessaires pour faire comprendre à Owen Greylock qu'il se tramait quelque chose d'étrange à Krondor.

Le général Duko s'était donné pour mission de restaurer entièrement la cité et, compte tenu du manque de ressources, s'en sortait de façon admirable – du moins d'un point de vue militaire. Il s'écoulerait des années avant que les marchands et les autres habitants de Krondor ne voient leur cité renouer avec une certaine prospérité. Il y avait eu tellement de dégâts que la remise en état complète de la cité n'était encore qu'un rêve lointain. Mais d'un point de vue de soldat, Krondor retrouverait presque toutes ses défenses en moins d'une année et peut-être même en neuf ou dix mois seulement.

Dash souhaitait de toutes ses forces échapper à ces travaux forcés pour pouvoir explorer les environs et comprendre ce qui était en cours. Mais la situation était très claire : tous ceux qui ne faisaient pas partie de l'armée de Duko étaient des esclaves. Quoi que le père de Dash ait pu en dire, il eût été bien plus sensé d'envoyer l'un des hommes qui s'étaient rendus sur Novindus en compagnie d'Erik de la Lande Noire, autrement dit quelqu'un qui parlait la langue des envahisseurs et pouvait se faire passer pour l'un d'entre eux.

Même s'il réussissait à recouvrer sa liberté, Dash savait que son seul espoir était de franchir les remparts, de se mêler à la foule qui campait là et de repartir vers l'est. Il était certain que son père avait envoyé ses agents attendre son arrivée et celle de Dash.

Le jeune homme était également persuadé que son père avait envoyé d'autres agents en ville et dans la campagne environnante. Le contraire eût été étonnant. De plus, se dit Dash en aidant ses compagnons à soulever un gros pavé au sommet de la muraille, le fantôme de son père, le duc James, hanterait Arutha jusqu'à la fin de ses jours s'il ne l'avait pas fait. Dash s'abîma les jointures sur la pierre râpeuse et commença à remettre du mortier en songeant qu'il accueillerait volontiers le fantôme de son grand-père en cet instant précis. De toute évidence, s'il y avait bien quelqu'un qui aurait pu résoudre l'énigme des récents événements à Krondor, c'était le légendaire duc James.

Jimmy maudit la pénombre lorsqu'il se cogna les tibias dans une pierre qu'il n'avait pas vue. La voix de Malar s'éleva dans les ténèbres.

— Le jeune maître est-il certain de ne pas s'être perdu ?

— Taisez-vous ! Je suis sûr que nous ne sommes pas tout seuls sous terre. Et oui, je sais où nous sommes. En prenant à droite et en faisant encore une douzaine de pas, nous devrions arriver à l'endroit que nous cherchons.

Joignant le geste à la parole, il tourna sur sa droite et s'engagea dans un petit passage. Malar fit de son mieux pour le suivre en gardant les deux mains sur la paroi de droite.

Ils cheminèrent ainsi, lentement, dans le noir, jusqu'à ce que Jimmy déclare brusquement :

— On y est.

— Peut-on savoir où, exactement, maître ? demanda Malar.

— Il s'agit de l'une des nombreuses caches de…

Un bruissement se fit entendre à l'endroit où Jimmy se tenait, comme si le jeune homme déplaçait quelque chose. Puis Malar se couvrit les yeux lorsqu'une étincelle jaillit. Il était resté si longtemps dans le noir que cette lueur suffisait à l'éblouir.

Le bois de la torche était sec et s'enflamma rapidement.

— Voyons voir ce que nous avons là, marmonna Jimmy.

Il examina le contenu de la cache qui se dissimulait à hauteur de sa taille dans le mur derrière une fausse pierre.

— Comment saviez-vous où trouver ces objets ? lui demanda Malar.

— Mon grand-père a dû passer quelque temps dans les égouts. (Jimmy jeta un coup d'œil à son compagnon.) Il travaillait pour la ville.

— Dans les égouts ?

— Oui, quelques fois. Quoi qu'il en soit, il m'a raconté qu'à partir de n'importe quelle entrée utilisée par les voleurs, il suffisait de prendre à droite à la première intersection et qu'à une douzaine de pas sur le côté droit se dissimulait une cache. Apparemment, les Moqueurs voulaient s'assurer que si on les poursuivait, ils pourraient descendre ici dans le noir et y trouver de la lumière et quelques outils. Regardez, ajouta-t-il en désignant l'ouverture. Une bonne longe de corde. Un pied-de-biche. (Il tapotait chaque objet en les nommant au fur et à mesure.) Une gourde. Une dague et des torches, ou une lanterne.

— Une lanterne sourde serait plus sûre, objecta Malar.

— C'est vrai, admit Jimmy, mais puisqu'il n'y en a pas, il faut se contenter de ce que l'on a. Il reste sans doute d'autres caches intactes ; nous y trouverons peut-être une lanterne. (Il regarda autour de lui et s'exclama :) Par tous les dieux !

— Qu'y a-t-il ? demanda Malar d'une voix inquiète.

— Regardez-moi cette pagaille !

— Maître, c'est un égout, répliqua le serviteur d'un ton irrité.

— Je le sais bien. Mais regardez les murs et la couleur de l'eau.

Malar obéit et comprit alors ce que voulait dire Jimmy. S'il s'attendait à voir des pierres couvertes de mousse et de l'eau saumâtre, il n'aurait pas cru en revanche que tout soit recouvert de suie. Baissant les yeux, il regarda ses mains noires et dit :

— Maître, je crois que nous allons devoir prendre un bain dès que nous remonterons à la surface, sinon on risque de se faire remarquer.

Jimmy dévisagea son serviteur.

— Si je me suis autant frotté le menton que vous, je dois sûrement ressembler à un ramoneur.

— C'est vrai que vous êtes sale, maître, convint Malar.

— Bon, eh bien, personne n'a dit que ce serait facile, répliqua Jimmy.

Tandis qu'il se remettait en route, il entendit son serviteur maugréer :

— Personne n'a dit que ce serait impossible non plus.

Dash hocha la tête. Aussitôt, Gustave sauta. Il atterrit derrière la grosse pierre qu'ils s'efforçaient de bouger et s'accroupit afin que les gardes ne le voient pas. À l'aide d'un éclat de poterie qu'il avait caché dans sa chemise deux jours durant, il trancha rapidement l'une des principales cordes qui retenaient le filin utilisé pour soulever les pavés.

Ce filin était un objet très pratique dans lequel on enveloppait la pierre en y ajustant les coins et que l'on soulevait au moyen de plusieurs leviers. Une fois au-dessus du sol, on passait deux cordes sous la pierre pour former un deuxième filin de soutien. Dès que la pierre arrivait au-dessus de l'emplacement prévu, on retirait ces deux cordes et la pierre baissait de quelques centimètres. Le premier filin se détendait alors et le pavé tombait en place. Dash savait qu'une équipe de maçons accomplis parvenait à exécuter cette manœuvre au millimètre près. Ses compagnons et lui, en revanche, se réjouissaient déjà lorsqu'il n'y avait que quelques millimètres d'écart avec l'emplacement voulu pour la pierre. Les seuls maçons que l'on trouvait à Krondor actuellement étaient les ingénieurs de Duko et un gros problème de langage et de compréhension séparait la plupart des ouvriers.

Gustave fit le tour de la pierre et hocha la tête à l'intention de Dash.

— Vous pouvez soulever, cria-t-il.

Dash recula tandis que deux prisonniers préparaient les cordes qu'ils devaient passer sous le pavé. Il regarda la pierre s'élever d'environ soixante centimètres avant de pencher brusquement tandis qu'un claquement sec se faisait entendre. La corde qu'avait coupée Gustave venait de se séparer du filin et la pierre oscillait à présent à quelques centimètres du sol. Les deux prisonniers qui tenaient les cordes de soutien reculèrent.

— Faites-la descendre, s'écria une voix en contrebas.

Brusquement, la pierre se mit à tomber.

— Non ! s'écria le contremaître au moment où les ouvriers qui auraient dû abaisser lentement la pierre lâchaient la corde.

Il était trop tard. Au lieu de s'encastrer doucement au sommet de la muraille, la pierre rebondit un petit peu puis bascula, ainsi que Dash l'avait espéré, avant de commencer à tomber.

— Attention ! s'écria un homme à côté de Dash tandis que les ouvriers se bousculaient pour éviter la trajectoire du pavé.

— Viens, dit Dash à Gustave tandis qu'autour d'eux la scène virait au chaos.

Ils passèrent en courant à côté d'un garde immobile qui observait la scène, fasciné par la pierre qui, après avoir glissé sur le parapet, était restée suspendue un moment par-dessus bord avant de basculer pour aller s'écraser sur les pavés.

Dash, Gustave et quelques autres prisonniers dévalèrent en courant un escalier en pierre comme s'ils avaient l'intention d'aider ceux qui se trouvaient en dessous. Mais en arrivant au pied de la muraille, Dash se glissa rapidement sur sa droite dans un interstice entre les pierres. Les autres s'y engouffrèrent derrière lui.

Les vieux remparts de Krondor étaient creux par endroits et servaient à entreposer des céréales, de l'eau et des armes en cas de siège. La plupart de ces anciens entrepôts avaient été utilisés au cours de la dernière guerre, mais plusieurs étaient restés vides, comme ceux de la muraille orientale, par exemple.

Dash avait mis une semaine avant de trouver cet entrepôt-là qu'il considérait comme parfait pour échapper à ses geôliers. Il y trouverait soit un accès aux égouts, soit un passage menant vers un autre entrepôt qui disposait d'un tel accès. Le seul danger que courraient ses compagnons et lui était de se faire prendre au moment où ils entreraient dans cette pièce ou si le passage qui menait à la réserve suivante était bloqué par des débris de maçonnerie. Leurs geôliers remarqueraient leur absence au prochain décompte des prisonniers qu'ils effectuaient à chaque pause-déjeuner. Celle-ci aurait lieu d'ici une heure.

Dans la pénombre, il était difficile de trouver l'entrée des égouts, mais Dash y parvint malgré tout. Sous une épaisse couche de suie et de poussière se trouvait une planche en bois destinée à protéger les céréales de l'humidité du sol. Cette planche dissimulait un trou de la taille d'un homme, recouvert d'une simple grille en fer.

— Donnez-moi un coup de main, chuchota Dash.

Deux de ses compagnons se penchèrent à côté de lui. Dans la faible lumière qui filtrait à travers les interstices de la muraille, Dash distingua les profils de Gustave et de Talwin. Dash faisait confiance au premier mais s'était toujours inquiété au sujet du second. Et pourtant, voilà que Talwin tirait sur la grille au risque de se casser un doigt, sans avoir l'intention de le trahir visiblement.

Ensemble, ils réussirent à soulever la grille et la déposèrent à l'écart. Dash entreprit de se glisser dans le trou en disant :

— Je sais que vous allez avoir du mal à vous laisser tomber dans le noir, mais vous devriez heurter la surface de l'eau à environ deux mètres ou deux mètres cinquante, alors ne vous inquiétez pas. Tournez-vous dans la même direction que moi et prenez sur la droite. Vous ne verrez rien du tout mais je vous assure que je sais me repérer là-dessous.

Il lâcha le rebord de pierre, un geste qui comptait parmi les actes les plus courageux de son existence, car tout son être lui criait de rester accroché pour ne pas tomber dans les ténèbres. L'espace d'un bref instant, il éprouva la sensation d'avoir commis une terrible erreur de jugement, car sa chute dans le noir lui sembla durer un très long moment. En réalité, seules quelques secondes s'écoulèrent avant qu'il ne brise la surface de l'eau. Il plia les genoux, heurta le sol en pierre qui se trouvait sous l'eau et perdit l'équilibre. Il tomba en avant et se retrouva la tête sous l'eau sale. Il en surgit aussitôt en crachant pour éviter d'avaler ce que les égouts pouvaient bien contenir. En effet, son grand-père l'avait mis en garde à ce sujet, expliquant que de nombreux voleurs tombés dans les égouts étaient morts d'une maladie par la suite.

Il se déplaça sur la droite. Quelques instants plus tard, un autre homme se laissa tomber dans le noir.

— Je suis là, fit Dash.

Son compagnon le rejoignit dans la pénombre.

Deux autres hommes sautèrent à leur tour.

— Qui va là ? demanda Dash.

— Gustave, répondit le premier à l'avoir rejoint.

— Talwin, répondit celui qui l'avait suivi.

— Reese, ajouta le troisième.

Dash se souvint d'un grand type silencieux à qui Talwin parlait de temps en temps.

— Je vous ai vu partir tous les trois et j'ai suivi le mouvement, ajouta le dénommé Reese. J'allais pas rester là à attendre bêtement.

Dash en doutait. Il était certain que Talwin avait averti son compagnon qu'il se tramait quelque chose. Mais le jeune homme n'avait pas l'intention d'en débattre maintenant.

— C'est bien, dit-il à voix haute. On va vraiment avoir besoin d'aide pour sortir d'ici.

— Et maintenant, on fait quoi ? s'enquit Gustave. Parce que nous voilà dans le trou le plus noir et le plus puant que j'aie jamais vu.

— Cet endroit fait partie du vieux système d'évacuation des eaux qui court sous les remparts, expliqua Dash. Si on continue à avancer en direction du cœur de la cité, on trouvera un moyen de sortir de Krondor.

— Pourquoi ne pas s'éloigner de la cité, tout simplement, puisqu'on se trouve sous la muraille ? s'étonna Reese.

Dash frappa le mur de pierre à côté duquel il se tenait.

— Parce que c'est là que s'arrêtent les égouts. Pour se retrouver de l'autre côté de ce mur, il faudrait pouvoir mâcher la pierre.

— Merde ! s'exclama Gustave. Quand tu m'as parlé des égouts, j'ai cru qu'on pourrait passer sous les remparts.

— Non, ils n'ont jamais relié les égouts des faubourgs à ceux de la vieille ville. Il aurait été trop facile pour nos ennemis de se glisser à l'intérieur de Krondor. Dans l'état actuel des choses, marmonna Dash, une bonne équipe de sapeurs pourrait facilement s'introduire ici en quelques semaines s'ils connaissaient l'existence de cet endroit. Je sais qu'il y a une brèche de l'autre côté de ce mur, mais nous devons d'abord retourner en ville pour pouvoir l'atteindre.

— Bon, puisqu'on n'a pas le choix… C'est par où ? demanda Talwin.

Pour se repérer, Dash leva les yeux vers le peu de lumière qui filtrait par le trou au-dessus de leurs têtes.

— Venez par ici.

Ses compagnons se rassemblèrent autour de lui.

— Gustave, pose ta main droite sur mon épaule droite. (Le jeune homme sentit la main puissante du mercenaire agripper sa tunique.) Talwin, fais pareil avec Gustave. Reese, tu fermeras la marche. Suivez bien mes instructions. (Dash posa la main droite contre le mur et ajouta :) Allons-y, lentement. Si vous lâchez prise, criez.

Ils s'enfoncèrent dans l'obscurité.

Dash sentit des doigts s'enfoncer dans son épaule lorsque des voix d'hommes résonnèrent au loin. Dans la pénombre, il était impossible de déterminer de quelle direction elles provenaient. Dash savait que ses trois compagnons avaient les nerfs à vif, tout comme lui ; il redoutait que l'un d'eux panique. Gustave paraissait solide en dépit de sa nervosité. Talwin restait silencieux mais Reese laissait parfois échapper des remarques idiotes, soit pour demander combien de temps il leur faudrait continuer à avancer ainsi dans le noir, soit pour exprimer son appréhension.

La lumière filtrait par endroits à travers un interstice dans les pavés de la rue au-dessus de leurs têtes ou une plaque d'égout cassée. Dash était toujours surpris de constater comme ces petits îlots de lumière paraissaient éblouissants comparés au noir absolu dans lequel ils se mouvaient, mais il savait qu'il ne s'agissait que d'une illusion. En arrivant près d'une source de lumière, il n'y voyait qu'à une dizaine de mètres devant et derrière lui, et lorsque cette source disparaissait, il retombait dans les ténèbres les plus profondes qu'il ait jamais connues.

Dans le premier endroit où, selon les dires de son grand-père, il avait espéré trouver des torches ou une lanterne, il n'avait découvert aucune cache secrète. S'il y avait bien une pierre creuse dans le coin, il ne l'avait pas trouvée. N'étant pas le moins du monde présomptueux, le jeune homme avait compris que cette cache n'existait pas car, dans le cas contraire, il l'aurait découverte.

La deuxième ne contenait plus rien. Quelqu'un l'avait déjà vidée de son contenu. Dash ne savait pas si cela s'était produit durant la prise de la cité ou quelques jours ou même quelques heures avant son propre passage.

Il faisait donc de son mieux pour continuer à guider ses compagnons vers le nord, conscient que la meilleure chance de s'échapper résidait dans le quartier connu autrefois sous le nom de La Pêche. C'était l'un de ces rares endroits à Krondor où l'on pouvait plonger dans la baie et ressortir au bout de quelques brasses au-delà des remparts de la cité. Dash ignorait si ses compagnons savaient nager et, à dire vrai, il ne s'en souciait guère. Certes, il désirait les voir s'échapper sains et saufs si possible, mais il serait tout aussi capable de les dénoncer si cela lui permettait de ramener au prince ses précieuses informations.

Suivant toujours le mur d'une main, le jeune homme guida ses compagnons toujours plus loin dans les ténèbres.

Jimmy désigna la faible lumière. Malar acquiesça et chuchota :

— Vous pensez que c'est la sortie, jeune maître ?

— Peut-être. Faites-moi la courte échelle, que je puisse jeter un coup d'œil.

Malar s'agenouilla. Lorsque Jimmy posa le pied gauche sur l'épaule du serviteur, ce dernier se releva, attrapant les chevilles du jeune homme pour le soutenir tandis qu'il l'amenait juste au-dessous de la lumière. Pendant quelques instants, Jimmy peina à trouver un équilibre, mais Malar le tenait fermement, si bien qu'il réussit à garder la position jusqu'à ce qu'il puisse attraper une prise au-dessus de sa tête pour ne pas tomber.

— Génial ! s'exclama-t-il. C'est la trappe d'une cave et elle est sortie de ses gonds.

Jimmy glissa les doigts dans la fente et poussa sur la trappe.

— Je n'arrive pas à faire levier. Lâchez-moi, ajouta-t-il.

Malar obéit et Jimmy sauta à terre avant de se relever devant son serviteur.

— Il n'y a pas moyen d'ouvrir cette trappe.

— N'y a-t-il donc pas d'escalier dans ce maudit donjon ?

— Ce n'est pas un donjon, gloussa Jimmy, plutôt un labyrinthe. Mais vous avez raison et je suis un idiot. (Il poussa un soupir théâtral.) Je connais plusieurs endroits avec des escaliers en pierre qui conduisent à des caves. (Il regarda autour de lui dans la pénombre à peine repoussée par la faible lueur de sa torche.) Si je ne me trompe pas, il y en a un pas très loin d'ici. Priez vos dieux, quels qu'ils soient, pour que le sommet des marches ne soit pas bloqué.

Malar maugréa une prière presque inaudible et suivit Jimmy.

Dash entendit quelque chose devant lui dans le noir et chuchota :

— Ne bougez pas !

Derrière lui, ses compagnons s'immobilisèrent tandis que des bruits résonnaient tout autour d'eux.

— Que se passe…, commença Talwin.

Il n'eut pas le temps de finir sa phrase car Reese le frappa par-derrière et le fit tomber à la renverse.

— Par ici ! s'écria-t-il.

Brusquement, de nombreux hommes apparurent et dévoilèrent leurs lanternes, aveuglant Dash momentanément. Il cligna des yeux dans l'espoir d'essayer de distinguer ce qui se trouvait au-delà des lumières éblouissantes, mais ne vit que des formes sombres qui se précipitaient vers lui. Ne voyant pas d'autre échappatoire, il bondit en avant et passa entre deux de ces silhouettes. L'une tenta de l'attraper mais le manqua tandis que la deuxième fut trop lente. Dash l'avait déjà dépassée lorsqu'elle se retourna pour l'intercepter.

Le jeune homme s'enfuit aussi rapidement que possible, pataugeant dans l'eau jusqu'aux genoux. Il aperçut du mouvement derrière deux lanternes et tourna brusquement sur sa droite pour se précipiter en direction d'une éventuelle sortie. Mais des bras l'attrapèrent et le firent tomber dans l'eau.

Dash se retourna, donna un violent coup de pied à son agresseur et sentit son pied heurter la jambe de ce dernier. Le jeune homme s'éloigna à reculons dans l'eau mais un autre individu l'attrapa. Une voix s'éleva dans la pénombre :

— Ils font trop de bruit ! Faites-les taire !

Dash éprouva une brève douleur lorsque quelqu'un le frappa derrière le crâne avec un gourdin. Puis il perdit conscience.

* * *

Jimmy poussa la trappe vers le haut et fut soulagé de voir qu'elle voulait bien s'ouvrir. Il risqua un coup d'œil par la petite fente qu'il venait juste de créer et, ne détectant aucun mouvement, poussa de toutes ses forces. La lourde trappe en bois s'ouvrit complètement et bascula en arrière pour aller s'écraser bruyamment sur le sol derrière le jeune homme, soulevant un nuage de suie au passage. Jimmy se hâta de grimper dans la pièce plongée dans le noir.

Malar éternua en rejoignant son nouveau maître. La pièce servait d'entrepôt à l'arrière d'une tannerie située près du fleuve au nord de la cité. Jimmy avait mis la plus grande partie de la journée à la découvrir et la soirée était déjà entamée.

Le bâtiment n'avait plus de toit, ce qui expliquait sans doute pourquoi il était abandonné, car les nuits étaient encore froides. Jimmy regarda autour de lui et vit de la lumière briller à l'intérieur d'édifices voisins. Mais il n'y avait personne aux alentours. Le jeune homme dévisagea Malar à la lueur du peu de lumière qui filtrait faiblement à l'intérieur du bâtiment.

— Si je suis aussi sale que vous, nous ferions mieux de rester cachés.

— Bonne idée, mon jeune monsieur, approuva le serviteur. Vous êtes plus sale qu'un vendeur de charbon. D'un seul coup d'œil, même un idiot pourrait dire que nous avons traîné dans un endroit où nous n'aurions pas dû être.

Jimmy leva la main en entendant un bruit :

— Qu'est-ce…

Il tira son épée mais, au même moment, des hommes envahirent la pièce en sautant par-dessus les décombres du mur ou en rentrant par l'unique porte. Seul un imbécile aurait décidé de se battre car plus d'une douzaine d'épées étaient pointées dans leur direction. Jimmy veilla à bien montrer qu'il lâchait son épée et recula.

Des mains rudes l'attrapèrent et lui attachèrent les bras dans le dos pendant que deux hommes faisaient de même avec Malar. Tous portaient de grossières tenues de combat en cuir et un gambison, mais pas d'armures en métal, car trop bruyantes – elles auraient révélé la présence de ces hommes à tous ceux qui sortaient par la trappe.

Un individu vint se camper devant les deux prisonniers et leur dit dans la langue du roi, avec un accent prononcé :

— Il suffit de surveiller un trou à rats pendant un certain temps pour que l'une de ces petites bêtes pointe le bout de son nez, pas vrai ? Une ou deux, ajouta-t-il en jetant un coup d'œil à Malar. Emmenez-les, ordonna-t-il à ses hommes.

Ceux-ci firent sortir Jimmy et Malar du bâtiment et les entraînèrent dans la rue.

Dash attendait en silence. Il avait repris conscience alors même qu'on le faisait entrer dans une pièce qui avait dû servir autrefois d'entrepôt souterrain. Comme il n'y avait pas de lumière, le jeune homme avait exploré sa prison à tâtons, ce qu'il n'avait pas manqué de regretter à plusieurs reprises.

La pièce mesurait environ deux mètres carrés et ne comportait qu'une seule porte, verrouillée de l'extérieur. En passant la main dessus, Dash s'était aperçu que tous les gonds et les verrous se trouvaient de l'autre côté. Il allait devoir rester là jusqu'à ce que quelqu'un le libère. À en juger par l'odeur, plusieurs rongeurs étaient morts récemment dans cette pièce. Si Dash avait mangé à sa faim au cours des deux jours précédents, il aurait probablement ajouté à la saleté et au désordre, mais avec l'estomac vide, son envie de vomir se transformait en haut-le-cœur et ses geôliers devraient s'en contenter.

Au bout de quelques minutes douloureuses, le jeune homme avait réussi à surmonter cette envie de vomir. Deux heures plus tard, d'après son estimation, il ne remarquait presque plus la puanteur à moins de laisser ses pensées s'attarder dessus.

Pour s'occuper, il essayait de mettre au point la meilleure stratégie à suivre. Si on l'avait jeté dans cette cellule obscure au lieu de le traîner devant l'un des officiers de Duko, cela signifiait qu'il n'était pas prisonnier des envahisseurs. La première hypothèse qui lui vint à l'esprit fut celle de soldats du royaume se cachant pour échapper à ces mêmes envahisseurs, auquel cas Dash pourrait rapidement se faire connaître et les enrôler pour poursuivre sa mission.

Mais il était plus probable qu'il se trouvât aux mains d'une bande de hors-la-loi, alors il allait devoir négocier. Ses compagnons avaient disparu, sans doute enfermés dans une pièce semblable à celle-ci.

Brusquement, de la lumière apparut autour de la porte et Dash entendit des bruits de pas approcher. La lumière lui parut très vive en filtrant entre les interstices et l'éblouit lorsque la porte s'ouvrit.

— T'es réveillé ? lui demanda quelqu'un à l'extérieur de la pièce.

— Oui, répondit Dash d'une voix rendue rauque par la soif. Je pourrais pas avoir de l'eau, par hasard ?

— On va d'abord voir si on te laisse en vie, lui fut-il répondu d'un ton bourru.

Deux mains se tendirent et remirent brutalement le jeune homme sur ses pieds avant de l'entraîner dans une pièce plus spacieuse. Dash mit la main devant ses yeux pour les protéger de l'éclat de la lanterne et balaya les lieux du regard. Il s'agissait bel et bien de la cave d'une auberge ou d'un hôtel en ruine ; lui-même avait été enfermé dans un cellier. De nombreux signes montraient que des gens vivaient dans ce bâtiment car des caisses et des ballots de marchandises étaient entreposés dans toute la pièce.

Une demi-douzaine d'hommes entouraient le prisonnier et ne portaient aucune arme apparente. De toute évidence, ils étaient certains de pouvoir l'empêcher de s'évader. Clignant des yeux, toujours à cause de la lanterne, Dash remarqua que l'un d'eux tenait tout de même à la main un gros gourdin. Il ne faisait aucun doute qu'il s'en servirait si Dash tentait de s'échapper malgré tout.

— Et maintenant ? demanda-t-il à l'individu qui l'avait sorti de sa cellule.

— Suis-moi, répondit ce dernier, qui avait le visage tout cabossé.

Dash obéit sans mot dire, encadré par une garde de quatre hommes, deux devant lui et deux derrière. Pour une raison ou une autre, le sixième demeura dans la cave.

Dash dut emprunter un long tunnel sombre et humide pourvu d'une lanterne à chaque extrémité. Il écouta attentivement, mais n'entendit que le son de bottes en cuir et de griffes sur la pierre. Si ce tunnel affleurait les rues de la cité, celles-ci étaient désertes.

L'individu qui ouvrait la marche poussa une porte et fit entrer tout le monde dans une très grande pièce où une douzaine de torches brûlaient dans des appliques. On avait descendu des ruines de la taverne une longue table en bois pas trop abîmée par l'incendie. Elle servait à présent de bureau dans un lieu qui ressemblait fortement à une cour de justice ou un tribunal.

En bout de table présidait un vieil homme. Il paraissait déformé ou estropié car il se tenait penché, l'épaule gauche plus basse que la droite et le bras gauche dans une attelle. Un foulard lui couvrait le crâne, lui masquant l'œil gauche. Dash vit, sous le tissu, que le visage de cet homme était couvert de cicatrices et gravement brûlé. Une jeune femme, grande et svelte, était assise à sa droite. Dash la dévisagea avec attention. En d'autres circonstances, il l'aurait trouvée attirante avec ses cheveux et ses yeux noirs, car elle parvenait encore à être jolie en dépit de la boue et de la suie qui la recouvraient. Mais, étant donné les circonstances, c'était sa tenue qui retenait l'attention du jeune homme. En effet, elle était vêtue comme un homme et armée jusqu'aux dents. Elle portait en évidence une épée et plusieurs dagues, à sa ceinture et dans ses bottes, mais Dash était persuadé qu'il y avait d'autres armes dissimulées sur sa personne, une habitude chez les voleurs. Elle portait une chemise sale, autrefois blanche mais presque couleur charbon à présent. Un gilet en cuir, une culotte d'équitation masculine et un foulard rouge autour de son crâne complétaient sa tenue. Sous le foulard, ses cheveux noirs cascadaient dans son dos.

— Tu es accusé, déclara-t-elle d'une voix étonnamment profonde.

Dash rassembla toute la confiance en lui qu'il parvenait à éprouver en de telles circonstances et répliqua :

— Je n'en doute pas.

L'homme au visage cabossé prit la parole à son tour :

— Avant d'entendre la sentence, t'as quelque chose à dire pour ta défense ?

Dash haussa les épaules.

— Quelle différence cela ferait ?

Le vieil homme gloussa. L'individu qui avait amené Dash dans la pièce lui lança un regard.

— Probablement aucune, mais ça ne te coûte rien.

— Peut-on d'abord me dire de quel crime on m'accuse ?

L'individu au visage amoché regarda de nouveau en direction du vieil homme qui fit un geste brusque pour signifier qu'il en donnait l'autorisation.

— On t'accuse de violation de territoire. On t'a trouvé à un endroit où t'avais pas la permission d'aller.

Dash laissa échapper un long soupir.

— C'est donc ça. Je suis chez les Moqueurs.

La jeune femme regarda le vieil homme qui, de sa main valide, lui fit signe d'approcher. Après qu'il eut chuchoté quelques mots à son oreille, elle se tourna vers Dash :

— Pourquoi tu crois que nous sommes des voleurs, le Chiot ?

— Parce que des contrebandiers m'auraient égorgé avant de poursuivre leur route et que les gardes de Duko m'auraient ramené en surface pour m'interroger. (Il pointa l'index vers le haut.) Vous m'avez séparé de mes compagnons, ce qui signifie que vous essayez de trouver une faille dans chacun de nos récits. De plus, l'un de mes camarades nous a trahis en vous appelant et je ne vois pas ce que Reese pourrait être, à part un voleur. (Il balaya la pièce du regard et ajouta :) Voilà donc ce qu'il reste de chez Maman ?

Le vieil homme prononça de nouveau quelques mots à l'oreille de la jeune femme qui demanda :

— Qu'est-ce que tu sais de chez Maman ? Tu n'es pas l'un des nôtres.

— Moi, non, mais mon grand-père, oui, répondit Dash en devinant qu'à ce stade, il n'avait plus rien à perdre et tout à gagner en dévoilant la vérité.

— C'est qui, ton grand-père ?

— C'était, vous voulez dire. Il est mort. Il s'appelait Jimmy les Mains Vives.

Plusieurs personnes se mirent à parler en même temps jusqu'à ce que le vieil homme, d'un geste, leur ordonne le silence. La jeune femme se pencha vers lui avant de répéter ses paroles à Dash :

— Et toi, tu t'appelles ?

— Dashel Jameson. Je suis le fils d'Arutha, duc de Krondor.

— Tu es donc venu espionner pour le compte du roi, répliqua aussitôt la jeune femme.

Dash se permit un sourire ironique.

— Non, plutôt pour celui du prince, en réalité. Mais il est vrai que je suis ici pour voir quelles sont les défenses de Duko, afin que Patrick puisse reprendre la cité.

Le vieil homme agita sa main grièvement brûlée et parla à la jeune femme qui ordonna :

— Viens plus près, le Chiot.

Dash obéit et s'approcha du vieil homme et de la jeune femme. Le premier dévisagea Dash de son œil valide pendant un long moment, à la lueur de la lanterne que tenait la jeune femme afin que les traits du prisonnier fussent bien visibles.

Puis le vieil homme prononça, suffisamment fort pour que tout le monde puisse l'entendre :

— Laissez-nous.

Sa voix, presque détruite, évoquait un son étranglé ou un bruit de gravillons qu'on écrase.

Aussitôt, tout le monde obéit et sortit sans hésiter, à l'exception de la femme.

— Eh bien. Le monde est vraiment petit, mon garçon, déclara le vieil homme.

Dash se pencha pour examiner les traits ravagés de son interlocuteur.

— Je vous connais, monsieur ?

— Non, répondit laborieusement l'intéressé comme si chaque mot lui faisait mal. Mais moi, je te connais, de nom et de parenté, Dashel, fils d'Arutha.

— Et pourrais-je savoir à qui j'ai l'honneur, monsieur ?

La jeune femme lança un regard au vieil homme, mais ce dernier ne quittait pas Dash de son œil valide.

— Ton grand-oncle, mon garçon, voilà qui je suis. On m'appelle le Juste.

Chapitre 5

CONFRONTATIONS

Arutha avait les sourcils froncés.

Pug se tenait sur le seuil et observait le duc de Krondor depuis un moment déjà lorsqu'il lui demanda d'une voix douce :

— Puis-je m'entretenir avec toi quelques instants ?

Arutha leva les yeux et lui fit signe d'entrer.

— Bien sûr, Grand-père, je vous en prie.

— Tu as l'air distrait, fit remarquer Pug en prenant une chaise face à la grande table en chêne derrière laquelle travaillait Arutha.

— C'est vrai, je le reconnais.

— C'est à cause de Jimmy et Dash ?

Arutha acquiesça et regarda par la fenêtre. Il faisait chaud en cet après-midi de printemps. Mais le duc plissa les yeux. De profonds cernes noirs trahissaient le manque de sommeil qui l'accablait depuis qu'il avait envoyé ses fils à Krondor, mettant délibérément leur vie en danger. Les cheveux d'Arutha se teintaient de gris ; Pug n'avait pas remarqué qu'il y en avait tant à peine un mois auparavant.

— Vous vouliez me voir ? demanda le duc à son grand-père.

— Oui. Nous avons un problème.

Arutha hocha la tête.

— Nous en avons beaucoup. Duquel souhaitez-vous parler en particulier ?

— Patrick.

Arutha se leva et contourna la table pour se rendre jusqu'à la porte. Il jeta un coup d'œil dans la pièce voisine où deux secrétaires, penchés sur une pile de documents, lisaient des rapports et passaient en revue les demandes de fournitures. Ils paraissaient absorbés par leur travail mais le duc préféra fermer la porte.

— Que suggérez-vous ? interrogea-t-il en retournant s'asseoir.

— D'envoyer un message au roi.

— Et ensuite ? insista Arutha en regardant le magicien droit dans les yeux.

— Je crois que l'Ouest a besoin d'un autre commandant.

Arutha soupira. En cet instant, Pug perçut toute la fatigue, la tension, l'angoisse et le doute qui habitaient cet homme ; il venait de les exprimer de façon aussi éloquente qu'un orateur qui aurait parlé pendant une heure. Avant même que son petit-fils ne prononce un seul mot, Pug savait déjà comment se conclurait cette conversation. Malgré tout, il laissa le duc répondre lui-même.

— L'histoire nous enseigne que l'on ne trouve pas toujours l'homme de la situation. Elle nous enseigne aussi que si nous faisons tous notre travail du mieux que nous pouvons, nous réussissons toujours à nous en sortir, d'une façon ou d'une autre.

Pug se pencha en avant.

— Nous sommes à ça d'une guerre avec Kesh la Grande, affirma-t-il en écartant le pouce et l'index d'un centimètre à peine. Tu ne penses pas qu'il vaudrait mieux mettre fin à celle qui est déjà en cours avant d'en entamer une nouvelle ?

— Ce que je pense n'a pas d'importance, répliqua Arutha. Je conseille le prince, mais c'est son royaume. Je suis simplement autorisé à le gouverner en son nom, c'est tout.

Pug ne répondit pas et dévisagea son petit-fils pendant un long moment. N'y tenant plus, Arutha laissa la colère prendre le dessus et frappa du poing sur la table.

— Bon sang, quand comprendrez-vous que je ne suis pas mon père ?

Pug garda le silence encore quelques instants avant de répondre :

— Je n'ai jamais dit que tu l'étais... ou que tu devrais l'être.

— Non, mais à l'instant vous vous demandiez : « Comment James gérerait-il la situation ? »

— C'est ta mère qui lisait dans les pensées, Arutha, pas moi.

Le duc se pencha à son tour.

— Vous êtes mon grand-père et pourtant je vous connais à peine. (Il regarda en direction du plafond, comme s'il voulait mettre de l'ordre dans ses idées, puis reprit :) Ce qui signifie que vous aussi, vous me connaissez bien peu.

— Tu as été élevé à l'autre bout du royaume, Arutha. Nous nous sommes vus de temps en temps...

— C'est difficile de grandir entre plusieurs légendes vivantes, vous savez ?

Pug haussa les épaules.

— Je n'en suis pas sûr.

— Mon père n'était autre que Jimmy les Mains Vives, le voleur devenu le noble le plus puissant du royaume. Et je porte le nom d'un homme qui est presque indiscutablement le souverain le plus brillant que l'Ouest ait jamais connu.

» À plusieurs reprises, le roi et moi avons échangé nos impressions, ce que l'on ressent lorsqu'on est le fils de ces hommes-là. (Il pointa un index accusateur sur le magicien.) Quant à vous... vous pourriez passer pour mon fils. Vous paraissez plus jeune aujourd'hui que quand j'étais enfant. Vous vous transformez peu à peu en héros mystérieux et redoutable, grand-père. Pug, le sorcier immortel, l'homme qui nous a sauvés durant la guerre de la Faille.

Arutha s'interrompit comme pour peser ses mots avant de reprendre :

— Un jour, avant de devenir roi, Borric m'a avoué que nous jouerions un rôle très différent de celui de nos pères. Le sien avait brutalement hérité du commandement de la garnison de Crydee dans un contexte où il était obligé d'agir sans hésiter, sans éprouver le moindre doute.

» Quant au mien, c'était ce gamin effronté qui avait sauvé la vie du prince avant de devenir son conseiller et son ami, celui en qui il avait le plus confiance. À eux deux, ils trouvaient toujours réponse à tout.

Pug rit, d'un rire qui n'avait rien de moqueur.

— Je suis sûr que s'ils le pouvaient, ils protesteraient en disant qu'ils ont eu leur part de doute et qu'eux aussi ont fait des erreurs, Arutha.

— Peut-être, mais ils obtenaient des résultats. J'ai grandi bercé par leurs histoires, des contes destinés à distraire les nobles de l'Est qui n'avaient jamais vu Krondor et encore moins la Côte sauvage. Je sais comment le prince Arutha a sauvé Crydee des Tsurani et comment il s'est rendu à Krondor où il a trouvé la princesse Anita. Je sais comment mon père leur a permis de s'échapper de la cité avant d'aider le comte Kasumi à rendre visite au roi.

» Je connais aussi l'histoire de ce Moredhel renégat et du magicien félon de Kelewan, ajouta-t-il en prenant un air songeur. On m'a également parlé de l'attaque contre la Larme des Dieux et comment quelqu'un se faisant appeler le Rampant a essayé de prendre le contrôle des Moqueurs. Oui, je connais toutes les histoires de la jeunesse insouciante de mon père. (Il regarda durement Pug.) Mais je n'étais pas un noble qui lit des rapports écrits dans un style froid ; j'étais un petit garçon à qui l'on parle de son père.

— Qu'essayes-tu de me dire ? demanda Pug. Que tu ne te sens pas à la hauteur de cette tâche ?

— Quelle tâche ? Celle de remettre le royaume en état ? Personne n'est à la hauteur de ça, grand-père. (Il plissa les yeux.) Pas même vous.

Pug prit une profonde inspiration puis se détendit.

— Patrick ne veut donc pas céder le port des Étoiles ?

— Non, grand-père, parce qu'il veut tout récupérer. Il veut que Krondor soit rebâtie de son vivant et atteigne une gloire plus grande encore que celle qu'elle avait avant. Il veut que Kesh débarrasse tout le val des Rêves. Il veut nettoyer la Triste Mer des forbans quegans et des pirates keshians qui l'infestent. À la mort de son père, Patrick veut retourner à Rillanon, ceindre la couronne et pouvoir clamer partout qu'il est le plus grand prince que l'Ouest ait jamais connu.

— Que les dieux nous préservent des monarques orgueilleux, murmura Pug.

— Non, Pug, ce n'est pas de l'orgueil, c'est de la peur.

Le magicien acquiesça.

— Les jeunes hommes redoutent souvent l'échec.

— Je comprends sa peur, ajouta Arutha. Peut-être que si l'on m'avait donné un autre nom, comme George ou Harry, ou Jack, ou encore Robert… Mais non, j'ai été baptisé du nom de l'homme que mon père admirait par-dessus tout.

— Le prince Arutha était un homme admirable, rétorqua Pug. De tous ceux que j'ai connus, il comptait parmi les plus valeureux.

— J'en suis douloureusement conscient, croyez-moi. (Arutha se renfonça dans son fauteuil, comme s'il cherchait du réconfort.) Si Arutha et mon père étaient encore en vie, les rêves de Patrick pourraient peut-être se réaliser. Mais dans l'état actuel des choses…

— Eh bien ? fit Pug.

— C'étaient de grands hommes. Ce n'est pas notre cas.

Le visage de Pug s'assombrit.

— Tu es fatigué. Tu es fatigué et tu t'inquiètes au sujet des garçons. (Il se leva.) Ainsi qu'au sujet de Patrick, du royaume et de tout le reste. (Il se pencha par-dessus le bureau et ajouta :) Mais comprends bien ceci : tu es tout à fait capable. Et tant que tu seras mon petit-fils, je ne te laisserai pas l'oublier. Ces garçons sont mes arrière-petits-fils. Je n'ai peut-être pas engendré Gamina mais elle était la fille de mon cœur et c'est pour cette raison que j'aime ses enfants et ses petits-enfants comme les miens. (Il tendit le bras au-dessus de la table et posa la main sur l'épaule d'Arutha.) Et surtout toi.

Arutha sentit les larmes lui monter aux yeux sans prévenir.

— Moi ?

— Tu ne ressembles peut-être pas autant que tu le voudrais à ton père, expliqua Pug d'une voix douce, mais tu ne sauras jamais à quel point tu ressembles à ta mère. (Il retira sa main et tourna les talons.) Je vais te laisser. Repose-toi et viens dîner avec moi ce soir, quand tu auras eu l'occasion de te rafraîchir. (Sur le seuil, il se retourna et ajouta :) Essaye de ne pas trop t'inquiéter au sujet des garçons. Je suis sûr qu'ils vont bien.

Il ouvrit la porte et sortit en la refermant derrière lui. Arutha, duc de Krondor, resta assis en silence et réfléchit aux paroles que venait de prononcer son grand-père. Puis il laissa échapper un long soupir – un luxe qu'il s'autorisait rarement – et se remit au travail. Peut-être prendrait-il le temps de se reposer un peu avant le dîner. Tandis qu'il contemplait le rapport qui se trouvait au sommet de la pile de documents, il songea : *Les garçons sont débrouillards. Grand-père a sûrement raison, ils vont bien.*

La tête de Jimmy partit en arrière sous la force du coup que venait de lui donner le soldat. La douleur lui fit monter les larmes aux yeux et lui fit voir rouge pendant quelques instants. Ses genoux se dérobèrent sous lui mais les deux autres soldats qui le tenaient l'obligèrent à rester debout.

— Très bien. (La personne qui l'interrogeait s'exprimait dans la langue du roi avec un accent très prononcé.) Encore une fois. (Il marqua un temps de pause.) Recommençons depuis le début. Pourquoi cherchais-tu à entrer dans Krondor ?

Deux autres militaires maintenaient Malar qui saignait du nez et avait l'œil droit enflé – lui aussi avait eu droit à l'interrogatoire. Jimmy était soulagé que Dash et lui n'aient rien confié à leur nouveau compagnon.

Jimmy secoua la tête pour s'éclaircir les idées.

— Je vous l'ai dit. Je suis mercenaire, je viens de l'Est et je cherche du travail. Lui, c'est mon voleur de chien.

— Mauvaise réponse, répliqua l'autre avant de frapper de nouveau le jeune homme.

Celui-ci s'effondra, incapable de commander à ses jambes. Sans les deux soldats qui le tenaient fermement, il serait tombé.

Il recracha du sang et demanda entre des lèvres qui enflaient rapidement :

— Qu'est-ce que vous voulez que je vous dise ?

— Tous les mercenaires qui campent au pied des remparts savent qu'ils ne doivent pas entrer dans Krondor, on le leur a dit. Si tu étais vraiment ce que tu prétends, tu le saurais.

Il fit un signe de tête à l'adresse des deux soldats, qui traînèrent Jimmy près du mur et le laissèrent s'effondrer sur le sol. L'homme qui l'avait interrogé s'agenouilla et rapprocha son visage de celui de Jimmy.

Ce type ressemblait à une brute avec une mâchoire de scarabée et une épaisse tignasse noire qui lui arrivait aux épaules. De près, Jimmy put s'apercevoir qu'en dehors de sa courte barbe noire, le soldat portait toute une collection de cicatrices sur son cou et ses épaules. Ce dernier lui agrippa les cheveux :

— Soit tu es fou, soit tu es un espion. Dis-moi lequel des deux ?

Jimmy fit mine d'hésiter pour ménager son effet avant de répondre, lentement :

— Je suis à la recherche de mon frère.

Le soldat se releva et fit signe à ses deux subordonnés. Ceux-ci soulevèrent Jimmy et le traînèrent jusqu'à une chaise. Ils se trouvaient dans une grande chambre d'auberge, reconvertie en une espèce de cellule.

Jimmy et Malar avaient été amenés là au cours de la nuit précédente et l'interrogatoire avait immédiatement débuté. Pendant une heure, ils avaient été systématiquement interrogés et battus, puis on les avait laissés seuls. Ensuite, à chaque fois qu'ils étaient sur le point de se détendre, la porte se rouvrait et la séance de torture reprenait. Jimmy savait cet étrange programme délibéré et destiné à les perturber. En dépit de la brutalité manifeste du soldat qui les interrogeait, le procédé était très bien pensé et plutôt subtil. Il s'agissait de les désorienter sans pour autant leur faire perdre l'esprit. Cette approche méthodique avait pour but de mettre en évidence les erreurs et les incohérences de leur récit. Jimmy avait fait appel à toute sa concentration pour ne pas tomber dans ce piège ; à présent, il essayait de tourner la situation à son avantage.

Il n'avait qu'une crainte : qu'ils aient déjà capturé Dash. Auquel cas, le fait d'admettre qu'il cherchait son frère pouvait concorder avec le récit de Dash si celui-ci se trouvait bel et bien aux mains des envahisseurs. D'une certaine façon, c'était la vérité et, en tant que telle, elle se révélerait bien plus convaincante que le meilleur des mensonges.

— Votre frère ? répéta l'homme en levant le poing. Quel frère ?

— Mon jeune frère. (Jimmy se pencha en arrière sur la chaise et passa le bras gauche par-dessus le dossier pour pouvoir se tenir droit.) Des bandits nous ont attaqués à quelques kilomètres de la cité et nous avons pris la direction de Krondor. (Il s'arrêta pendant un long moment et ne reprit son récit que lorsque l'autre le menaça de nouveau de son poing.) On a été séparés. Les bandits se sont lancés à sa poursuite, alors mon voleur de chien et moi on a fait demi-tour et on les a suivis. On a évité les bandits quand ils sont revenus sur leurs pas et on a bien vu qu'ils ne l'avaient pas attrapé – j'en ai vu aucun mener le cheval de mon frère par la bride et je sais qu'ils l'auraient gardé, parce que c'était un bon cheval. (Il avala sa salive.) Je peux avoir de l'eau ? demanda-t-il d'une voix rauque.

Le soldat hocha la tête. L'un de ses compagnons sortit de la pièce et revint quelques instants plus tard avec de l'eau. Jimmy but avidement puis hocha la tête en direction de Malar. L'homme qui l'avait interrogé acquiesça et Malar eut droit lui aussi à un verre d'eau.

— Continue, ordonna le soldat.

— On a vérifié dans tous les campements sous les remparts. Personne ne l'a vu.

— Quelqu'un lui a peut-être déjà tranché la gorge.

— Non, pas mon frère, répliqua Jimmy.

— Comment tu le sais ?

— Je le sais, c'est tout. Et puis, si quelqu'un lui avait tranché la gorge, il lui aurait piqué ses bottes.

Le soldat baissa les yeux en direction des pieds de Jimmy et hocha la tête.

— Jolies bottes.

Il fit signe à l'un de ses compagnons qui sortit et revint un peu plus tard avec un sac. Il l'ouvrit et en vida le contenu sur le sol.

— Elles sont à ton frère, ces affaires ?

Jimmy regarda les bottes. Il n'avait pas besoin de les examiner de près pour les reconnaître, car elles étaient identiques aux siennes. C'était un bottier de Rillanon qui les avait fabriquées pour les deux frères.

— Dans celle de gauche, vous devriez voir la marque du bottier, une petite tête de taureau.

Le soldat acquiesça de nouveau.

— Je l'ai vue.

— Mon frère est en vie ?

Nouveau hochement de tête.

— En tout cas il l'était il y a deux jours, jusqu'à ce qu'il prenne la fuite.

Jimmy ne put s'empêcher de sourire.

— Il s'est évadé ?

— Avec trois autres prisonniers. (Le soldat dévisagea Jimmy pendant un moment avant d'ordonner :) Emmenez-les.

Il tourna les talons et sortit de la pièce. On poussa Jimmy et Malar à le suivre, encadrés par deux gardes.

107

Ils furent conduits dans l'ancienne salle commune de l'auberge, ce qui permit à Jimmy de reconnaître l'endroit. C'était tout ce qui restait d'un établissement digne d'un véritable palais, *Les Sept Pierres Précieuses*, situé non loin du cœur du quartier marchand. Il se trouvait à quelques pâtés de maisons du *Café de Barret* où se déroulaient autrefois la plupart des affaires financières du royaume de l'Ouest. Balayant la pièce du regard, Jimmy s'aperçut que l'auberge avait relativement bien résisté à l'invasion. Bien sûr, il y avait de nombreux dégâts liés à la fumée et les tapisseries qui décoraient autrefois les murs avaient disparu, mais les meubles étaient intacts et les pièces fermaient encore à clé. Jimmy avait été interrogé dans l'une des réserves situées sur l'arrière du bâtiment, près des cuisines. On le conduisait à présent vers l'une des extrémités de la salle commune, où un rideau séparait un grand espace du reste de la pièce.

Dans ce box étaient assis trois hommes, tous des militaires à en juger par leur tenue et leurs manières. Celui du centre tenait à la main un parchemin, sans doute un rapport, songea Jimmy. Le soldat qui avait interrogé les prisonniers s'avança jusqu'à la table puis se pencha par-dessus pour parler à voix basse. L'homme du centre leva les yeux en direction de Jimmy et hocha la tête à l'intention du soldat qui s'en alla, laissant Jimmy seul avec les trois hommes. Ces derniers étaient absorbés par leur paperasse et laissèrent leur prisonnier debout pendant un long moment avant que l'individu au centre ne lève à nouveau la tête vers lui.

— Votre nom ?

— Je m'appelle Jimmy.

— Jimmy, répéta l'homme comme s'il testait le son de ce prénom.

Puis il dévisagea le jeune homme, qui fit de même.

Le militaire était d'âge moyen, approchant sans doute de la cinquantaine. Il n'en paraissait pas moins robuste même si sa musculature avait quelque peu fondu en raison des vicissitudes de cette campagne, d'un hiver froid et du manque de nourriture. Il avait l'apparence d'un combattant, depuis ses cheveux, sombres et grisonnants, attachés en arrière pour qu'ils ne retombent pas sur ses yeux bruns, jusqu'à sa mâchoire carrée et son menton qu'il rasait de près. Quelque chose chez lui parut familier à Jimmy qui comprit brusquement pourquoi : par sa voix et son attitude, cet homme ressemblait aux souvenirs que Jimmy avait du prince Arutha, qu'il avait connu enfant. Il y avait chez lui à la fois de la dureté et du bon sens ainsi qu'une intelligence calculatrice qu'il valait mieux ne pas sous-estimer – pareille erreur serait fatale.

— Vous êtes un espion, de cela j'en suis pratiquement convaincu.

Il s'exprimait dans la langue du roi avec très peu d'accent. Jimmy ne répondit pas.

— La question est de savoir si vous êtes mauvais ou terriblement intelligent, au contraire. (L'homme soupira, comme s'il réfléchissait au problème.) Votre frère – si c'est bien lui – est un bien meilleur espion que je le croyais. Je le faisais surveiller et pourtant il a réussi à s'échapper. Nous connaissions l'existence des égouts sous les remparts mais nous ne savions pas qu'il y avait une entrée à cet endroit-là. Une fois en dessous, il a disparu. (le soldat regarda Jimmy comme s'il tentait de l'évaluer.) Je ne ferai pas la même erreur deux fois.

Il tendit la main vers une tasse à côté de lui et but ce qui ressemblait à de l'eau. Jimmy était impressionné par le discours de cet homme qui parlait pratiquement sans accent et qui avait pourtant dû apprendre cette langue, car il s'exprimait avec la précision de quelqu'un dont ce n'était pas la langue maternelle.

— Je sais déjà que ces bottes dont vous prétendez qu'elles appartiennent à votre frère ont été fabriquées par un cordonnier particulièrement réputé à Rillanon, la capitale de votre nation. Est-ce exact ?

Jimmy acquiesça.

— Ça l'est.

— Serait-il déraisonnable de penser que de simples mercenaires ne sont guère susceptibles d'acquérir de telles bottes, et deux paires identiques qui plus est, à moins bien sûr qu'ils ne soient pas, en réalité, de simples mercenaires ?

— Non, ce ne serait pas déraisonnable du tout, répondit Jimmy.

L'individu qui lui parlait fit signe à l'un de ses compagnons qui sortit du box, alla prendre une chaise et permit à Jimmy de s'y asseoir. Le jeune homme hocha la tête en guise de remerciement avant de demander :

— Serait-ce faire preuve d'orgueil que de prétendre que nous ne sommes pas des mercenaires ordinaires ?

— Pas le moins du monde, même si cela aurait un petit parfum d'hypocrisie.

— Je suis à votre merci, répliqua Jimmy. Le fait que je sois ou non un espion n'a que peu d'importance. Vous tenez ma vie entre vos mains.

— C'est vrai, mais le meurtre ne m'attire guère. J'en ai trop vu ces vingt dernières années. (Il fit signe à son autre compagnon, qui se leva à son tour et ramena une tasse remplie d'eau pour Jimmy.) Je suis désolé, nous n'avons rien de plus goûteux. Au moins, cette eau est propre. L'un des principaux puits au nord a été nettoyé et contient de nouveau de l'eau potable. Votre duc James n'a pas laissé grand-chose derrière lui, la cité manque de confort.

Jimmy feignit l'indifférence en entendant le nom de son grand-père. L'envahisseur était très bien informé de ce qui se passait à Krondor et dans le royaume pour connaître ainsi le duc James et le meilleur bottier de Rillanon.

— Cependant on s'en sort bien, ajouta-t-il. C'est difficile de nourrir les ouvriers mais la pêche est bonne et il reste toujours des gens prêts à nous vendre à manger en échange du peu de butin que nous avons récupéré dans Krondor.

Jimmy se sentait intrigué. Il se méfiait aussi. Cet homme parlait visiblement avec insouciance mais paraissait occuper une position importante parmi les envahisseurs.

Il se leva et demanda à Jimmy s'il pouvait marcher. Le jeune homme se leva à son tour et hocha la tête.

— Ça ira, dit-il.

— Bien. Dans ce cas, venez avec moi.

Jimmy le suivit et sortit de l'auberge avec lui. À l'extérieur, le soleil brillait en ce milieu d'après-midi. Jimmy, ébloui, fut obligé de plisser les yeux.

— Je suis au regret de vous annoncer que nous allons devoir marcher. Les chevaux sont à la base de notre alimentation en ce moment. (Il jeta un coup d'œil à Jimmy.) Même si on en garde quelques-uns pour porter des messages.

Ils remontèrent une rue encombrée par la foule. Presque tous les hommes étaient armés et appartenaient de toute évidence aux forces ennemies. Cependant, on apercevait çà et là quelques ouvriers ainsi que quelques femmes. Tout le monde paraissait occupé à quelque chose, on ne voyait nulle part les habituels désœuvrés de la cité : les ivrognes, les prostituées, les hommes de main et les mendiants. Les gamins des rues qui, d'ordinaire, se baladaient et chahutaient en bande à travers les quartiers pauvres et ouvriers de Krondor brillaient par leur absence.

— Puis-je vous demander où se trouve mon voleur de chien ? s'enquit Jimmy.

— Il va bien, assura son compagnon. Inutile de vous inquiéter à son sujet. (Il continua à marcher quelques instants en silence aux côtés de son prisonnier avant de reprendre :) Jimmy, si vous êtes un espion, vous devez sûrement vous demander ce que nous faisons à Krondor.

— C'est une question qui m'a traversé l'esprit, reconnut le jeune homme. Je ne suis peut-être pas un espion, mais il est évident qu'il ne s'agit pas seulement d'une préparation à la campagne du printemps. Il y a de l'autre côté de ces remparts des soldats impatients de s'enrôler dans votre armée et pourtant vous ne les engagez pas. Vous avez entrepris beaucoup de travaux dans la cité mais il est évident que tous ne servent pas un objectif défensif, ajouta-t-il en désignant un bâtiment tout proche où deux soldats étaient occupés à installer une nouvelle porte. On dirait que vous êtes venus à Krondor pour vous y établir.

L'homme sourit. De nouveau, Jimmy repensa au vieux prince, car ce soldat possédait le même petit sourire en coin qu'affichait Arutha lorsque quelque chose l'amusait.

— Bien vu. Vous avez raison, nous n'avons pas l'intention de vider les lieux de sitôt.

Jimmy acquiesça et fit la grimace car son crâne se ressentait encore des coups qu'il avait reçus.

— Mais vous refusez l'aide de personnes qui pourraient vous aider à tenir cet endroit lorsque l'armée du prince se présentera aux portes, protesta-t-il.

— Combien d'espions se trouvent parmi ces mercenaires, là-dehors ? demanda abruptement l'officier.

— Je ne saurais dire, répondit Jimmy en haussant les épaules. Pas beaucoup, je pense.

— Pourquoi ?

— Parce qu'aucun homme du royaume ne peut se faire passer pour l'un des vôtres. Nous ne parlons pas votre langue.

— Ah, mais c'est faux. Certains de vos compatriotes nous ont infiltrés depuis des années. Nous avons eu connaissance d'une bande appelée les Aigles cramoisis de Calis avant même la chute de Maharta. Nous savons à présent qu'ils étaient des agents du royaume et qu'ils ont été parmi nous à plusieurs reprises.

Ils arrivèrent au pied des remparts. L'homme fit signe à Jimmy de monter un escalier avec lui pour rejoindre le sommet de la muraille. Tout en escaladant les marches, l'officier poursuivit :

— Nous, les commandants, n'avons jamais très bien su le pourquoi de cette guerre. Pour comprendre ce que nous sommes devenus, il vous faut apprendre qui nous étions.

Ils arrivèrent au sommet des remparts. L'officier fit signe à Jimmy de le suivre. Ils atteignirent un endroit où la muraille venait tout juste d'être refaite avec du mortier qui maintenait solidement les pierres en place. L'officier embrassa la plaine qui s'étendait au-delà de la cité en direction de l'est.

— Là, dehors, c'est une nation, ce que vous appelez votre royaume. (Il se tourna vers Jimmy.) Là d'où je viens, les nations n'existent pas. Avant, il y avait des cités-États, gouvernées par des hommes mesquins ou nobles, avides ou généreux, stupides ou sages. Mais le pouvoir d'un souverain ne s'étendait pas à plus d'une semaine de cheval de sa ville. (Il désigna Jimmy.)

Les gens ici ont cette idée en tête, ce concept de nation. J'avoue que cela m'intrigue et même me captive, que des hommes qui vivent si loin de leur souverain qu'il leur faut voyager pendant un mois pour le voir lui jurent allégeance malgré tout et sont prêts à mourir pour lui... (Il s'interrompit.) Non, pas pour le souverain, mais pour leur pays, leur nation. Voilà vraiment un concept étonnant.

» J'ai passé beaucoup de temps cet hiver à parler à ceux de nos prisonniers qui pouvaient m'expliquer, ces hommes et ces femmes qui possédaient une certaine éducation ou une certaine expérience et qui voulaient bien m'aider à comprendre ce concept de royaume. (Il secoua la tête.) C'est une grande et belle chose que cette nation qui est la vôtre.

Jimmy haussa les épaules.

— Pour nous, ça va de soi.

— Je comprends, car vous n'avez jamais connu autre chose.

L'officier regarda par-delà la muraille. En contrebas s'étendait une mer de tentes, d'abris de fortune et de feux de camp entre lesquels retentissait le brouhaha de leurs habitants, fait de rires, d'exclamations de colère, de pleurs d'enfant, le tout ponctué par les voix des vendeurs à la criée.

— Mais pour moi, reprit-il, cette notion de pays plus vaste que les terres que je peux conquérir et occuper – pour mon employeur ou en mon nom propre –, c'est merveilleux.

Le vent soufflait cet après-midi-là et charriait une odeur d'embruns et de charbon.

— Dites-moi, pourquoi cette cité a-t-elle été construite ici ? (Il regarda en direction de l'ouest.) S'il existe au monde un port plus terrible que celui-là, je ne le connais pas.

Jimmy haussa de nouveau les épaules.

— L'histoire raconte que le premier prince de Krondor aimait regarder le soleil se coucher depuis la colline sur laquelle le palais a été bâti.

— Ah, les princes, fit l'officier en secouant la tête. (Il poussa un profond soupir.) Nous sommes en train de draguer ce foutu port. Nous avons mis la main sur des gens qui se donnent le nom de sauveteurs d'épaves et qui utilisent leur magie pour sortir les carcasses de navire de l'eau. On réussit à en enlever une tous les trois jours ; à ce rythme, le port sera nettoyé d'ici à l'hiver prochain.

Jimmy ne répondit pas.

— Nous savons que vous rassemblez ce qui reste de votre flotte du côté de la baie de Shandon, dans ce village que vous appelez Port-Vykor, ajouta l'officier. Nous ne possédons peut-être plus de flotte, mais nous avons des navires et nous tiendrons la cité.

Jimmy haussa encore une fois les épaules.

— Puis-je vous demander pour quelle raison ?

— Parce que nous n'avons aucun autre endroit où aller.

Jimmy regarda son interlocuteur.

— Si vous aviez les moyens de rentrer chez vous…

— Il n'y a plus rien là-bas. (L'homme regarda en direction de l'est.) D'une façon ou d'une autre, c'est là que mon avenir m'attend. (Il regarda ensuite en direction de l'ouest.) Le continent où je vivais a été ravagé par vingt années de guerre. Il ne reste plus aucune grande cité. Les seules encore debout ne sont que des trous perdus, à peine plus prospères au sommet de leur gloire que Krondor l'est en ce moment même alors qu'elle gît en cendres. Ce sont des cités-États peuplées d'hommes qui se contentent de peu et qui n'ont aucun plan d'avenir. Pour eux, chaque jour est le même. (Il se tourna vers Jimmy et le dévisagea un long moment.)

» J'aurai cinquante-deux ans au prochain solstice d'été, mon garçon. Je suis soldat depuis que j'ai seize ans. J'ai passé trente-six ans à me battre. (Il contempla la cité tandis que le soleil commençait à décliner à l'ouest.) J'ai passé la plus grande partie de ma chienne de vie à faire couler le sang et à tuer des gens. C'est bien trop long. (Il s'accouda au parapet, comme s'il était fatigué.) Ces vingt dernières années, j'ai servi sous les ordres de démons ou de dieux noirs, je ne sais pas vraiment. En revanche, je sais que les armées de la reine Émeraude se composaient d'hommes séduits par des forces obscures et attirés par des promesses de richesse, de pouvoir et d'immortalité… ou motivés par la peur, ajouta-t-il en baissant la voix. (Il se mit à contempler ses pieds, comme s'il refusait de croiser le regard de Jimmy.) Quand j'étais jeune, j'avais de l'ambition. J'étais impatient de me tailler une réputation. À dix-huit ans, je possédais déjà ma propre compagnie ; à vingt ans, je commandais un millier d'hommes.

» Au début, j'ai été content de servir la reine Émeraude. Son armée était la plus grande que Novindus ait jamais connue. Grâce à ses conquêtes, on touchait notre part du butin et on avait de l'or, des femmes et davantage de recrues sous nos ordres. (Il ferma les yeux comme pour mieux se souvenir.) Les années ont passé et je me suis rendu compte que cette succession de femmes ne m'intéressait plus et que ça ne servait à rien d'avoir plus d'or que je pouvais en porter. De surcroît, je ne pouvais pas en faire grand-chose à part recruter toujours plus d'hommes. (Il regarda Jimmy et pointa son pouce par-dessus son épaule, en direction du nord.)

» Mon vieux copain Nordan est là-haut, sur mes arrières. Si je ne me trompe pas au sujet de Fadawah, il m'a envoyé ici pour que je me fasse réduire en bouillie par l'armée du prince. Je dois ralentir la progression de votre Patrick et le saigner à blanc pendant que Nordan construit une barricade en travers de la route qui mène vers le nord et se retranche dans la ville de Sarth. (Il regarda par-dessus son épaule comme s'il pouvait apercevoir la ville en question.) C'est une putain de position défensive, cette abbaye abandonnée. Une fois que Nordan s'y sera retranché, votre prince va mettre toute une année à l'en déloger.

» Pendant ce temps, ajouta-t-il en se tournant de nouveau vers Jimmy, Fadawah s'emparera de la ville de LaMut. Il n'ira pas jusqu'à Yabon cette année, il se contentera d'établir une position au sud de cette cité et de l'affamer pendant un an. Il a les moyens d'empêcher les renforts et les provisions d'atteindre Yabon pendant qu'il repousse vos forces au sud.

— Pourquoi me racontez-vous cela ? demanda Jimmy.

— Parce que, espion ou pas, je veux que vous portiez un message de ma part au prince. Je crois qu'il est encore à la Lande Noire, mais je ne doute pas que certains de ses soldats se trouvent déjà à moins d'une journée de cheval à l'est. Je vais demander à l'un de mes hommes de vous raccompagner jusque-là et de vous relâcher.

— Pourquoi ne pas envoyer un message, tout simplement ?

— Parce que je crois que vous êtes réellement un espion et qu'on sera plus susceptible de vous croire, vous. Si j'envoyais l'un de mes hommes, ou un prisonnier que le prince et ses conseillers ne connaissent pas, il mettrait sans doute trop longtemps pour les convaincre de mes bonnes intentions. Et le temps est un luxe dont aucun de nous ne dispose.

— Vous êtes le général Duko, affirma Jimmy.

L'homme acquiesça.

— Et l'un de mes plus vieux camarades m'a envoyé mourir ici. Fadawah et moi avons servi ensemble dans diverses campagnes depuis l'âge où nous étions à peine assez vieux pour nous raser. Mais il me craint et c'est ce qui a signé mon arrêt de mort.

— Que voulez-vous que je dise au prince Patrick ?

— Que j'ai une offre à lui faire.

— Laquelle ?

— Je souhaite négocier afin de mettre fin au différend qui nous oppose.

— Vous êtes prêt à vous rendre ?

— Non, ce n'est pas aussi simple que ça, j'en ai peur. (Le général sourit, un demi-sourire que Jimmy trouva à la fois rassurant et inquiétant.) Patrick a sûrement envie de nous enfermer dans un camp, moi et mes hommes, en attendant de nous renvoyer sur Novindus quand il en aura les moyens, ce qui n'arrivera sans doute pas avant des années.

— Vous souhaitez changer de camp ?

— Pas tout à fait. Que je me rende ou que j'accepte de servir votre prince pour de l'or, dans les deux cas, je finirai par me retrouver sur un navire à destination d'un continent sur lequel je n'ai aucun avenir. Non, Jimmy, ce qu'il me faut, c'est une autre solution. J'ai besoin d'un avenir pour moi et mes hommes.

— Que dois-je dire aux agents du prince, alors ?

— Dites-leur que j'ai personnellement choisi les soldats qui sont ici, à Krondor, avec moi. Dites-leur que j'avais des doutes sur ceux que j'ai laissés avec Nordan. Je me porte garant de mes hommes. (Il regarda Jimmy droit dans les yeux.) Dites à votre prince que je suis prêt à jurer allégeance à la couronne en échange de terres et d'un titre de noblesse. Qu'il m'accorde une seigneurie et des revenus, et je conduirai mon armée au nord pour rendre une petite visite à mes vieux copains, Nordan et Fadawah.

Jimmy resta silencieux pendant un moment, à la fois surpris par la proposition et époustouflé par sa logique. Puis il finit par avouer, en secouant la tête :

— Je ne sais pas ce qu'il va répondre.

— Si nous le savions, nous n'aurions pas besoin de vous envoyer là-bas, vous ne croyez pas ?

Jimmy acquiesça.

— Venez, allons vous chercher quelque chose à manger, ajouta Duko. Vous partirez demain dès l'aube.

Il redescendit l'escalier, suivi de Jimmy.

Tout en contemplant le dos du général, le jeune homme réfléchit à la demande qu'il venait de formuler. Sans même reprendre son souffle, il avait fixé un prix élevé : lui pardonner l'invasion du royaume de l'Ouest et, pire encore, lui accorder un titre de noblesse, faire de lui un comte ou un baron ayant le pouvoir de régner sur des terres. Jimmy secoua la tête. Patrick accepterait-il ce marché ou laisserait-il son mauvais caractère condamner à mort les soldats des deux camps et exiger que davantage de sang fût versé ?

Dash goûta la soupe allongée d'eau et demanda :

— Et ensuite, que s'est-il passé ?

— Nous sommes restés dans cette cave pendant une semaine, peut-être plus. On n'avait pas trop la notion du temps à rester ainsi dans le noir.

Le vieil homme tenta de reposer son bol, qu'il tenait d'une main déformée, et la jeune femme s'empressa de le lui retirer avant que l'objet ne tombe par terre.

— Merci, Trina, dit-il.

Il avait la voix aussi abîmée que le visage mais, depuis qu'il s'y était habitué, Dash parvenait à la déchiffrer.

Le jeune homme n'avait pas revu les trois prisonniers qui s'étaient enfuis avec lui. Il se trouvait seul en compagnie du vieil homme et de la voleuse autour d'une table en bois ordinaire.

— Comment devrais-je vous appeler ? s'enquit Dash.

— Ton grand-père persistait à m'appeler Lysle. C'est un nom que je n'avais pas utilisé depuis plus de vingt ans, mais ça fera bien l'affaire. J'ai eu tellement de noms dans ma vie que j'ai du mal à me souvenir de l'original.

— Lysle, vous me parliez justement de mon grand-père et de ma grand-mère.

— James a mis le feu à l'huile qu'il avait répandue dans les égouts. On savait que ce serait juste, et ça l'a été. J'étais dans le tunnel de sortie, juste devant eux, et le souffle de l'explosion m'a expulsé hors du tunnel comme un bouchon de vin pétillant. J'ai été grièvement brûlé, comme tu peux le constater, et j'ai eu la moitié des os cassés, mais je suis un dur à cuire.

La jeune femme dénommée Trina ajouta :

— Nous avons réussi à trouver un prêtre guérisseur qui l'a soigné.

— Ma joyeuse petite bande de coupe-jarrets a failli tuer ce gars en l'obligeant à pratiquer sa magie sur moi. Mais ils ont réussi à me sauver avant que ce pauvre prêtre de Killian s'évanouisse d'épuisement. Il m'a donné quelques années de vie supplémentaires pour que je remette les choses en ordre à Krondor.

— Et mes grands-parents ?

Le vieil homme secoua la tête.

— James et Gamina étaient les derniers dans le tunnel. Ils n'avaient aucune chance, petit.

Dash savait que ses grands-parents étaient morts puisque son arrière-grand-père, Pug, le lui avait dit. Mais il avait connu un regain d'espoir en constatant que le Juste était en vie. À présent, cet espoir s'était envolé et la douleur du deuil se faisait de nouveau sentir.

— Si ça peut te réconforter, reprit Lysle, je sais qu'ils sont morts rapidement, et ensemble.

Dash acquiesça.

— Grand-mère n'aurait jamais voulu continuer à vivre sans mon grand-père.

— Je ne connaissais pas bien mon frère, Dash. On s'est vus une fois quand nous étions jeunes hommes et une autre il y a quelques années. (Le vieil homme laissa échapper un petit rire, comme un gloussement sec.) En fait, il m'a mis au chômage et a bien failli me faire tuer par certains Moqueurs plus ambitieux que d'autres.

» Mais les quelques jours que j'ai passés avec lui et votre grand-mère m'ont permis d'entendre toutes ses histoires. Je suis sûr que vous connaissez la plupart d'entre elles. Celle du prince Arutha et de leur voyage au Moraelin, ou encore la chute d'Armengar, qui lui a donné l'idée de l'explosion, celle-là même qui l'a tué. Il m'a parlé de ses voyages à Kesh, du temps où il a réglé son compte au Rampant, et la fois où le seigneur Nirome a tenté de renverser l'impératrice. Il m'a également raconté son ascension au pouvoir et le temps qu'il a passé à gouverner Rillanon.

» Je me suis toujours considéré comme l'exemple d'une certaine réussite. Quand mon père est mort, l'un des lieutenants en qui il avait le plus confiance a pris le contrôle des Moqueurs en se faisant appeler le Vertueux. J'ai fini par le renverser et j'ai pris le nom de Sagace. Puis j'ai repris le nom du Juste pour honorer un accord que j'avais avec ton grand-père et faire croire aux Moqueurs que j'avais renversé le Sagace, c'est-à-dire moi-même.

» Cependant mes exploits pâlissent comparés à ceux de Jimmy les Mains Vives, le voleur qui a successivement gouverné les deux plus grandes cités du royaume. Il était le noble le plus puissant de toute notre nation. Quel homme !

— Dit comme ça, je comprends ce que vous avez pu ressentir. Pour moi, c'était juste mon grand-père, qui avait des tas de merveilleuses histoires à raconter. Parfois, j'oubliais qu'elles étaient véridiques.

— Maintenant, reprit le Juste, la question est : qu'est-ce que je vais faire de toi ?

— Comment ça ?

— Tu es ici afin d'espionner pour le compte de ton père. Ce n'est pas un problème en soi, mais le fait est que tu m'as vu, que tu m'as parlé, et que te laisser t'en aller pose un problème.

— Ça ferait-il une différence si je jurais de ne rien dire à personne ?

Le vieil homme émit de nouveau son petit rire sec.

— Pas vraiment. Tu es le fils du duc de Krondor, petit. On va peut-être pouvoir jouer franc-jeu tous les deux pendant un moment mais, en fin de compte, quand les choses commenceront à retourner à la normale par ici, le jour viendra où un Moqueur fera quelque chose qui attirera un peu trop l'attention sur notre communauté. Ça arrive de temps en temps. À ce moment-là, tu te demanderas à qui va ta loyauté : à ton prince ou à ton vieil oncle Lysle ? Compte tenu de la force de notre lien familial, je ne doute pas que tu me dénonces à la première occasion.

Dash se leva.

— Grand-père m'a mieux éduqué que ça. (Il regarda d'abord la jeune femme, puis son grand-oncle.) De plus, les Moqueurs que j'ai vus ne m'ont pas l'air de représenter une menace pour le royaume actuellement, sans oublier un petit détail : Krondor n'est plus sous notre contrôle en ce moment.

— C'est un détail qui a son importance, je l'admets. Voilà pourquoi j'hésite à ordonner ta mort. Pour le moment, tu ne représentes pas une menace. Que crois-tu pouvoir faire pour nous si nous t'aidons à t'échapper et à rentrer chez ton père ?

— Je ne peux rien vous promettre, répliqua Dash. Je ne dispose pas de l'autorité requise. Mais je parie qu'en ayant une petite conversation avec lui, j'arriverai à convaincre mon père d'obtenir le pardon de tous les Moqueurs qui nous aideront à reprendre la cité.

— Un peu de bagarre en échange d'une amnistie ?

— Quelque chose dans ce genre. Plusieurs personnes postées au bon moment à des points-clés à l'intérieur même de la cité pourraient sauver de nombreuses vies au pied des remparts.

— Bon, laisse-moi d'abord y réfléchir. Demain, je t'annoncerai ma décision. En attendant, repose-toi et n'essaye pas de t'échapper.

— Et mes amis ?

— On s'occupe d'eux. Je ne sais pas à quel point ils comptent pour toi, mais j'espère que tu tiens un tant soit peu à eux, que je puisse avoir un moyen de pression sur toi.

Dash acquiesça. Le vieil homme se dirigea vers la porte en boitillant.

— Trina va te tenir compagnie cette nuit.

Dash tenta d'avoir l'air ravi. Mais, face au regard noir que lui lança la jeune femme, il préféra s'abstenir de plaisanter, devinant qu'elle n'apprécierait pas son humour.

Après que le vieil homme eut refermé la porte, Dash s'assit sur un tas de foin dans un coin de la pièce, puisqu'il s'agissait sûrement de son lit pour la nuit. Un long moment s'écoula en silence tandis que Trina, assise sur une chaise à côté de la table, observait le jeune homme.

— Alors, on se raconte nos vies ? finit par proposer Dash en regardant sa geôlière.

La jeune femme sortit sa dague et entreprit de se curer les ongles à l'aide de la pointe.

— Non, le Chiot, répliqua-t-elle en croisant les pieds sur la table.

Dash s'allongea en soupirant et ferma les yeux.

Chapitre 6

DES CHOIX DIFFICILES

Nakor fronça les sourcils.

Il balaya du regard l'entrepôt de la Lande Noire qu'il utilisait actuellement comme base d'opération et décréta :

— Ça ne va pas du tout.

— Quoi donc, maître ? demanda Sho Pi, son premier disciple.

Depuis qu'il s'était lui-même nommé grand-prêtre de l'église d'Arch-Indar, Nakor avait cessé de protester lorsque le jeune homme, ancien moine de Dala, l'appelait « maître ». Il désigna le chariot que quelqu'un était en train de décharger devant leur nouvelle église et répondit :

— Nous avons commandé deux fois cette quantité-là.

— Je sais, répondit le conducteur du deuxième chariot juste au moment où il s'arrêtait près d'eux. Salut, Nakor.

— Salut Roo ! s'écria l'ancien joueur devenu religieux. Où se trouve le reste de nos céréales ?

— C'est tout ce qu'il y a, mon ami, répondit Rupert Avery, autrefois l'homme le plus riche de toute l'histoire du royaume de l'Ouest et désormais heureux propriétaire de trois chariots, trois attelages et d'une énorme dette que lui devait un royaume pratiquement ruiné. La plupart des marchandises que j'achète sont pour le prince et servent à nourrir les soldats.

— Mais j'ai de l'or, protesta Nakor.

— Et je t'en suis infiniment reconnaissant, reconnut Roo, car sans toi, je serais incapable d'acheter ne serait-ce qu'un seul grain de blé. Je suis tellement endetté dans l'Est que je suis obligé de vendre les intérêts que je possède là-bas pour effacer l'ardoise. Quant à l'argent qu'on me doit, le débiteur n'est autre qu'un royaume de l'Ouest quasiment inexistant.

— Tu m'as l'air bien joyeux pour un homme dans une situation aussi désastreuse, lui fit remarquer Nakor.

— Karli va avoir un autre bébé.

Nakor éclata de rire.

— Je croyais que tu n'aimais pas les enfants ?

Roo sourit et une expression presque juvénile apparut sur son visage tandis qu'il hochait la tête.

— Autrefois, c'était vrai, mais quand nous avons dû fuir Krondor pour nous réfugier à la Lande Noire, j'ai été obligé de passer presque toutes mes journées en compagnie de mes enfants, ce qui m'a permis d'apprendre à les connaître. (Son sourire disparut lorsqu'il ajouta :) Et de découvrir des choses sur moi également.

— Ça, c'est toujours une bonne chose, approuva l'Isalani. Quand tu auras fini de décharger, viens nous rejoindre à l'intérieur, je nous ferai du thé.

— Tu as du thé ? s'étonna Roo. Où est-ce que tu l'as eu ?

— Un cadeau. C'est une femme qui l'a caché pendant la guerre qui me l'a donné. Il n'est pas très frais, mais c'est du thé.

— Super. Je te rejoins dès que j'ai fini.

Nakor rentra dans le bâtiment, où un autre disciple donnait une conférence à des étudiants. Cette fois, ils étaient cinq à écouter la présentation du rôle que le bien avait à jouer dans l'univers. Nakor savait que la plupart de ces gens, sinon tous, venaient là pour le peu de nourriture que l'église leur offrait à l'issue de la conférence, mais il continuait à espérer que quelqu'un parmi eux se découvre une véritable vocation. Jusqu'ici, il n'avait recruté que cinq nouveaux étudiants, ce qui portait leur nombre à six en incluant Sho Pi. Étant donné qu'il avait décidé seul de créer une église pour honorer l'un des quatre plus grands dieux du panthéon midkemian, c'était un début bien modeste.

— Des questions ? s'enquit le disciple qui avait lui-même entendu cette conférence pour la première fois à peine quelques semaines auparavant.

Quatre des étudiants le dévisagèrent d'une façon qui prouvait qu'ils n'avaient pas forcément bien compris l'exposé. La dernière, cependant, leva timidement la main.

— Oui ? l'encouragea le disciple.

— Pourquoi faites-vous ça ?

— Pourquoi je fais ça ? répéta l'autre.

Nakor s'arrêta pour suivre attentivement cet échange.

— Non, pas vous personnellement, mais tous les membres de cette Église. Pourquoi prêchez-vous le message du bien ?

Le disciple regarda Nakor d'un air visiblement paniqué. On ne lui avait jamais demandé quelque chose d'aussi basique et la simplicité même de la question le laissait sans voix.

Nakor sourit.

— Je vais répondre, mais d'abord je dois savoir pour quelle raison tu poses cette question.

La fille haussa les épaules.

— La plupart des prêcheurs servent l'un des dieux habituels et veulent quelque chose en échange. On dirait que vous n'attendez rien en retour et je me demande où est le piège.

Le sourire de Nakor s'élargit.

— Ah, une cynique ! Merveilleux ! Viens avec moi. Pour les autres, attendez ici, on va vous apporter à manger.

La fille se leva et suivit l'Isalani.

Nakor la conduisit dans une pièce qui servait autrefois de bureau d'envoi et dont il avait fait ses appartements. Une demi-douzaine de matelas étaient étendus sur le sol et une théière remplie d'eau chauffait sur un petit brasero.

— Comment tu t'appelles, jeune fille ?

— Aleta. Pourquoi cette question ?

— Parce que tu m'intéresses.

La jeune femme dévisagea ouvertement Nakor de la tête aux pieds et répondit franchement :

— Autant te dire tout de suite, prêtre, que si tu te cherches une compagne, ça ne m'intéresse pas.

Nakor éclata de rire.

— Voilà qui est drôle ! Non, en réalité, tu m'intéresses parce que tu es curieuse. (Il versa du thé dans une petite tasse et la lui tendit.) Tiens. Ce n'est pas très bon, mais c'est chaud.

Elle en but une gorgée.

— Tu as raison, approuva-t-elle. Ce n'est pas très bon.

— Revenons un peu à ta question. Je vais y répondre, mais d'abord dis-moi ce qui t'amène par ici.

— Avant la guerre, je travaillais dans une auberge, à l'ouest de la Lande Noire. Mais les envahisseurs l'ont réduite en cendres. J'ai failli mourir de faim pendant l'hiver. J'ai réussi à rester en vie sans avoir à écarter les jambes ou à tuer qui que ce soit, mais j'ai faim et votre disciple a promis qu'il y aurait à manger après la conférence.

121

— Voilà une réponse franche. C'est bien. Oui, on va te donner à manger. Quant à savoir pourquoi on fait ça... Laisse-moi te poser une question. Quelle est la nature du bien et du mal ?

La jeune fille battit des paupières. Nakor l'observa attentivement tandis qu'elle réfléchissait à ce qu'elle allait dire. Visiblement âgée d'une vingtaine d'années, elle possédait des traits quelconques, un nez droit et de grands yeux écarquillés qui lui donnaient un air perspicace – ce qu'elle devait être, au vu de sa question. Des lèvres pleines et un menton volontaire complétaient l'ensemble que Nakor trouvait plutôt séduisant, en fin de compte. Aleta portait une grande cape par-dessus sa robe, mais l'Isalani avait entraperçu sa silhouette lorsqu'elle était entrée dans l'entrepôt et savait qu'elle était mince, peut-être même maigre.

— Le bien et le mal n'ont pas de nature proprement dit, ce sont eux-mêmes des natures. Ils sont ce qu'ils sont.

— Et dans l'absolu ?

— Comment ça ?

— Je veux dire, est-ce que le bien et le mal existent dans l'absolu ?

— Je suppose que oui, répondit la jeune femme. Enfin, je crois que les hommes agissent comme ils l'entendent. Parfois c'est bien et parfois c'est mal – quelquefois, on ne sait pas trop. Mais j'imagine que, quelque part, le bien et le mal existent vraiment.

— Bonne réponse, approuva Nakor en souriant. Que dirais-tu de rester avec nous ?

— Ça dépend, répondit Aleta, visiblement sceptique. Pour quoi faire ?

— J'ai besoin d'hommes et de femmes intelligents, et de gens qui comprennent l'importance de ce que nous faisons ici sans se prendre trop au sérieux.

Soudain, la jeune femme éclata de rire.

— Je ne me suis jamais prise très au sérieux.

— Tant mieux, moi non plus.

— Alors, c'est quoi ton projet ?

Nakor adopta un ton et une attitude beaucoup plus sobres.

— Il y a autour de nous des forces qui dépassent ton entendement – et le mien également. (Il sourit d'un air malicieux, puis reprit son sérieux.) La plupart de ces qualités que les gens considèrent souvent comme « abstraites » sont en fait de véritables entités objectives. Est-ce que tu me suis ?

Aleta secoua la tête.

— Je n'ai rien compris à ce que tu viens de dire.

Nakor éclata de rire.

— C'est bien, tu es franche. Laisse-moi reformuler ma phrase. Pour le moment, la déesse du Bien dort. Des forces maléfiques l'ont plongée dans une transe dont elle ne ressortira que si nous faisons le bien en son nom. Si nous sommes assez nombreux à agir pour la libérer, elle nous reviendra et le mal retournera dans les ténèbres dont il est issu.

— Ça, je comprends.

— Mais tu n'y crois pas.

— Je ne sais pas, répondit l'ancienne serveuse. Je n'ai jamais vraiment cru aux dieux et aux déesses. Mais si ça me permet d'avoir le ventre plein, je veux bien y croire pour un temps.

— Ça marche. (Nakor se leva. Au même moment, Roo entra dans le bureau.) Nous te nourrirons aussi longtemps que tu resteras ici et nous t'apprendrons à faire le bien au nom de notre Dame.

La jeune femme s'en alla.

— Une nouvelle adepte ? s'enquit Roo.

— Peut-être, répondit Nakor. C'est possible. Elle possède une intelligence au-dessus de la moyenne.

— Bizarrement, elle est aussi attirante, fit remarquer Roo. Pas jolie, mais attirante.

L'Isalani sourit jusqu'aux oreilles.

— Je sais.

Roo s'assit et Nakor lui offrit une tasse de thé.

— Désolé, c'est une petite livraison, mais je suis obligé de rationner tout le monde en ce moment. Je viens juste de me quereller avec l'intendant du prince. L'armée est prête à partir, mais il leur manque encore des fournitures et je ne peux pas leur en promettre autant que la dernière livraison que j'ai ramenée de l'Est. Je suis incapable de leur fournir ce qu'ils veulent. (Il but une gorgée du liquide chaud et commenta :) Ce n'est pas bon, mais on fait avec. (Il reposa la tasse et reprit :) Je n'arrive même pas à trouver de chariots. Je pourrais livrer davantage de choses si j'avais des chariots mais la plupart des charrons de Salador travaillent pour l'armée. Si Patrick arrivait à convaincre le roi de me laisser prendre quelques chariots, je pourrais les ramener remplis de marchandises diverses, mais ils servent à transporter toujours plus d'équipement : des armes, des selles, des couvertures…

Nakor acquiesça.

— Il faut que tu refasses marcher ton commerce.

Roo éclata de rire.

— Si seulement je pouvais !

— Pourquoi ne pas faire construire des chariots ici, à la Lande Noire ?

— Parce qu'on n'a aucun charron. Je sais à peu près comment entretenir un chariot – j'ai été élevé par un charretier, après tout – mais je ne sais pas comment en construire un. Je m'y connais un peu en menuiserie, mais je ne connais rien au travail du métal et il faut être doué pour fabriquer une roue.

— Si je trouve des charrons, tu accepterais de faire quelque chose pour moi en échange ? s'enquit Nakor.

— Quoi donc ?

— J'ai besoin d'une faveur.

Roo sourit. L'expression qui apparut sur son visage étroit montrait que son humour très pince-sans-rire reprenait le dessus.

— Tu ne serais pas en train d'essayer de m'arnaquer, par hasard ?

Nakor se mit à rire.

— On n'arnaque pas un arnaqueur.

— Allez, explique-moi tout.

— Si j'arrive à mettre la main sur six charrons, en échange, je voudrais que tu passes commande d'une statue pour moi.

— Une statue ? Pour quoi faire ?

— Je t'expliquerai quand j'aurai trouvé tes artisans. Tu acceptes notre marché ?

Une expression calculatrice passa sur le visage de Roo qui répondit :

— Trouve-moi six charrons, un maréchal-ferrant et trois bûcherons et je passerai commande de deux statues.

— Marché conclu, répliqua l'Isalani en frappant la table du plat de la main. Tu auras tes artisans demain. Où dois-je les envoyer ?

— J'ai acheté un entrepôt en dehors de la cité et j'en ai fait mes bureaux pour quand je suis à la Lande Noire. Je vais m'en servir le temps de pouvoir retourner à Krondor. Quand tu sors à la porte de l'Est, tu prends la première route à gauche. C'est le grand entrepôt vert sur la droite. On ne peut pas le manquer.

— Je le trouverai, affirma Nakor.

— Je voulais te dire, à propos de cette fille, ajouta Roo en désignant la direction qu'Aleta avait prise. Elle a quelque chose de spécial. Mais je n'arrive pas à dire ce que c'est.

— Je crois que c'est quelqu'un d'important.

Roo éclata de rire.

— Depuis le temps que je te connais, je n'ai jamais réussi à te comprendre.

— C'est normal, répliqua Nakor, je n'arrive pas à me comprendre moi-même.

— Est-ce que je peux te poser une question, en tant qu'ami ?

— Bien sûr.

— Depuis des années, tu prétends que tu ne sais faire que des tours de passe-passe, pourtant je t'ai vu faire des choses renversantes qui, à mes yeux, ne peuvent être que de la magie. Et voilà que tu fondes une religion, à présent. Alors, ma question, c'est, à quoi tu joues vraiment ?

Nakor sourit d'un air malicieux.

— J'entreprends quelque chose d'important. Je ne sais pas ce que ça donnera et je doute d'être encore en vie le jour où ça finira, mais je viens peut-être d'entreprendre le projet le plus important de toute ma vie.

— Et peut-on savoir de quoi il s'agit ?

Nakor désigna le bâtiment miteux dans lequel ils se trouvaient.

— Je bâtis une église.

Roo secoua la tête.

— Si tu le dis. Dis-moi, Nakor, personne ne t'a jamais dit que tu étais fou ?

L'Isalani éclata de rire.

— Souvent, et la plupart du temps, les gens le pensent pour de bon.

Roo se leva.

— Merci pour le thé. Je vais voir ce que je peux faire pour les céréales. Et n'oublie pas, si tu arrives à me trouver des artisans, je ferai faire ces statues pour toi.

— On se voit demain, assura Nakor.

Sho Pi entra dans la pièce.

— Maître, les gens qui sont venus écouter la conférence sont prêts à manger.

— Alors allons les nourrir.

Le vieux joueur de cartes devenu chef d'une communauté religieuse s'arrêta sur le seuil du bureau et regarda les cinq personnes venues passer un moment dans l'église. Quatre d'entre elles repartiraient dès qu'elles auraient le ventre plein, mais la fille, Aleta, resterait. Sans savoir pourquoi, Nakor comprit que sa vie venait de prendre une nouvelle direction importante en raison de la présence de cette jeune femme. Il ne savait pas comment, mais il était certain qu'à compter de ce jour, Aleta allait devenir le membre le plus important de sa nouvelle Église et que la vie de la jeune femme devait être protégée à tout prix, y compris au détriment de la sienne. Gardant ces pensées pour lui, il entra dans l'entrepôt et aida ses disciples à nourrir ces gens affamés.

— Qu'est-ce que vous voyez, là ? demanda Erik en pointant l'index.

— Quelque chose qui bouge sur la route, répondit Akee le Hadati. Un homme seul, à cheval.

Erik plissa les yeux pour les protéger de l'éclat du soleil couchant.

Très vite, ce qui n'était au départ qu'un faible mouvement, un minuscule point noir qui se détachait sur le ciel brillant, prit la forme d'un homme sur un cheval remontant au trot la route du Roi.

Erik de la Lande Noire, capitaine des Aigles cramoisis, commandait un détachement composé de membres de sa propre compagnie, de Hadatis et de Pisteurs royaux. Tous s'étaient déployés de part et d'autre de la grand-route.

— Vous pensez que c'est l'un des nôtres ? demanda-t-il.

— Oui, répondit Akee. Je crois bien que c'est Jimmy Jameson.

— Comment pouvez-vous voir ça à une distance pareille ?

Le Hadati sourit.

— On apprend à reconnaître un ami à la façon dont il monte à cheval.

Erik se tourna vers le bonhomme pour voir s'il plaisantait et s'aperçut que ce n'était pas le cas. Durant l'hiver, Erik avait passé suffisamment de temps en compagnie du Hadati et de son régiment pour apprendre à le respecter et même à l'apprécier – ce qui n'était pas chose facile, compte tenu du caractère distant de ces hommes des collines. De leurs conversations, Erik avait déduit qu'Akee était le chef de son village et que sa voix pesait beaucoup dans le conseil du peuple hadati, qui se réunissait à Yabon.

Il avait également découvert que cet homme était le petit-fils d'un compagnon de l'ancien prince de Krondor, un certain Baru, Tueur de Serpent. Voilà pourquoi Akee était bien disposé envers le royaume, un trait de caractère très rare parmi les siens, car le peuple des collines de Yabon était d'une nature indépendante et inflexible. Les Hadatis comptaient parmi les plus distants des différents peuples du royaume. Si certains avaient répondu à l'appel du duc de Yabon lorsqu'il cherchait des éclaireurs, c'était grâce à Akee.

Comme Jimmy approchait, Erik et Akee quittèrent l'abri du sous-bois pour s'avancer à sa rencontre. Jimmy tira sur ses rênes et ralentit jusqu'à ce qu'il reconnaisse ces deux visages familiers. Puis il leva la main pour les saluer.

Lorsqu'ils s'arrêtèrent devant le jeune homme, Erik hocha la tête tandis qu'Akee faisait remarquer :

— On dirait que vous venez de traverser une dure épreuve.

— Ça aurait pu être pire, répondit Jimmy.

— Et Dash ? demanda Erik.

Jimmy secoua la tête.

— Il a été fait prisonnier pendant quelque temps, mais il a réussi à s'enfuir. Je ne sais pas s'il est encore à l'intérieur de Krondor ou s'il a pu s'en échapper. S'il est dehors, je suis sûr qu'il est en chemin. S'il est à Krondor et qu'on l'attrape de nouveau, on m'a promis de ne lui faire aucun mal.

— Qui vous a fait une promesse pareille ?

— C'est une longue histoire et il faut que je la raconte au prince Patrick, ou au moins à Owen Greylock.

— Vous avez de la chance, lui apprit Erik. Je retourne justement à Ravensburg, le poste de commande avancé d'Owen. Le prince se trouve encore à la Lande Noire, mais nous contrôlons la totalité des routes entre les deux villes et elles sont presque aussi sûres qu'avant la guerre. Vous pourrez rejoindre le prince en moins d'une semaine.

— Tant mieux, fit Jimmy. Je commence à en avoir marre de la route et rien ne me plairait plus qu'un repas chaud, un bon bain et un lit bien moelleux.

Erik acquiesça et se tourna vers Akee :

— Dites à vos éclaireurs de pousser vers l'ouest encore une journée puis de revenir faire leur rapport.

— C'est inutile, intervint Jimmy. Le général Duko a rappelé toutes ses patrouilles. La seule chose qu'il vous reste à craindre, ce sont les bandits et les quelques mercenaires morts d'ennui qui campent sous les remparts de Krondor. Vous pouvez établir votre poste de commandement dans l'une des propriétés à moins d'une journée de cheval de la cité et y monter vos campements.

Une expression pleine de curiosité passa sur le visage d'Erik, mais il se contenta de dire :

— Je crois que je ferais mieux de vous accompagner, Jimmy.

— Où se trouve votre camp ?

— À quelques kilomètres d'ici. (Erik salua Akee d'un geste de la main et fit faire demi-tour à son cheval tandis que Jimmy poussait le sien à se remettre en route.) Nous contrôlons des kilomètres de forêt de part et d'autre de la grand-route, expliqua-t-il en désignant les bois d'un grand geste circulaire.

— Vous n'avez pas dû avoir beaucoup de problèmes ces dernières semaines, pas vrai ?

— Oui, en fait, c'est exact. On a vu des bandits, quelques déserteurs et on a eu une ou deux escarmouches contre des mercenaires venus de chez nos voisins du Sud, mais les forces de Fadawah se montrent très discrètes depuis quelque temps.

— C'est parce que Duko cherche à conclure un accord avec Patrick, expliqua Jimmy.

— Il a envie de changer de camp ?

Erik avait pris part à deux expéditions sur le continent situé à l'autre bout du monde et connaissait bien les mercenaires de Novindus, qui avaient l'habitude de se battre pour le plus offrant. Il était convaincu que c'était l'une des raisons pour lesquelles personne n'avait jamais réussi à se tailler un empire sur ce continent jusqu'à l'arrivée de la reine Émeraude.

— Pas vraiment, avoua Jimmy avant de rapporter en détail à son compagnon l'offre de Duko.

Erik siffla entre ses dents.

— Je ne crois pas que Patrick appréciera. D'après ce que m'a dit Greylock et ce que j'ai vu avant de quitter la Lande Noire, le prince brûle de se battre. Contre Kesh ou contre les envahisseurs, peu importe l'adversaire.

— Je laisse à Owen et à mon père le soin de le convaincre, rétorqua Jimmy. L'occasion est trop belle pour refuser. En acceptant la proposition de Duko, il sauve des milliers de vies et accélère la reconquête de l'Ouest d'au moins un an.

Erik ne répondit pas. Mais il n'était pas sûr que Patrick verrait les choses de cette manière, car le jeune prince possédait un caractère très soupe au lait.

Dash examina les bottes, le pantalon et la veste que les Moqueurs avaient obtenus pour lui. Ils feraient l'affaire mais n'étaient pas aussi bien, et de loin, que les affaires que les envahisseurs lui avaient prises lors de son arrestation.

Lysle Rigger, le Juste, regarda le jeune homme au moment où celui-ci se levait pour partir.

— Pas encore, mon garçon.

D'un geste, le vieil homme renvoya Trina et les autres membres de sa compagnie afin de rester seul dans la pièce avec son petit-neveu. Lorsque la porte se referma derrière Trina, il prit la parole :

— Il faut que tu comprennes quelque chose. Je ne crois pas que tu réussiras à obtenir notre amnistie, auquel cas cette conversation n'aura plus lieu d'être. Je vais bientôt mourir. Les prêtres guérisseurs ont leurs limites et je suis vieux, de toute façon. Un autre viendra prendre ma place. De qui il s'agira, je ne le sais pas, même si j'ai ma petite idée. John Tuppin pourrait faire l'affaire – il est fort et rusé et beaucoup le craignent. Trina aussi pourrait me remplacer, si elle sait se montrer intelligente et discrète – ce qu'elle est – en restant en coulisses. Mais mon remplaçant, qui qu'il soit, ne sera pas tenu par l'accord que nous avons passé toi et moi. Comme je l'ai dit, si tu n'arrives pas à convaincre le prince de nous pardonner nos crimes, ça n'a pas d'importance.

» Mais si tu reviens avec des promesses, tu auras intérêt à les tenir, car si tu désavoues les Moqueurs, peu importe ta position sociale ou l'endroit où tu vis : une nuit, un de nos frères te retrouvera et mettra fin à ta vie. Tu comprends ?

— Oui.

— Sache également, Dashel Jameson, que lorsque tu franchiras cette porte, tu auras juré de ne jamais trahir, par la parole ou par l'action, ce que tu as vu ici. Tu ne pourras pas non plus témoigner contre les personnes que tu as rencontrées. C'est un serment de silence sans lequel tu ne pourras pas sortir de chez Maman.

Dash n'aimait pas qu'on le menace, mais il avait entendu son grand-père raconter suffisamment d'histoires sur les Moqueurs pour savoir que Lysle ne prononçait pas des paroles en l'air.

— Je connais les règles comme si j'étais né ici, répliqua le jeune homme.

— Je n'en doute pas. Mon jeune frère m'a toujours paru manquer singulièrement de modestie. Je parie que tu connais le règlement interne des Moqueurs aussi bien que mes propres hommes. (Le Juste agita une main osseuse et abîmée sous le nez de Dash.) Avant qu'il entre dans ma petite boutique, il y a des années, pour me dire dans quel état se trouvait le pays et comment il voulait que je dirige les Moqueurs, j'aurais parié que les secrets et les lois des Moqueurs étaient inviolables. Mais en quelques minutes, j'ai compris que Jimmy les Mains Vives n'avait cessé de nous observer tout comme nous l'espionnions, lui. Pire encore, en son absence, il nous faisait surveiller par d'autres. En fin de compte, il a été un bien meilleur duc que je n'ai été un bon dirigeant pour les Moqueurs.

Dash haussa les épaules.

— Si Patrick répond favorablement à ma requête, tout ça sera fini, de toute façon.

Le vieil homme se mit à rire.

— Tu crois qu'il suffira d'une amnistie pour démanteler notre confrérie de hors-la-loi et nous remettre sur le droit chemin ? Quelques minutes à peine après avoir été graciés, certains de nos jeunes parmi les plus insouciants recommenceront à dérober des bourses sur le marché ou à s'introduire dans des celliers, jeune Dash. Le crime fait partie de nous, c'est un choix de vie.

» Certains, comme ton grand-père, trouvent une échappatoire, un moyen de s'améliorer, mais la plupart restent confinés ici, chez Maman, ou ne connaissent de la cité que ses égouts ou ses toits – la rue du Monte-en-l'Air. La vie qui les attend se termine souvent prématurément, au bout d'une corde. C'est une prison au même titre que celle sous le palais, cette vie, car on a peu de chance d'en sortir.

Dash haussa les épaules.

— Au moins, vous, Trina et les autres allez avoir le choix. La plupart des hommes ne peuvent pas en demander plus.

Le vieil homme émit de nouveau son petit rire sec.

— Ta sagesse dépasse le nombre de tes années, Dash, si tu comprends vraiment ce que tu viens de dire au lieu de répéter des paroles prononcées à genoux devant quelqu'un d'autre. Maintenant, va.

À l'extérieur de la pièce, Dash retrouva les trois hommes avec qui il avait effectué des travaux forcés. Gustave et Talwin l'attendaient dans un coin tandis que Reese se tenait à l'écart en compagnie d'autres Moqueurs.

— Vous venez avec moi ? demanda Dash.

Reese secoua la tête.

— Non, pas moi. J'étais un Moqueur avant qu'ils me capturent et ces gens sont ma famille. Voici mon foyer.

Dash acquiesça.

— Et vous ? demanda-t-il à l'adresse des deux autres.

— Je suis un mercenaire sans épée, répondit Gustave. J'ai besoin d'un travail. Tu n'embaucherais pas, par hasard ?

Dash sourit.

— Si, je t'embauche.

— Moi, je veux simplement sortir de la ville, dit Talwin.

— Dans ce cas, on part tous les trois.

Trina s'avança et se campa devant Dash.

— Viens, le Chiot, je vais te conduire jusqu'à la sortie la plus sûre. Attends la tombée de la nuit et va-t'en, ne traîne pas dans les camps les plus éloignés. Des rumeurs commencent à circuler, il paraît que l'armée du prince approche, alors ces types, là-dehors, ils dorment avec leur épée à portée de la main. Tu ne trouveras pas beaucoup d'amis dans un endroit pareil.

Dash acquiesça et demanda :

— Et les armes ?

— On en a quelques-unes pour vous, répondit l'individu corpulent qui répondait au nom de John Tuppin et qui avait été son premier geôlier. On te les donnera juste avant ton départ.

Dash hocha de nouveau la tête.

— Dans ce cas, allons-y.

Il regarda par-dessus son épaule en direction de la porte fermée derrière laquelle se trouvait le vieil homme qui portait l'un des noms les plus mystérieux de toute l'histoire du royaume : le Juste. Dash se demanda s'il le reverrait un jour.

Ses compagnons et lui se mirent en route dans la pénombre.

Pug était assis et réfléchissait aux choix qui n'allaient pas tarder à se présenter à lui. Miranda l'observait.

Au bout de quelques minutes, il cessa de contempler ce point imaginaire suspendu dans les airs de l'autre côté de la fenêtre et se tourna vers sa femme.

— Qu'est-ce qu'il y a ?

Elle se mit à rire.

— Tu étais à mille lieues d'ici, n'est-ce pas ?

Il lui sourit.

— Pas vraiment. Juste quelques centaines. Mais il est vrai que j'étais à des années de distance.

— À quoi pensais-tu ?

— À mon passé et mon avenir.

— Notre avenir, tu veux dire.

Il secoua la tête.

— Il reste encore quelques décisions que je dois prendre seul.

Miranda quitta son siège, placé à côté de la cheminée. Un petit feu, destiné à apporter plus de confort que de chaleur, s'y éteignait doucement, pratiquement réduit à l'état de braises. La jeune femme y jeta un coup d'œil avant de rejoindre son mari.

— Parle-m'en, l'encouragea-t-elle en s'installant sur ses genoux.

— Tu sais, c'est au sujet du choix de Gathis, ou plutôt des dieux.

— As-tu décidé ce que tu vas faire ?

Pug acquiesça.

— Je crois qu'il n'y a qu'un seul choix possible pour moi.

— Tu as envie de m'en parler ? insista Miranda après quelques instants de silence.

Son mari se mit à rire et l'embrassa dans le cou. La jeune femme poussa un petit cri appréciateur puis s'écarta de Pug pour le taquiner.

— Oh non, tu ne détourneras pas le sujet aussi facilement. Dis-moi, à quoi pensais-tu ?

Pug sourit.

— Quand je gisais dans l'antre de la Mort, on m'a proposé de devenir l'héritier de ton père.

Aussitôt, Miranda fronça les sourcils. Elle n'avait jamais été très proche de son père, Macros le Noir, principalement à cause de son association avec les forces cosmiques. En effet, il avait servi d'avatar humain à Sarig, le dieu défunt de la Magie. Cela avait considérablement réduit son rôle dans la vie de sa fille puisqu'il n'avait passé en sa compagnie qu'une décade sur les deux siècles qu'elle avait déjà derrière elle.

— Je ne peux pas être l'agent de Sarig sur Midkemia. Ce n'est pas mon rôle.

— D'après ce que tu m'as dit, les autres options possibles n'étaient pas terribles.

Pug prit un air inquiet.

— Je ne suis pas mort, ce qui ne laisse plus qu'une seule alternative : je vais vivre et assister à la destruction et la mort de tout ce qui m'est cher.

Miranda revint s'asseoir sur ses genoux.

— Cette alternative-là s'est déjà réalisée, elle aussi. On t'a pris ton fils et ta fille.

Pug hocha la tête. Miranda put lire dans ses yeux l'écho d'une douleur toujours aussi profonde.

— Mais je crains de perdre encore davantage.

La magicienne s'installa confortablement dans les bras de son mari et posa la tête sur son épaule.

— On risque toujours de perdre quelque chose, mon amour. Jusqu'à ce que nous mourions à notre tour, nous pouvons perdre les êtres aimés. C'est l'ironie de la vie. Rien ne dure éternellement.

— J'ai presque cent ans, lui fit remarquer Pug, et je me sens encore comme un enfant.

Miranda rit et le serra contre elle.

— Nous sommes des enfants, mon amour, et pourtant j'ai deux fois ton âge. Comparés aux dieux, nous ne sommes que des bébés qui font leurs premiers pas.

— Mais les bébés ont des gens autour d'eux pour leur montrer comment faire.

— Tu as eu des professeurs, lui rappela-t-elle. Moi aussi.

— J'aurai bien besoin d'un guide, en ce moment, il me semble.

— Moi, je te guiderai.

Pug regarda Miranda.

— Vraiment ?

Elle l'embrassa.

— Oui, et tu me guideras en retour. Nous guiderons tes étudiants sur l'île de mon père et ils nous guideront également. Il nous reste encore plein de livres à lire et à comprendre. Puis il y a le Couloir entre les Mondes, qui nous permet d'accéder à une sagesse insoupçonnée sur cette minuscule planète qui est la nôtre. Et nous avons des siècles devant nous pour faire tout cela.

Pug soupira.

— Tu me donnes toujours l'impression qu'il y a de l'espoir.

— Parce que c'est vrai, répliqua la jeune femme.

Ils entendirent frapper à la porte. Miranda se leva pour permettre à Pug d'aller ouvrir. Sur le seuil se tenait un page :

— Messire, le prince demande que vous le rejoigniez sur-le-champ.

Pug regarda Miranda qui haussa les épaules d'un air curieux sans toutefois faire de commentaire. Le magicien hocha la tête à son intention et suivit le page.

Ce dernier lui fit traverser tout le château de la Lande Noire jusqu'aux anciens appartements du vieux baron, que Patrick avait réquisitionnés. Le page ouvrit la porte et s'effaça pour laisser entrer Pug.

Patrick, assis derrière le bureau du vieux baron Otto, leva la tête et déclara sans préambule :

— Magicien, nous avons un problème et j'espère que vous allez pouvoir le régler.

— De quoi s'agit-il, Altesse ?

Patrick agita un rouleau de parchemin.

— Un rapport venu du Nord. Les Saaurs ont décidé de se rappeler à notre bon souvenir.

— Et vous dites qu'il vient du Nord ?

Pug prit un air perplexe. Lorsqu'il avait convaincu les Saaurs d'abandonner le champ de bataille au cours de l'assaut final contre la Lande Noire, leur chef, le sha-shahan, avait juré de venger dans le sang les affronts faits à son peuple. Mais au nord se trouvaient les armées de Fadawah, objet tout désigné de cette vengeance. Comment les Saaurs avaient-ils pu faire de nouveau alliance avec le général après s'être retirés ainsi ?

— Dans quel coin exactement, Altesse ?

— Au nord-est ! Ils ont passé l'hiver entre les montagnes et les bois du Crépuscule. Ils ont occupé l'extrémité sud des steppes des Tempêtes et voilà qu'ils viennent de frapper encore au sud.

— Comment ! s'écria Pug d'un ton inquiet. Ils nous ont attaqués ?

Patrick lui jeta le parchemin à la figure.

— Lisez donc. Ils ont massacré un détachement posté en réserve dans les contreforts en vue de combler les brèches que Fadawah aurait pu ouvrir dans les crêtes du Cauchemar. Ils ont tué tous les soldats de la compagnie, jusqu'au dernier.

— Ont-ils continué à avancer ?

— Non, répondit Patrick. C'est la seule bonne nouvelle. Ils se sont contentés de tuer trois cents de mes soldats, puis se sont retirés. Mais ils nous ont laissé un avertissement.

— Lequel ?

— Ils ont planté trois cents pieux dans le sol. Au sommet de chaque pieu se trouvait la tête d'un soldat. De toute évidence, c'est un défi.

— Non, Altesse, ce n'est pas un défi mais un avertissement, le corrigea Pug.

— Et à qui s'adresse-t-il ? demanda Patrick qui peinait à contenir sa colère.

— À tout le monde. Nous, Fadawah, la confrérie de la Voie des Ténèbres, toutes les créatures intelligentes qui sont suffisamment proches pour découvrir les crânes. Jatuk a voulu nous faire comprendre que les Saaurs se sont emparés des steppes des Tempêtes et qu'il vaut mieux pour nous rester à l'écart.

Patrick réfléchit.

— À part les nomades, les trafiquants d'armes et les hors-la-loi, je ne connais personne là-bas qui puisse se prétendre citoyen du royaume. Malgré tout, ces steppes font partie de l'Ouest ; que je sois damné si je laisse une armée de créatures venues d'un autre monde massacrer mes troupes et créer une nation indépendante à l'intérieur même de nos frontières.

— Qu'attendez-vous de moi, Altesse ?

— Demain matin, j'envoie un détachement de soldats vers le nord. J'aimerais que vous les accompagniez. C'est vous qui avez convaincu les Saaurs de renoncer à la guerre. Si ce Jatuk accepte de diriger sa colère contre Fadawah, j'ordonnerai à mes soldats de se replier le long des versants septentrionaux et j'irai jusqu'à lui donner ce dont il a besoin pour assaillir Fadawah à Yabon. Mais je ne peux fermer les yeux sur ce massacre.

— Que dois-je leur dire, dans ce cas ?

— Dites-leur qu'ils doivent cesser toutes les hostilités contre nous et quitter nos terres.

— Pour aller où, Altesse ?

— Ça m'est égal, répliqua le prince. Pour ce que j'en ai à faire, je veux bien les laisser rejoindre la côte et rentrer chez eux à la nage. Mais je refuse qu'ils viennent me dire de rester à l'écart d'une partie de ma principauté ! Ça commence à devenir une sacrée habitude en ce moment !

La voix de Patrick ne cessait de monter dans les aigus. Pug comprit que la colère n'allait pas tarder à avoir raison du prince.

— Je serai ravi d'y aller, Altesse.

— Tant mieux, répondit Patrick un ton plus bas. Le capitaine Subai est en charge de nos troupes le long des crêtes, au nord. Je lui ai envoyé un message pour l'avertir de votre venue. Je veux qu'il vous accompagne et que cette question soit définitivement réglée. J'ai suffisamment de sujets d'inquiétude comme ça, entre le port des Étoiles, les Keshians qui agissent de façon stupide et Fadawah qui prétend régner sur ma principauté. Je ne veux pas en plus avoir les Saaurs sur les bras.

» S'ils veulent bien entendre raison, je ferai de même. Demandez-leur ce qu'il m'en coûtera de les faire sortir de notre royaume et je m'exécuterai. Mais s'ils refusent de vous écouter, vous n'aurez plus qu'une chose à faire.

— Et quelle est cette chose, Altesse ?

Patrick regarda Pug comme si la réponse était évidente.

— Eh bien, vous devrez les détruire, magicien. Vous devrez les éliminer de la surface de notre monde.

Chapitre 7

OPPORTUNITÉ

Jimmy fit la grimace.

Il n'avait eu droit qu'à une bonne nuit de sommeil au campement d'Owen Greylock avant de passer en selle les cinq journées qui avaient suivi, épuisant au passage un certain nombre de chevaux. Le maréchal de Krondor et lui avaient en effet choisi de se rendre le plus rapidement possible à la Lande Noire, où le prince Patrick tenait sa cour.

À présent, le jeune homme se trouvait à l'extérieur des appartements princiers. Il était arrivé juste avant l'aube et attendait, en compagnie de plusieurs autres courtisans, que le prince finisse de s'habiller en vue des audiences du jour. Dieux merci, il restait du café keshian en grande quantité. En cas de pénurie, le chocha tsurani faisait un substitut acceptable mais rien ne réconfortait autant Jimmy qu'une tasse de café bien chaud agrémenté d'un tout petit peu de miel.

— James ! s'exclama une voix féminine et familière.

Jimmy sortit brusquement de sa torpeur. Il se retourna et vit une jeune femme s'avancer à sa rencontre.

— Francie ? s'écria-t-il, surpris.

La jeune fille envoya promener l'étiquette de la cour et se jeta au cou de Jimmy en s'exclamant :

— Ça fait des années qu'on ne s'est pas vus !

Jimmy lui rendit son étreinte, puis recula pour l'admirer.

— Comme tu as changé, commenta-t-il en admirant le résultat.

Elle était grande et élancée mais il avait senti en la serrant dans ses bras qu'elle n'en était pas moins musclée, comme si elle passait beaucoup de temps à exercer une activité physique au grand air. Contrairement aux autres dames de la cour, elle ne se maquillait pas ; seules de légères taches de rousseur ornaient ses joues et son nez. Des reflets blonds dus au soleil illuminaient ses cheveux châtains. Elle portait, en plus d'un gilet et d'un pantalon très masculins, une chemise blanche et des bottes de cavalier.

— Je venais à peine de rentrer d'une promenade matinale avec mon père quand je t'ai vu là, dans ce couloir. Je vais aller me changer et enfiler une tenue plus convenable. Où pourra-t-on se retrouver ensuite ?

— Là où Son Altesse m'enverra, mais plus sûrement au mess des officiers, répondit le jeune homme au moment où la porte des appartements du prince s'ouvrait.

Francie acquiesça.

— Je te trouverai.

Elle déposa un léger baiser sur la joue de Jimmy avant de partir précipitamment. Le jeune homme ne put s'empêcher, en la regardant s'éloigner, d'admirer la façon dont elle bougeait.

— Qui est cette jeune personne ? demanda Owen, qui se tenait à côté de Jimmy et avait observé l'échange en silence.

— Francine, la fille du duc de Silden. Quand nous étions enfants, Dash et moi, et que nous vivions à Rillanon, elle jouait avec nous chaque fois que son père venait à la cour. Elle a le même âge que Dash, mais la dernière fois que je l'ai vue, ce n'était qu'une gamine maigrichonne. Pendant très longtemps, elle a eu le béguin pour moi.

— Ah, fit Owen.

Mais il ne put s'étendre davantage sur la question car un page venait d'apparaître. Ce dernier l'aperçut et dit :

— Maréchal Greylock, le prince va vous recevoir le premier.

Owen fit signe à Jimmy de le suivre. Ensemble, ils entrèrent dans les appartements de Patrick.

Ce dernier resta assis derrière son bureau, qu'encombraient divers papiers et un plateau d'argent avec de petits pains chauds et un pot de café. Le duc Arutha était tranquillement assis à la gauche du bureau. Il sourit en apercevant son fils.

— Tu ne peux pas savoir à quel point je suis content de te revoir. Où est Dash ?

Jimmy secoua la tête.

— Quelque part dans la nature.

Le sourire d'Arutha s'évanouit.

Patrick termina son petit pain et demanda :

— Quelles nouvelles de Krondor ?

— Jimmy a un message de la part du général Duko, annonça Owen.

— Du général Duko ? répéta Patrick.

— Il semblerait que les envahisseurs se soient disputés, expliqua Jimmy. (Il rapporta les soupçons que Duko nourrissait au sujet de Fadawah et de Nordan et conclut ainsi son rapport :) Le général a donc trouvé une solution qui lui permet de rester en vie avec ses hommes tout en rendant Krondor à Votre Altesse sans qu'une seule goutte de sang soit versée.

Le visage de Patrick ressemblait à un masque impassible. Jimmy comprit que le prince savait déjà où la discussion allait le mener.

— Poursuivez, ordonna le prince de Krondor.

— Duko ne désire pas retourner sur Novindus. Il dit que le continent est en cendres après dix années de guerre et...

Jimmy hésita.

— Poursuivez, répéta Patrick.

— Il est attiré par notre concept de nation, Votre Altesse, il y voit quelque chose de spécial. Il souhaite appartenir à quelque chose de plus grand que lui. Il propose de vous rendre Krondor, Altesse, et de prêter allégeance à la couronne. Si vous acceptez son offre, il conduira son armée au nord et marchera sur Sarth pour en déloger Nordan.

Les joues de Patrick s'empourprèrent.

— Ah, il veut prêter allégeance à la couronne ! (Il se pencha en avant.) Et peut-être souhaite-t-il qu'on le nomme duc de Krondor à la place de votre père, pendant qu'il y est ?

Jimmy s'efforça de garder un ton léger.

— Non, Altesse, rien de tel. En revanche, une baronnie pourrait bien l'intéresser.

— Une baronnie !

Patrick explosa et abattit sa main sur la table, faisant valser le pot de café chaud qui se renversa sur les petits pains et une douzaine de parchemins tout proches. Le page qui se tenait non loin de là bondit pour nettoyer les dégâts tandis que le prince se levait.

— Ce chien a l'audace de s'emparer de ma cité et de me demander une baronnie en échange ! Ce voleur ne manque pas de toupet. (Il regarda Owen et Arutha.) Donnez-moi une seule bonne raison de ne pas envoyer mon armée se battre et de ne pas pendre ce bâtard une fois que nous aurons repris Krondor ?

— Il en existe plusieurs, Altesse, rétorqua Arutha.

Patrick se tourna vers lui.

— Et quelles sont-elles ?

— En passant un marché avec Duko, nous privons nos ennemis d'un tiers de leurs forces et augmentons les nôtres d'autant. Nous sauvons au passage d'innombrables vies et y gagnons une unité avancée prête à marcher sur Sarth, ce qui nous permet d'envoyer au sud les hommes dont nous avons besoin pour garder la frontière et tenir Kesh en respect. (Arutha parut hésiter à en dire davantage et conclut par ces mots :) Si Duko est sincère et s'il ne s'agit pas d'une ruse extrêmement subtile, l'occasion est trop belle pour la laisser passer.

— Il a envahi mon royaume, volé ma cité et ruiné la vie et les possessions de mes sujets. Aujourd'hui, il voudrait virer de bord et extorquer des lettres de noblesse à mon père, et vous appelez ça « une belle occasion » ? (Patrick regarda Arutha et se mit à crier :) Auriez-vous perdu la raison, messire ?

Jimmy se raidit, furieux que l'on s'adresse ainsi à son père, mais ne souffla mot. De son côté, Arutha répondit au prince avec la patience d'un père face à un enfant capricieux :

— Ma raison se porte à merveille, Altesse, je vous remercie. (Puis, du ton dont un maître d'école userait avec un élève, il ordonna calmement :) Asseyez-vous, Patrick.

Prince de l'Ouest ou pas, Patrick faisait face à l'un de ses anciens précepteurs et les vieilles habitudes sont toujours dures à perdre. Il s'assit de nouveau derrière son bureau et lança un regard noir à Arutha, mais ne répondit pas.

— Vous devez penser en prince, reprit le duc. Peu importe ce que vous ferez des envahisseurs, il vous faut également traiter avec Kesh. Les Keshians se retiennent d'agir uniquement parce que les magiciens du port des Étoiles seraient tout aussi capables de détruire leurs armées que les nôtres si les deux parties en présence ne respectaient pas le traité en vigueur. La seule et unique façon, j'insiste là-dessus, de traiter avec Kesh est de le faire en position de force.

» Vous devez reconquérir Yabon. Pour cela, vous devez nettoyer toute la partie du royaume qui se trouve à l'ouest des Calastius ; mais avant cela, il vous faut d'abord reprendre Sarth. Si vous devez vous battre pour Krondor, vous ne serez pas capable de lancer une campagne contre Sarth avant le solstice d'été *au plus tôt* ! (Arutha commençait à sentir la moutarde lui monter au nez, mais il maîtrisait encore parfaitement le ton de sa voix.) Imaginez que la campagne contre Sarth se prolonge : vous devrez lancer une offensive hivernale contre Ylith ou attendre l'année suivante. D'ici là, LaMut sera tombée. Si vous donnez à Fadawah un deuxième hiver pour consolider sa position, nous ne serons peut-être plus jamais en mesure de reprendre le nord du royaume ! (Il baissa la voix.) Fadawah a déjà soudoyé des officiels hauts placés des Cités libres. Tous nos rapports disent qu'ils commercent avec lui. D'ici trois mois, son armée sera mieux approvisionnée que la nôtre. Il a également approché les Quegans, qui vont sûrement lui répondre favorablement, compte tenu de la manière dont nous les avons traités durant l'invasion.

Arutha lança un regard à Owen, qui prit la parole à son tour :

— Pour reprendre Ylith, nous allons avoir besoin d'un appui naval, Altesse. Si Fadawah est aussi intelligent qu'il y paraît, il demandera aux Quegans de venir s'ancrer dans le port avant notre arrivée, ce qui déclenchera une nouvelle guerre avec Queg.

Patrick se sentait tellement frustré qu'il paraissait au bord des larmes. Mais il réussit à maîtriser sa colère et sa voix lorsqu'il répondit :

— Donc vous êtes en train de me dire qu'à moins de passer un marché avec cette ordure, je risque de me retrouver avec trois guerres sur les bras sans pouvoir en gagner aucune ?

Arutha poussa un profond soupir.

— C'est exactement ça, Altesse.

Patrick avait du mal à contenir sa fureur. Il était assez intelligent pour savoir qu'Arutha avait raison, mais trop en colère pour vouloir l'admettre.

— Il doit bien y avoir un autre moyen.

— Oui, Altesse, répondit Owen. Vous pouvez aller batailler sous les remparts de Krondor contre les mercenaires rassemblés là, envahir la cité et vous battre de maison en maison pendant une semaine avant de panser vos blessures pendant un mois pour vous préparer à marcher sur le Nord.

La colère du prince parut se dissiper.

— Merde, fut son seul commentaire.

Il se tut un long moment avant de répéter :

— Merde.

— Patrick, vous ne pouvez refuser cette offre, réaffirma Arutha. Un général ennemi cherche à négocier une paix séparée avec nous et seul le roi a le pouvoir de refuser cette offre. Voulez-vous parier sur sa réponse ? Il ratifiera n'importe quel traité que nous signerons vous et moi avec Duko, de cela j'en suis sûr. Nous devons seulement nous assurer qu'il ne s'agit pas d'un piège tendu par Fadawah.

— Altesse, je n'ai passé que quelques jours en compagnie de cet homme, mais je le crois sincère. Il y a…

Jimmy s'interrompit, cherchant les mots justes pour décrire ce qu'il avait décelé chez Duko.

— Continuez, le poussa Patrick.

— Il y a quelque chose chez cet homme, un espoir. Il est fatigué de toutes ces tueries et de ces conquêtes sans fin. Il m'a parlé du jour où il a découvert le mal qui possédait la reine Émeraude lorsqu'elle créait ses Immortels, sa garde de la Mort, ces hommes qui l'entouraient en permanence et qui mouraient pour elle, un chaque nuit, afin qu'elle puisse conserver intacte sa magie de mort. Tout homme qui faisait preuve de la moindre hésitation était exécuté – simple soldat ou général, cela ne faisait aucune différence. La reine en a fait la démonstration tout au début de la conquête, lorsque certains capitaines ont tenté de se révolter et que tous ont été empalés sous les yeux de leurs camarades qui ont été obligés de passer à côté d'eux pendant qu'ils se tordaient dans leur agonie. Après la chute de Maharta, le général Gapi a été attaché sur une fourmilière parce qu'il avait laissé échapper le capitaine Calis et ses hommes. Cela prouve que personne, quel que soit son rang, n'était à l'abri de sa colère. Chaque compagnie avait pour mission de se surveiller mutuellement, ainsi les soldats ne pouvaient faire confiance à personne, ils redoutaient toujours que leurs voisins les dénoncent s'ils soupçonnaient ne serait-ce qu'un début de rébellion.

» Duko a passé l'hiver à parler à des prisonniers du royaume, des gens du peuple ou des soldats, dont certains officiers des garnisons de Finisterre et de Sarth. Il est fasciné par notre mode de vie, notre gouvernement, notre grande liberté et il trouve merveilleux notre concept de nation. Il était pris au piège, à la fois prisonnier et geôlier de tous les autres forçats de cette armée. (Jimmy prit une profonde inspiration.) Je crois qu'il veut faire partie de quelque chose de plus grand, qui lui survivra après sa mort et lui donnera le sentiment que sa vie valait la peine d'être vécue.

— Et il a été trahi par son propre commandant, ajouta Arutha. Il est peut-être exactement ce qu'il prétend.

— Moi, je veux des garanties, répliqua sèchement Patrick. Lesquelles pouvez-vous me donner pour me convaincre de faire entrer ce boucher au sein de notre noblesse ?

Owen éclata de rire.

— Y aurait-il quelque chose de drôle dans toute cette histoire, messire Greylock ? s'enquit le prince.

— Non, je songeais simplement que l'un de vos ancêtres a dû dire exactement la même chose au sujet du tout premier baron qui a vécu entre ces murs, répondit le maréchal en souriant.

Patrick hésita, puis soupira. Au bout de quelques instants, il laissa échapper un petit rire.

— D'après l'un de mes précepteurs, le roi de Rillanon a bu jusqu'à pratiquement perdre connaissance lorsqu'il s'est rendu compte qu'il lui fallait faire entrer Bas-Tyra à son service plutôt que de le pendre à l'un des remparts de sa cité.

— La plupart de nos grands aristocrates ont pour ancêtres des ennemis que nous avons choisi de ne pas pendre, Altesse, rappela Arutha.

— Bien, céda Patrick, l'Ouest ne manque pas de places vacantes en ce qui concerne la noblesse. Où devrions-nous envoyer « messire Duko » ?

— Nous avons plusieurs comtés, une vingtaine de baronnies et un duché vacants, énuméra Arutha.

— On a besoin d'un duc des Marches du Sud, intervint Owen.

Patrick regarda Jimmy.

— Que diras-tu d'envoyer ces canailles qui occupent Krondor surveiller les Keshians ?

— Altesse, je ne sais pas si je suis bien placé pour vous conseiller…

Patrick le regarda de travers.

— Il est trop tard pour jouer les modestes avec moi, James. Tu serais bien le premier de ta famille, sur trois générations, à posséder cette qualité. De toute façon, je n'y croirais pas.

James sourit.

— Si vous envoyez Duko et ses hommes dans le sud, entre la baie de Shandon et Finisterre, vous pourriez rapatrier vos soldats à Krondor tout en gardant une présence militaire le long de la frontière sud-ouest. On peut penser que l'endroit grouille d'agents keshians qui tiennent les généraux de l'empereur informés de nos décisions minute par minute. Après Krondor, vous pourriez marcher directement sur Sarth avant que Nordan s'y retranche.

Patrick regarda Owen.

— Greylock, vous êtes maréchal de Krondor. Que pensez-vous de l'exposé du jeune James ?

Owen savait parfaitement ce qu'il en pensait puisqu'il avait passé tout le trajet qui séparait son quartier général de la Lande Noire à discuter de ce plan avec Jimmy.

— C'est risqué, Altesse, mais bien moins dangereux que de piéger Duko entre notre armée et celle de Nordan et obliger ses hommes à se battre pour sauver leur peau. De plus, si nous les envoyons au sud affronter les Keshians, nous n'aurons pas à craindre une confrontation avec leurs anciens frères d'armes ou tout espion que Fadawah aurait pu glisser dans leurs rangs. Enfin, la moitié des hommes qui habitent le val des Rêves sont des mercenaires qui se battent pour ou contre nous, selon leur humeur. Duko pourrait bien être le genre d'individu dont nous avons besoin pour gouverner ces gens. (Il marqua une pause, comme s'il réfléchissait à ses prochaines paroles, qu'il avait déjà répétées dans sa tête à plusieurs reprises.) Si nous continuons à draguer le port et si nous arrivons à faire régner un semblant d'ordre sur la cité d'ici la fin du mois prochain, nous pourrons repartir vers Sarth au bout de six semaines, ce qui nous en donnerait six d'avance sur le délai prévu. Nous pourrions nous présenter aux portes d'Ylith avant les premières pluies d'automne.

— Je vais rédiger des messages pour mon père, déclara Patrick. Si je ne peux remettre ce bâtard entre les mains du bourreau, je veux bien le lâcher sur les Keshians. Nous allons devoir envoyer un message pour souhaiter bienvenue dans la « famille » à notre nouveau duc et lui faire savoir qu'il doit commencer à mobiliser ses troupes.

Jimmy se leva en disant :

— Si Votre Altesse veut bien m'excuser ?

Patrick le congédia d'un geste de la main. Arutha se leva à son tour.

— Si Votre Altesse le permet, j'aimerais m'absenter un moment pour parler à mon fils.

Patrick hocha la tête et se tourna vers son page.

— Qu'on fasse venir un secrétaire immédiatement.

Arutha conduisit son fils dans l'antichambre et s'éloigna des gens qui s'y étaient rassemblés pour attendre le bon plaisir du prince.

— Tu sais ce qui est arrivé à Dash ? demanda-t-il à voix basse pour ne pas être entendu des autres.

— Nous avons été séparés. Malar et moi...

— Qui est Malar ? l'interrompit Arutha.

— Un type originaire du val des Rêves, que Dash et moi avons rencontré en chemin. Sa caravane a été attaquée par les envahisseurs, mais il a réussi à survivre en pleine nature pendant plus d'un mois.

— Malar, répéta Arutha. Ce prénom me paraît familier.

— Malar Enares. C'est son nom.

— Oui, ça m'est familier, mais je n'arrive pas à me rappeler pourquoi.

— Je ne vois pas comment vous pourriez le connaître, père. C'était le serviteur d'un marchand influent, voilà peut-être la raison pour laquelle vous en avez entendu parler.

— La plupart de mes dossiers sont encore dans des cartons, on ne les a pas déballés depuis que l'on est arrivé ici. En temps normal, je demanderais à mon secrétaire de rechercher ce nom – si seulement j'avais encore un secrétaire.

— Eh bien, si vous vous rappelez son nom, c'est certainement que ce Malar n'est peut-être pas aussi quelconque qu'il en a l'air. Lorsque je retournerai à Krondor, je garderai un œil sur lui s'il est toujours dans les parages.

Arutha posa la main sur l'épaule de son fils.

— Bonne idée. En attendant, repose-toi et prépare-toi à partir d'ici un jour ou deux. Le message de Patrick pour Duko sera prêt après-demain au plus tard. Nous allons avoir besoin d'une cérémonie dans les règles, avec restitution de la cité et investiture de notre nouveau duc. Si seulement le vieux Jérôme était encore en vie…

Jimmy sourit.

— Grand-père ne s'est jamais bien entendu avec lui.

— Non, mais c'était le meilleur maître de cérémonie que j'aie jamais connu. Même s'il s'était agi d'accueillir convenablement une créature des enfers inférieurs, il aurait trouvé comment faire et aurait préparé ça dans les délais les plus brefs.

— Moi, pour le moment, je me contenterais d'un repas et d'une sieste, répliqua Jimmy.

— Ah, au fait, messire de Silden est ici, lui apprit son père. Il a amené Francine avec lui.

— Je sais, je l'ai croisée juste avant d'entrer chez le prince. Elle revenait d'une promenade matinale à cheval. Elle a bien grandi.

— Je me souviens que tu la considérais comme une peste quand vous étiez petits, à Rillanon. Est-ce qu'elle veut toujours t'épouser ?

Jimmy éclata de rire.

— Seulement si j'ai de la chance. Si j'arrive à garder les yeux ouverts, je devrais déjeuner avec elle à midi.

Arutha sourit.

— Oh, je suis sûr que tu y arriveras. (Puis son expression s'assombrit.) Je regrette seulement que nous n'ayons pas de nouvelles de ton frère.

— Moi aussi, acquiesça Jimmy.

Arutha serra brièvement l'épaule de son fils aîné avant de retourner dans le bureau du prince. Jimmy pensa au déjeuner en compagnie de Francie et se dit qu'il n'était pas si fatigué que ça, après tout. Il décida qu'auparavant, il irait bien rendre une petite visite au capitaine de la garde pour savoir si des rapports étaient arrivés de l'Ouest au cours de la nuit précédente. Avec un peu de chance, il entendrait peut-être parler de Dash.

Pug franchit la porte du « temple » et le trouva désert. Mais on entendait des cris et des rires d'enfant derrière l'entrepôt. Pug traversa le bâtiment vide d'un pas pressé, passant devant un autel de fortune et dans une partie qui servait de cuisine avant de sortir dans la cour rattachée au vieil entrepôt.

Nakor était accroupi près d'un enfant qui faisait des bulles à l'aide d'eau savonneuse. D'autres enfants couraient après les bulles en tentant de les attraper mais l'ancien joueur de cartes, pour sa part, fixait intensément la bulle qui se formait à l'extrémité de la pipe du petit garçon.

— Doucement, doucement, recommanda-t-il comme la bulle ne cessait de gonfler.

Lorsqu'elle atteignit la taille d'un melon, le petit garçon céda au désir de souffler plus fort, et la bulle explosa tandis qu'une myriade de bulles, minuscules celles-là, sortaient à leur tour de la pipe. Les autres enfants éclatèrent de rire et poussèrent des cris de joie en regardant les bulles s'envoler, portées par la brise qui soufflait cet après-midi-là.

Pug se mit à rire. Nakor se retourna aussitôt. Son visage s'illumina d'un large sourire à la vue du magicien.

— Pug, tu arrives à point nommé !

Pug rejoignit l'Isalani et lui serra la main.

— Ah bon, pourquoi ?

— La bulle. Une idée m'est venue en observant ces enfants et je voulais te demander quelque chose.

— Quoi donc ?

— Cette histoire dont tu m'as parlé, quand Tomas, Macros et toi êtes remontés à l'aube des temps, tu t'en souviens ?

— Je pourrais difficilement l'oublier, répondit le magicien.

— Tu as dit qu'il s'est produit une explosion gigantesque qui a expulsé l'univers, c'est bien ça ?

— Je ne sais pas si j'ai employé ces termes-là précisément, mais oui, c'est pratiquement ce qui s'est passé.

Nakor éclata de rire et se mit à danser l'espace d'une minute.

— J'ai compris !

— Compris quoi ?

— Je n'ai cessé de réfléchir depuis que tu m'as raconté cette histoire, il y a des années. Maintenant, je crois que je comprends. Regarde le garçon souffler une bulle. (Il se tourna vers le gamin.) Charles, recommence, s'il te plaît.

Le petit obéit en soufflant une seule grosse bulle.

— Regarde-la grandir, insista Nakor. Vois comme elle devient de plus en plus large.

— Oui, je la vois, et alors ? fit Pug.

— Ce n'est qu'une goutte d'eau savonneuse mais quand tu souffles de l'air à l'intérieur, elle grandit. Elle croît mais le contenu de cette goutte reste le même. Tu ne vois donc pas ?

— Non, quoi ? répondit le magicien, sincèrement perplexe face à la dernière révélation de Nakor.

— L'univers ! C'est une bulle !

— Oh…, fit Pug avant de s'interrompre. Non, je ne vois pas.

Nakor décrivit un geste courbe avec la main, comme s'il traçait une sphère dans les airs.

— Le matériau de l'univers a été propulsé à l'extérieur, comme cette bulle de savon. Tout ce que contient l'univers est à la surface de la bulle ! s'écria l'Isalani en insistant bien sur les derniers mots.

Pug prit le temps d'y réfléchir avant de décréter :

— C'est stupéfiant.

— Toutes les composantes de cet ensemble qu'est l'univers s'éloignent les unes des autres à la même vitesse ! C'est la seule possibilité.

Pug était sincèrement impressionné par cette découverte.

— Mais qu'est-ce que ça signifie ?

— Ça signifie qu'on a désormais un indice sur la façon dont les choses fonctionnent dans l'univers. Et cela pourrait nous donner une meilleure compréhension du rôle que nous avons à jouer au sein de cet univers.

— À la surface, tu veux dire.

— Oui, à la surface, concéda Nakor.

— Mais alors qu'y a-t-il au milieu ? demanda Pug.

L'Isalani sourit jusqu'aux oreilles.

— Le vide. Ce truc gris dont tu parles.

Pug réfléchit.

— Voilà qui paraîtrait… logique.

— Et quand on crée une faille, on plie la surface de la bulle !

Le magicien secoua la tête.

— Là, je ne te suis plus.

— Je t'expliquerai cela une autre fois. Maintenant, si seulement je pouvais comprendre quelle est la place qu'occupe le Couloir entre les Mondes dans tout ça…

— Tu trouveras une théorie, j'en suis sûr, le rassura Pug.

— Tu avais une raison particulière de venir me voir ? lui demanda Nakor.

— Oui, j'ai besoin de ton aide.

— Continuez à jouer, les enfants, recommanda l'Isalani.

— Qui sont-ils ? demanda Pug tandis que Nakor le ramenait à l'intérieur du temple.

— Les fils et les filles des gens qui vivent tout près et qui tentent de rebâtir leur maison et leur vie, mais qui ne savent pas où envoyer les enfants en attendant. Nous leur offrons un endroit sûr où ils peuvent déposer leurs petits plutôt que de les laisser traîner dans les rues.

147

— Et quand tous ces gens auront retrouvé une vie normale, les enfants retourneront aider leurs parents.

— C'est exact, approuva Nakor. En attendant, on s'attire les bonnes grâces de personnes qui auront tendance à bien vouloir nous aider quand l'occasion s'en présentera. Ce sont des commerçants doués, pour la plupart.

— Tu es vraiment attaché à ce temple d'Arch-Indar, pas vrai ?

— Je m'attache surtout à le faire construire.

— Et ensuite ?

Nakor haussa les épaules.

— Je ne sais pas. Je le laisserai à quelqu'un qui sera plus à même de le diriger que moi. Ce n'est pas ma vocation. S'il s'agissait du temple du défunt dieu de la Connaissance, je ne dis pas, même si je crois que j'ai suffisamment admiré l'œuvre de Wodar-Hospur pour toute une vie.

Il faisait référence au codex magique qu'il avait eu en sa possession pendant des années. Cet artefact lui avait donné des connaissances et un pouvoir incroyables mais avait également mis sa santé mentale en péril.

— Que feras-tu quand tu ne t'occuperas plus de ce temple, alors ?

— Je ne sais pas. Je pense que je poursuivrai mon chemin.

Ils entrèrent dans le bureau de Nakor. Pug referma la porte derrière eux.

— As-tu l'intention de laisser Sho Pi prendre la direction du temple ?

— Je ne crois pas. Il est… en route vers un chemin différent, mais je ne suis pas sûr de quoi il s'agit.

— Tu as quelqu'un d'autre en vue ? demanda le magicien en s'asseyant.

Nakor acquiesça.

— Je n'en suis pas sûr, mais je crois bien.

— Tu as envie d'en parler ?

— Non, répliqua Nakor avec un grand sourire tandis qu'il s'asseyait à son tour. Je pourrais me tromper et alors je passerais pour un idiot.

— Le ciel nous en préserve, commenta sèchement Pug.

— Bon, dis-moi de quel genre de service as-tu besoin ?

Pug expliqua le problème des Saaurs et conclut par ces mots :

— Patrick veut que je leur lance un ultimatum et que je les détruise jusqu'au dernier s'ils refusent de quitter le royaume.

Nakor fronça les sourcils.

— Ça fait des années qu'on raconte des histoires au sujet de tes pouvoirs, mon ami. Je savais que ce ne serait qu'une question de temps avant qu'un souverain essaye de te gagner à sa cause.

— Par le passé, j'ai servi le royaume sans qu'on me l'ordonne.

— C'est vrai, mais tu n'as encore jamais été sous l'autorité d'un gamin impétueux.

Pug se renfonça sur sa chaise.

—Je ne me suis jamais considéré sous l'autorité de quiconque depuis que j'ai découvert mes pouvoirs. En tant que Très-Puissant de l'Empire tsurani, j'étais au-dessus des lois et n'étais soumis à d'autre autorité que ma propre conscience et le devoir d'agir au mieux des intérêts de l'empire.

» Depuis que je suis rentré sur Midkemia, la couronne m'a laissé en paix. J'avais le droit de diriger le port des Étoiles à ma guise. Le roi Borric, et le roi Lyam avant lui, se satisfaisaient de l'idée que je ne ferais aucun mal à leur royaume. Mais concernant l'ordre de Patrick d'aller éradiquer nos ennemis, je ne sais pas ce qu'il convient de faire.

—Tu as vécu sur un autre monde, Pug, rappela Nakor en pointant son index sur le magicien. Ce gamin là-haut dans son château a passé presque toute son existence sur l'île de Rillanon et ne l'a quittée que depuis deux ans à peine. Toi, tu as été esclave, puis magicien au-dessus des lois, tu as travaillé dans une cuisine et on t'a offert le rang de duc. Tu as aussi voyagé dans le temps. (L'Isalani sourit.) Tu as vu beaucoup de choses. (Son sourire s'effaça.) Patrick n'est qu'un petit garçon effrayé. Le problème, c'est que ce petit garçon a mauvais caractère et une armée à ses ordres. C'est une dangereuse association.

—Peut-être devrais-je aller trouver le roi.

—Peut-être, convint Nakor, mais je garderais cette option en réserve jusqu'à ce que tu aies parlé avec les Saaurs, pour voir si tu peux les convaincre de s'en aller.

—Ça t'ennuierait de m'accompagner ? Tu as le don de savoir quoi faire lors de situations inhabituelles.

Nakor réfléchit quelques instants avant de répondre :

—Empêcher la mort de nombreuses personnes sera une bonne chose. Oui, je vais t'accompagner. Mais d'abord, j'aimerais que tu me rendes un service.

—De quoi s'agit-il ?

—Viens, suis-moi.

Pug se leva et sortit du bureau derrière Nakor. Dans un coin éloigné de la grande pièce, Sho Pi discutait avec deux autres disciples.

—Sho Pi, garde un œil sur les enfants, cria Nakor à son intention. Je reviens dans un moment.

Il conduisit Pug à travers la cité en direction du château. Peu avant l'endroit où ils auraient dû tourner pour s'engager sur le pont-levis de la forteresse, ils empruntèrent une autre rue qui menait à une partie de la cité complètement détruite. Lorsqu'ils arrivèrent à hauteur d'un poste de contrôle, ils furent arrêtés par deux gardes qui portaient sur leur tabard les armes du baron de la Lande Noire.

— Halte, ordonna l'un d'eux du ton de quelqu'un qui s'ennuie.

— Voici Pug, duc du port des Étoiles, annonça Nakor. Il est en mission pour le prince de Krondor.

— À vos ordres, messire ! s'écria le garde en se mettant au garde-à-vous.

Il n'avait sans doute jamais rencontré le magicien auparavant, mais tous les soldats de l'Ouest le connaissaient de réputation. De plus, il fallait reconnaître que Pug avait la tête de l'emploi.

— Nous devons réquisitionner une vingtaine de prisonniers pour des travaux forcés, expliqua Nakor.

— Je vais aller chercher quelques gardes pour vous accompagner, proposa le soldat.

— C'est inutile, répliqua Nakor en levant la main. On se débrouillera seuls.

Il fit signe à Pug de le suivre et se hâta de passer avant que le garde puisse protester.

— Tout ira bien, assura Pug.

Ils entrèrent dans une partie de la ville qui s'étendait sur une demi-douzaine de pâtés de maisons, lesquelles avaient toutes été rasées par les incendies et les tirs de catapulte. C'était là que l'on gardait les prisonniers de guerre. Nakor aperçut une grosse pierre et grimpa dessus avant d'annoncer d'une voix forte, dans la langue de Novindus :

— J'ai besoin de travailleurs.

Quelques hommes proches de l'endroit où il se tenait regardèrent dans sa direction. Il retint l'attention d'un ou deux d'entre eux, mais personne n'approcha. Nakor attendit un moment avant de descendre de son rocher.

— Ça ne marche pas. Viens avec moi.

Il s'enfonça au cœur du camp qui fourmillait de prisonniers. Partout étaient assis des mercenaires sales et visiblement affamés, occupés à bavarder avec leurs voisins. Tandis qu'il avançait entre la foule des prisonniers, il précisa :

— J'ai besoin de charpentiers, de charrons et de constructeurs de chariots !

— J'étais charpentier avant qu'on m'oblige à me battre, dit l'un des hommes.

— Savez-vous fabriquer une roue ?

L'homme acquiesça.

— Je sais aussi tailler ses rayons.

— Venez avec moi !

— Pourquoi devrais-je vous suivre ? répondit le prisonnier.

Âgé d'une cinquantaine d'années, il avait les cheveux gris et paraissait sale et malheureux.

— Parce que vous n'avez rien de mieux à faire, pas vrai ? répliqua l'Isalani. En plus, si vous m'accompagnez, vous serez mieux nourri et recevrez un salaire.

— Un salaire ? Mais je suis un prisonnier !

— Non, si vous voulez bien travailler, vous ne le serez plus. Je ferai de vous un prêtre d'Arch-Indar.

— Qui est-ce ? demanda le prisonnier, perplexe.

— La Dame du Bien, répondit Nakor d'un ton impatient. Allez, suivez-moi sans discuter.

Cette discussion se répéta plusieurs fois, jusqu'à ce que Nakor ait choisi sept hommes possédant l'expérience requise. D'autres avaient proposé leurs services mais ne possédaient pas les talents nécessaires.

— J'emmène ces hommes avec moi, annonça Pug aux deux soldats qui gardaient l'entrée du camp. J'ai besoin de leurs services pour l'un de mes projets.

— Je vous demande pardon, messire, s'excusa le plus gradé des deux, mais ceci n'est pas du tout conforme au règlement. Nous n'avons reçu aucun ordre.

— J'en prends l'entière responsabilité, répliqua le magicien. Je suis en mission pour le prince.

Le soldat échangea un regard avec son subordonné, qui haussa les épaules.

— Bon, eh bien, je suppose que vous pouvez y aller, alors.

Pug et Nakor ramenèrent les prisonniers au temple.

— Sho Pi ! appela Nakor en entrant.

Le premier de ses disciples accourut.

— Oui, maître ?

— Apporte à ces hommes de quoi manger et des vêtements propres. (Il jeta un regard derrière lui et ajouta :) Dès qu'ils auront pris un bain.

— Entendu, maître, acquiesça Sho Pi.

— Ensuite, fais porter un message à Rupert Avery ; dis-lui que ses ouvriers l'attendent.

— Des ouvriers ? s'étonna Pug.

Nakor hocha la tête.

— Roo veut monter une petite entreprise de fabrication de chariots. Il en sera capable dès que nous serons retournés au camp demain matin pour lui dénicher des bûcherons.

— Des bûcherons ? répéta Pug.

Nakor sourit.

— Je t'expliquerai en route.

Pug lui rendit son sourire.

— J'aurais encore une autre faveur à te demander, ajouta l'Isalani.

— Laquelle ?

Nakor baissa la voix.

— Je te recommande instamment de demander à dame Miranda de ne pas nous accompagner.

— Miranda sait se débrouiller toute seule.

— Je ne remets pas en cause ses compétences, je redoute seulement son caractère bien trempé, que nous connaissons tous. Tu vas aller au-devant du danger, même si les risques sont minimes. Elle pourrait mal réagir en cas de menace.

— Je doute qu'elle déclenche une nouvelle guerre, mais je vois où tu veux en venir. (Pug réfléchit un moment avant de dire :) Je crois que de toute façon, j'aimerais qu'elle aille rendre visite à Tomas et qu'elle voie comment vont les choses dans le Nord. Nous ne recevons presque aucune nouvelle de Crydee ou d'Elvandar. Or, si nous voulons agir rapidement pour reconquérir Ylith, il est absolument nécessaire de savoir où en est la lutte pour Yabon.

— A-t-elle les moyens de se rendre là-bas ? s'enquit Nakor.

— Nous aurions bien besoin d'apprendre les « tours » que ma femme utilise pour se déplacer d'un endroit à un autre. Elle peut se transporter n'importe où sans avoir besoin d'un artefact ou d'un motif tsurani.

— Voilà qui serait en effet très utile à savoir.

— Je suis au regret d'admettre que toi et moi nous allons devoir voyager à dos de cheval. En ce qui me concerne, je peux voler, mais ce ne sera pas possible si je dois te porter.

— C'est toujours mieux que de marcher, répliqua Nakor avec philosophie.

Pug éclata de rire.

— Tu as le chic de voir le bon côté des choses la plupart du temps.

— Ça aide parfois.

— J'enverrai quelqu'un te prévenir dès que je m'apprêterai à partir. Tu as deux jours pour te préparer, je pense.

— Je serai prêt, promit Nakor comme Pug s'en allait.

Chapitre 8

D ash agita la main.
Les gardes du poste de contrôle lui firent signe de passer avec ses
compagnons.

Dash, Gustave et Talwin cheminaient péniblement depuis trois jours
sans avoir vu personne, à l'exception d'un groupe de bandits, qu'ils avaient
aperçu en fin d'après-midi le deuxième jour. Duko avait rappelé ses forces
et les avait cantonnées juste à l'extérieur de Krondor. Les patrouilles qui
avaient posé tant de difficultés aux deux frères à peine quelques semaines
auparavant avaient donc cessé.

— Qui va là ? demanda le soldat le plus proche.

— Dashel Jameson, baron de la cour du roi.

Gustave et Talwin échangèrent un regard surpris mais ne firent pas
de commentaires. Ils savaient qu'il s'était produit quelque chose d'étrange
pendant leur emprisonnement chez les Moqueurs et que Dash avait passé
du temps seul en compagnie de leur chef. Hormis cela, ils étaient simplement conscients que le jeune homme les conduisait loin de la captivité,
vers un endroit où ils espéraient trouver un repas chaud, un lit propre et
un travail.

— Gar ! s'écria le premier soldat à l'adresse du second. Va chercher
le sergent !

Le deuxième garde s'élança au pas de course en direction des
lointaines lumières du camp avancé appartenant à l'armée du royaume.

153

Dash et les autres s'arrêtèrent devant le premier soldat qui garda un silence embarrassé pendant une longue minute avant de dire :

— Si je peux me permettre, messire…

De toute évidence, le garde se demandait ce qu'un noble de la cour pouvait bien faire, vêtu d'une tenue aussi miteuse et en si piètre compagnie, à cette heure tardive et du mauvais côté des lignes ennemies. Cependant, il se retint de poser la question.

— Est-ce que vous voulez de l'eau ?

— Oui, merci, répondit Dash.

Le soldat lui tendit une gourde d'eau. Dash but puis la passa à Gustave, qui la tendit ensuite à Talwin.

— Je pense que je vais aller m'asseoir un peu, annonça Dash.

Il alla jusqu'au bas-côté de la route et s'y assit.

Ses compagnons le rejoignirent. Tous restèrent assis en silence, ignorant le soldat qui les regardait d'un air curieux.

Quelques minutes plus tard, un groupe de cavaliers sortit du camp en menant trois chevaux par la bride. Le sergent qui ouvrait la marche sauta à bas de sa monture, tendit les rênes au garde et demanda :

— Lequel d'entre vous est le baron Dashel ?

— C'est moi, répondit Dash en se levant.

— Le capitaine de la Lande Noire est ici, messire, et vous attend, vous et vos compagnons.

Dash, Gustave et Talwin, entourés de leur escorte, parcoururent les mille six cents mètres qui les séparaient du camp d'Erik. Celui-ci les attendait devant la tente qui lui servait de quartier général.

— Dash ! Votre père sera ravi d'apprendre que vous nous revenez sain et sauf !

— Qu'en est-il de mon frère ? demanda Dash en mettant pied à terre.

— Il est passé il y a une semaine environ. Lui et Owen se sont empressés d'aller voir le prince et votre père. Venez, rentrons sous la tente.

Erik ordonna à un soldat de trouver un endroit où Gustave et Talwin pourraient passer la nuit.

— Un repas chaud ne va pas tarder à nous être servi, promit-il à Dash lorsqu'ils furent à l'intérieur de la tente de commandement.

— Tant mieux, fit le jeune homme qui se laissa tomber lourdement sur une chaise pliante à côté d'une grande table où était étalée une carte. Il y jeta un coup d'œil et demanda :

— Vous vous préparez à assaillir Krondor ?

Erik secoua la tête.

— Ce ne sera peut-être pas nécessaire, si le message que portait votre frère de la part de Duko n'est pas une espèce de mensonge.

— Un message ?

— Oui, Jimmy a été capturé par les hommes de Duko, lequel lui a rendu sa liberté pour qu'il puisse porter son offre à Patrick.

— Et quelle est cette offre ? demanda Dash.

— Duko veut changer de camp.

— Sans blague ! s'exclama Dash. Je me suis retrouvé à participer à des travaux forcés pendant quelques jours et j'ai bien vu qu'il reconstruisait Krondor aussi vite que possible.

Un aide de camp vint leur apporter deux bols en bois remplis de ragoût fumant. C'était un repas simple mais dont l'odeur fit monter l'eau à la bouche du jeune homme. Deux soldats suivaient l'aide de camp, l'un apportant du fromage et du pain et l'autre deux grands verres de vin.

Dash se mit à manger. Erik attendit le départ de ses subordonnés pour lui dire :

— Vous feriez bien de me raconter ce que vous avez vu.

Dash avala quelques cuillerées de ragoût avant de répondre :

— J'ai été capturé par les hommes de Duko qui m'ont envoyé travailler sur les remparts avec d'autres prisonniers.

— Intéressant, commenta Erik. Ils ont capturé votre frère au moment où il essayait de rentrer en ville et l'ont emmené pour l'interroger.

— Moi, j'étais déjà en ville et je ressemblais à un chasseur de rats, alors ils ont dû se dire que j'avais réussi à les éviter pendant un bon bout de temps. Je ne sais pas, ça paraîtrait logique. Malgré tout ce que fait Duko à Krondor, c'est parfois encore très confus.

Erik acquiesça.

— Donc, ils vous ont obligé à travailler pour eux.

Dash but une gorgée de vin.

— Oui, jusqu'à ce que je m'échappe avec trois autres hommes. On s'est glissés dans l'un des conduits d'évacuation des eaux qui passent sous les remparts et on s'est enfoncés au cœur de la cité. C'est là qu'on s'est fait attraper par les Moqueurs.

— Les voleurs contrôlent donc toujours les égouts de Krondor ?

— Je n'irais pas jusqu'à dire qu'ils les contrôlent. C'est surtout qu'il reste quelques endroits que Duko et ses hommes n'ont pas encore découverts. Il faut dire que les Moqueurs connaissent deux endroits où l'on peut entrer ou sortir de la cité en toute sécurité.

Erik but à son tour un peu de vin.

— Voilà qui pourrait bien nous rendre service si on avait à attaquer la cité.

— Vous croyez qu'il veut vraiment changer de camp ?

— Je ne sais pas, répondit Erik. Votre frère a l'air de penser qu'il est sincère et a convaincu Greylock. Si je ne me trompe pas au sujet de votre père, je pense qu'à eux trois, ils réussiront à convaincre le prince.

Dash secoua la tête.

— Voilà qui va poser problème, pour les Moqueurs.

— Comment ça ?

— Je leur ai promis une sorte d'amnistie ou de grâce générale s'ils nous aidaient à entrer dans la cité durant l'attaque qui se prépare.

Erik se frotta le menton.

— Étant donné que Krondor gît en ruine, il est vrai que cela paraît un peu trivial de s'inquiéter de ce que faisait tel ou tel individu avant la guerre. Je veux dire, devrait-on pendre quelqu'un parce qu'il volait l'argent des passants il y a deux ans alors qu'on pardonne à l'homme qui a incendié certaines parties de la cité l'année dernière ?

— Les voies de la politique... Heureusement pour vous et moi, ce n'est pas à nous qu'il revient de prendre cette décision.

Erik plissa les yeux.

— Ne sous-estimez pas trop la valeur de vos conseils, Dash. Je suis sûr que votre père et le prince vont vous demander votre avis sur la question.

Dash se redressa, avala une nouvelle bouchée de ragoût et répondit :

— Je n'ai qu'une chose à leur suggérer : gracier tous les gens qui se trouvent à l'intérieur de la ville et repartir à zéro. (Il agita sa fourchette par-dessus son épaule.) Je ne me fais aucune illusion au sujet des assassins qui se trouvent là-bas et encore moins au sujet des Moqueurs, en dépit des merveilleuses histoires de mon grand-père. La plupart des envahisseurs risquent de déclencher des émeutes au bout de quelques semaines si on les force à jouer aux soldats de garnison. Quant aux Moqueurs, ils recommenceront à voler des bourses ou couper des gorges le lendemain même de leur pardon. (Dash secoua la tête et poursuivit, la bouche pleine :) Non, la seule différence entre demander aux Moqueurs de nous aider ou à Duko de nous ouvrir les portes, c'est que dans le deuxième cas, je ne pourrai pas tenir ma promesse.

Erik haussa un sourcil.

— C'est un problème ?

— Seulement si les Moqueurs pensent que je me suis parjuré et décident de lancer un contrat sur moi.

— Faites-moi savoir si je peux vous être utile, offrit Erik en hochant la tête.

— Je n'y manquerai pas, promit Dash. Cependant, je soupçonne mon père et Jimmy d'avoir réussi à persuader Patrick de prendre la bonne décision, quelle qu'elle soit.

— Dans ce cas, voulez-vous attendre ici pour voir s'ils viennent nous rejoindre ? Je pourrais leur faire savoir que vous êtes en vie. Ou préférez-vous qu'on vous donne un cheval pour aller jusqu'à la Lande Noire ?

— Pour l'instant, répondit Dash, je ne souhaite qu'une chose : dormir sur quelque chose de plus moelleux qu'un tas de paille sur un sol en pierre.

Erik lui lança un regard contrit.

— Dans ce cas, vous feriez mieux de repartir dès ce soir. Nous n'avons pas beaucoup de matelas de plume dans le camp.

— Je sais, fit Dash en s'éloignant de la table. Je ne faisais qu'émettre un souhait. Je me contenterai du tapis de sol d'un soldat si c'est tout ce que le destin m'accorde. J'ai dormi à même le sol, enroulé dans ce manteau en loques, pendant les trois dernières nuits.

— Eh bien, nous vous fournirons de nouveaux vêtements. Nous en avons de rechange, mais vous allez vous retrouver en uniforme à nouveau, j'en ai peur.

Dash haussa les épaules.

— Tant qu'ils n'ont pas de poux et de puces, ça me convient.

Erik éclata de rire.

— Vous pouvez toujours suspendre vos guenilles au-dessus du feu de camp.

— C'est ainsi que les Chiens Soldats lavent leurs vêtements, commenta Dash. Oui, j'en ai entendu parler. Après, vos habits sentent la fumée pendant des jours. Je préfère encore enfiler un uniforme. Quant à ces chiffons, vous pouvez les brûler.

Erik rit de nouveau.

— Vous pouvez prendre le tapis de sol supplémentaire que vous voyez là-bas et dormir sous ma tente ce soir. J'essayerai de ne pas vous réveiller quand je rentrerai me coucher tout à l'heure. (Il se dirigea vers l'entrée de la tente.) Il faut que je vérifie quelques petites choses auparavant…

Il se retourna et vit que Dash s'était allongé sur le tapis. Il dormait déjà. Erik sortit de la tente et s'efforça de penser au travail qui l'attendait. L'espace d'un bref instant, il songea combien la situation dans laquelle il se trouvait devenait bizarre.

Bah, se dit-il, il fallait laisser le prince et le duc juger de la sincérité de Duko. Ensuite, comme toujours, lui, Erik, n'aurait plus qu'à faire de son mieux pour obéir aux ordres.

Pug tira sur ses rênes tandis que le chef de son escorte donnait l'ordre de faire une halte. Les membres de la patrouille qui se dirigeait vers eux étaient revêtus du noir des Aigles cramoisis de Krondor, cette unité spéciale fondée par Calis, le prédécesseur d'Erik de la Lande Noire. À leur tête se trouvait un visage familier pour qui avait passé l'hiver à la Lande Noire.

— Nakor ! Magicien ! s'exclama Jadow Shati, lieutenant de la compagnie en question. Qu'est-ce qui vous amène par ici ?

D'un geste, il ordonna à la patrouille de s'arrêter.

— Nous sommes là pour rencontrer le capitaine Subai. Ensuite, nous reprendrons la route et essayerons d'arranger cette histoire avec les Saaurs, expliqua Pug.

L'éclatant sourire de Jadow s'évanouit brusquement.

— Eh mec, demandez donc à Nakor. On les a combattus, nous, de l'autre côté de la mer. Ils sont costauds et rapides. Ils nous en tuent trois quand on leur en tue un si on ne porte pas de puissante armure. À votre avis, magicien, vous croyez qu'il y a des chances que le prince nous envoie les Lanciers royaux ?

— J'espère arriver à convaincre les Saaurs que nous combattre est une perte pour les deux parties.

— Eh bien, ça serait une première. D'après ce que j'en ai vu, paisible n'est pas le premier mot qui vient à l'esprit quand on pense à eux. (Jadow regarda par-dessus son épaule avant d'ajouter :) Chevauchez encore une heure, et vous atteindrez notre camp principal. Je suis de sortie pour deux jours, on se reverra peut-être quand vous prendrez le chemin du retour. (Il regarda Nakor.) Comment se porte ta religion ?

L'Isalani poussa un soupir théâtral.

— C'est difficile de faire le bien, Jadow.

L'ancien sergent, qui possédait une nature très accommodante, éclata de rire.

— Voilà une évidence, mon ami. (Il fit signe à ses camarades de le suivre.) Remettons-nous en route.

En passant devant le sergent qui dirigeait la patrouille de Krondor, Jadow répondit à son salut par un geste de la main et un signe de tête.

— Allons voir le capitaine, déclara Pug.

— Allons manger, plutôt, répliqua Nakor. J'ai faim.

Pug se mit à rire.

— Tu as toujours faim, mon ami.

— Tu sais, lui dit l'Isalani tandis qu'ils cheminaient côte à côte, j'ai eu une idée étrange…

— Vraiment ? l'interrompit Pug. Il faudra m'en parler une autre fois.

Nakor éclata de rire.

— Non, je veux dire, c'était vraiment bizarre.

— Une autre fois, Nakor, décréta Pug.

— Très bien.

Ils chevauchèrent en silence jusqu'à leur arrivée au camp du capitaine Subai. Il se situait dans une clairière au pied de collines escarpées qui se dressaient à l'ouest. Pug vit que la route s'élevait abruptement au-delà du camp et comprit qu'il devait s'agir de la limite septentrionale des terres que l'on jugeait à l'abri des envahisseurs. En regardant autour de lui, le magicien comprit pourquoi les soldats avaient choisi cet endroit pour y établir leur quartier général. Il y avait assez d'espace au sud pour accueillir rapidement des renforts, alors qu'au nord le terrain s'élevait en pente raide. À l'est de la route se dressait pratiquement un à-pic sous lequel tout soldat ayant suivi le bas des collines se retrouverait piégé dans un étroit défilé. Deux archers suffisaient à empêcher quiconque de passer.

Des soldats accoururent pour prendre les montures de Pug et de Nakor. Tous étaient vêtus de l'uniforme soit des Pisteurs royaux, soit des Aigles cramoisis. Pug et Nakor mirent pied à terre. Le magicien demanda à l'un des soldats de lui indiquer la tente du capitaine Subai. L'autre lui montra un grand pavillon situé au centre du camp. Pug le remercia et se tourna vers l'officier qui dirigeait son escorte :

— Merci, sergent. Reposez-vous ici cette nuit, puis remmenez vos hommes à la Lande Noire dès demain matin. Nous sommes en sécurité ici.

Le sergent lui adressa un salut militaire. Puis il se retourna, donna l'ordre à ses hommes de mettre pied à terre, et demanda au deuxième soldat où les membres de l'escorte pouvaient se rendre pour s'occuper de leurs montures. Tandis que le soldat répondait au sergent, Pug et Nakor se dirigèrent vers la tente de commandement.

Un unique soldat était assis sur une chaise pliante devant la tente. De près, Pug s'aperçut qu'il ne s'agissait pas d'un garde paresseux mais bien du commandant des Pisteurs en personne. Il était occupé à huiler un harnais en cuir. Pug avait entendu dire que les Pisteurs s'occupaient eux-mêmes de leur équipement, ne déléguant aucune tâche aux forgerons, aux tanneurs ni aux armuriers qui travaillaient d'ordinaire au sein de l'armée. Erik avait même fait remarquer à Pug qu'ils prenaient particulièrement soin de leurs chevaux, un domaine dans lequel Erik était un expert.

L'officier leva les yeux et reconnut le magicien.

— Duc Pug, énonça-t-il lentement tout en se levant pour le saluer. À quoi dois-je le plaisir de cette visite ?

— Aux ordres du prince Patrick, j'en ai peur, répondit Pug.

Le capitaine était un homme émacié dont les cheveux grisonnaient prématurément, et dont le visage et les mains avaient la couleur du cuir tanné.

— Quels sont ses ordres ?

— Je dois traverser la plaine à l'est de votre camp puis entrer dans les steppes des Tempêtes, trouver les Saaurs et les convaincre de ne plus attaquer nos forces.

Le capitaine haussa les sourcils, ce qui était la réaction la plus expressive que Pug lui ait jamais vue depuis qu'il avait fait sa connaissance à Krondor.

— Bonne chance à vous, messire. (Il posa le harnais par terre et demanda :) Mes hommes et moi pouvons-nous faire quoi que ce soit pour vous aider ?

— Je suis au regret de vous informer que je dois en effet vous demander une escorte. Le prince estime cela nécessaire.

Le capitaine sourit.

— D'après ce qu'on raconte à votre sujet, je trouve cela difficile à croire. Cependant, puisque le prince l'exige, nous obéirons. Une patrouille sera prête à l'aube pour vous accompagner. Jusque-là, vous devrez vous contenter de conditions de logement rudimentaires. Je vais demander à deux de mes hommes de se réunir sous une même tente, pour que vous et votre ami puissiez en partager une.

— Merci, dit Pug avant de jeter un coup d'œil à Nakor. Tu dormiras seul ce soir, mon ami, car j'ai l'intention de passer encore une nuit en compagnie de ma femme.

— Tu vas retourner à la Lande Noire en volant ?

— Non, Miranda est sur l'île du Sorcier et je veux l'y rejoindre.

Nakor sourit.

— Je me souviens de ce que ça fait d'être amoureux. (Il soupira.) Pourtant, ça remonte à des siècles.

Pug sortit de sa poche un artefact tsurani en expliquant :

— C'est la dernière sphère. Je vais devoir demander à Miranda de m'apprendre comment me déplacer sans utiliser l'un de ces objets. (Il entreprit de parcourir du regard le paysage, car tenter d'utiliser la sphère pour se rendre dans un endroit que l'utilisateur ne connaissait pas bien était quasiment synonyme de mort à coup sûr.) Laisse-moi quelques minutes, le temps de fixer l'image de ce camp dans mon esprit afin que je puisse revenir demain matin.

— Je t'en prie, fais comme chez toi, répliqua Nakor. Mais évite de casser la sphère, ajouta-t-il en riant. Ça va prendre du temps avant que tu saches te déplacer comme Miranda. Je ne sais pas pourquoi, mais j'ai l'impression que vous n'allez pas commencer les leçons ce soir !

Pug ignora Nakor et s'éloigna, observant avec intensité les différents points de repère. Nakor se tourna vers Subai.

— On dirait que c'est plutôt calme par ici, capitaine.

Subai acquiesça.

— Les envahisseurs tiennent l'autre versant des cols septentrionaux, mais ils n'essayent pas de franchir les montagnes. Nos patrouilles peuvent avancer jusqu'à quelques centaines de mètres de leurs positions avant qu'ils nous tombent dessus, mais ils ne nous pourchassent pas sur une très grande distance. Visiblement, ils sont contents de rester là où ils sont.

— Je n'en doute pas, commenta Nakor. Ils doivent être en train de fortifier chacune des routes par lesquelles on pourrait les attaquer.

Subai hocha de nouveau la tête.

— Je suppose que vous avez trouvé plusieurs moyens de traverser les montagnes et qu'eux ne les connaissent pas encore.

— On en a trouvé quelques-uns, principalement des sentiers de chèvre et d'étroits chemins. Il existe un ou deux endroits où nous pourrions infiltrer un ou deux détachements, en plaçant des hommes derrière eux en renfort pendant qu'on pousse vers le nord. Mais nous n'avons découvert aucun endroit qui nous permettrait de nous rassembler de l'autre côté pour lancer une grande offensive. (Le capitaine regarda vers l'ouest comme s'il pouvait voir l'ennemi à travers les montagnes.) Dans cette direction, à environ une semaine à vol d'oiseau, se trouve Sarth. Si on parvenait à s'infiltrer là-bas et à s'emparer de cette vieille abbaye qui surplombe la ville, nous pourrions attaquer nos ennemis par le flanc pour renforcer l'armée venant du sud. Nous pourrions ainsi balayer les envahisseurs en quelques jours et non en quelques semaines comme ça va être le cas.

— Il existe peut-être un moyen, déclara Nakor.

— Que proposez-vous ? s'enquit le capitaine.

— J'essaye de me rappeler une histoire que le duc James m'a racontée il y a longtemps. (Il se tut quelques instants avant de reprendre :) Il faut que j'envoie un message au duc Arutha. Vous auriez de quoi écrire ?

— Oui, sous ma tente, répondit Subai.

— Chouette, fit Nakor avant d'y entrer.

Subai regarda autour de lui pour voir où se trouvait Pug à présent et s'aperçut que le magicien avait disparu.

Miranda leva les yeux et vit Pug debout devant elle Aussitôt, elle courut vers lui et se jeta à son cou.

— Tu m'as manqué !

Pug ressentait la même chose. Ils n'avaient plus été séparés depuis la fin des combats, presque six mois auparavant, or le magicien avait mis pratiquement une semaine à atteindre le camp de Subai dans les montagnes.

— Comment ça va par ici ? demanda-t-il lorsque leur étreinte prit fin.

— Les choses sont telles que nous les avons laissées. Gathis gère l'île au quotidien de façon exemplaire, et il semblerait que Robert d'Lyes soit devenu une espèce d'organisateur. Il a commencé à refaire le programme des leçons, qui était tombé dans l'oubli depuis ton départ.

Pug sourit.

— C'est une bonne chose. Il faudra que je lui parle avant de partir demain matin.

Miranda l'embrassa.

— Tu attendras d'avoir dîné. Je veux t'avoir à moi toute seule pour les prochaines heures.

Pug sourit de nouveau.

— D'accord, ça attendra.

Ils passèrent ensemble les deux heures qui suivirent, puis demandèrent qu'on leur apporte à manger dans leurs appartements. Après le dîner, Gathis apparut dans l'encadrement de la porte, pendant que les serviteurs récupéraient les plateaux-repas.

— Bonjour, maître Pug, salua-t-il.

La grande créature, si semblable à un gobelin, se montrait toujours très formelle lorsqu'elle s'adressait à quelqu'un, qu'il s'agisse de Pug ou du plus humble domestique. Cependant, sur cette île, même le domestique le plus humble était un étudiant en magie originaire de n'importe quel coin de Midkemia ou d'un monde lointain.

— Bonjour, Gathis. Tout va bien ?

— C'est précisément la raison pour laquelle je voulais vous parler. Je crains que quelque chose cloche.

— De quoi s'agit-il ?

— Il vaudrait mieux que vous m'accompagniez, ainsi que madame Miranda.

Pug échangea un regard avec son épouse mais ne fit aucun commentaire. Il hocha la tête à l'intention de Gathis, qui tourna les talons et précéda le couple dans le long couloir qui séparait les appartements privés de Pug du reste de la grande demeure qui se dressait au centre de la Villa Beata – ce qui voulait dire la « Belle Maison » dans l'ancienne langue de Queg.

Gathis sortit de la maison et leur fit traverser une prairie. Aussitôt, Pug comprit où la créature les emmenait, lui et Miranda. Comme la première fois, Gathis agita la main en arrivant devant un monticule recouvert d'herbe, et une grotte se matérialisa. Ils entrèrent tous les trois. Pug aperçut de nouveau le petit autel sur lequel se trouvait la statue de Sarig, le défunt dieu de la Magie. Miranda laissa échapper un hoquet de surprise car, la première fois qu'elle avait posé les yeux sur la statue, elle possédait les traits de son père, Macros le Noir.

— Le visage est devenu complètement lisse !

— En effet, maîtresse, approuva Gathis. Je m'en suis rendu compte il y a quelques jours en venant ici.

— Qu'est-ce que cela signifie ? demanda Miranda.

— Que les dieux attendent, répondit Pug.

— Qu'ils attendent quoi ? insista-t-elle en effleurant la statue.

— Le nouvel avatar de Sarig, son nouvel agent humain sur ce monde, répondit Pug d'une voix douce.

— Toi, en l'occurrence ?

— Non. Lorsque je gisais entre la vie et la mort dans la clairière de méditation d'Elvandar, Lims-Kragma m'a parlé et m'a offert de choisir entre trois possibilités. La mort était la première d'entre elles. (Il regarda Miranda.) Mais je ne pouvais t'abandonner.

Elle lui sourit.

— La deuxième était la vie éternelle, mais pour cela je devais devenir le prochain avatar de Sarig. J'aurais ainsi remplacé ton père.

— Je ne crois pas que j'aurais beaucoup apprécié. (Miranda redevint sérieuse et dévisagea son mari.) Quelle était la troisième possibilité ?

— Je préfère ne pas en parler.

— Dis-le moi ! s'écria Miranda d'une voix où perçait la colère.

— Qu'un jour, je mourrai, céda Pug.

Miranda se campa devant lui, s'interposant entre son mari et la statue.

— Tu me caches quelque chose. De quoi s'agit-il ?

— Lims-Kragma m'a dit que si je choisissais cela, je connaîtrais une grande souffrance à la fin de ma vie.

Miranda écarquilla les yeux.

— Mais n'est-ce pas déjà ce que nous avons enduré ?

— C'est ce que je me suis dit. Si nous avons pu survivre aux épreuves que nous venons de traverser, de quoi pourrais-je bien avoir peur ?

— Es-tu sûr de m'avoir tout dit ? insista Miranda d'un ton froid.

Pug haussa les épaules.

— J'ai sûrement oublié des détails. Souviens-toi, ajouta-t-il d'un ton léger, j'étais mourant lorsque nous avons eu cette conversation, la déesse et moi.

— L'avenir n'est jamais certain, même s'il est parfois difficile de le modifier en raison du poids de certains événements, rappela Gathis.

Pug hocha la tête.

— Je ne comprends pas, reprit Miranda. Qu'est-ce que tu me caches ?

— Seulement qu'en échange d'une très longue vie et de grands pouvoirs, je vais devoir payer un prix élevé, répondit Pug.

— Je ne vois pas ce que le « seulement » vient faire là, objecta la magicienne.

Pug changea de sujet.

— Gathis, cela fait des siècles que tu gardes ce sanctuaire. Qu'est-ce que cela signifie, à ton avis ?

— Je crois que les temps vont changer, maître Pug, et que quelqu'un se présentera bientôt pour combler le vide laissé par la mort de Macros.

— Je pense que tu as raison. Peut-être s'agit-il de l'un de nos étudiants. (Pug se tut un moment avant d'affirmer :) Quelqu'un va découvrir ce sanctuaire.

— J'ai tissé un sortilège subtil mais puissant pour dissimuler son existence, maître Pug, protesta Gathis.

— Je sais. J'ai vécu sur cette île pendant plusieurs décennies sans jamais soupçonner sa présence. Mais la personne qui est destinée à devenir le nouvel outil de Sarig réussira à trouver cet endroit, d'une façon ou d'une autre.

Gathis réfléchit.

— Oui, vous avez raison, c'est une possibilité.

— Nous allons devoir attendre que ce jour arrive. (Il se tourna vers Miranda.) Pour le moment, rentrons à la maison. Je veux voir comment ça se passe par ici et prendre un peu de repos avant de retourner au camp de Subai demain matin.

Ils firent le chemin vers la maison. En traversant la cour centrale, ils tombèrent sur un groupe d'étudiants assis autour de la fontaine pour profiter de cette belle soirée de printemps. Tous se levèrent respectueusement pour saluer l'arrivée de Pug, à l'exception d'une Brunangee, une Chanteuse de Feu dont la partie inférieure du corps était semblable à une queue de serpent. Elle ne pouvait donc faire plus que soulever son torse vaguement humanoïde pour essayer de s'incliner maladroitement. D'un geste, Pug leur fit signe à tous de reprendre leur place.

— Pug, il est bon de vous revoir, déclara Robert d'Lyes.

— Comment trouvez-vous la vie sur cette île minuscule ? s'enquit Pug.

Miranda et lui avaient amené le jeune magicien sur l'île du Sorcier au cours de l'hiver, car Robert avait démissionné du conseil du port des Étoiles et n'avait nulle part où aller. Patrick ne semblait pas vouloir garder le magicien à sa cour si bien que Pug avait décidé de l'employer sur son île.

— C'est un endroit merveilleux, commenta Robert. J'ai appris plus de choses sur la magie au bout d'un mois passé ici que je ne l'ai fait en deux ans au port des Étoiles.

Miranda et Pug se regardèrent.

— Impressionnant, déclara le magicien en faisant signe à Miranda et Gathis de s'asseoir sur le banc voisin. Vous étiez le plus jeune membre du conseil et vous avez appris la magie plus rapidement que n'importe lequel des étudiants que nous ayons eus au port des Étoiles. Et vous me dites que vous apprenez encore plus vite ici ?

Robert sourit. Il avait choisi de porter la barbe pour ressembler à Pug. Ce dernier ne s'émouvait guère de cette flatterie mais préférait ne faire aucun commentaire à ce sujet.

— C'est étonnant, admit-il. Mais ce que je trouve encore plus merveilleux, c'est d'apprendre auprès de magiciens venus d'autres mondes des choses que Chalmes et Kalied ne sauraient imaginer.

— Oh, vraiment ? fit Pug, sincèrement intrigué. Pourriez-vous m'en donner un exemple ?

Robert acquiesça sans chercher à dissimuler son enthousiasme juvénile. Il se tourna vers la Chanteuse de Feu et expliqua :

— Takkek m'a montré quelque chose il y a quelques jours et depuis je n'ai cessé de m'entraîner.

Il s'éloigna du groupe puis commença à chanter. Le son qui sortit de sa bouche était faible, presque un murmure, mais il s'agissait clairement d'un chant. Les paroles étaient impossibles à comprendre, comme si l'esprit refusait de les appréhender et les oubliait juste après les avoir entendues. Cependant, on pouvait en discerner la structure, un rythme légèrement envoûtant qui poussa Pug à regarder les autres étudiants. Ceux-ci observaient la scène d'un air captivé tandis que Robert continuait à chanter.

Une flamme apparut dans les airs à environ trente centimètres du visage de Robert. Elle faisait la taille d'un index de bébé mais il s'agissait bien d'une flamme, qui vacillait et dansait dans le vent. Brusquement, elle s'éteignit. Robert paraissait fatigué mais ravi.

— Je commence tout juste à comprendre les bases de ce que Takkek m'a montré, mais donnez-moi du temps et j'y arriverai.

— Je suis impressionné, reconnut Pug. Selon les vieux critères de l'Assemblée tsurani, il s'agit de magie mineure et il devrait presque être impossible pour vous de la pratiquer.

Robert éclata de rire.

— Je suis convaincu que Nakor a raison. La magie n'existe pas, ce ne sont que des « tours ». Si nous acceptons d'ouvrir notre esprit, nous pouvons apprendre n'importe quoi.

Pug se leva.

— Bien, continuez à profiter de cette belle soirée et évitez de mettre le feu à la maison. Miranda et moi rentrons. Oh, Robert ? ajouta Pug en se tournant vers l'étudiant.

— Oui, messire ?

— Gathis m'a dit que vous avez fait du bon travail en mon absence. Continuez à l'aider, voulez-vous ?

— C'est un plaisir pour moi, répondit d'Lyes.

Pug et Miranda retournèrent dans leurs appartements.

— C'était tout à fait remarquable, commenta Pug en arrivant devant la porte.

Miranda éclata de rire et le poussa à l'intérieur.

— Je m'en vais te montrer autre chose de remarquable, déclara-t-elle d'un ton taquin.

Elle ferma la porte derrière eux.

* * *

Nakor leva les yeux lorsque Pug apparut devant lui. Un soldat laissa tomber le fagot de bois qu'il portait en voyant cet homme vêtu d'une robe noire surgir de nulle part.

— Bonjour ! s'écria joyeusement Nakor.

Le capitaine Subai se tenait non loin de là et parlait à un jeune officier revêtu du tabard noir des Aigles cramoisis de Krondor. Quelques Pisteurs se trouvaient dans le camp, mais ils n'étaient pas nombreux. Pug savait que la majorité d'entre eux exploraient les montagnes à l'ouest pour repérer la position de l'ennemi avant de rentrer faire leur rapport sur les mouvements des troupes de Fadawah s'il y en avait. Leur réputation de traqueurs et d'éclaireurs légendaires, capables de se déplacer avec rapidité et discrétion dans les sous-bois, rivalisait avec celle des Guides impériaux de Kesh et des Rangers des Cités libres du Natal. Seuls les elfes étaient meilleurs, à ce qu'il paraissait.

— Le lieutenant Gunderson dirigera la patrouille qui doit vous accompagner, annonça Subai.

Pug constata que le capitaine leur fournissait une escorte comprenant une douzaine de soldats. L'un d'eux – sans doute l'éclaireur, se dit le magicien – appartenait au régiment des Pisteurs. Il partit le premier sur sa monture, tandis que les autres attendaient que Pug et Nakor se mettent en selle.

Subai pointa un index accusateur sur Nakor.

— Je suis content de le voir s'en aller, celui-là. Je ne sais pas ce qui m'irrite le plus chez lui : ses discours incessants au sujet du « bien », ou sa chance aux cartes.

Pug se mit à rire.

— Je crois savoir ce qui vous a le plus irrité.

— Nous vous avons donné des provisions pour deux semaines.

— Il me faudra moins de temps que ça pour les trouver, assura Pug en remontant sa robe noire afin de grimper en selle.

— Essayez juste de faire en sorte de les trouver avant qu'eux ne vous trouvent. Nous avons entendu dire qu'ils apparaissent sur la plaine à la vitesse du vent et qu'ils vous tombent dessus avant même que vous les ayez entendus.

— Je connais les Saaurs et je peux vous dire qu'on les entend arriver, au contraire, rétorqua Nakor.

Subai sourit.

— Avez-vous d'autres conseils à nous donner ?

— Évitez de vous faire tuer, répondit le capitaine d'un air très sérieux.

Pug acquiesça.

— J'ai d'autres projets.

Il hocha la tête à l'intention du lieutenant qui donna l'ordre de se mettre en route.

— J'ai demandé au capitaine s'il avait découvert des sentiers permettant de franchir les montagnes. Dès que nous en aurons terminé avec cette stupide affaire, il faudra rentrer à la Lande Noire et trouver Greylock et Erik.

Pug se tourna vers lui.

— Parle-m'en.

Nakor expliqua son plan dans les grandes lignes tandis qu'ils descendaient sur une piste étroite menant dans les bois en contrebas.

Ils chevauchèrent pendant cinq jours sans incident, à l'exception d'une rencontre avec un groupe de cavaliers qui firent demi-tour dès qu'ils aperçurent la patrouille. Ils avaient quitté les contreforts des montagnes la veille et traversaient à présent les plaines en direction de l'accès méridional aux steppes des Tempêtes, une large trouée entre deux chaînes de collines, à moins de neuf kilomètres de là.

Ils arrivèrent à un endroit où l'on voyait les traces laissées par un ancien campement. Le lieutenant ordonna une halte.

— Ici se dressait notre campement de réserve. Il possédait une palissade en bois, un fossé tout autour et un pont-levis. Les Saaurs l'ont pris d'assaut et tué tout le monde. (Il fit un geste de la main.) Ils ont planté les têtes de nos soldats sur des pieux en décrivant un arc de cercle qui commençait ici.

— Dans ce cas, c'est là que nous allons nous dire au revoir, lieutenant, déclara Pug.

— Je croyais que nous devions vous accompagner jusqu'à ce que nous ayons trouvé les Saaurs.

— Supposition logique mais incorrecte, répliqua le magicien.

— Honnêtement, lieutenant, nous pouvons nous débrouiller tout seuls, renchérit Nakor. Si vous restiez avec nous, cela pourrait nous poser un problème car nous devrions essayer de vous garder en vie.

— Dans ce cas, puis-je vous demander pourquoi vous nous avez amenés jusqu'ici, messire ? s'enquit le lieutenant.

— Parce que je n'avais pas très envie de me disputer avec votre capitaine, si vous tenez vraiment à le savoir, répondit Pug.

— Ça vous dérange si nous vous attendons ici, messire ?

— Ne prenez pas cette peine. Si je ne me fais pas tuer, je rentrerai à la Lande Noire bien plus vite que vous ne pourriez m'y escorter.

La réputation du magicien n'était plus à faire au sein de l'armée. Comme il s'agissait en outre d'un duc, le jeune officier préféra garder ses objections pour lui. Il se contenta de lui adresser un salut militaire en disant :

— Comme vous voudrez, messire. Bon voyage.

— À vous aussi, répondit Pug.

— Bon, eh bien, allons-y, fit Nakor.

Pug hocha la tête et talonna sa monture.

Ils avaient parcouru moins de deux kilomètres lorsque Nakor demanda :

— Tu entends ça ?

— Oui.

Les sabots des chevaux martelaient le sol dans un bruit de tonnerre et résonnaient à travers toute la plaine tel un roulement de tambour dans le lointain. Pug et Nakor savaient que ces chevaux faisaient deux fois la taille des robustes montures que leur avait fournies la cavalerie du prince et que chacune de ces bêtes avait pour cavalier un guerrier reptilien mesurant plus de trois mètres cinquante de haut.

Bientôt les deux hommes virent la poussière s'élever au loin.

Pug se retourna pour s'assurer que la patrouille du royaume avait bel et bien fait demi-tour et fut satisfait de constater que les soldats étaient pratiquement hors de vue.

— Attendons ici, suggéra Nakor.

Pug acquiesça.

— Ils seront là bien assez tôt.

Ils attendirent et virent des cavaliers se dessiner sur l'horizon. Les Saaurs arrivaient.

Chapitre 9

J immy agita la main.

Dash lui rendit son salut en entrant dans la cour du château de la Lande Noire. Après avoir passé la nuit en compagnie d'Erik, le jeune homme avait réquisitionné un cheval pour se rendre à la cour du prince. Il avait changé de monture tout au long de la journée, tel un cavalier de relais, tant il était impatient d'arriver.

Il mit pied à terre, tendit les rênes de son cheval à un palefrenier et étreignit son frère.

— Pendant un moment, j'ai cru ne jamais te revoir, avoua-t-il.

Jimmy sourit.

— Moi aussi, j'ai pensé la même chose. Malgré tout, les frères Jameson ont encore une fois réussi à survivre.

— Il s'en est fallu de peu, répliqua Dash. J'ai été condamné aux travaux forcés et ne m'en suis échappé que pour tomber aux mains des Moqueurs.

— Viens, tu me raconteras tout ça pendant ton bain. Père est en réunion avec le prince et sera sûrement impatient de te voir dès que tu seras présentable. Il semblerait que nous n'ayons pas besoin de détails sur les défenses de la ville, car nous allons peut-être parvenir à un accord avec le général Duko.

— C'est ce que m'a raconté Erik de la Lande Noire. (Dash regarda autour de lui.) Où sont les troupes prêtes à partir, bannières au vent, au son tonitruant des trompettes ?

— Ah, fit Jimmy tandis que son visage s'assombrissait. Le départ a été retardé.

— Comment ça, retardé ? (Dash arbora un air perplexe.) J'aurais cru que Patrick s'empresserait de retourner à Krondor. Plus tôt il aura repris le contrôle de la cité, plus vite nous pourrons partir pour le Nord reconquérir Sarth, la côte de la Triste Mer et Yabon.

— C'est qu'il y a d'autres problèmes en jeu. (Jimmy prit son frère par le bras.) Viens. On va en discuter pendant que tu prends ton bain.

Dash soupira et suivit son frère d'une démarche fatiguée.

Dash recracha de l'eau en toussant lorsque Jimmy lui versa le contenu d'un nouveau seau d'eau chaude sur la tête.

— Il t'a donc relâché ?

— Oui, répondit Dash, mais je ne crois pas que ce soit en raison de notre lien de sang. Les individus que j'ai croisés m'ont paru pathétiques ; je parie que le Juste savait qu'il ne gagnerait rien à me tuer alors que ma libération pouvait potentiellement lui rapporter quelque chose.

— Eh bien, si Duko ne s'avère pas être le plus grand des menteurs, nous n'aurons pas besoin de l'aide des Moqueurs pour entrer dans Krondor.

— Moi, ça me va, commenta Dash. J'ai vu assez de sang versé pour le restant de mes jours.

Jimmy reposa le seau et tendit une serviette à son frère tandis que celui-ci sortait de son bain. Un domestique avait étendu des vêtements sur le lit avant de laisser les deux frères seuls. Dash s'essuya à l'aide de la serviette et demanda :

— Est-ce que ça te gêne, toi ?

— Quoi, les tueries ?

Dash acquiesça. Jimmy s'assit sur le rebord de la fenêtre et répondit :

— Oui, quelquefois. Quand grand-père nous racontait ses exploits et ceux du prince Arutha, le fait de tuer un ennemi paraissait... normal. Ses histoires ne parlaient jamais de la puanteur de la mort.

— Sauf celle sur les morts vivants dans le bordel, rectifia Dash en riant. Aujourd'hui encore, je ne sais pas s'il faut y croire. Dire qu'ils ont dû incendier le bâtiment pour pouvoir s'en débarrasser...

Jimmy se joignit au rire de son frère. Puis son sourire s'évanouit.

— Compte tenu de ce que nous avons vécu ces deux dernières années, je serai enclin à penser que grand-père nous a toujours dit la vérité.

Dash acquiesça.

— Tu ne t'es jamais demandé pourquoi on fait toutes ces choses ?

— Si, je me pose la question presque tous les jours.

Dash passa sa chemise.

— Bien, et quelle est la réponse ?

— Simplement que nous allons là où le devoir nous appelle.

Dash enfila son pantalon.

— Le devoir ? (Il prit ses bottes et s'assit au bord du lit pour les enfiler.) Ces bottes ne sont pas d'aussi bonne qualité que celles qu'on m'a prises à Krondor.

— C'est la deuxième meilleure paire que tu aies rapportée de Rillanon. J'ai vérifié dans tes affaires.

Dash hocha la tête.

— Pour en revenir à notre sujet, grand-père nous parlait toujours de devoir mais j'ai vu de mes propres yeux l'endroit où il a grandi et je ne comprends pas pourquoi il pensait ça.

— Il pensait quoi ? Je ne suis pas sûr de comprendre, avoua Jimmy.

— Eh bien, il avait vraiment l'impression de devoir servir le royaume. Alors que les Moqueurs sont aussi attirés par la notion de devoir que nous le sommes par la prêtrise.

— Le célibat n'a jamais figuré en tête de la liste de mes vertus, reconnut Jimmy.

— C'est exactement là où je veux en venir. Bien avant notre naissance, grand-père a inculqué à notre père les concepts de royauté et de nation comme s'il prêchait une religion. Je n'arrive pas à m'expliquer pourquoi il ressentait ça.

Jimmy regarda son frère finir de s'habiller.

— C'est une question intéressante. Peut-être notre père pourrait-il te l'expliquer en partie. Si toutes les histoires qu'on nous a racontées sont vraies et que la vie chez les Moqueurs était aussi terrible que je le pense, alors grand-père était peut-être mû par un profond sentiment de gratitude.

Dash se regarda dans le miroir et se jugea assez présentable pour une entrevue avec le prince.

— Je ne pense pas que ce soit la vraie raison. C'est plus que de la gratitude. (Il regarda Jimmy.) Y a-t-il quoi que ce soit qui pourrait te pousser à violer ton serment envers la couronne ?

Jimmy s'immobilisa tout net tant cette éventualité lui paraissait invraisemblable.

— Et trahir le royaume ? Non, je n'arrive pas à imaginer quoi que ce soit qui puisse me pousser à faire ça. L'amour, peut-être... (Il secoua la tête.) Non, même pas, car si un jour une femme m'aimait vraiment, elle ne me demanderait pas de renoncer à quelque chose qui m'est aussi cher.

— Puisqu'on parle de femme, j'ai cru voir passer un page vêtu de la livrée de Silden...

171

— Oui, tu as bien vu, répondit Jimmy en souriant.

— Francie a-t-elle accompagné son père ?

Jimmy acquiesça.

— Oui.

— Est-ce qu'elle a toujours le béguin pour toi ?

Le sourire de Jimmy s'élargit.

— J'espère bien. (Il se mit à rire.) On a déjeuné ensemble l'autre jour. Elle est devenue aussi jolie qu'on pouvait s'y attendre.

— Si je me rappelle bien, elle se montrait odieuse envers toi et te battait régulièrement, lui fit remarquer Dash en ouvrant la porte.

— C'est faux, rétorqua Jimmy en franchissant le seuil. C'était toi qu'elle frappait. Moi, j'étais trop grand. Et puis, elle s'imaginait être amoureuse de moi.

— Eh bien, revenons à nos moutons : tu crois qu'il pourrait y avoir quelque chose entre vous ?

Jimmy s'engagea dans le couloir en compagnie de son frère.

— Sincèrement, je ne sais pas. Mais j'ai bien peur de ne pas avoir mon mot à dire dans cette affaire, pas plus que Francie d'ailleurs.

— Tu penses à Patrick ?

— Oui, c'est la raison du délai dont je t'ai parlé. D'un coup, tous les ducs ont décidé de venir à la Lande Noire tels des oiseaux migrateurs.

— Et tous amènent leurs filles à marier, j'imagine ?

Au détour du couloir, les deux frères passèrent devant des gardes immobiles à leur poste.

— Je suppose que le roi se dit qu'avec cette nouvelle guerre qui s'annonce, un autre héritier pourrait s'avérer utile.

Arrivés dans la grande salle du château, ils grimpèrent les marches qui menaient à la pièce où Patrick tenait sa cour en lieu et place du baron.

— L'éternelle malédiction des jumeaux, soupira Dash.

— Erland ne ferait jamais rien contre son frère, nous le savons, mais il y a plus d'un noble qui déciderait de lier son destin à celui d'un fils d'Erland si une telle chose était possible. Si Patrick ne se marie pas et n'engendre pas de fils…

Jimmy laissa sa phrase en suspens en entrant dans la salle d'audience.

Depuis le dégel, les nobles ne cessaient d'arriver au compte-gouttes à la Lande Noire si bien que la modeste salle baronniale était désormais pleine à craquer.

— On ferait bien de récupérer Krondor juste pour pouvoir trouver une salle capable d'accueillir tout ce monde-là, commenta Dash.

— Chut, lui intima son frère.

Il désigna l'endroit où leur père se tenait en compagnie du prince. Il s'agissait de l'audience la plus formelle à laquelle ils aient assisté jusqu'à

172

présent au château, car Patrick portait sa cape pourpre, son étole en hermine et sa couronne, un fin cercle d'or. Arutha était vêtu de façon tout aussi protocolaire d'une tunique noire bordée d'or et d'une culotte écarlate. Le sceau ducal, qui se balançait au bout d'une chaîne en or, venait compléter sa tenue. Il avait également au côté l'épée ayant appartenu autrefois à l'homme dont il portait le nom et qu'Erik de la Lande Noire lui avait rapportée de Krondor.

Les deux frères attendirent au fond de la salle que le prince en finisse avec les affaires du jour. Puis un jeune page annonça :

— L'audience d'aujourd'hui touche à sa fin, messires et mesdames.

Tout le monde s'inclina lorsque Patrick se leva. Arutha aperçut ses fils et leur fit signe de le rejoindre tandis que le prince s'en allait de son côté.

Les deux jeunes gens traversèrent la salle qu'encombrait encore la foule. Ils s'arrêtèrent au pied de l'estrade sur laquelle se trouvait le trône et Arutha étreignit son plus jeune fils.

— Je ne saurais dire à quel point je suis ravi de te revoir.

— Bien sûr que tu le peux, le taquina Dash.

— Viens, il faut que tu racontes au prince ce que tu as vu à Krondor.

Dash suivit son père et son frère dans le bureau du prince.

— Tu crois qu'ils vont finir par se lasser ? demanda Nakor.

— Oui, j'imagine, ou alors ils tomberont à court de flèches avant, répondit Pug.

Il avait érigé une barrière magique autour d'eux à l'arrivée des Saaurs, car visiblement ces derniers n'étaient pas venus pour parler. Au contraire, ils avaient chargé les deux hommes, lances en avant. De toute évidence, il s'agissait de jeunes guerriers saaurs assoiffés de sang. Plusieurs avaient été grièvement blessés lorsque leurs lances avaient frappé l'invisible barrière de Pug et s'étaient brisées, l'impact jetant les cavaliers à bas de leur selle. Depuis, presque une demi-journée s'était écoulée ; les Saaurs avaient pris position à une douzaine de mètres des deux hommes et ne cessaient de les arroser de flèches.

Cette situation chaotique amusait visiblement Nakor alors que Pug s'inquiétait du fait que les Saaurs aient tenté de les tuer sans même leur parler. En apparence, Nakor et lui n'étaient que deux hommes sans défense, seuls et désarmés. Leurs chevaux, paniqués, avaient pris la fuite devant les cavaliers saaurs dont les énormes montures s'étaient abattues sur la plaine telle une vague déferlante.

Pug avait laissé les chevaux s'enfuir avant d'ériger sa barrière magique et regrettait à présent cette décision, car Nakor et lui avaient perdu l'eau et la nourriture que contenaient leurs sacoches de selle. Ils n'avaient plus rien pour se nourrir à l'exception des oranges de Nakor, qui disposait d'une source apparemment inépuisable.

Le petit homme en sortit une, la pela et commença à la manger.

— Tu en veux une ?

— Non, merci, répondit Pug. Peut-être plus tard. Ce sortilège de protection suffit à empêcher nos ennemis de nous atteindre, mais le maintenir en place me coûte un peu d'énergie.

— Heureusement qu'ils n'ont pas de lanceurs de sort avec eux, pas vrai ?

— Les choses auraient pu devenir difficiles, admit Pug.

— Elles risquent de le devenir très bientôt, ajouta Nakor en plissant les yeux.

Il pointa un doigt en direction de l'horizon, derrière les nombreux cavaliers en colère qui continuaient à les arroser de flèches.

Une deuxième bande de cavaliers arrivait à toute vitesse et d'après les bannières que portaient les hérauts en tête du groupe, quelqu'un d'important s'était déplacé pour voir quel était le problème.

— Surtout, si je te dis de courir, n'hésite pas, dit Pug à son compagnon.

— Je cours très vite quand il le faut, répliqua Nakor.

Lorsque le nouveau groupe de cavaliers rejoignit le premier, les Saaurs qui entouraient la sphère de protection reculèrent pour permettre à douze des leurs de s'approcher afin d'examiner les deux humains. Pug reconnut leur chef, Jatuk, le sha-shahan des derniers Saaurs.

Les jeunes guerriers se turent lorsque leur chef tira sur les rênes de sa monture. Il sauta à terre et s'approcha à quelques centimètres de la barrière énergétique.

— Pourquoi venez-vous troubler les Saaurs, humains ? demanda-t-il.

Pug jeta un coup d'œil à Nakor qui haussa les épaules. Le magicien se tourna ensuite vers Jatuk :

— Pourquoi nous faites-vous la guerre, sha-shahan des Saaurs ?

— Je ne suis pas en guerre contre ton peuple, Robe Noire.

— Je connais trois cents soldats de mon royaume qui ne seraient pas de cet avis, répliqua Pug.

— S'ils pouvaient encore le donner, leur avis, renchérit Nakor.

— Ils ont refusé de s'en aller, répondit Jatuk. Nous leur avions dit pourtant que nous prenions possession de ces terres.

— Si je fais disparaître cette barrière, pourrons-nous parler ? demanda Pug.

Jatuk fit un geste de la main pour signifier son accord.

— Nous allons camper ici ! déclara-t-il d'une voix forte.

Aussitôt, la cinquantaine de cavaliers qui entouraient les deux humains mirent pied à terre et commencèrent à s'organiser pour monter le camp. Plusieurs emmenèrent les chevaux à l'écart et plantèrent des pieux dans le sol pour attacher les bêtes tandis que d'autres creusaient des foyers pour y allumer des feux de joie. D'autres encore chevauchèrent vers la rivière voisine pour rapporter de l'eau.

Pug fit disparaître la barrière.

— Je me souviens de toi, Robe Noire. C'est toi qui m'as rapporté les dernières paroles d'Hanam et qui m'as appris la trahison des Panthatians. Je déclare une trêve pour pouvoir te parler et tu pourras t'en aller librement lorsque nous aurons terminé.

— Moi aussi ? s'enquit Nakor.

Jatuk ne daigna pas répondre et balaya la question d'un geste de la main en tournant le dos aux deux humains. Il marcha jusqu'à son cheval, que tenait un guerrier saaur, et lui fit signe qu'il voulait sa sacoche de selle. Le guerrier obéit et lui tendit un sac qu'un humain aurait eu bien du mal à soulever.

Pug fut de nouveau pris de vertige face au physique imposant des Saaurs. En moyenne, un guerrier mesurait plus de trois mètres cinquante et certains étaient encore plus grands. Leurs montures mesuraient vingt-cinq paumes au garrot contre dix-sept ou dix-huit pour un gros cheval de guerre midkemian. Pug fut également impressionné par l'efficacité dont ils faisaient preuve pour monter le camp. Il se souvint qu'à l'origine, il s'agissait d'un peuple qui continuait à vivre en nomade en dépit des grandes cités qu'ils avaient fait construire sur Shila, leur monde natal. La majorité des Saaurs parcourait inlassablement les grandes plaines de Shila, ce qui représentait des milliers de cavaliers accompagnés de leur famille et de leurs troupeaux.

L'attaque des démons avait détruit cette grande civilisation. Sur les millions de Saaurs qui dominaient Shila au sommet de leur gloire, seuls dix mille avaient survécu en venant sur Midkemia. Pug devinait que les années de guerre qu'ils avaient connues depuis ne leur avaient pas permis d'accroître leur nombre et savait qu'un avenir incertain attendait ce peuple s'il ne parvenait pas à trouver la paix.

Jatuk fit signe à Pug et à Nakor de le rejoindre autour d'un feu que l'on venait d'allumer. Le magicien trouvait le visage reptilien du sha-shahan étonnamment expressif ; d'ailleurs, plus il observait ces géants guerriers et plus il lui était facile de discerner les différences qui marquaient chaque individu.

Un guerrier, endossant le rôle de serviteur, présenta à Jatuk un bol en bois rempli d'eau pour qu'il puisse se rafraîchir. Le sha-shahan se lava le visage et les mains et termina ses ablutions en pressant une serviette humide contre sa nuque. Ce geste comptait parmi les plus rassurants que Pug lui aient vu faire car c'était l'attitude la plus humaine qu'il ait jamais eue en dehors des fois où il faisait couler le sang.

Pug avait traversé les ruines du monde de Shila en compagnie d'Hanam, l'esprit du dernier maître de la connaissance des Saaurs. À son contact, le magicien avait beaucoup appris sur ce peuple et son histoire. Il doutait que les humains et les Saaurs deviendraient un jour de grands amis sur Midkemia, mais il pensait qu'avec un peu de bonne volonté, les deux races pouvaient apprendre à se respecter et à laisser l'autre en paix, comme les humains le faisaient déjà avec les elfes et les nains. La race humaine n'avait pas besoin d'un nouvel ennemi qui viendrait s'ajouter aux Moredhels, aux gobelins et aux trolls, et surtout pas d'un ennemi aussi déterminé et physiquement puissant que les Saaurs.

— Nous avons placé la tête des hommes qui ont refusé de quitter la plaine sur des pieux en guise d'avertissement, expliqua Jatuk. Pourtant vous avez ignoré cet avertissement et vous êtes venus nous voir. Nous commençons à nous lasser de ton peuple, Robe Noire. Nous n'avons connu que la mort et le deuil depuis que nous sommes arrivés sur ce monde. (Il fit un geste en direction du nord-est et des immenses steppes de Tempêtes.) Voilà un environnement que nous pouvons comprendre. La plaine s'étend à perte de vue, il y a de l'eau pour tous et le troupeau que nous avons amené ici prospère.

Pug hocha la tête avant de rétorquer :

— Mais ces terres ne sont pas à vous.

— Ce n'est pas non plus notre monde, répliqua Jatuk d'un ton amer. (Il regarda vers le sud.) Vous avez souffert, vous les humains du royaume et je sais maintenant que ce n'est pas votre faute si on nous a amenés ici. Mais nous n'avons pas les moyens de rentrer chez nous et même si nous le pouvions, qu'y trouverions-nous, Robe Noire ?

— Un monde en cendres, peuplé de démons affamés qui vont se dévorer entre eux jusqu'à ce qu'il n'en reste plus qu'un. Le moment venu, lui aussi manquera de nourriture et se desséchera. Alors il mourra.

— Il n'y a donc nulle part où aller pour les Saaurs.

— Peut-être que si, répondit Pug.

— Où ça ? demanda Jatuk en regardant le magicien.

— Je ne le sais pas encore, mais Midkemia est vaste. Ici, les plaines vous paraissent immenses, mais rappelez-vous votre propre histoire. Autrefois, vos ancêtres étaient comme vous, un petit groupe abandonné sur le monde de Shila par une Valheru du nom d'Alma-Lodaka.

Bien qu'ils aient appris la vérité sur leur soi-disant déesse l'année précédente, les vieilles habitudes étaient difficiles à perdre et les plus âgés des Saaurs baissèrent la tête pour honorer le nom de leur Mère Verte.

— Mais au fil des siècles, ajouta Pug, votre nation a grandi jusqu'à conquérir la planète entière. Vous et vos enfants vous contenterez peut-être de parcourir les steppes des Tempêtes en combattant les tribus nomades qui peuplent déjà cette terre, mais en fin de compte, vous reviendrez attaquer les villes et les villages de mon pays. Vous devrez soit faire la guerre, soit renoncer à vos traditions.

Jatuk se tut quelques instants avant de demander :

— Que peut-on faire ?

— Patientez. Laissez-nous en paix et nous ferons de même. Quand nous aurons réglé le sort de Fadawah et de ses hommes et que nous aurons restauré la paix dans notre royaume, nous nous efforcerons de trouver un nouveau foyer pour les Saaurs, promit Pug.

Jatuk y réfléchit et finit par déclarer :

— Que tout cela ne prenne pas trop de temps, Robe Noire, car mon peuple commence à aimer la vie sur ces terres. S'il s'écoulait trop de temps, nous pourrions bien ne plus avoir envie de partir.

— Je comprends, répondit le magicien.

En son for intérieur, il ajouta : *Si seulement Patrick pouvait faire de même.* Il écarta cette pensée alors même que l'on apportait de la nourriture devant Nakor et lui. Il décida de ne pas laisser l'occasion d'en apprendre davantage sur le mode de vie des Saaurs. Il serait bien temps de s'inquiéter de la réaction de Patrick lorsqu'il rentrerait à la Lande Noire, le lendemain matin.

— Vous avez fait quoi ? s'exclama Patrick.

— Je leur ai assuré que nous les aiderions à se reloger en dehors du royaume dès que nous aurions réglé son compte à Fadawah, expliqua Pug.

— Mais ils ont accepté de partir ?

— Oui, si nous leur présentons une alternative séduisante.

— Une alternative ? s'écria Patrick. (L'audience du jour était sur le point de commencer et le prince avait organisé une réunion impromptue avec Pug, Nakor, Arutha et ses fils.) Ces monstres ont massacré trois cents de mes hommes et vous voulez qu'on leur présente une alternative !

— C'est un malentendu, Altesse, intervint Arutha.

— Un malentendu ? (Patrick ne paraissait pas convaincu et se tourna vers Pug :) Pourquoi m'avez-vous désobéi ? Je vous ai donné l'ordre de les détruire s'ils refusaient de quitter le royaume sur-le-champ !

Pug commençait à se lasser de l'attitude du jeune prince.

177

— Altesse, je ne suis pas un bourreau. Je me suis battu pour le royaume, mais je refuse d'utiliser mes pouvoirs pour détruire une race entière sous prétexte que vous êtes vexé.

— Moi, vexé ? (Patrick explosa.) Comment osez-vous me parler de cette façon ?

Pug se leva et regarda Arutha.

— Explique la situation à ce garçon ou je vais devoir aller trouver son père. S'il continue comme ça, je vais finir par l'avoir, cette petite discussion avec le roi. Et lorsque j'en aurai fini, Borric sera peut-être obligé de reconsidérer son choix concernant le souverain de la moitié occidentale de son royaume.

Patrick écarquilla les yeux et s'écria, alors que Pug faisait mine de s'en aller :

— Je ne vous ai pas donné la permission de vous retirer !

Pug ignora le prince et sortit de la salle. Nakor se leva et dit à Arutha :

— Je ferais mieux de l'accompagner. Quant à vous, mon garçon, ajouta-t-il à l'adresse de Patrick, vous feriez bien de l'écouter, car il est assez puissant pour devenir votre plus grand allié... ou votre pire ennemi.

Patrick resta bouche bée face à l'insulte contenue dans les propos du petit homme. Puis il regarda Arutha, mais ce dernier se contenta de secouer discrètement la tête en rappelant :

— Nous avons une audience à mener, Altesse.

Dash et Jimmy échangèrent un regard mais ne soufflèrent mot. Patrick resta immobile pendant une longue minute avant de se reprendre.

— Vous avez raison, messire duc. Il ne faut pas faire attendre la cour.

Jimmy et Dash sortirent par une porte latérale.

— Le duc Pug a drôlement confiance en sa capacité à convaincre le roi qu'il a raison, pour oser embarrasser le prince de cette manière, fit remarquer l'aîné.

Les deux frères se dirigèrent vers la cour d'honneur.

— D'après ce que j'ai entendu dire... cette confiance est probablement méritée. (Dash regarda tout autour de lui.) Écoute, nous savons tous les deux que Patrick a mauvais caractère. On s'est assez souvent querellés avec lui quand on était petits. Et nous savons que le roi l'a gardé à l'écart du trône de Krondor pendant une année supplémentaire parce qu'il estimait que son fils n'était pas prêt.

Jimmy baissa la voix :

— Eh bien, c'est vrai, il ne l'était pas.

— Et c'est toujours le cas, ajouta Dash.

Jimmy regarda son frère et répliqua d'un ton très bas :

— Prêt ou pas, c'est lui le prince de Krondor. Nous servons la couronne. Nous n'avons pas le choix.

— Père ferait bien de le garder sous contrôle, sinon beaucoup d'entre nous vont mourir parce que nous n'avons pas le choix. (La voix de Dash se teinta de colère.) Écoute, il ne s'agit pas d'une dispute de récré pour savoir qui va monter le poney le premier ou qui va choisir les participants du jeu de ballon. C'est la guerre et ça ne va pas être joli.

Nakor apparut soudain au détour du couloir.

— Ah, vous voilà ! Je vous cherchais.

Jimmy sourit.

— Pourquoi ?

— J'ai besoin de vous demander des renseignements et, selon votre réponse, nous devrons partir à la reconquête de l'abbaye de Sarth.

À ces mots, Dash et Jimmy écarquillèrent les yeux.

— Vous voulez reconquérir l'abbaye ? répéta Dash, incrédule.

— Si je me souviens bien, votre grand-père m'a parlé de la fois où il a dû s'introduire dans l'abbaye de Sarth en compagnie de ce chef moredhel renégat.

Jimmy regarda Dash.

— Tu te souviens de cette histoire-là ?

— Non. Pourtant, je croyais connaître toutes les histoires de Grand-père.

Une voix s'éleva derrière eux.

— Non, pas toutes.

Les deux jeunes gens et l'Isalani se retournèrent et aperçurent le duc Arutha.

— Mais moi je la connais, ajouta ce dernier.

Nakor sourit.

— Subai a trouvé un sentier de chèvres qui permet de franchir les montagnes et qui conduit dans une petite vallée, au pied de la montagne sur laquelle se dresse l'ancienne abbaye d'Ishap.

Arutha réfléchit quelques instants.

— Si je comprends bien, pendant que nous réinstallons la cour à Krondor, que nous envoyons nos armées ici et là, tout cela sous l'œil vigilant des agents de Fadawah, vous voulez franchir les montagnes en secret, trouver l'entrée dissimulée dans la cave de l'abbaye et occuper le bâtiment jusqu'à ce que Greylock puisse entrer en ville et sécuriser la région ?

— Oui, quelque chose dans ce goût-là, sauf que ce n'est pas à moi que je pense. Quelqu'un de plus jeune devrait diriger cette mission.

L'Isalani jeta un coup d'œil aux deux frères, qui échangèrent un regard entendu.

— Non ! s'écrièrent-ils d'une seule voix. C'est une mission pour les Aigles ou les Pisteurs ! ajouta Dash.

— Nous en reparlerons, déclara Arutha. Mais Nakor a raison. Si je me souviens bien de ce que m'a dit mon père au sujet de cette entrée secrète et si elle est toujours là, nous pourrions raccourcir cette guerre d'une année.

Il laissa ses fils pour se rendre à l'audience matinale du prince. Jimmy se tourna vers Nakor.

— Vous croyez que Pug va bien ?

— Oui, il est seulement frustré. Patrick veut que tout soit résolu au plus vite, en cela il n'est pas tellement différent de Pug. Cependant, notre ami magicien est assez vieux pour savoir que les solutions les plus rapides sont souvent celles qui coûtent le plus cher. (Il posa une main sur l'épaule des deux frères et remonta le couloir en leur compagnie.) Il doit à présent réfléchir et décider à qui va sa loyauté.

— Comment ça ? se récria Jimmy. C'est un noble du royaume ; il fait partie de la famille royale par adoption.

— Mais ses responsabilités dépassent le cadre étroit du royaume, répliqua Nakor. Rappelez-vous, il n'a pas seulement sauvé le royaume, mais Midkemia au grand complet, y compris nos adversaires : les Saaurs, les Panthatians s'il en reste, la confrérie de la Voie des Ténèbres, tout le monde.

— Mais il ne peut pas jeter sa loyauté envers le royaume par-dessus les moulins, protesta de nouveau Jimmy.

— À ta place, je n'en serais pas si sûr, rétorqua son frère.

— Je ne crois pas qu'il veuille jeter quoi que ce soit, ajouta Nakor au moment où ils sortaient dans la cour. En tout cas, soyez sûr qu'il ne fera rien à la légère.

Pug apparut sur la rive d'un fleuve.

— Bonjour, il y a quelqu'un ? appela-t-il.

Quelques instants plus tard, une voix lui répondit :

— Oui. Bienvenue, magicien.

— Puis-je entrer ?

— Tu es le bienvenu en Elvandar, lui fut-il répondu.

Une silhouette surgit de derrière un arbre.

— Galain ! s'exclama Pug en traversant le gué de sable, son endroit de prédilection pour entrer chez les elfes.

Le jeune guerrier – jeune selon les critères elfiques – planta la pointe de son arc long dans le sol et s'y appuya d'un air détendu.

— Quand Miranda est arrivée il y a deux jours, j'ai décidé de venir t'attendre ici. Je pensais bien que tu ne tarderais pas à nous rendre une petite visite, toi aussi.

— J'en suis ravi. Quelles nouvelles de la cour ?

— Nous sommes en deuil. Celui qui fut ton compagnon, l'ancien duc de Crydee, est parti pour les îles Bénies.

Pug hocha la tête. Martin l'Archer était mort à l'aube de son centième anniversaire et avait vécu ses dernières années en Elvandar, parmi le peuple qui l'avait recueilli lorsqu'il était enfant.

— Comment vont Marcus et Margaret ? demanda Pug en faisant allusion aux enfants de Martin.

— Ils sont venus avec leurs compagnons et leurs enfants chercher le corps de leur père. Ils l'ont remmené à Crydee pour l'enterrer dans un caveau comme le veut leur coutume.

— Il y a longtemps de cela ?

— Non, quelques semaines à peine. Marcus et son escorte ont quitté les rives de ce fleuve il y a moins de deux semaines.

Pug acquiesça.

— Voilà qui explique pourquoi nous n'avons pas encore appris la nouvelle. Ça va prendre encore plusieurs semaines avant que Marcus puisse envoyer un message par bateau jusqu'à Port-Vykor. Le prince n'est donc pas au courant. (Le magicien regarda l'elfe.) Merci de me l'avoir appris. Cet homme était un véritable ami, le dernier qui me restait de mes jeunes années à Crydee – à l'exception de Tomas, bien sûr.

— Nous l'aimions tous beaucoup, approuva Galain.

— Comment vont les autres ?

— Excepté ce deuil, bien. La reine est en bonne santé, tout comme Tomas, lui apprit l'elfe en passant son arc en bandoulière. Le prince Calin et Arbre Rouge sont partis ensemble à la chasse. La guerre fait rage à l'est mais les envahisseurs ne tentent pas de s'introduire dans le duché de Crydee. Ils laissent donc nos frontières en paix.

— Comment va Calis ?

Galain sourit.

— Il va bien, vraiment bien. Je ne l'avais jamais vu aussi heureux depuis sa naissance. Je crois que la disparition de la Pierre de Vie l'a libéré d'une terrible partie de son héritage.

— Je suis impatient de revoir ma femme, déclara Pug.

— Je le comprends aisément après vous avoir déjà vus ensemble. Jusqu'ici, je n'ai pour ma part pas eu la chance de rencontrer celle qui deviendra mon épouse, déplora Galain.

— Tu es jeune, répliqua sèchement Pug. Tu as à peine plus de cent ans.

Galain sourit de nouveau.

— C'est vrai. (Il leva la main pour saluer le magicien.) Je te reverrai à la cour dans quelques jours.

— Je peux t'emmener avec moi, proposa Pug.

— J'ai d'autres devoirs. Je dois patrouiller le long du fleuve que vous les humains appelez Crydee. Je suis juste venu par ici pour te saluer.

Compte tenu du nombre de visites qu'il avait déjà rendues aux elfes, Pug ne manqua pas d'interpréter correctement cette remarque.

— Merci d'avoir pris cette peine.

— Je t'en prie.

Pug activa l'artefact tsurani et se retrouva brusquement suspendu dans les airs, au-dessus de la cime des arbres, à huit cents mètres de l'endroit où il désirait arriver. Il eut à peine le temps de faire appel à ses pouvoirs pour prévenir une chute mortelle et atterrir en douceur. Secoué, il examina l'objet et découvrit qu'une partie de la sphère commençait à se ternir. L'artefact était donc hors d'usage. Pug en fut désolé car avec lui il perdait la capacité de se transporter d'un endroit à un autre. Il allait falloir que Miranda lui apprenne comment se déplacer ainsi par un simple effort de volonté, sans l'appui d'un objet magique.

Pug remit la sphère à l'intérieur de sa robe. Sur l'île du Sorcier, ses étudiants avaient rassemblé toute une collection d'artefacts du même genre pour les examiner ; un nouveau leur serait peut-être utile. Pug se souvint du temps où l'on commerçait librement avec l'empire de Tsuranuanni par l'intermédiaire des failles. À présent, il n'en restait plus qu'une, sur le port des Étoiles, étroitement surveillée des deux côtés. Pendant un moment, le magicien se demanda d'un air sombre s'il existait quoi que ce soit que l'humanité ne puisse pas gâcher. Pour la énième fois, il maudit Makala, le magicien tsurani dont la piètre forfaiture avait provoqué l'éloignement des deux civilisations, tout cela au nom d'un idéal élevé : servir l'empire.

Bon, se dit-il, *il ne sert à rien de ruminer les échecs passés une fois que l'on a appris la leçon qu'il y a à en tirer. Cela ne fait que marier la futilité à cet échec.* Le magicien chassa ces réminiscences de son esprit et se mit en route.

Après quelques minutes de marche, il atteignit la grande clairière qui entourait Elvandar et la préservait à l'écart de la forêt environnante. Comme à chaque fois, Pug se laissa captiver par la beauté de la cité sylvestre. Même sous la plus éclatante des lumières diurnes, les couleurs des arbres paraissaient irréelles. La magie de cet endroit était puissante mais subtile, tel un doux contrepoint à ce que la nature avait façonné. Il émanait de ces lieux une impression merveilleuse, comme si chaque chose était à sa place, comme il se devait.

Au-dessus de la tête du magicien, de grosses branches plates formaient des passerelles entre chaque tronc tandis qu'au pied des arbres se trouvaient des feux de camp, des chevalets de tanneur, des tours de potier et autres outils artisanaux. Plusieurs elfes, qui le connaissaient, accueillirent le magicien alors que ceux qui ne l'avaient jamais vu n'en hochaient pas moins la tête pour le saluer.

Pug entreprit d'escalader le chemin fait de marches et de branches jusqu'à ce qu'il arrive au cœur de la grande cité elfique. Tathar, le premier conseiller de la reine, l'attendait à l'entrée de la cour d'Aglaranna.

— Magicien ! s'exclama l'elfe en tendant la main pour le saluer comme le faisaient les humains entre eux. Il est bon de vous revoir.

— Moi aussi, je suis content de vous revoir, mon vieil ami. (Il regarda autour de lui avant d'ajouter :) Et c'est bon d'être à nouveau en Elvandar. (Il se tourna de nouveau vers Tathar.) Où se trouve mon épouse ?

— En compagnie de la reine et de Tomas, répondit le vieux conseiller. Venez.

Il conduisit Pug au cœur de la cour de la reine. Ils y trouvèrent Aglaranna, Tomas et Miranda assis et occupés à discuter. En voyant arriver son ami d'enfance, Tomas se leva, mais ce fut Miranda qui rejoignit Pug la première.

— Je ne pensais pas que tu viendrais, s'écria-t-elle, visiblement ravie d'avoir eu tort.

— Je ne pensais pas venir non plus, mais je me suis disputé avec Patrick et…

— Tu t'es disputé avec le prince de Krondor ? lui demanda Tomas, qui sourit en dominant de toute sa hauteur son ami, beaucoup plus petit que lui.

Pug regarda cet homme qu'il considérait comme un frère et parvint à retrouver l'image, chez cette personne imposante possédant quelques traits inhumains, du garçon de cuisine avec lequel il avait grandi.

— Lui-même. Il voulait que je balaye les Saaurs de la surface de Midkemia, et moi je pensais qu'il serait plus sage de leur proposer une solution de paix.

Tomas acquiesça.

— Écraser son ennemi sans la moindre pitié… (Il secoua la tête.) Je ne me souviens que trop bien de ces impulsions, mon ami.

Pug laissa Miranda l'escorter jusqu'au trône d'Aglaranna, devant laquelle il s'inclina.

— Je vous salue, ma dame.

— Bienvenue, Pug.

183

— J'ai été chagriné d'apprendre le départ d'un ami.

— Il est parti aussi heureux que possible, compte tenu de la vie qu'il a eue, répondit Aglaranna. Personne ne peut en demander davantage. Il nous a souhaité bonne nuit et ne s'est jamais réveillé. Il était en paix avec lui-même. Pour un membre de votre race, il a vécu très longtemps.

— Mais il va me manquer, avoua Pug en hochant la tête. Comme tous les autres amis de ma jeunesse, d'ailleurs.

— Je comprends, assura la reine. C'est pourquoi vous devriez nous rendre visite plus souvent. Nous les Eledhels vivons bien plus longtemps que les humains. (Repensant à l'âge de Pug et de Miranda, elle rectifia :) Enfin, je parle de la plupart d'entre eux, bien sûr.

— C'est vrai, reconnut Pug. Où est Calis ? ajouta-t-il en regardant autour de lui.

Miranda sourit.

— Il n'est pas loin. Du moins, je le pense.

Tomas sourit à son tour, d'un air malicieux.

— Il y a une femme dans sa vie…

Il haussa les épaules et adressa un clin d'œil à son ami, lequel ne put s'empêcher de s'étonner :

— Calis ?

— Oui. Elle est née de l'autre côté de l'océan et c'est Miranda qui l'a amenée chez nous, avec deux beaux garçons ayant besoin d'un père.

— Est-ce… sérieux ?

Tomas éclata de rire.

— Le peuple de mon épouse est très différent de toi et de moi, Pug. Et de mon fils également. Il n'est qu'à demi-elfe, un être unique en ce monde, et a passé beaucoup de temps parmi les humains. (Tomas se pencha et murmura sur un ton de conspirateur :) Je pense qu'il est amoureux, mais il ne sait pas encore qu'il a mordu à l'hameçon !

Tathar éclata de rire et déclara :

— C'est vrai. Nous, les elfes, nous éprouvons ce que l'on appelle le sentiment de reconnaissance : brusquement on sait que notre compagnon de vie se tient devant nous. Mais tous les elfes ne ressentent pas cette certitude ; c'est à eux qu'incombe la difficile mission de bâtir un lien, lentement, avec un compagnon ou une compagne qui n'a pas non plus éprouvé ce sentiment de reconnaissance. Pour Calis et Elien, cela se passe ainsi. Mais cela se termine souvent par un amour aussi profond que l'autre.

Miranda sourit.

— Je crois avoir décelé quelque chose en elle quand je l'ai découverte en compagnie de ses garçons. Je pense que tout ira bien de ce côté-là.

Aglaranna se tourna vers un elfe qui se tenait à proximité.

— Voudriez-vous porter un message à mon fils, je vous prie, et lui demander de venir dîner avec nous ce soir. Demandez-lui également qu'Ellia et ses fils l'accompagnent.

L'elfe s'inclina et s'éloigna rapidement.

— Qu'est-ce qui t'amène parmi nous ? demanda Tomas à son ami d'enfance.

— Le désir de revoir ma femme, répondit Pug en souriant. Je souhaitais également passer une soirée entre amis dans un endroit où l'air ne charrie pas le souvenir de la guerre, de la fumée et du sang. Je voulais passer une nuit tranquille avant d'entreprendre une nouvelle quête.

— Une quête ? répéta la reine. Que cherchez-vous donc cette fois, magicien ?

— Il faut que je trouve un foyer pour les Saaurs, sans quoi nous aurons une autre guerre sur les bras avant même d'en avoir terminé avec la première.

— Eh bien, dans ce cas, nous partirons demain matin, intervint Miranda.

— Au départ, je voulais y aller seul, répondit Pug, mais la sphère tsurani ne marche plus – j'ai bien failli me casser le cou quand elle m'a laissé suspendu dans les airs – et je ne sais pas où je dois aller.

— Tu as donc besoin de moi pour t'emmener faire un tour ?

— Quelque chose dans ce goût-là, oui.

Miranda sourit.

— Je ne sais pas…

— Comment ? fit Pug. Mais pourquoi ?

— Parce que j'aime bien l'idée d'être capable de faire quelque chose mieux que toi, répliqua-t-elle en enfonçant son index dans la poitrine de son mari.

Cette remarque fit rire les autres personnes présentes. Ils se détendirent tandis qu'on leur apportait de la nourriture et du vin. Bientôt, ils furent rejoints par Calis et cette femme originaire de Novindus, ainsi que ses fils à elle. L'espace d'une nuit, tous mirent de côté toute pensée liée à la guerre ou à la menace de guerre et savourèrent ce moment partagé entre amis.

Chapitre 10

INVESTISSEMENTS

Jimmy fronça les sourcils.

Le prince Patrick venait juste de se pencher pour murmurer quelques mots à l'oreille de Francie. La jeune femme se mit à rire en rougissant. Le duc de Silden préféra visiblement ignorer ce manquement à l'étiquette. Les ducs de Rodez, d'Euper, de Sadara et de Timons jetèrent un coup d'œil dans la direction du prince et reprirent leurs conversations. Les regards de leurs filles, resplendissantes dans leurs plus jolis atours, s'attardèrent sur le couple avant de s'intéresser de nouveau aux divers jeunes courtisans présents au dîner.

Dash fut obligé de se retourner pour ne pas rire de l'air déconfit qu'affichait son frère.

La grande salle du château de la Lande Noire était à présent remplie au-delà de ses capacités, de l'avis du maître de cérémonie du prince, un homme sévère du nom de Wiggins. Il avait autrefois occupé le poste de secrétaire à la cour de Krondor, mais il lui était arrivé de donner un coup de main de temps à autre à l'ancien maître de cérémonie, Jérôme. Grâce à ce petit avantage, c'était lui qui s'était vu confier le poste lorsque Patrick avait recréé la cour à la Lande Noire. Il ressemblait à un oiseau affolé qui ne cessait de virevolter dans la pièce, passant d'un noble à l'autre, s'efforçant de veiller à ce que personne ne manque de rien en dépit de la pénurie de nourriture, de bière et de vin.

Mathilda, baronne douairière de la Lande Noire, était assise à la gauche du duc de Silden. Bien que plus très jeune, elle possédait encore le charme et

187

l'aisance d'une courtisane, dons qu'elle avait acquis en grandissant parmi les puissants aristocrates de l'Est. Le duc, veuf de son état, était une proie évidente pour une femme comme elle. Cependant, il paraissait moyennement intéressé.

Dash regarda de nouveau son frère et vit que Jimmy s'efforçait de s'intéresser à la conversation de la fille d'un comte de l'Est dont il ne se rappelait plus le nom. Elle était jolie quoiqu'un peu mièvre. L'amusement de Dash face à la frustration de son frère se mua en sympathie. Francie était de toute évidence la jeune femme la plus intéressante de la cour, sinon la plus belle, et le temps que Jimmy avait passé en sa compagnie au cours des deux dernières semaines avait éveillé quelque chose en lui : un sentiment possessif à tout le moins, sinon quelque chose de plus profond.

Dash savait que ni lui ni son frère ne seraient jamais libres de suivre les élans de leur cœur tant qu'ils resteraient au service de la couronne. Fils et petits-fils de ducs, ils étaient de trop haute naissance pour cela. Un jour, Jimmy s'élèverait sûrement aussi haut que leurs père et grand-père tandis que Dash finirait par devenir comte s'il continuait à servir le royaume.

Cela signifiait qu'en fin de compte, ni l'un ni l'autre n'auraient leur mot à dire quant au choix de la femme qu'ils épouseraient. Cette décision reviendrait à leur père dans une moindre mesure et dépendrait surtout du bon plaisir du roi. Les nobles du royaume avaient tendance à s'organiser en factions. Cela faisait partie de leurs traditions, si bien que garder les royaumes de l'Ouest et de l'Est étroitement liés restait toujours un problème d'actualité. L'Est possédait la population, la richesse et la force politique ; l'Ouest disposait pour sa part des ressources naturelles et d'un formidable potentiel de croissance, mais récoltait aussi les problèmes liés à ses frontières : les ennemis, le désordre et des difficultés incessantes de gouvernance. Les mariages entre filles d'un royaume et fils de l'autre étaient monnaie courante ; or il n'existait pas de célibataire plus en vue que le futur roi.

Francie jeta un coup d'œil en direction de Jimmy et lui sourit avant de se tourner de nouveau vers Patrick. Dash se pencha vers son frère.

— Nous devrions poser la question à notre père.

— Quelle question ? demanda Jimmy d'un air perplexe.

— À qui le roi veut marier son fils. Tu ne crois tout de même pas que cela n'a pas encore été décidé ?

Jimmy réfléchit à cela puis sourit.

— Tu as sûrement raison. Si notre père ne le sait pas, alors personne ne le sait.

Jimmy attendit que le duc Arutha regarde dans leur direction puis, d'un signe de tête, lui demanda de les rejoindre. Arutha acquiesça, puis se leva et passa derrière la baronne Mathilda. Il chuchota quelques mots à l'oreille du prince qui le congédia d'un sourire. Le duc fit alors le tour de la table pour rejoindre ses fils. Tous les trois s'inclinèrent en direction du prince, qui ne les regardait pas, puis s'en allèrent.

— Il va falloir commencer à renvoyer les aristocrates chez eux s'ils continuent tous à affluer, fit remarquer Dash dès qu'ils furent sortis de la salle.

— Il continuera à en venir davantage, répondit son père. La cour de la Lande Noire doit être aussi visible et bruyante que possible. Nous trouverons à loger le plus de monde possible, d'abord ici, au château, puis en ville. Les autres camperont à l'extérieur, au pied des remparts, sous des pavillons et des tentes militaires. Il va y avoir un mois de fête publique.

Jimmy, incrédule, en resta bouche bée :

— Ça ne peut pas être vrai ?

— Si, répondit Arutha.

— Mais nous devons finaliser notre accord avec Duko…

— C'est déjà fait. Nous lui avons envoyé les termes de l'accord et nous avons reçu sa réponse ce matin.

— Sur quels arrangements vous êtes-vous mis d'accord ? s'enquit Dash.

Arutha, d'un signe, leur fit comprendre qu'ils devraient marcher. Il prit la direction de la cour d'honneur. Les couloirs étaient envahis par une foule de pages, de domestiques et de gardes qui veillaient sur une vingtaine de nobles en visite.

— D'ici un mois, notre ancien ennemi deviendra duc des Marches du Sud.

— Messire Sutherland ! s'exclama Jimmy. C'est incroyable.

— Patrick aurait préféré ne rien lui donner du tout et le roi aurait préféré le nommer baron de Finisterre ou lui donner des terres tout aussi… éloignées. J'ai réussi à les convaincre du contraire.

— Pourquoi, père ? protesta Dash.

— Parce que Duko dirige une armée de près de vingt-cinq mille hommes. Il rêve peut-être d'une carrière plus noble que celle qu'il avait précédemment, à savoir de mercenaire, mais la plupart de ses soldats n'ont aucune loyauté envers le royaume. J'ai convaincu le roi que Duko était peut-être notre seul espoir de garder ces hommes sous contrôle et d'en faire le problème de Kesh plutôt que le nôtre.

Une expression calculatrice traversa le visage de Dash.

— Si c'est un duc… cela veut dire qu'il répond de ses actes devant le prince et non devant vous.

— Je suis déjà extrêmement occupé. De plus, si c'est Patrick qui exerce un contrôle direct sur Duko, il en viendra peut-être à lui faire confiance.

Jimmy sourit.

— Cependant, vous ne manquerez pas de conseiller le prince sur toutes les questions relatives aux Marches du Sud.

Arutha acquiesça.

— Cette solution nous permet également de rétablir l'équilibre concernant d'autres problèmes politiques.

Jimmy et Dash savaient tous les deux ce que cela signifiait : Duko pourrait nommer ses propres capitaines à des postes-clés le long des frontières méridionales, leur permettant probablement de gagner un titre de noblesse au passage. Il y avait pour le moment davantage de places vacantes que de nobles pour les occuper, en raison du taux élevé de mortalité qu'avait provoqué la récente guerre dans l'Ouest. Les nobles de l'Est devaient déjà harceler le roi en vue d'obtenir ces titres – ou, plus exactement, la recette des impôts qui allaient avec. Aucun d'entre eux, en revanche, ne viendrait dans l'Ouest pour régner directement sur leurs nouvelles terres. Il n'était pas rare que l'on s'en remette à un intendant pour gouverner à sa place, mais c'était une pratique que les habitants de l'Ouest désapprouvaient. Leur royaume connaissait trop de problèmes – Kesh, Queg, et la confrérie de la Voie des Ténèbres entre autres – pour laisser l'administration d'une baronnie, et encore moins d'un comté ou d'un duché, entre les mains d'un bailli ou d'un sénéchal. Simplement, pour empêcher Duko d'établir sous ses ordres une structure composée uniquement de ses propres alliés, le roi distribuerait quelques titres à des fils cadets d'aristocrates de l'Ouest.

— J'aimerais changer de sujet, intervint Jimmy. (Il montra les jeunes femmes qui se trouvaient dans l'assemblée.) Y a-t-il quoi que ce soit que nous devrions savoir… ?

— À quel sujet ? s'enquit Arutha.

— Patrick a-t-il fait son choix ? Sait-on qui sera la nouvelle princesse de Krondor ?

Arutha regarda autour de lui pour s'assurer que personne ne les écoutait.

— Nos deux dernières reines étaient originaires de Roldem. Borric, tout comme Lyam avant lui, tenait par-dessus tout à consolider les alliances entre l'Est et l'Ouest. (Il posa une main sur l'épaule de ses fils.) Vous avez tous deux du sang de Roldem dans les veines. Vous connaissez le peuple auquel appartient votre mère. Ce sont des gens vaniteux et fiers de leur héritage, qui se croient supérieurs. C'est pourquoi nous avons si peu vu votre mère dans ce royaume.

La voix d'Arutha contenait une note d'amertume que les deux frères n'avaient encore jamais entendue.

Ils savaient, pourtant, que le mariage de leurs parents avait été arrangé

par leur grand-père, le duc James, et que cette union avait été aussi avanta-
geuse pour le royaume que celles des deux précédents rois à des princesses de
Roldem. Les parents de Dash et de Jimmy avaient toujours réussi à donner une
impression de bonheur conjugal en public, mais les deux garçons savaient
cette union loin d'être idyllique. Cependant, ils découvraient seulement à quel
point les relations étaient tendues entre leur père et leur mère.

— La fiancée doit donc être originaire du royaume ? résuma Dash.

Arutha acquiesça.

— C'est ce que m'a confié le roi en privé. Il doit également s'agir de
la fille d'un noble de l'Est, de préférence celle d'un duc possédant une
grande influence sur le Congrès des seigneurs.

— Brian de Silden, énonça Jimmy.

— Borric a décidé de laisser à son fils le privilège de choisir la femme
qui portera le prochain roi des Isles. Il y a donc cinq candidates en lice pour
le titre de princesse.

— Avez-vous la moindre idée du choix qu'a fait Patrick ? demanda
Jimmy.

Arutha dévisagea attentivement son fils.

— Francine sera notre prochaine reine. La seule question qui reste
en suspens, c'est dans combien de temps. Elle et Patrick sont amis depuis
l'enfance. Il apprécie beaucoup sa compagnie. On a déjà vu bien pires
fondations pour un mariage d'État, même à notre époque.

Cette nouvelle sembla profondément affecter Jimmy.

— Ça va ? s'inquiéta Dash.

Jimmy regarda son frère :

— C'est juste que je n'avais pas… réalisé.

— Réalisé quoi ? s'enquit Arutha. Tu es amoureux d'elle ?

Jimmy se tourna de nouveau vers son père :

— Maintenant, je ne le saurai jamais.

Sur ce, il tourna les talons et s'en alla.

Arutha regarda son autre fils.

— Mieux vaut le laisser seul un petit moment, conseilla ce dernier.

— Je ne m'étais aperçu de rien, avoua Arutha.

— Lui non plus. C'est bien là le problème.

— Comment ça ?

— J'imagine qu'il tenait certaines choses pour acquises. (Dash leva
les yeux vers son père pour lui demander :) Grand-père vous a-t-il jamais
demandé si vous vouliez servir la couronne ?

Visiblement, cette question laissa Arutha aussi perplexe que la scène
à laquelle il venait d'assister.

— Non, bien sûr que non, répondit-il après quelques secondes de réflexion.

— Comment ça, « bien sûr » ?

— Parce que je n'étais qu'un gamin. J'ai commencé, comme toi et ton frère, par faire des courses pour lui avant de devenir un page, puis un écuyer.

— Mais quand vous êtes devenu adulte, il ne vous a jamais demandé si vous souhaitiez faire autre chose ?

— Non, jamais, répondit Arutha en dévisageant son fils.

— Vous ne vous êtes jamais dit que vous auriez pu avoir une vie plus heureuse s'il l'avait fait ? insista Dash.

Arutha réfléchit un moment.

— C'est sans doute la question la plus étrange qu'on m'ait jamais posée, mon garçon.

Dash haussa les épaules.

— On dirait que ces jours-ci, je ne fais que poser des questions étranges.

— Pourquoi me demandes-tu cela ?

— Parce que je ne suis pas sûr d'avoir envie de continuer à servir la couronne.

— Comment ? s'écria Arutha, d'un ton à la fois surpris et incrédule. Mais que ferais-tu alors ?

Dash haussa de nouveau les épaules.

— Je ne sais pas. Peut-être reprendre du service auprès de monsieur Avery. C'est un homme très riche.

Arutha éclata de rire.

— Seulement sur le papier. D'ici que le roi finisse par lui rembourser la totalité de sa dette, ce seront ses petits-enfants qui dirigeront Avery & Jacoby.

Dash sourit.

— Connaissant Roo, il trouvera le moyen d'amasser une nouvelle fortune avant.

Arutha posa la main sur l'épaule de son fils.

— Si tu souhaites qu'on te libère de ton engagement vis-à-vis de la couronne, je dois pouvoir arranger ça. Mais je te prie d'attendre jusqu'à ce que nous ayons chassé Fadawah d'Ylith. Nous n'avons pour le moment pas assez d'hommes compétents à notre disposition.

— J'accepte. (Dash baissa la voix pour ajouter :) Qu'est-ce qui va se passer maintenant ?

— D'un point de vue public, il va y avoir une très grande fête de fiançailles la semaine prochaine. Patrick en profitera pour se rendre en secret à Ravensburg afin d'y rencontrer Duko, qui devra s'agenouiller devant lui et prêter allégeance à la couronne à cette occasion. Ensuite, le nouveau duc des Marches du Sud rentrera à Krondor et nous commencerons à déplacer nos soldats le plus discrètement possible. Les mercenaires qui sont restés cantonnés sous les remparts auront la permission d'entrer en ville. Beaucoup seront engagés pour remplir les effectifs de la garnison tandis que d'autres seront envoyés sur la frontière keshiane. Quand Patrick sera marié et qu'il retournera à Krondor, la cité sera déjà nôtre, sans que Fadawah apprenne trop tôt qu'il a perdu son armée du Sud.

Dash prit un air suspicieux.

— Et où sera le duc de Krondor pendant ce temps-là ? Vous n'escorterez donc pas un Patrick triomphant ?

— Non, car on aura encore besoin de moi ailleurs. Il reste certaines choses à faire, certaines missions que je suis le seul à pouvoir mener à bien.

— Pardonnez-moi, mais je trouve ça très bizarre, commenta Dash.

— Bizarre ou pas, c'est comme ça. Maintenant, va trouver ton frère et vois s'il va vraiment mal. Si c'est le cas, fais-le boire et trouve-lui une jolie serveuse pour le distraire, qu'il ne pense plus à Francine.

— Je vais essayer, promit Dash avant de partir à la recherche de Jimmy.

Arutha regarda s'éloigner son fils cadet et resta immobile un moment, perdu dans ses pensées. Puis il fit demi-tour et s'apprêta à rentrer dans la salle où avait lieu le banquet. Il y avait encore beaucoup de choses à faire avant que les plans qu'il avait élaborés puissent porter leurs fruits.

Erik de la Lande Noire et Rupert Avery étaient assis à une table du *Sanglier qui Charge*, l'une des meilleures tavernes de la ville, lorsque Jimmy et Dash firent leur entrée. Jimmy paraissait déjà ivre. Erik se leva et fit signe aux deux jeunes gens depuis l'autre bout de la salle commune, qui était bondée.

— Par ici !

Dash le vit et conduisit un Jimmy quelque peu titubant jusqu'à sa table.

— Joignez-vous à nous ! proposa gaiement Roo.

Une serveuse bien en chair vint prendre leur commande. Erik commanda de la bière pour tous les quatre.

— Non, merci, intervint Dash. Mon frère en a eu assez pour ce soir.

Erik parut surpris mais n'insista pas et renvoya la serveuse.

— Qu'est-ce qui vous amène hors du palais, jeunes gentilshommes ? demanda Roo.

— Nous avions besoin de changer d'air, répondit Jimmy d'une voix teintée d'amertume.

Roo jeta un coup d'œil en direction d'Erik.

— On dirait que quelque chose ne va pas, fit remarquer ce dernier.

Dash se pencha vers lui et expliqua dans un murmure, d'un air de conspirateur :

— C'est à cause d'une femme.

Erik éclata de rire. Voyant le visage de Jimmy s'assombrir, il leva les mains pour se défendre.

— Pardon, jeune Jimmy, je ne cherchais pas à me moquer. C'est juste… inattendu.

Roo hocha la tête.

— Nous aurions été prêts à parier qu'aucun de vous ne chercherait jamais à noyer son chagrin dans la bière à cause d'une femme.

— Ce n'est pas si simple, répliqua Jimmy.

— Ça ne l'est jamais, approuva Roo.

Les deux frères étaient au courant de la liaison du marchand avec Sylvia d'Esterbrook, la fille d'un agent keshian qui s'était servi de lui comme d'un instrument, le poussant à tromper sa femme et mettre en péril son commerce et le royaume. Depuis, Roo était apparemment devenu un mari modèle, mais Jimmy et Dash savaient qu'il s'agissait d'une leçon qu'il avait apprise à ses dépens.

— Alors, qui est cette femme ? demanda Erik.

— La fille du duc de Silden, répondit Dash.

— Ah, fit Erik comme s'il comprenait. Et elle n'est pas intéressée, ou… elle est déjà prise ?

Dash balaya la pièce du regard.

— Elle est déjà prise, mais peu de gens le savent.

Erik parut comprendre l'allusion contenue dans cette remarque et se leva.

— Il faut que je rentre au château. (Il se tourna vers Roo.) Mes amitiés à Karli et à tes enfants.

— Oui, et n'oublie pas de saluer Kitty pour moi, répliqua Roo. (Lorsqu'Erik fut sorti, il ajouta :) Moi aussi, je devrais rentrer. J'ai beaucoup à faire demain matin. Un convoi de chariots doit arriver à l'aube pour livrer des céréales au temple de Nakor.

— Je n'ai pas revu Nakor depuis que Pug a claqué la porte du bureau du prince, l'autre jour, remarqua Jimmy. Où est-il ?

— Il est suffisamment intelligent pour savoir quand il vaut mieux rester hors de vue, répondit Roo. Il a passé ces deux derniers jours enfermé dans son temple. (Il hocha la tête.) J'ai moi-même éprouvé plus d'une fois le besoin de dormir n'importe où sauf chez moi. Je comprends. Si vous en avez besoin, un jour, venez à la maison. Nous avons de quoi vous héberger, si ça ne vous dérange pas de dormir sous un chariot. (Il rit.) Bien, messires, je vous souhaite une bonne nuit.

La serveuse vint à nouveau trouver les deux frères.

— Est-ce que vous désirez boire quelque chose avant la fermeture, messieurs ?

— C'est gentil, mais non, merci, répondit Dash. Nous allons rentrer.

— Je refuse de retourner au palais, décréta Jimmy.

— Comme tu voudras. Mais allons au moins faire quelques pas, que tu puisses t'évanouir dans un endroit plus agréable, répliqua Dash.

Le visage de Jimmy s'éclaira.

— J'ai une idée ! Allons voir Nakor !

À défaut d'une meilleure suggestion, Dash accepta. Les deux frères sortirent de la taverne, Dash tenant Jimmy par le bras pour le soutenir et le guider, car il titubait toujours.

Jimmy poussa un grognement. Il avait les tempes battantes et les paupières collantes, comme si elles refusaient de s'ouvrir. Un mauvais goût imprégnait sa bouche, comme si quelqu'un y avait jeté les restes d'un repas et les y avait laissés pourrir pendant une semaine.

— Voulez-vous boire un peu d'eau ?

Jimmy obligea ses yeux à s'ouvrir et le regretta instantanément, car la douleur lancinante qui lui étreignait le crâne redoubla d'intensité. Le visage d'une femme planait au-dessus de lui mais il dut attendre que sa vision s'éclaircisse pour apercevoir le reste de sa personne. Le jeune homme souleva la tête, s'appuya sur son bras droit et tendit la main gauche.

La femme y déposa un verre d'eau. Jimmy but avidement avant de se rendre compte brutalement qu'il s'agissait là d'une mauvaise idée : son cœur se mit à battre la chamade, sa peau rougit et son front se couvrit de sueur. Il comprit qu'il souffrait de la pire gueule de bois qu'il ait jamais eue et qu'au final il aurait besoin de cette eau, c'est pourquoi il se força à vider le verre.

— Merci, chuchota-t-il d'une voix rauque en rendant le verre à la jeune femme.

— Votre frère se trouve là-bas, lui apprit-elle en indiquant le bureau où dormait Nakor quand il séjournait au temple.

— Est-ce que je vous connais ? croassa Jimmy.

— Je ne crois pas, répondit la jeune femme avec un léger sourire. Moi, par contre, je vous connais. Vous êtes le petit-fils du duc – enfin, de l'ancien duc. C'est bien cela ?

Jimmy acquiesça.

— Je suis James, le fils du duc Arutha et oui, le duc James était bien mon grand-père. Au fait, tout le monde m'appelle Jimmy.

— Vous pouvez m'appeler Aleta. (Elle étudia le visage du jeune homme.) C'est à cause d'une femme ?

Il acquiesça.

— Je crois.

Elle le dévisagea de la tête aux pieds avant de lui faire remarquer :

— Eh bien, pour le moment vous avez une sale tête, mais je vous ai déjà aperçu dans les deux tavernes où j'ai travaillé : quand vous n'êtes pas ivre ou affligé d'une gueule de bois, vous êtes plutôt mignon. On ne doit pas souvent vous dire non.

— Ce n'est pas ça, répondit Jimmy en se levant avec précaution. Je viens juste d'apprendre qu'elle va épouser quelqu'un d'autre.

— Ah, fit Aleta comme si elle comprenait. Est-ce qu'elle le sait ?

— Quoi donc ?

— Que vous essayez de vous noyer dans la bière à cause d'elle ?

— Non. Nous étions amis d'enfance... (Il la regarda en plissant les yeux.) Pourquoi est-ce que je vous raconte tout ça ?

Elle sourit.

— Parce que vous en avez besoin ?

Il but une nouvelle gorgée d'eau.

— Merci. Je crois que je vais aller voir ce que fait mon frère.

Jimmy traversa sur des jambes flageolantes un entrepôt bourdonnant d'activité. Au moment où il arrivait devant le bureau de Nakor, les grandes portes du bâtiment s'ouvrirent, laissant entrer la lumière à flots. Jimmy se retourna et vit un chariot apparaître sur le seuil, suivi d'autres véhicules.

La porte du bureau s'ouvrit derrière le jeune homme. Nakor en sortit précipitamment.

— Roo ! s'exclama-t-il en passant devant Jimmy. Tu es venu nous livrer la nourriture !

Dash suivit l'Isalani et s'arrêta à côté de son frère.

— Tu es encore en vie ?

— À peine, répondit Jimmy d'une voix rauque. Que s'est-il passé ?

— Tu as essayé de te noyer dans la bière, mais tu t'es raté.

— Ça, je m'en souviens. Qu'est-ce qu'on fait ici ?

— Père m'a envoyé à ta poursuite avec l'ordre de te faire boire et de te pousser dans les bras d'une jolie serveuse pour oublier.

— Visiblement, la deuxième partie du plan a échoué.

— Eh bien, il y avait deux jeunes dames qui n'auraient pas dit non, mais tu ne semblais pas d'humeur.

— Je suis dans un sale état, admit Jimmy. Je ne sais pas vraiment ce que j'éprouve vis-à-vis de tout ça.

Dash haussa les épaules.

— C'est peut-être mieux ainsi. Depuis l'enfance, nous savons que nous n'aurons pas notre mot à dire quant au choix de notre épouse. Puisque notre père est le duc de Krondor, il est important que nous nous mariions pour le bien de l'État.

— Je sais, mais je me sens si…

— Si quoi ?

— Ah, je ne sais pas, soupira Jimmy.

— Ce n'est pas à cause de Francie, tu sais, lui fit remarquer Dash.

— Ah non ?

— Non. Lorsqu'elle sera reine, rien ne pourra vous séparer. Les dieux savent qu'à la cour, on a l'habitude de fermer les yeux sur ce genre de choses. Non, il s'agit d'autre chose. Il s'agit de toi et de ce que tu veux vraiment.

— Je ne comprends pas.

— Moi non plus, je crois, mais je sais que c'est à propos de toi. (Il regarda le chariot.) Je m'attends toujours plus ou moins à voir Jason apparaître sur l'un de ces véhicules, commenta-t-il d'un air pensif.

Dash avait travaillé pour la compagnie de la Triste Mer, la société fondée par Roo, en même temps que le dénommé Jason, qui n'avait cessé de donner des informations au rival de Rupert, Jacob d'Esterbrook, en raison de son amour aveugle pour la fille de ce dernier. Jason était mort au cours de la guerre.

— Dis-moi, qui est cette fille ? demanda Jimmy tandis que le premier chariot entrait dans l'entrepôt.

— Laquelle ?

— Celle-là qui m'a donné de l'eau, là-bas. Elle m'a dit s'appeler Aleta.

— Dans ce cas, tu en sais plus que moi, répondit Dash. Pourquoi ne poses-tu pas la question à Nakor ?

— Il y a quelque chose d'étrange chez elle. Elle est gentille mais bizarre.

— Tiens, voilà Luis ! s'écria Dash.

Il abandonna Jimmy et courut jusqu'au deuxième chariot, sur lequel Luis était assis en compagnie d'une femme que Dash ne reconnut pas.

— Luis ! C'est bon de te revoir ! s'exclama le jeune homme tandis que son ancien collègue sautait à bas du véhicule.

— C'est bon de vous revoir aussi, monsieur Jameson, répondit Luis en lui serrant la main. J'ai été peiné d'apprendre la mort de vos grands-parents.

Luis avait passé l'hiver à Salador pour s'occuper des intérêts que son patron possédait dans l'Est pendant que Roo travaillait à la Lande Noire.

— Merci, ça me touche beaucoup. (Dash reconnut la femme qui l'accompagnait au moment où elle descendait du chariot.) Madame Avery ? s'écria-t-il, étonné.

La Karli Avery qu'il avait connue était pâle, corpulente et d'un physique tout à fait banal. La femme qui s'avança vers lui, au contraire, possédait un corps mince et un teint bronzé par le soleil. Elle n'était pas plus jolie qu'avant, mais son visage paraissait plus vivant et retenait désormais l'attention.

— Dash ! s'exclama-t-elle à son tour en lui prenant les mains et en l'embrassant sur la joue. Comment allez-vous ?

— Je vais très bien, madame Avery, mais vous… vous semblez si différente !

Elle éclata de rire.

— Il y avait beaucoup à faire cet hiver et peu à manger. J'ai aidé à charger et décharger les chariots, j'ai appris à les conduire, j'ai pris soin des enfants, le tout en passant beaucoup de temps au soleil. Ça vous change une personne.

— Et comment, approuva Dash. Vous vous souvenez de mon frère, n'est-ce pas ? ajouta-t-il au moment où Jimmy les rejoignit.

Luis et Karli saluèrent tous les deux le jeune homme.

— Où sont vos enfants ? reprit Dash. Et Mme Jacoby ?

— Les enfants sont à Salador. Nous les avons confiés aux bons soins d'Helen, répondit Karli. Mais elle ne s'appelle plus Jacoby désormais. Elle est devenue Mme de Savona.

Dash éclata de rire et donna une petite tape sur le bras de Luis.

— Tu t'es marié !

Roo arriva en compagnie de Nakor.

— Eh oui, il n'est plus célibataire désormais.

Nakor félicita son ancien compagnon.

— J'espère que tu es enfin heureux.

Luis sourit.

— Aussi heureux que je pouvais l'espérer, étrange petit homme.

— Il faudra s'en contenter, répliqua Nakor. Roo, as-tu ramené mes céréales et mon sculpteur ?

— Je n'ai pas encore trouvé le sculpteur, mais tes céréales sont là.

— Est-ce que les artisans t'ont été utiles ? s'enquit le petit homme en commençant à inspecter le contenu des deux chariots tandis que d'autres véhicules arrivaient devant l'entrepôt.

— Oui, très. J'ai dans l'idée d'arriver le plus tôt possible à Krondor. Il doit bien y avoir de nombreux ouvriers et artisans de talent parmi les envahisseurs. Si je parvenais à les recruter…

Jimmy et Dash se regardèrent.

— Comment pouvez-vous savoir qu'ils seront libres de travailler, alors qu'une guerre se prépare ?

Roo éclata de rire.

— J'ai mes sources, moi aussi. J'ai appris que Patrick allait passer un marché avec Duko environ une heure après vous.

— Quelles sources ?

— Votre père, répondit Roo, toujours en riant. Il n'est pas aussi machiavélique que votre grand-père, mais il n'a pas son pareil pour s'assurer que toutes les ressources dont il a besoin soient prêtes. En plus, je suis le plus gros débiteur du Trésor royal, alors il est bien obligé de me tenir au courant des événements.

— Eh bien, commenta Jimmy, je parie que vous allez récupérer toute votre fortune avant même que cette histoire soit finie.

— S'il ne se fait pas tuer avant, intervint Nakor.

Roo lui décocha un regard noir.

— Je ne me porterai plus volontaire pour des missions insensées, ça, vous pouvez compter là-dessus. À dater de ce jour, je ne suis plus qu'un modeste commerçant et père de famille qui reste chez lui et prend soin de ses affaires.

Une nouvelle voix s'éleva non loin d'eux.

— Dès qu'on se sera occupé d'un petit travail.

Tous les regards se tournèrent dans la direction d'où provenait cette voix.

— Je vous cherchais, tous autant que vous êtes, déclara Erik. Comme c'est pratique de vous trouver tous au même endroit ! (Il désigna Dash et Jimmy.) Messieurs, votre père demande à vous voir sur-le-champ.

Sans hésiter, les deux frères se dirigèrent vers la sortie. En passant devant la jeune femme qui lui avait donné de l'eau, Jimmy lui dit :

— Encore merci.

Elle hocha la tête en souriant mais ne répondit pas.

Erik se tourna vers Nakor.

— Peux-tu joindre le frère Dominic ?

L'Isalani acquiesça.

— Il doit bientôt rentrer de Rillanon. Il est censé venir me dire si le temple d'Ishap veut bien soutenir les efforts que nous avons entrepris ici. Je pense qu'il doit être à Salador, ou en route pour venir ici.

— Je vais envoyer une patrouille à sa rencontre. S'il arrive avant qu'elle le trouve, fais-le savoir au duc Arutha, je te prie.

Nakor acquiesça.

— Puis-je savoir pourquoi ?

— Tu peux poser la question, mais je n'ai pas le droit d'y répondre. Il faudra que tu le demandes au duc Arutha.

— Il se pourrait que je le fasse.

Erik se tourna vers Roo.

— Il faut que je te parle. (Il jeta un coup d'œil en direction de Luis et de Karli en leur disant :) Veuillez nous excuser.

Il conduisit Roo dans un coin éloigné de l'entrepôt transformé en temple et attendit qu'ils soient seuls pour demander :

— Qui travaille encore pour toi à Sarth ?

— Qu'est-ce qui te fait penser que quelqu'un à Sarth travaille encore pour moi ? protesta son ami.

— Roo, c'est à moi que tu parles, lui rappela Erik. Maintenant, réponds à ma question.

— John Vinci. Il travaille en tant que commerçant indépendant et s'est spécialisé dans la contrebande importée de Queg. C'est pour ça que peu de gens savent qu'il travaille pour moi.

— Tant mieux. On va devoir lui rendre une petite visite.

— Comment ça, « on » ? Et pour quelle raison ?

— Il faut qu'on sache ce qu'il se passe à Sarth avant de prendre la route du Nord. On doit rentrer avec un rapport détaillé afin qu'Owen puisse emmener l'armée écraser Nordan à Sarth. On a envoyé des éclaireurs dans cette région et la plupart ont réussi à rentrer, mais on ignore le nombre de soldats rassemblés dans la ville. Il va falloir y entrer pour jeter un coup d'œil.

Roo regarda son ami d'enfance droit dans les yeux :

— Quand tu dis « on », tu fais référence à l'armée du royaume, n'est-ce pas ?

— Non, c'est de nous deux que je parle. Toi et moi allons devoir explorer Sarth.

— Je refuse ! décréta Roo d'un ton catégorique.

— Il le faut, répliqua Erik. Tu es, à notre connaissance, la seule personne qui puisse nous faire entrer dans Sarth sans qu'on nous tranche la gorge.

— Et pour quelle raison ?

— Tu es un célèbre marchand du royaume qui avait l'habitude de commercer ouvertement avec Queg et les Cités libres. Tu as la réputation de faire passer les bénéfices avant tout. Si tu devais t'introduire dans la ville et te faire arrêter, tu serais convaincant dans le rôle du marchand cupide et impatient de rétablir des liens commerciaux avant ses rivaux – surtout si ton ami Vinci est prêt à corroborer tes dires.

— Et tu m'accompagnerais ?

— Oui, acquiesça Erik.

Roo ne paraissait toujours pas convaincu.

— On va donc se retrouver de nouveau côte à côte sur la potence. Seulement, cette fois, il n'y aura pas de Bobby de Loungville pour nous relever et nous expliquer comment racheter nos crimes en servant la couronne. Alors, non merci. J'ai fait mon temps et on m'a pardonné mes crimes.

— Tiens-tu à revoir un jour cet argent que la couronne te doit ? demanda Erik.

— C'est mon vœu le plus cher.

— Dans ce cas, j'y réfléchirais à deux fois si j'étais toi, Roo. (Erik regarda autour de lui.) Ce n'est pas un endroit pour discuter. Viens au château ce soir et présente-toi à mes appartements. Je t'en dirai plus à ce moment-là.

— Au nom de notre amitié, je viendrai te voir, Erik, mais je refuse de prendre part à une nouvelle expédition de têtes brûlées.

Le bateau des contrebandiers longeait la côte en silence, restant aussi près que possible du rivage sans s'échouer sur les récifs qui bordaient le littoral entre Krondor et Ylith.

Roo et Erik s'étaient rendus à une demi-journée de marche de la côte, juste au-delà d'un poste de contrôle établi par Duko. Les cavaliers qui les avaient escortés jusque-là avaient ensuite remmené leurs chevaux au poste avancé d'Owen Greylock. Une voie de communication non officielle était déjà opérationnelle, et bien que très peu de personnes en dehors de l'entourage immédiat du prince soient au courant du revirement de Duko, il y avait des rumeurs de changement dans l'air.

Les agents du duc Arutha étaient d'ailleurs à l'origine de la plupart de ces rumeurs.

Celle que l'on prenait soin de faire circuler actuellement prétendait que le royaume ne pourrait lancer d'offensive cette année-là contre les envahisseurs en raison de la présence menaçante de Kesh sur leur flanc sud. De plus, ajoutait-on, le prince allait bientôt partir pour l'Est afin de se marier au palais royal de Rillanon. Il laisserait le commandement de l'Ouest aux mains d'Owen Greylock qui, disait-on, avait reçu l'ordre de ne pas bouger et de se défendre si nécessaire mais de ne surtout pas chercher à attaquer.

Roo était surpris par l'ampleur de cette supercherie. Erik lui avait expliqué que les agents d'Arutha étaient déjà à Krondor afin de préparer tranquillement la passation de pouvoir, en faisant le moins de bruit possible. Erik nourrissait le fervent espoir qu'au moment où les armées de l'Ouest seraient prêtes à se redéployer, non seulement elles prendraient l'ennemi par surprise, mais elles le trouveraient complètement endormi par les rumeurs et trop sûr de lui.

— Nous y sommes presque, chuchota un membre d'équipage. Tenez-vous prêts.

— Tu es sûr que c'est nécessaire ? demanda Roo.

— Absolument, répondit Erik.

Le capitaine donna l'ordre d'amener les voiles et d'apprêter un canot. Ni Erik ni Roo n'étaient des marins, mais Erik se sentait capable de gagner à la rame un petit village de pêcheurs sans attirer l'attention sur eux.

Le canot fut déposé à la mer et les deux hommes se laissèrent glisser le long d'un cordage pour prendre place à bord de l'esquif. Le temps qu'Erik sorte les rames, le capitaine des contrebandiers fit lever les voiles et dirigea à nouveau son navire vers des eaux plus profondes. Le courant suivait ici une trajectoire sud-est si bien qu'Erik fut obligé de souquer ferme pour garder son cap. Il avait décidé d'accoster dans un petit village de pêcheurs niché dans une crique juste au sud de Sarth.

— Ça va ? s'enquit Roo.

Erik tira fermement sur les rames et l'embarcation parut faire un bond en avant.

— Tout va bien, répondit-il.

Le son des brisants ne résonnait pas beaucoup, car la mer était relativement calme, mais les vagues n'en soulevaient pas moins le canot avant d'aller s'échouer sur la plage. Tandis qu'Erik continuait à ramer, l'embarcation se souleva comme si elle escaladait une colline, puis glissa un peu en arrière lorsque la vague se brisa juste devant les deux hommes.

Soudain, la proue du canot se mit à plonger. Roo jeta un coup d'œil par-dessus son épaule et ne vit que de l'eau.

— Erik ! s'exclama-t-il au moment où la vague venait s'écraser sur lui, le trempant instantanément jusqu'aux os.

L'embarcation tangua et commença à donner de la bande tandis qu'Erik s'efforçait de maintenir le cap sur la plage. Le canot pencha sur la gauche, puis se renversa brusquement, projetant ses occupants dans l'eau.

Roo remonta à la surface en recrachant de l'eau et s'aperçut, à sa grande irritation, que les vagues lui arrivaient seulement à la taille. Il regarda autour de lui et vit Erik se remettre debout à quelques mètres de là. Quant au canot, complètement renversé, la mer le repoussait peu à peu sur le sable.

Pataugeant pour rejoindre Erik, Roo était sur le point de faire un commentaire au sujet des talents de marin de son ami lorsqu'une lanterne apparut tout à coup à quelques mètres de là. Des hommes se tenaient au bord de l'eau, parfaitement visibles dans la lumière. Des torches furent allumées.

Bientôt, Erik et Roo virent qu'ils avaient affaire à une vingtaine d'individus, dont certains pointaient un arc ou une arbalète dans leur direction. Ils se tenaient sur un banc de sable sec tandis que l'on distinguait faiblement derrière eux les contours du village.

Roo se tourna vers Erik :

— Tout va bien, vraiment ?

Chapitre 11

DISPOSITIONS

Roo éternua.

Erik but un peu de café keshian bien chaud. Son ami et lui étaient assis à l'intérieur d'une grande hutte près de la plage, à se réchauffer devant un bon feu tandis que leurs vêtements séchaient, étendus sur un fil à linge en face de la cheminée en pierre rudimentaire.

Le chef des contrebandiers venus les accueillir sur la plage s'était excusé :

— Désolé de vous avoir fait peur, monsieur Avery. John nous a demandé de nous poster dans la crique pour être sûr que vous arriveriez à bon port.

Il possédait un physique quelconque, idéal pour son métier, car il était peu probable qu'un soldat ou un garde y regarde à deux fois. La seule chose qui différenciait cet homme et ses compagnons de travailleurs ordinaires, était l'arsenal qu'ils transportaient.

— Je regrette de ne pas avoir eu le temps de répondre à son petit mot, déplora Roo. Sinon, je vous aurais donné un lieu de rendez-vous précis.

— Dès que vos habits seront secs, nous partirons, reprit l'autre. (Il jeta un coup d'œil par la porte de la hutte.) Enfin, ils risquent d'être encore un peu humides, parce qu'il faudra quitter cet endroit avant le lever du soleil.

— Il y a des patrouilles ?

— Pas que je sache. Mais un barrage de contrôle a été établi sur la route par laquelle nous devons passer, et les gardes à qui on a graissé la patte sont relevés à l'aube. Vous remplacerez deux de mes hommes qui resteront ici. On a mis de côté quelques marchandises de notre dernière livraison, ainsi personne ne se doutera de rien. Mais il faudra se dépêcher de rentrer en ville avant que le jour se lève.

Erik hocha la tête. Roo examina les vêtements et déclara :

— Nous nous changerons en arrivant chez John. Il aura bien des vêtements secs à nous prêter.

Erik prit une nouvelle gorgée de café.

— On dirait du frais.

— Et comment. On l'a reçu hier par navire-courrier de Durban. Ça fait partie de la cargaison qu'on va devoir porter.

— Les navires keshians accostent par ici ?

— Et les bateaux marchands de Queg aussi, répondit le contrebandier. Les navires du royaume ne s'éloignent de Port-Vykor que pour aider les marchands de la Côte sauvage à entrer ou à sortir des passes des Ténèbres. (Il décrivit un grand geste du bras.) Fadawah possède encore quelques vaisseaux et les garde à l'abri près d'Ylith. Il n'y a donc personne pour empêcher les navires d'accoster sur ces plages. Par contre, il est difficile de faire entrer quoi que ce soit en ville si l'on n'a pas soudoyé les gardes des postes de contrôle. (Il désigna la porte.) J'ai des choses à faire.

Il fit signe aux autres contrebandiers, qui le suivirent, laissant Roo et Erik seuls.

— Je t'avais bien dit que Vinci recevrait ton message, déclara Erik.

— Tu avais plus confiance en mes agents que moi, répliqua Roo. On dirait, cependant, que c'était justifié.

— Il y a beaucoup en jeu, Roo, et nous avons autant besoin de tes contacts que des nôtres pour mener cette mission à bien.

— Mais qu'est-ce que le prince espère en faire, de cette vieille abbaye ? Si Fadawah a un peu de bon sens, elle doit être pleine à craquer de soldats prêts à descendre de la montagne pour empêcher toute attaque par la côte.

— C'est Arutha qui a un plan concernant l'abbaye.

Roo secoua la tête.

— Chaque fois que j'entends dire qu'un membre de la cour a un plan, je me rappelle que la plupart du temps que j'ai passé dans l'armée, je courais très vite pour essayer d'échapper à des gens qui s'efforçaient de nous tuer.

— C'est une façon de voir les choses, répondit Erik.

Ils parlèrent peu durant l'heure qui suivit, le temps que leurs vêtements soient suffisamment secs pour qu'ils puissent les remettre. Une heure avant l'aube, le chef des contrebandiers vint les trouver.

— Il faut y aller.

Roo et Erik s'habillèrent rapidement, leurs habits légèrement humides. Ils sortirent de la hutte, ramassèrent des ballots de marchandises et escaladèrent un chemin escarpé qui permettait de gravir le versant d'une petite falaise derrière le village. Les pêcheurs, de leur côté, descendaient vers la plage pour lancer leurs bateaux à la mer et passer la journée à exercer la même activité que leurs pères et grands-pères avant eux. Ils ne prêtèrent aucune attention aux contrebandiers de sorte que Roo en déduisit que les habitants de ce village recevaient une somme rondelette pour prétendre ne pas voir les bandits.

Ils escaladèrent les falaises jusqu'à atteindre le plateau qui les surmontait. Il s'agissait d'une vaste étendue d'herbe et de terre battue qu'ils traversèrent rapidement pour gagner la route. Ils remontèrent cette dernière au pas de course jusqu'à ce qu'ils arrivent en vue d'une barricade. Ce solide ouvrage en terre était renforcé de bois et de pierres et surmonté d'une impressionnante rangée de pieux en bois à pointe d'acier destinés à repousser une charge de cavalerie. Pour pouvoir passer, les contrebandiers durent emprunter le côté de la route, descendre dans une ravine peu profonde et faire ainsi le tour de la barricade avant de ressortir derrière l'ouvrage. Un chariot ou un homme à pied passait facilement, mais des assaillants venus de la route risquaient de se faire repousser jusqu'aux falaises le long du littoral, où une autre grande barricade avait été érigée, ou jusque dans les bois denses qui se dressaient à flanc de colline, infranchissables à moins d'être une chèvre ou un daim.

Tandis qu'ils passaient devant les gardes, le chef des contrebandiers s'arrêta, tendit une bourse et salua de la tête, sans prononcer un mot, un soldat qui resta tout aussi silencieux.

Puis ils laissèrent le barrage derrière eux et descendirent la route qui menait à Sarth.

La porte du fond de la réserve se referma sur le dernier contrebandier. La pièce se situait sur l'arrière du magasin de John Vinci, qui logeait au premier étage. Une seule lanterne illuminait la pièce, remplie de petits cartons et de ballots de marchandises qu'il vendait dans son magasin : tissu, aiguilles, fil à coudre, ustensiles en fer comme des marmites, des pots et des poêles, cordages, outils et autres articles de première nécessité pour les habitants de Sarth et des environs.

— Mauvaises nouvelles, Roo, annonça brutalement Vinci.

— Qu'y a-t-il ?

— Messire Vasarius a des agents en ville.

— Mince, fit Rupert. Vous croyez qu'ils pourraient me reconnaître, qu'ils m'ont vu pendant que j'étais en visite à Queg ?

— Sûrement. Vous devez vous montrer très discret. Vous pouvez rester ici, dans le petit atelier au fond de la cour. Personne ne l'utilise en ce moment. Les hommes de Vasarius doivent rentrer à Queg d'ici la fin de la semaine. Dès qu'ils seront partis, vous serez libre d'aller et venir à votre guise.

John Vinci était le fils d'un esclave qui s'était échappé d'une galère quegane et avait réussi à atteindre le royaume. Il parlait la langue de cette nation insulaire comme s'il y était né et commerçait avec les contrebandiers et les capitaines désireux d'éviter les officiers des douanes du royaume.

Il avait attiré l'attention de Roo en lui présentant un collier de très grande valeur que Roo avait fini par utiliser pour entrer dans les bonnes grâces du seigneur Vasarius. Il avait ensuite négocié plusieurs accords profitables avec le noble quegan et en avait profité pour répandre la rumeur de l'arrivée d'une flotte de navires remplis d'or. Cette rumeur avait poussé les aristocrates qui dirigeaient l'île à envoyer leurs vaisseaux de guerre attaquer la flotte de la reine Émeraude à l'embouchure des passes des Ténèbres, lors du précédent solstice d'été. Les plus puissants seigneurs de Queg avaient vu l'immense majorité de leurs navires coulés par le fond, ce qui représentait la plus cuisante défaite navale de toute leur histoire.

La plupart savaient que Rupert Avery de Krondor était d'une certaine manière impliqué dans cette histoire car, même si rien ne permettait de prouver qu'il était à l'origine de l'affaire, tout le monde racontait que les rumeurs avaient été répandues par des marins servant à bord de ses navires ou par des hommes qui travaillaient pour ses agents. Sans qu'on le lui dise, Roo savait qu'il était *persona non grata* à Queg et que sa vie se compterait en heures, voire en minutes, s'il s'aventurait hors de la protection du royaume. Même à l'intérieur de son pays, il lui faudrait toujours se méfier à l'avenir d'assassins payés avec de l'or quegan.

Roo regarda John.

— Je peux me cacher jusqu'à notre départ, si nécessaire. Mais Erik a besoin de sortir. Pouvez-vous lui fournir une couverture crédible ?

John prit un air dubitatif.

— Je ne sais pas. Peut-être… Il y a beaucoup d'étrangers à Sarth. S'il pouvait se faire passer pour un mercenaire originaire de Kesh ou de Queg, ça ne poserait aucun problème. En revanche, les soldats de Nordan connaissent tous les habitants du royaume autorisés à porter une arme.

— Je n'ai pas besoin d'être armé, répliqua Erik. Je pourrais me faire passer pour l'un de vos ouvriers…

Vinci secoua la tête.

— Je n'emploie de gens qu'à titre temporaire, Erik. Les choses tournent au ralenti en ce moment à cause de l'occupation. Laissez-moi y réfléchir, ajouta-t-il. Vous n'avez qu'à vous détendre et dormir un peu. J'enverrai l'un de mes enfants vous apporter de quoi manger dans un moment. Peut-être que d'ici demain matin, j'aurai trouvé une bonne raison de me balader en ville avec quelqu'un d'aussi visible qu'Erik.

— Vous n'avez qu'à acheter quelque chose, suggéra Roo.

John haussa les sourcils.

— Pardon ?

— Oui, achetez quelque chose, n'importe quoi, un bâtiment, un commerce, une maison, pourvu que ça se situe à l'autre bout de la ville et vous permette de faire des allées et venues. Faites d'Erik un… ouvrier du bâtiment, quelqu'un que vous allez payer pour entreprendre des réparations.

— Je connais plusieurs commerces abandonnés ou à vendre, admit Vinci.

— Bien, faites savoir que vous saisissez l'occasion de faire des bénéfices et que vous êtes prêt à acheter ce qu'on voudra bien vous vendre.

— Et comment, tant qu'on y est, suis-je censé payer ?

— Si vous devez réellement acheter quelque chose, John, vous le paierez, comme toujours, avec mon or.

Vinci eut un large sourire.

— Et je vous le rends d'habitude avec un joli bénéfice.

— C'est vrai, reconnut Roo en lui rendant son sourire. C'est pour ça que vous vous débrouillez si bien.

John ouvrit la porte qui donnait sur la partie principale de son magasin et l'escalier qui conduisait à l'appartement au-dessus.

— Vous aurez bientôt à manger. Quand vous aurez fini, sortez par la porte de derrière et allez dans l'atelier au fond de la cour. Vous pourrez y dormir un peu.

Erik se tourna vers Roo dès que la porte se referma.

— Un ouvrier du bâtiment ?

— Tu n'as qu'à ramasser des planches, les regarder et les rejeter en grognant. Prends du parchemin ou du papier et gribouille des trucs dessus. Regarde partout autour de toi. Si un soldat commence à te parler de menuiserie, hoche la tête pour montrer que tu es d'accord.

Erik se renversa sur sa chaise, qu'il mit en équilibre sur deux pieds, et posa sa tête contre le mur.

— Eh bien, je n'ai pas de meilleur plan à proposer. J'espère que la suite de nos projets se déroulera mieux à la Lande Noire qu'ici.

— C'est hors de question ! s'exclama Jimmy.

— Ce n'est pas sujet à discussion ! décréta Arutha.

Dash s'interposa entre son père et son frère.

— Calmez-vous, tous les deux !

— Mes ordres ne sont pas soumis à ton approbation, James ! rappela Arutha.

— Mais vous, conduisant une attaque… c'est grotesque ! protesta Jimmy.

Nakor et le père Dominic observaient l'échange en silence, non loin de là.

— Je suis le seul ici à me souvenir de l'histoire que racontait mon père au sujet de l'entrée secrète de l'abbaye de Sarth, répéta Arutha. Je ne me rappelle pas tous les détails, mais j'ai la quasi-certitude que ça me reviendra quand je serai au pied du mont et que j'en ferai le tour.

Jimmy se tourna vers le père Dominic.

— Et vous, vous ne la connaissez pas, cette entrée ?

— Si, je sais où se trouve la porte, dans le second sous-sol de la bibliothèque abandonnée, menant à un tunnel qui permet de ressortir des collines. Mais je ne sais pas si je pourrai retrouver l'entrée depuis l'extérieur. Voilà vingt ans que je ne suis plus descendu au pied du mont.

Jimmy était sur le point d'ajouter quelque chose lorsque Dash intervint :

— Qu'est-ce que vous voulez que nous fassions ?

— J'ai besoin d'hommes à Krondor pour superviser le remplacement des troupes de Nordan par les nôtres, répondit Arutha. Quand la Lande Noire et Avery rentreront de Sarth, je veux pouvoir attaquer avant que Nordan se doute de quelque chose.

— C'est pour ça que Greylock a déjà établi une position avancée et qu'il s'y trouve pour préparer nos soldats, devina Jimmy.

— Exactement, répondit son père. Je vous donnerai tous les détails avant votre départ, mais vous devrez avoir pris la route de l'ouest avant demain midi.

— Je n'aime pas ce dernier petit détail, commenta Jimmy.

Nakor sourit.

— Ne t'inquiète pas, tu nous l'as bien fait comprendre.

— Viens, dit Dash à son frère. On doit préparer nos affaires.

Au moment où les garçons s'apprêtaient à franchir le seuil du bureau de leur père, ce dernier les rappela :

— Jimmy, Dash…

Ils s'arrêtèrent sur le pas de la porte.

— Oui ? fit Dash.

— Je vous aime, tous les deux.

Jimmy hésita un instant, puis revint sur ses pas et serra son père dans ses bras.

210

— Ne tentez rien de stupide et d'héroïque, chuchota-t-il.

— N'est-ce pas moi qui suis censé dire ça ? rétorqua Arutha.

Dash étreignit son père à son tour en disant :

— Vous savez que ça ne servirait à rien.

— Évitez de vous faire tuer, tous les deux, murmura le duc.

— Vous aussi, père, répliqua Jimmy.

Les deux frères sortirent de la pièce. Arutha se tourna vers Dominic.

— Qu'est-ce que le temple d'Ishap a à nous dire, mon père ?

Dominic, qui avait atteint l'âge vénérable de quatre-vingts ans mais n'en paraissait plus de vingt-cinq grâce à la magie régénératrice de la Pierre de Vie, répondit :

— Beaucoup de choses, messire duc. Puis-je m'asseoir ?

Arutha fit signe à ses visiteurs qu'ils pouvaient s'asseoir tous les deux.

— Il m'a fallu beaucoup de persuasion, mais je suis la preuve vivante de ce que j'avance, reprit Dominic. De plus, je me suis élevé au plus haut de la hiérarchie du temple dans l'Ouest, c'est pourquoi mes paroles ne manquent pas de poids.

— Sans oublier que vous les avez avertis à temps pour sauver la bibliothèque de Sarth.

— Pour être honnête, cet avertissement n'était pas entièrement providentiel.

— Que voulez-vous dire ? s'étonna Arutha.

— Je ne crois pas violer un secret en vous apprenant que c'est votre grand-père qui nous a conseillé de nous tenir prêts à déplacer le contenu de la bibliothèque dès que certaines choses se produiraient.

— Vraiment ? fit le duc.

Une expression perplexe passa sur le visage de Dominic.

— Mais ce que je trouve étrange, c'est que, quand il est venu me chercher à Sarth pour m'emmener à Sethanon, juste avant notre combat contre le démon, il semblait ne plus se rappeler m'avoir envoyé cet avertissement.

— Peut-être qu'il ne l'a pas fait, intervint Nakor.

— Comment ? s'étonna Arutha.

— Peut-être parce qu'il n'en avait pas encore eu la possibilité.

— Vous pensez à un voyage dans le temps ? demanda Dominic.

Nakor haussa les épaules.

— C'est possible. Il l'a déjà fait.

Arutha acquiesça.

— Oui, c'est possible. J'ai l'impression qu'il y a bien plus en jeu que ce que grand-père ou vous avez bien voulu me dire.

— C'est vrai, reconnut Nakor. Mais c'est pour votre bien.

Arutha se mit à rire.

— Vous parlez comme moi quand je m'adresse à mes enfants. (Il se tourna de nouveau vers Dominic.) Le temple d'Ishap soutient donc les efforts de Nakor ?

— Oui, même s'ils émettent quelques réserves quant au résultat final. Cependant, ils en comprennent la nécessité.

— Moi aussi, je doute, rétorqua Nakor, mais ça ne m'a pas empêché de fonder le temple d'Arch-Indar.

— Vous êtes un homme extrêmement surprenant, commenta Arutha. Rappelez-moi quelle est la mission de votre ordre, exactement ?

— Ramener la déesse du Bien à la vie, comme je vous l'ai déjà dit.

— Oui, vous êtes vraiment étonnant, conclut Arutha sèchement.

— C'est vrai, n'est-ce pas ? admit Nakor. Mais je crois que mon petit temple ne sera pas ce qu'il devrait être tant que nous n'aurons pas trouvé la personne qui doit le diriger.

— Je croyais que c'était vous, le grand-prêtre d'Arch-Indar ? protesta le duc.

— Seulement jusqu'à ce que le vrai fasse son apparition. Alors, je pourrai reprendre ce que je fais de mieux : voyager et apprendre de nouvelles choses.

— Bon, et en attendant l'arrivée de cette personne, qu'allez-vous faire ?

— Exécuter mes tours, raconter des histoires, et donner à manger aux gens pour qu'ils entendent le message de la Dame.

— En premier lieu vient la foi, expliqua Dominic. Quand les gens commenceront à comprendre qu'Arch-Indar répand le bien, ils entreprendront la tâche de la ramener parmi nous, ce qui demandera du temps et de la patience.

— Je ne prétends pas comprendre tout ce qui a trait à la politique des temples, avoua le duc. J'ai lu les notes laissées par mon père et le prince Arutha et j'ai la nette impression qu'ils étaient au courant de secrets qu'on ne m'a pas transmis.

Dominic ne fit aucun commentaire.

— Très bien, soupira Arutha, je veux bien croire que rien de tout cela ne représente une menace pour le royaume, qu'il est de mon devoir de protéger. De plus, il me semble que répandre la doctrine du bien ne peut faire de mal à personne.

Nakor secoua la tête.

— Si seulement c'était vrai. Des gens ont été mis à mort pour avoir prêché le bien.

— Eh bien, cela n'arrivera pas dans l'Ouest tant que je serai duc de Krondor. (Il se tourna vers Dominic.) Si j'arrive à retrouver cette porte secrète, pourrez-vous nous faire entrer dans l'abbaye ?

— Oui. L'entrée est fermée de l'intérieur. Mais un mécanisme secret permet de l'ouvrir depuis l'extérieur. C'est votre père qui l'a découvert.

Arutha sourit.

— Il a toujours prétendu être le meilleur voleur qu'ait jamais connu Krondor.

— Que ce soit dû à son talent ou à la chance, ça je ne sais pas, avoua Dominic. En tout cas, il a identifié le mécanisme, désarmé un piège et ouvert la porte. L'un de nos frères a bien failli avoir une attaque quand votre père a surgi à l'intérieur de notre bibliothèque.

— La question est de savoir combien d'hommes emmener avec nous, reprit Arutha.

— Je ne connais pas grand-chose à l'art de la guerre, admit Dominic. Mais vous devez emmener avec vous une compagnie suffisamment petite pour que l'on ne se fasse pas repérer à l'approche du mont, mais suffisamment importante pour pouvoir nous emparer de l'abbaye.

— Pouvez-vous me dessiner un plan de l'endroit ?

— J'ai vécu cinquante ans dans cette abbaye, duc Arutha, je peux vous en montrer tous les détails jusqu'au moindre placard.

— Tant mieux. Je vous enverrai quelqu'un demain matin. Si vous pouviez avoir terminé ces plans d'ici à la fin de la semaine, je vous en serais reconnaissant. Si nous voulons nous emparer de l'abbaye au moment où Owen attaquera Sarth depuis la côte, nous devrons d'ici là nous trouver sur la piste qui longe les crêtes du Cauchemar.

Dominic s'inclina.

— Je me tiens à votre disposition. À présent, si quelqu'un voulait bien me montrer ma chambre ? Le voyage a été long depuis Rillanon.

Arutha agita une clochette. Aussitôt, un page ouvrit la porte du bureau.

— Conduisez le père Dominic à mes appartements et apportez-lui ce dont il a besoin.

— Vos appartements ? Mais, et vous ? s'étonna l'Ishapien.

— Je n'en aurai pas l'utilité ce soir, j'en ai bien peur. J'ai beaucoup de choses à faire avant demain matin. Je ferai peut-être une sieste après l'audience de ce matin.

Dominic acquiesça et s'inclina de nouveau avant de sortir de la pièce derrière le page.

— Au moins, vous avez eu le bon sens de mettre un tapis de sol derrière votre bureau, au cas où vous auriez besoin de dormir un peu, fit remarquer Nakor.

Arutha sourit.

— Rien ne vous échappe, on dirait.

— Je suis joueur, vous vous rappelez ? Si je rate ne serait-ce qu'un détail, je risque de me retrouver ruiné – ou de mourir.

— Vous nous accompagnez ?

— Non, répondit l'Isalani. Ça a l'air intéressant mais je crois qu'il faut que je reste ici. Dominic nous a rapporté un très beau cadeau de la part des Ishapiens. Ils vont partager avec nous le pouvoir qui leur vient de la Larme des Dieux. Dès que nous aurons trouvé le véritable grand-prêtre de notre ordre, nous l'enverrons à Rillanon où il sera investi de ce pouvoir.

» Celui-ci permettra de transformer mon petit entrepôt en véritable temple, où les prières seront exaucées et des miracles seront accomplis. Les gens apprendront ce qu'est le bien et aideront à ramener notre Dame parmi nous.

— C'est une entreprise louable. (Arutha se leva.) Si vous voulez bien m'excuser, Nakor, j'ai du travail. Si vous avez besoin de quoi que ce soit pour votre temple et si je peux vous aider à l'obtenir, n'hésitez pas à venir me trouver avant mon départ, je ferai de mon mieux.

— Merci. (Nakor se dirigea vers la porte.) Tâchez de rentrer sain et sauf. Un nouveau duc pourrait bien se montrer moins généreux avec moi.

Arutha éclata de rire en lui ouvrant la porte du bureau.

— Je serais désolé que ma mort vous incommode, mais je crois qu'elle m'incommoderait encore plus.

— C'est bien vrai. Vous voyez, si vous survivez à cette mission, nous en bénéficierons tous les deux.

Arutha redoubla d'hilarité en refermant la porte derrière Nakor. Riant toujours, il alla se rasseoir derrière son bureau et contempla la montagne de papiers qui l'attendait. Son sourire disparut lorsqu'il prit le premier rapport qu'il devait lire et qu'il le reposa, après l'avoir parcouru en diagonale, sur la pile de papiers dont il lui faudrait parler le lendemain avec son secrétaire.

Avec un soupir, il s'empara du deuxième rapport.

— Jimmy ! s'écria Francie au moment où le jeune homme s'engageait dans le couloir.

Il se retourna et la vit arriver en courant vers lui.

— Bonjour, lui dit-il froidement.

La jeune fille glissa son bras sous le sien en disant :

— Ça fait un moment qu'on ne s'est pas vus. Ton père t'aurait-il envoyé en mission ?

— Non. Je travaille ici, mais j'ai très peu de temps à moi.

Tout doucement, très gentiment, il dégagea son bras.

— Jimmy, qu'est-ce qui ne va pas ? protesta Francie.

Le jeune homme sentit le rouge lui monter aux joues et se surprit à avoir la gorge nouée par l'émotion.

— Ce qui ne va pas, c'est qu'il n'est pas convenable que je fasse preuve d'une trop grande familiarité envers la future reine des Isles.

Francie rougit à son tour et baissa les yeux pour contempler les dalles de pierre.

— J'aurais dû me douter que ton père t'en parlerait.

— Et pourquoi est-ce que toi, tu ne m'en as pas parlé ?

Elle leva vers lui des yeux bordés de larmes.

— Je ne sais pas. Je ne savais pas... comment tu le prendrais. Avant mon arrivée à la Lande Noire, je croyais savoir ce que j'éprouvais pour toi... ce que je pensais de nous. Et puis je t'ai revu, et ces dîners que nous avons partagés, ces promenades que nous avons faites... Je ne sais plus. Ce n'est plus comme quand nous étions enfants.

— C'est parce que nous ne sommes plus des enfants.

Elle le regarda dans les yeux puis, impulsivement, se pencha en avant et l'embrassa sur la joue.

— Tu as toujours été mon meilleur ami, Jimmy. Je t'aime plus que tous les autres garçons que je connais. Je veux que tu sois heureux pour moi.

Jimmy rougit plus violemment encore.

— Tu veux que je me réjouisse du fait que tu vas être reine ou que tu vas épouser cet idiot de Patrick ?

— Ne le prends pas comme ça, protesta doucement Francie. Papa m'a dit que quelqu'un doit contrôler Patrick, et c'est pour cela qu'il veut que je sois une reine forte. C'est aussi l'une des raisons pour lesquelles le roi veut me voir épouser son fils.

— Écoute, je ne sais pas quoi te dire, reconnut Jimmy. Je sais seulement que ce que nous, nous voulons, n'a aucune importance. Tu vas épouser Patrick, j'épouserai la femme que mon père aura choisie pour moi et ce sera la fin de l'histoire. Il ne peut en être autrement.

Elle lui pressa la main.

— Tu seras mon ami ?

Il acquiesça.

— Toujours, Francie.

Une larme se forma sous l'une des paupières de la jeune femme et roula sur sa joue.

— J'aurai besoin d'amis comme toi quand je serai reine à Rillanon.

Jimmy sentit ses propres sentiments remonter à la surface et dit :

— C'est juste que...

— Que quoi ?

215

— Nous ne saurons jamais ce que nous aurions pu être, tu vois ? expliqua-t-il doucement.

Elle hocha la tête.

— Je vois. Mais ce choix n'a jamais été le nôtre. Nous ne pouvons laisser nos sentiments nous distraire de notre devoir. (Elle le regarda au fond des yeux pendant quelques instants avant d'ajouter :) J'aimerai toujours ce garçon qui jouait avec moi dans le palais de Rillanon et qui riait quand je frappais son petit frère. Je chérirai toujours les moments que nous avons passés ensemble cachés dans des endroits où nous n'étions pas censés aller. Je ne te pardonnerai jamais, ton frère et toi, d'être des garçons et d'avoir pu faire des choses de garçon alors que je devais apprendre à être une dame. (Elle soupira.) Mais je ne pourrai jamais tomber amoureuse, mon cher Jimmy, et toi non plus. Ne pleure pas quelque chose qui n'a jamais été. Contente-toi d'être mon ami.

Sur ce, elle lui lâcha la main et s'éloigna en hâte dans le couloir.

Jimmy resta immobile de longues minutes, puis tourna les talons et s'en alla à son tour, d'un pas lent.

Dash fit un signe. Jimmy se retourna et agita la main. Ils se trouvaient à une centaine de mètres devant la première colonne de soldats se dirigeant vers Krondor. Une délégation envoyée par Duko se trouvait à un kilomètre et demi de la cité. Jimmy voulait que la colonne attende jusqu'à ce que l'échange de documents qui devait avoir lieu soit terminé.

Jimmy talonna son cheval et avança jusqu'à un endroit situé devant l'homme qui, de toute évidence, commandait cette délégation.

— Je suis le baron James, de la cour du prince, déclara-t-il après avoir salué celui qu'il reconnut comme étant l'un des capitaines de Duko. Comment allez-vous, capitaine Boyse ? ajouta-t-il en se souvenant brusquement de son nom.

Le capitaine, un homme musclé qui portait la barbe et les cheveux longs, hocha la tête.

— Je vais bien, baron James.

Jimmy plongea la main à l'intérieur de sa cape, sous laquelle était cousue une pochette, et tira sur le fil qui fermait cette pochette, défaisant la couture. Il sortit ensuite la liasse de documents qu'elle contenait et la tendit à Boyse.

— Voici les derniers papiers que le prince envoie au nouveau duc de Sutherland. Ils confirment son accession à ce titre – la cérémonie officielle aura lieu quand Patrick reviendra à Krondor. Ces documents contiennent également plusieurs ordres et des instructions, mais ils ne font que confirmer ce que le duc sait déjà.

Le capitaine Boyse se frotta le menton.

— Vous savez, quand Duko – je veux dire, le duc – m'a parlé de cet accord pour la première fois, j'aurais parié ma propre vie que cela n'arriverait jamais. (Il haussa les épaules.) Qu'est-ce que j'en savais, après tout ? (Il tendit le bras en direction du sud-ouest.) Une troupe de cinq cents hommes, moitié infanterie, moitié cavalerie, se dirige déjà vers Finisterre. Nous occuperons cette forteresse d'ici à la fin de la semaine. (Il sourit.) J'ai cru comprendre qu'il faudrait peut-être déloger quelques Keshians qui se seraient aventurés hors du désert ?

Jimmy acquiesça.

— Des bandits, pour la plupart.

— Vous avez amené la relève ?

— Oui, elle arrive.

— Bien. (Boyse tendit les documents à l'un de ses lieutenants avant d'ajouter :) Je suis ravi de pouvoir enfin quitter la caserne et aller me bagarrer un peu sur la frontière. Certains, parmi mes hommes, habitaient en ville quand on était sur Novindus. C'étaient des charpentiers, des maçons, des pêcheurs. Mais moi, j'ai toujours été soldat. (Il regarda autour de lui comme s'il pouvait voir au-delà de l'horizon.) Duko est quelqu'un qui réfléchit beaucoup. Il n'arrête pas de parler de votre nation. Il nous dit que ce nouveau changement de loyauté est une bonne chose. (Il regarda Jimmy.) Moi, je n'y connais rien, à ces choses-là. Je suis entraîné pour me battre et tuer, et mourir si nécessaire. Mais je fais confiance à Duko. Il a été mon capitaine pendant plus de la moitié de ma vie et pourtant il n'était guère plus qu'un gamin lui-même quand il m'a engagé. Donc, si Duko dit qu'à partir de maintenant, on sert votre prince et on se bat pour cette nation dont on a essayé de s'emparer l'année dernière, je ne cherche pas à comprendre et je fais ce que Duko m'ordonne, parce qu'il est mon général.

Jimmy hocha la tête.

— Je comprends. C'est pour cette raison qu'il continue à être votre général. (Jimmy sourit.) Peut-être qu'un jour il aura un fils, qui grandira et deviendra votre général lui aussi.

Boyse se mit à rire.

— Ça serait quelque chose, ça, pas vrai, baron James ? (Il fit faire demi-tour à son cheval.) Appelez vos hommes, que l'on puisse entrer dans Krondor tous ensemble.

Jimmy agita la main. Dash s'avança et la colonne de soldats s'ébranla derrière lui. Lorsqu'ils eurent formé les rangs avec Boyse et ses compagnons, ils se remirent en marche. Pour la première fois depuis presque un an, les agents du prince de Krondor allaient prendre possession de la cité en son nom.

Dash remontait la rue en courant, passant entre les ouvriers et les marchands ambulants. La vie reprenait peu à peu son cours à Krondor, et les deux frères devaient faire face à d'innombrables tâches. Parmi les mercenaires qui campaient auparavant au pied des murailles, plusieurs centaines s'étaient vu offrir un emploi et avaient été envoyés au sud, sur la frontière. D'autres avaient été recrutés pour escorter les caravanes et remplir les casernes entre la Lande Noire et Shamata en remplacement des soldats que l'on envoyait au front.

Ouvriers, commerçants et quelques membres de la petite noblesse étaient revenus en ville au cours des deux dernières semaines. Deux estafettes envoyées par Fadawah avaient été interceptées et des courriers rassurants renvoyés par d'autres messagers, des soldats loyaux envers Duko et à qui on pouvait faire confiance : ils ne rapporteraient que ce que Duko voulait faire savoir à Fadawah et Nordan.

Dash estimait qu'il ne leur restait plus que deux ou trois semaines avant que Fadawah et Nordan comprennent que Duko avait changé de camp. On avait largement fait circuler l'histoire selon laquelle un grand mariage à Rillanon allait tenir le prince à l'écart de l'Ouest une année supplémentaire. On prétendait également que l'agitation qui régnait à la frontière keshiane empêcherait le royaume de reprendre Krondor. Dans son dernier rapport à Fadawah, Duko indiquait qu'un agent keshian avait cherché à prendre contact au sujet d'un possible traité avec « le roi de la Triste Mer ». Duko espérait que cela renforcerait la présomption de Fadawah pendant quelque temps encore.

Dash tourna au coin d'une rue. Il se dirigeait vers une partie de la cité qui avait été complètement incendiée mais ne figurait pas en tête de liste des quartiers à reconstruire. Le message que le jeune homme avait reçu était clair et concis. Il ne portait aucune signature, mais Dash n'éprouvait aucun doute quant à l'identité de son auteur.

Dash s'inquiétait de la présence d'agents keshians en ville. Le remplacement des soldats de Duko par ceux du prince s'effectuait lentement, au fur et à mesure. En effet, il s'agissait de suivre un processus complexe : envoyer les patrouilles de Duko à des endroits choisis à l'avance, puis faire échanger leurs vêtements et leur place avec les soldats du royaume. En apparence, environ une demi-douzaine de patrouilles sortait de Krondor dans la journée pour revenir quelques heures plus tard. Ce qui était moins visible, en revanche, c'était qu'il ne s'agissait pas des mêmes hommes. Un simple observateur n'y voyait que du feu. Certains des hommes de Duko n'étaient restés en place que dans deux postes de contrôle établis au sud de Sarth – la position de Nordan. Jusque-là, tout s'était déroulé sans la moindre erreur.

Dash atteignit l'endroit qu'on lui avait indiqué et entra dans le squelette noirci d'une taverne incendiée. Dès qu'il eut franchi le seuil, une voix s'éleva dans la pénombre :

— Tu es venu seul, le Chiot ?

L'expression sur le visage de Dash fit savoir à Trina ce qu'il pensait du surnom qu'elle lui avait donné.

— Je suis seul.

Elle pencha la tête de côté, indiquant la porte qui donnait sur l'arrière-salle. Dash s'y rendit et la porte s'ouvrit. John Turpin se tenait sur le seuil.

— Ton épée, demanda-t-il.

Dash sortit son épée de son fourreau et la tendit au Moqueur.

— C'est par là, ajouta Turpin en désignant une autre porte.

Dash avança encore. Comme la porte en question ne s'ouvrait pas, il fit jouer le loquet. À l'intérieur de la pièce, il découvrit le Juste, assis à une table, une cruche d'eau à moitié pleine à portée de la main.

— Mon neveu, dit-il d'un air pince-sans-rire.

Sa voix était aussi rocailleuse que dans le souvenir de Dash.

— Mon oncle, répondit le jeune homme sur le même ton.

— As-tu des nouvelles pour moi ?

Dash soupira et prit la deuxième chaise sans attendre qu'on le lui propose.

— Comme vous avez pu le voir, nous n'avons pas eu besoin de votre aide pour reprendre la cité. Duko nous l'a cédée de son plein gré.

— Mais pour un prix élevé, à ce qu'il paraît, gloussa Lysle Rigger.

— Il y aura une amnistie générale.

Le vieil homme dévisagea son petit-neveu.

— J'ai comme l'impression qu'il y a un « mais ».

— Elle ne s'appliquera qu'aux personnes ayant combattu le royaume et qui jureront allégeance à la couronne. Cependant, elle s'étendra aussi à tous ceux qui s'engageront dans l'armée.

— Mais pas à des voleurs insignifiants comme les Moqueurs.

— Sauf si vous rejoignez l'armée, conclut Dash. J'ai essayé, pourtant. Mon père et ses juges n'ont pas de temps à perdre à statuer sur des crimes commis avant la guerre. (Il haussa les épaules.) Le fait est que tous les gens susceptibles de porter plainte ne vivent plus ici. Quand les marchands reviendront, qui pourra dire ce qui a été volé avant la guerre et ce qui a été pillé ou perdu durant la mise à sac de la cité ?

Lysle gloussa de nouveau.

— C'est vrai, oui, bien vrai. Cependant, certains de nos frères sont déjà condamnés à mort et sont connus des agents de la police de ton père.

Dash laissa échapper un long soupir.

— Je sais, mais s'ils acceptent de servir la couronne, on leur pardonnera leurs crimes.

— Je suis un peu vieux pour m'engager, tu ne crois pas ? demanda le Juste.

— Je ne pense pas que quiconque, en dehors de mon frère, de mon père et de moi, sache qui vous êtes. Et même si je suis certain qu'il y a tout un tas de raisons pour lesquelles on voudrait vous pendre, pourquoi s'en donner la peine ? (Il dévisagea son grand-oncle.) Si grand-père ne voulait pas que l'on vous arrête, pourquoi le voudrions-nous ?

— Ton grand-père avait besoin de moi vivant afin de contrôler les Moqueurs, expliqua Lysle. Il risque de s'écouler un moment avant que notre organisation soit suffisamment efficace pour qu'il y ait besoin de la contrôler à nouveau. (Il poussa un long soupir fatigué.) Je ne serai certainement plus là pour le voir. Et je sais pas si le prochain Juste – ou quel que soit le nom qu'il se donne – aura envie de passer un accord avec la couronne. (Il pointa son index sur Dash.) Toi et ton père, vous êtes intelligents, mais quand je ne serai plus là, vous ne serez plus capables d'exiger des Moqueurs ce que ton grand-père exigeait de moi.

— Je sais. Si vous n'avez rien d'autre à me dire, j'ai beaucoup à faire.

Le Juste le congédia d'un geste de la main.

— J'en ai fini avec toi, Dashel Jameson. À dater de ce jour, nous redevenons les Moqueurs et toi l'agent du prince. Si tu t'aventures de nouveau dans le quartier pauvre après la tombée de la nuit, tu courras le même danger que n'importe qui d'autre.

— Je comprends. (Dash se dirigea vers la porte, puis s'arrêta et ajouta :) Mais si je peux faire quelque chose pour vous sans compromettre mon serment envers la couronne, envoyez-moi un message, d'accord ?

Le vieil homme se mit à rire.

— J'y réfléchirai. À présent va-t'en.

Dash revint dans la première pièce et s'aperçut que John Turpin était parti. Il avait laissé l'épée du jeune homme suspendue à l'extrémité d'une poutre noircie. Dash la récupéra et sortit. Comme il s'y attendait, Trina ne se trouvait plus dans cette partie du bâtiment. Dash sortit des ruines de l'auberge et s'éloigna. Mais il s'arrêta quelques instants pour essayer de se rappeler le nom de l'auberge en question. Puis cela lui revint. Il s'agissait du *Perroquet bigarré*, qui appartenait autrefois à un ami de son grand-père, un dénommé Lucas. Plongé dans les souvenirs des vieilles histoires du duc James, Dash faillit ne pas entendre les bruits de pas derrière lui.

Il fit volte-face et dégaina son épée avant même que l'homme arrive à moins de dix pas de lui. L'individu, maigre et sale, était vêtu tel un chiffonnier. Il s'immobilisa puis recula en levant les mains, avant de tourner les talons et de s'enfuir en courant.

Dash remit son épée au fourreau et songea que cela prendrait du temps avant que Krondor redevienne ce qu'elle avait été. Tandis qu'il s'apprêtait à regagner le palais, il se dit que le quartier pauvre était sans doute plus sûr à présent qu'il ne l'avait été avant la guerre.

En arrivant au palais, Dash fut à nouveau stupéfait par l'ampleur des travaux qui s'y déroulaient. Il devait bien y avoir une centaine de maçons à l'œuvre, dont la plupart avaient servi dans l'armée de Duko avant la guerre. Cependant, les réparations progressaient. D'autres ouvriers nettoyaient la suie qui maculait les murs, débarrassaient les débris et les saletés et allaient même jusqu'à suspendre des tapisseries et autres objets de décoration dans les grandes salles du rez-de-chaussée. En entrant dans le hall, Dash vit Jimmy accourir vers lui.

— Ah, te voilà !

— Qu'est-ce qui se passe ?

— On a des ennuis, expliqua Jimmy en se dirigeant avec son frère vers les appartements privés du prince, qu'occupait Duko pour le moment.

— Fadawah a découvert ce qu'on mijote ?

— Pire que ça.

— Je t'écoute, fit Dash.

— Une compagnie keshiane s'est emparée de Finisterre.

— Oh, par tous les dieux !

— Comme tu dis, approuva Jimmy. (Au détour du couloir, il s'engagea dans l'escalier qui menait au bureau de Duko.) Et nous ne cessons de recevoir des rapports. On dirait que Kesh a décidé de soutenir sa demande de concessions de terres par une petite démonstration de force.

— Exactement ce dont on avait besoin, commenta Dash.

Jimmy s'avança jusqu'à la porte du bureau, frappa un coup et ouvrit sans attendre qu'on l'y invite. Un secrétaire, qui portait une grosse liasse de papiers, s'écarta d'un bond, averti par le coup qu'avait frappé le jeune homme.

Les deux frères entrèrent dans la pièce et y trouvèrent une demi-douzaine de secrétaires rédigeant des ordres ou des missives. Ils se frayèrent un chemin entre ces fonctionnaires de la cour et entrèrent dans le bureau privé de Duko. Dash fut de nouveau frappé par la différence entre cette pièce lorsqu'elle était occupée par le prince et la même pièce avec Duko assis derrière le bureau. Auparavant, c'était le centre administratif du royaume de l'Ouest, à présent, il s'agissait du quartier général d'une organisation militaire.

Dash et Jimmy connaissaient la plupart des capitaines de Duko et tous les officiers du royaume qui servaient sous ses ordres. Wendell, un officier autrefois cantonné à la combe aux Faucons et désormais capitaine du régiment de cavalerie de Krondor, était occupé à examiner une carte.

— Je peux envoyer quatre cents hommes à cet endroit d'ici deux jours, Votre Grâce.

Certains des capitaines de Duko échangèrent un regard car ils rencontraient encore quelques problèmes avec le protocole de la cour et trouvaient ce titre bizarrement troublant.

Duko regarda Jimmy et Dash.

— Ah, vous tombez bien, vous deux. Cette région vous est familière, n'est-ce pas ?

— Nous avons passé ces dernières années ici, Votre Grâce.

Dash prit brusquement conscience du fait que la majeure partie de la garnison de Krondor avait péri au cours de la destruction de la cité. Ses quelques membres encore en vie servaient aujourd'hui dans l'Est sous la direction d'Owen Greylock. Ce dernier ne devait pas regagner la ville avant cinq jours, juste avant le moment choisi pour lancer leur offensive au nord.

Duko désigna la carte.

— Nous savons que deux ou trois cents soldats ont attaqué Finisterre. D'après les nouvelles reçues ce matin, la ville résiste encore, mais subit une forte pression. Elle est peut-être tombée à l'heure qu'il est. Les cinq cents soldats d'infanterie que j'ai envoyés cette semaine n'arriveront pas là-bas avant cinq jours, même si j'envoie une estafette leur demander d'avancer à marche forcée. On nous rapporte également avoir aperçu des vaisseaux le long de la côte. Ils se dirigent peut-être vers Finisterre pour soutenir l'assaut.

— Leur manœuvre paraît logique, commenta Jimmy. Si les Keshians tentaient de traverser le Jal-Pur en force, ils risqueraient de rencontrer des problèmes de logistique. Mais en nous frappant avec un petit nombre d'hommes, ils nous obligent à nous enfermer dans la citadelle pendant qu'ils amènent davantage de troupes par mer pour cerner la ville et l'assiéger.

— Qui est en charge de la flotte à Port-Vykor ? demanda Duko.

— L'amiral Reeves, répondit l'un des officiers du royaume.

— Envoyez-lui l'ordre d'intercepter ces navires et de les empêcher de poursuivre leur route. Peu m'importe qu'il les coule ou qu'il les capture, du moment qu'il empêche les soldats de débarquer.

L'officier salua et sortit du bureau à la hâte. Duko se tourna vers Wendell.

— Prenez vos quatre cents chevaux et partez sur-le-champ. Dès que vous aurez rattrapé l'infanterie, dites-leur de courir.

Le capitaine salua à son tour. Duko se tourna ensuite vers l'un de ses hommes.

— Runcor, prends une centaine de tes meilleurs fils de pute et suis la côte jusqu'à Finisterre. Si tu vois quiconque tenter de débarquer, tue-le.

— Bien, Duko… euh, votre Grâce.

Le nouveau duc sourit :

— Allez, sors d'ici. (Il se tourna vers Jimmy et Dash.) Jusqu'à ce que votre sieur Greylock se présente à nos portes, c'est moi qui assume le commandement. Je vais avoir besoin de votre aide, messieurs, car cette région ne m'est pas du tout familière. (Il désigna un point sur la carte.) Mais j'imagine que si cet empire méridional est sérieux, c'est là qu'il faut nous attendre à une nouvelle attaque. (Son doigt s'arrêta sur un petit col entre Shamata et Finisterre.) C'est loin, mais le terrain est relativement plat. Si les Keshians tentent simplement de faire pression sur les négociations, ils se retireront dès que nous ferons mine de répliquer. En revanche, s'ils cherchent vraiment à déclencher une guerre, ils lanceront un deuxième assaut en passant par ce col, à peu près au moment où leurs navires débarqueront à Finisterre. (Il regarda un autre de ses vieux capitaines.) Jallom, envoie des éclaireurs surveiller ce col aussi vite que possible. Je ne sais même pas si on a des soldats dans ce coin-là.

— Non, on n'en a pas, répondit le dénommé Jallom. On s'est dit que le royaume prendrait soin de son flanc sud et qu'on n'aurait pas besoin de s'en inquiéter.

— Eh bien, maintenant, le royaume c'est nous, et il faut qu'on s'inquiète. Envoie aussi un message à Greylock pour lui raconter ce qui se passe et demande-lui s'il pourrait envoyer des troupes là-bas, à condition qu'elles y arrivent les premières.

Tout le monde s'empressa d'exécuter ces ordres.

— Messieurs, reprit Duko, nous avons une guerre sur les bras. Ce n'est pas celle que nous voulions et nous ne savons pas quelle ampleur elle prendra. Ce ne sera peut-être qu'un petit conflit, mais si j'étais un général keshian et si j'apprenais à quel point la situation ici est chaotique, je pourrais bien essayer d'atteindre Krondor avant Greylock et de le mettre ensuite au défi de venir m'en déloger avec Nordan sur son flanc nord. (Duko secoua la tête.) Espérons qu'en les chassant à coups de pied de Finisterre, on leur montrera qu'ils ont fait une erreur grossière.

Jimmy regarda son frère et la même pensée leur traversa l'esprit : qu'est-ce qui pourrait bien encore tourner de travers ?

Chapitre 12

A rutha indiqua une direction du doigt.

Le capitaine Subai fit un geste au soldat qui se trouvait derrière lui ; ce dernier émit à son tour un signal. Un autre soldat hocha la tête et commença à explorer la zone qu'on lui avait indiquée. La troupe cheminait lentement à travers les montagnes car les hommes étaient à pied et ne pouvaient couvrir que dix à vingt-cinq kilomètres par jour. Cependant, ils arrivaient en vue du mont sur lequel était perchée l'ancienne abbaye de Sarth.

Trois éclaireurs étaient partis repérer le chemin à suivre, ce qui n'était pas une mince affaire. Il leur fallait parfois descendre dans de minuscules ravines creusées par la pluie, puis remonter sur des pistes étroites tracées par le gibier. Cependant, ils exploraient tous les sentiers susceptibles de les conduire à l'entrée de l'abbaye. En effet, ils étaient à la recherche d'une grosse extrusion de roche qui recouvrait partiellement le flanc du mont, derrière laquelle se trouvait un étroit passage tout en longueur qui menait à l'entrée du tunnel sous l'abbaye. Arutha se souvenait d'avoir entendu son père expliquer qu'à moins de se trouver pile en face de l'entrée, on ne voyait que ce qui ressemblait au flanc de la montagne.

Cela faisait des jours qu'ils cherchaient. À deux reprises, ils avaient failli tomber sur des patrouilles envoyées par Nordan. Si Arutha et Dominic n'avaient pas été accompagnés par les meilleurs éclaireurs et forestiers du royaume, ils auraient été découverts depuis longtemps. Leur petit groupe ne comptait que six hommes. Les cent vingt Pisteurs et Aigles cramoisis chargés de s'emparer de l'abbaye attendaient à quelques kilomètres de là, dans une petite vallée, juste à la limite de la zone patrouillée par les envahisseurs.

Arutha but une gorgée d'eau à sa gourde. La chaleur estivale était étouffante mais ses compagnons et lui ne pouvaient s'attarder. Son père avait mentionné plusieurs autres repères cependant rien dans les environs ne ressemblait de près ou de loin à ces repères. Le gros chêne avait très bien pu brûler ou être abattu pour son bois. Les trois rochers empilés l'un sur l'autre avaient également pu tomber, en raison de la pluie ou d'un tremblement de terre. Après tout, l'expédition à laquelle avait participé le duc James avait eu lieu plus de cinquante ans auparavant.

Un sifflement prévint Arutha que quelqu'un avait trouvé quelque chose. Il se hâta de rejoindre Subai et aperçut un homme en contrebas, aux pieds du capitaine. Ce soldat avait sauté au fond d'une dépression où seule sa tête dépassait des buissons. Il devait être invisible depuis le sentier. Arutha regarda autour de lui. Ses yeux s'arrêtèrent sur un gros chêne, masqué par d'autres arbres, plus jeunes, mais qui lui faisait face. Le duc se retourna et aperçut un gros rocher, de la taille d'un chariot, au pied duquel se trouvaient deux autres pierres. Immédiatement, Arutha comprit qu'ils touchaient au but.

— Nous l'avons trouvée ! s'exclama-t-il à voix basse en s'adressant à Subai.

Puis il agita le bras à l'intention de Dominic avant de sauter dans le fossé, à côté du soldat.

— Il y a quelque chose de l'autre côté de ce buisson, Votre Grâce, expliqua ce dernier.

Sans mot dire, Arutha prit son épée et entreprit de tailler le buisson en pièces. Le soldat hésita quelques instants avant de l'imiter. Le temps que Dominic les rejoigne, ils avaient déjà enlevé une bonne partie de la végétation. Derrière se trouvait un passage. Arutha comprit qu'il s'agissait de l'endroit que son père avait décrit, parce que cela ressemblait bel et bien à un couloir entre le versant du mont et une paroi rocheuse.

— Attendez ici jusqu'à ce que Dominic et moi ayons trouvé l'entrée, ordonna-t-il à Subai.

Le prêtre et le duc s'engagèrent dans l'étroit passage, qui courait sur une bonne centaine de mètres le long du mont. À l'autre bout, sur la gauche, s'ouvrait une grotte suffisamment large pour qu'un homme puisse y entrer.

— Si cette entrée a été découverte, murmura Arutha, elle est aussi facile à défendre que l'accès qui se trouve au-dessus de nous.

Dominic scruta les ténèbres.

— Cet endroit est naturel mais a été « amélioré » par les frères d'Ishap.

Regardez, il est suffisamment large pour qu'un moine portant des livres ou tirant une charrette puisse négocier le virage. Par contre, c'est trop étroit pour manœuvrer un bélier et enfoncer la porte.

— Quelle porte ? protesta Arutha.

Dominic ferma les yeux, prononça une incantation presque silencieuse et leva la main. Un halo jaune pâle apparut autour de sa main, projetant assez de lumière pour qu'Arutha puisse apercevoir une grande porte en chêne à trois mètres de lui, à l'intérieur de la grotte. Elle était dépourvue de loquet ou de verrou et renforcée de trois larges bandes en fer.

— Vous avez raison, reconnut Arutha. Il faudrait un gros bélier pour abattre cette porte mais il n'y a pas la place de manœuvrer.

— Le loquet…, commença Dominic.

— Donnez-moi quelques instants, l'interrompit le duc.

Il examina la porte, faisant courir ses doigts sur l'un des rebords, puis sous un autre, avant d'effleurer la surface du panneau de chêne. Finalement, il reprit la parole :

— Mon père me racontait souvent les histoires du temps où il n'était qu'un voleur. Souvent, je m'imaginais à sa place, faisant précisément ce genre de choses, c'est-à-dire essayer d'entrer quelque part où je ne serais pas le bienvenu. Je me suis toujours demandé si je serais à la hauteur.

Il s'agenouilla et examina le sol sous la porte. Sur le côté, une petite pierre se nichait contre la paroi rocheuse qui les surplombait. Arutha tendit la main vers cette pierre.

— Je ne ferais pas ça, à votre place, le retint Dominic.

La main d'Arutha s'immobilisa.

— Je dois reconnaître que je n'ai pas le talent que possédait mon père, admit-il. (Il se leva et ajouta en souriant :) Mon grand-père m'a toujours dit que je ressemblais davantage à ma mère qu'à mon père. Peut-être a-t-il raison.

— C'est un piège, expliqua Dominic. Là-bas se trouve le véritable mécanisme.

Le prêtre se rendit près d'un petit renfoncement et y plongea la main. Sous ses doigts il sentit un petit verrou, qu'il actionna.

— Maintenant, tirez sur cette pierre.

Arutha fit ce qu'on lui demandait et découvrit que la pierre était attachée à un câble d'acier au moyen d'un boulon. Elle ne bougea que de quelques centimètres mais, dès qu'Arutha eut tiré dessus, il entendit un grondement sourd de l'autre côté de la porte. Celle-ci s'ouvrit, pesamment, mais elle s'ouvrit. Lentement, elle bascula sur la gauche, dévoilant un étroit passage obscur qui s'enfonçait vers le sommet du mont.

Arutha se tourna vers le capitaine Subai.

— C'est ouvert. Envoyez un messager dire à nos hommes de nous rejoindre.

Il suivit Dominic à l'intérieur du passage. Le prêtre indiqua un levier.

— N'y touchez pas. Cela refermerait la porte derrière nous.

Il continua à suivre le passage. Au bout d'une centaine de mètres, celui-ci s'élargit en une vaste galerie où l'on distinguait nettement sur le sol des empreintes de pas. Visiblement, des gens étaient passés là récemment. Arutha se pencha pour les examiner.

— Ce ne sont pas des empreintes de bottes. Ça ressemblerait plutôt à des marques laissées par des sandales.

— Nous rangions les livres, les parchemins et d'autres volumes à travers toute la montagne, même aussi près de la route qui nous permettait de nous enfuir, expliqua Dominic avant de pointer l'index en direction du plafond. Mais nous n'avons sorti aucun livre par ici. Mes frères ont quitté l'abbaye dans le calme ; les trésors que nous gardions ici ont été remontés là-haut, chargés dans des chariots et emmenés à notre nouvelle abbaye, qui s'appelle « Ce Qui Était Sarth Autrefois ».

— Et où se trouve-t-elle, cette nouvelle abbaye ? s'enquit Arutha.

Dominic sourit.

— Pour des raisons que vous comprendrez sans doute mieux que quiconque, mon ordre a décidé que les informations abritées au sein de cette nouvelle abbaye seraient bien trop dangereuses si elles venaient à tomber entre de mauvaises mains. C'est pourquoi seuls les membres de notre ordre connaissent l'emplacement exact de Ce Qui Était Sarth Autrefois. Tout ce que je peux vous dire, c'est que, bien que se trouvant à Yabon, elle ne risque pas de tomber aux mains de Fadawah.

— En tant que haut fonctionnaire de la cour, je n'apprécie guère votre discours. Mais parce que je suis le petit-fils de Pug, je comprends.

Le claquement des bottes sur la pierre annonça l'arrivée du premier détachement de Subai. L'homme qui ouvrait la marche portait une torche. Derrière lui, ses compagnons avaient les bras chargés de fournitures.

Le minutage de l'opération était vital. Greylock partirait pour Krondor d'ici une semaine, mais en arrivant aux abords de la cité, il tournerait brusquement vers le nord et lancerait une attaque éclair sur la route de Sarth, s'en prenant aux deux premières positions défensives sans s'arrêter. Ces dernières étaient relativement peu protégées, d'après Duko, et n'offriraient guère de résistance. C'était au sud de Sarth qu'ils risquaient de rencontrer les premières vraies difficultés.

À partir de là, il allait être encore plus ardu d'entrer dans la ville, mais si les troupes de Nordan cantonnées dans l'abbaye effectuaient une sortie,

Greylock et son armée se retrouveraient pris entre une défense solide et des soldats descendant du mont pour les charger. Si Greylock tentait au contraire de gravir le chemin de l'abbaye pour s'emparer du bâtiment, il serait obligé de combattre dans plusieurs endroits si étroits que seul un chariot ou deux cavaliers pourraient y passer, sans oublier qu'il aurait la garnison de la ville dans son dos.

Leur seul espoir était de s'emparer de l'abbaye de l'intérieur, ou du moins de retenir suffisamment longtemps les soldats qui la défendaient pour permettre à Owen de prendre la ville. Dès que Sarth serait à nouveau entre les mains du royaume, l'abbaye serait isolée et ses soldats mourraient de faim, à moins qu'Arutha réussisse à s'en emparer avant.

Le duc réfléchit à tout cela tandis que les soldats commençaient à entrer dans la salle. Il était possible qu'ils doivent se battre jusqu'à quatre contre un. Personne ne savait combien d'hommes étaient cantonnés à l'intérieur. Nordan n'avait pas estimé nécessaire de partager cette information avec Duko. Le seul avantage que possédaient les soldats des Isles, c'était la surprise.

La nuit précédant l'attaque de Greylock, les troupes du royaume cachées sous l'abbaye lanceraient leur assaut. Arutha savait qu'il avait avec lui les meilleurs, choisis personnellement par Subai. Les Pisteurs étaient réputés pour leur ingéniosité. Tous étaient robustes, endurants et efficaces. Les Aigles cramoisis, pour leur part, avaient survécu à plusieurs campagnes extrêmement violentes. Ils faisaient exactement ce qu'on leur demandait sans jamais hésiter.

Dans trois jours, une heure près l'aube, ils devraient soit avoir pris le contrôle de l'abbaye, soit avoir créé suffisamment de panique pour que les soldats de la garnison soient incapables de venir au secours de la ville. Arutha trouva un emplacement libre à côté du tunnel qui continuait à grimper dans les entrailles du mont et s'y assit afin de préserver ses forces jusqu'à ce qu'il soit temps d'agir. Le gros des troupes de Subai mettrait des heures à atteindre la grotte, si bien qu'il n'y avait rien d'autre à faire que de se reposer et d'attendre.

Erik grogna et écrivit quelques mots. À côté de lui, John Vinci s'exclama d'une voix forte :

— J'aurai besoin d'une grande réserve à l'arrière et il faudra sûrement élargir les portes pour permettre le passage de plus grands chariots !

— Baissez le ton, John, recommanda Erik à voix basse. On fait ça depuis trois jours et personne ne nous a encore posé de question. Ils vont commencer à penser que vous devenez dur d'oreille.

— J'essayais juste d'être convaincant, s'excusa Vinci avec un sourire froissé.

— Nous avons terminé. Retournons à votre magasin.

Ils traversèrent les rues de Sarth qui grouillaient de monde, étonnamment. La ville était toujours très animée, car de nombreux pêcheurs originaires des villages voisins apportaient leurs prises sur ses marchés. Il s'agissait également d'un port secondaire important entre Ylith et Krondor, fréquenté par de nombreux commerçants ainsi que par les contrebandiers de Queg ou des Cités libres. Les douanes du royaume se montraient toujours plus flexibles à Sarth qu'ailleurs, c'est pourquoi la ville possédait un grand nombre d'habitants pleins d'initiative qui ne se souciaient guère de savoir s'ils étaient gouvernés par le royaume ou par des envahisseurs.

On voyait des hommes armés partout et pourtant l'atmosphère semblait détendue. Les mercenaires originaires de Novindus avaient visiblement l'impression de se trouver suffisamment loin des lignes ennemies pour ne pas avoir à s'inquiéter.

Erik et John se hâtèrent de regagner le magasin de ce dernier. Ils passèrent par-devant et se rendirent directement dans la réserve où les attendait Roo. Ce dernier, qui s'ennuyait à mourir, était assis dans un coin, à moitié endormi.

— On s'en va ? demanda-t-il sans préambule en les voyant apparaître.

Erik acquiesça.

— Oui, dès ce soir.

— Un bateau vous attendra dans la crique des contrebandiers, promit John. Vous transporterez des marchandises jusque-là. Ce sont les deux hommes que nous avons laissés là-bas qui vont être contents de rentrer chez eux.

— Roo, regarde ça, ajouta Erik.

Roo se leva et rejoignit son ami, occupé à étaler les croquis qu'il avait dessinés. Il les assembla pour qu'ils forment une carte de la région autour de Sarth.

— Tu vas devoir les mémoriser. De cette manière, si tu parviens à rentrer et pas moi, tu pourras les redessiner.

— Mais de quoi tu parles ? s'étonna Roo.

— Je ne peux pas prendre le risque de les porter sur moi. (Erik regarda Roo et John.) Si on nous arrête et que l'on découvre ces cartes, on sera morts avant d'avoir fait un geste. Par contre, si on n'a rien sur nous, on pourra peut-être s'en sortir en bluffant. (Il se tourna vers John.) Si vous apprenez qu'on a été capturés, demain soir, vous devrez tenter de partir pour Krondor.

— Moi ? protesta John.

— Tout va bien, le rassura Roo. Ça n'arrivera pas.

— Si ça devait arriver, insista Erik, vous devrez porter ces informations au duc Duko et à Owen Greylock. (Il désigna les papiers mis bout à bout.) Regardez-les et enregistrez-les dans votre tête.

» Notre ennemi, ce sont les pièges naturels du terrain. (Le doigt d'Erik s'arrêta sur l'endroit où avait été érigé le premier poste de contrôle.) Là, on a un goulet d'étranglement : d'un côté, la route longe les falaises qui surplombent l'océan et de l'autre les versants escarpés des collines.

Sarth était construite au nord de ce goulet, derrière lequel la route tournait brusquement vers l'ouest et traversait la ville. La partie sud de la ville était adossée à une falaise qui tombait en à-pic sur une plage rocailleuse où il était impossible de bien marcher, même à marée basse. Il fallait ensuite suivre la direction du nord-ouest pour trouver le port de Sarth, au nord duquel s'étendaient une longue plage de sable et plusieurs villages de pêcheurs.

— Même si nous débarquions des troupes en renfort dans la crique des contrebandiers, nous serions toujours au sud de ce goulet, ajouta Erik avant de désigner le port. Il n'y a qu'un seul navire à l'ancre, mais regardez où il est.

— Donc, si quelqu'un aperçoit la flotte du royaume au large de la ville, les envahisseurs ont le temps d'emmener le navire à l'embouchure du port et de l'y couler, résuma Roo.

— Je ne suis pas un marin, admit Erik, mais je ne crois pas que nous puissions faire venir nos vaisseaux du sud et entrer dans le port avant qu'ils sabordent leur navire.

— Sauf si nous nous emparons de ce bateau avant, suggéra Roo.

— « Nous » ? répéta Erik.

— Façon de parler, répondit son ami en souriant.

Erik secoua la tête.

— Nous n'aurons pas le temps d'envoyer un message à Krondor et de revenir avec une compagnie pour nous emparer de ce navire. Owen sera à Krondor dans trois jours. Nous devons y être avant lui pour pouvoir lui donner les dernières informations.

— Si tu restes et si tu demandes l'aide des brigands embauchés par John, tu pourrais le prendre, ce navire.

— Non. J'ai mes ordres. Il faut que je sois rentré à Krondor après-demain.

Roo regarda Vinci.

— Et vous, John ?

L'intéressé leva les mains.

— Ah non, pas moi ! (Il donna une tape sur son ample estomac et ajouta :) Je suis vieux et gros, Roo. De plus, je n'ai jamais été un bagarreur, même quand j'étais jeune.

Erik dévisagea son ami.

— Dis-moi, Roo, accepterais-tu de te porter volontaire et de remplir une dernière mission pour ton roi et ta patrie ?

Roo fronça les sourcils.

— À quoi bon ?

— Tu pourrais sauver la vie de nombreux hommes valeureux, écourter la guerre et récupérer ton argent beaucoup plus vite. (Erik désigna l'extrémité nord-est de la ville.) Si on arrivait à repousser les soldats de Nordan sur la côte et à amener les navires de Port-Vykor dans ce port, on pourrait se réapprovisionner et repartir vers le nord beaucoup plus tôt.

— Combien d'hommes se trouvent à bord de ce navire, John ?

— Un petit nombre, d'après ce qu'on a pu voir. Ce bateau est resté là tout l'hiver. De temps en temps, un marin fait l'aller-retour à la rame pour rapporter des vivres. Apparemment, ils ont une cargaison à bord, mais on ne les a jamais vus embarquer de marchandises, juste des cartons de provisions de temps à autre. Alors c'est peut-être un bateau de blocus.

Roo se gratta le crâne.

— C'est stupide de ma part, mais je vais aller récupérer ce navire pour toi, Erik. Quand Greylock est-il censé arriver ?

— S'il prend la direction du nord dans trois jours au coucher du soleil, il sera là à l'aube du quatrième.

— Tu es en train de me dire qu'il va falloir que je passe trois jours de plus dans cet abri ?

— On a déjà dormi dans de pires conditions, répliqua Erik.

Roo hocha la tête.

— Pas la peine de me le rappeler. (Il soupira.) Dans quatre jours, juste avant l'aube, j'irai là-bas à la rame et je m'emparerai de ce navire.

— Bien, fit Erik. Maintenant, John, vous allez devoir mémoriser cette carte, parce que vous venez avec moi.

— Moi ? protesta Vinci.

Erik sourit d'un air menaçant.

— Vous avez le choix : soit vous m'accompagnez, soit vous vous emparez de ce bateau.

Vinci éprouva quelques difficultés à déglutir.

— Je vais aller visiter Krondor.

— Bon choix, approuva Erik.

Roo se tourna vers John.

— Je vais avoir besoin d'au moins une douzaine d'hommes de confiance. Vingt, ce serait encore mieux.

John haussa les épaules.

— Une douzaine, ça ne pose pas de problème. Vingt ? Je verrai ce que je peux faire.

— Je vais avoir besoin de deux grandes yoles mais il va falloir les cacher à proximité jusqu'à notre départ.

— Je possède un entrepôt près d'ici. Je demanderai à ce qu'on y amène les bateaux ce soir.

— Dans ce cas, je suppose que tout est dit, conclut Roo. Au moins, dans cinq jours, ce sera fini.

— Oui, avec un peu de chance, tempéra Erik. (Son doigt suivit le tracé de la route qui reliait la ville à l'abbaye.) À la condition qu'Arutha et ses hommes parviennent à neutraliser les forces de Nordan là-haut. Je n'ai pas vu beaucoup de soldats en ville, j'imagine donc qu'il doit en avoir cantonné trois ou quatre cents là-haut. S'ils descendent de l'abbaye pour prendre Owen à revers au moment où il essaiera d'entrer en ville, ils seront capables de nous repousser au sud du goulet et cela pourrait nous coûter très cher.

Roo soupira.

— Nous ne pouvons qu'espérer que tout se passera bien. C'est ce que nous avons toujours fait, même quand on courait à travers tout Novindus pour sauver notre peau : faire de notre mieux et garder espoir.

Erik fut obligé de reconnaître que son ami avait raison.

— Des prières pourraient peut-être nous aider aussi.

Roo sombra dans le silence.

Arutha écoutait, l'oreille collée à la porte. De l'autre côté, il entendait des voix. Ce jour-là, ses compagnons et lui avaient exploré les différents sous-sols de l'abbaye abandonnée. Dominic estimait que les lieux pouvaient abriter jusqu'à un millier de soldats, à condition d'utiliser toutes les pièces vides, bien que le dortoir ait été conçu à l'origine pour n'abriter que quarante moines.

Il avait également prédit qu'en raison du manque de place, la majorité des soldats présents dans l'abbaye devaient appartenir à l'infanterie, car il était impossible de faire tenir plus de quarante ou cinquante chevaux dans la cour. De toute façon, il n'était pas facile de faire venir du fourrage et du grain pour les bêtes chaque semaine, c'est pourquoi leur nombre ne s'élevait sans doute pas à plus d'une douzaine.

Le duc et ses soldats avaient atteint le deuxième sous-sol sous l'abbaye proprement dite sans rencontrer le moindre soldat. À travers la porte à laquelle était accolé Arutha, des voix résonnaient, plongées dans une conversation anodine. Le duc retourna auprès de Dominic et lui demanda dans un murmure :

— Y a-t-il un moyen de contourner cette pièce ?

Dominic secoua la tête et répondit sur le même ton :

— Si nous redescendons de deux niveaux et tentons de passer de l'autre côté, nous retomberons à nouveau sur cette pièce, mais par une porte différente. Elle possède trois issues, la troisième étant un escalier qui conduit à l'étage supérieur.

Arutha acquiesça. Il avait mémorisé le dessin du moine.

— Nous allons attendre ici, puis maîtriser les occupants de la pièce lorsqu'il sera temps de prendre l'abbaye d'assaut.

Il regarda l'un des soldats de Subai qui portait un sablier. Il l'avait retourné la veille, au coucher du soleil, marquant le début du compte à rebours. Au sein des caves obscures de l'abbaye, la troupe ne disposait d'aucun moyen naturel pour repérer le passage du temps. Or ce dernier était essentiel à la réussite de l'opération.

— Si seulement je pouvais jeter un coup d'œil et savoir le nombre de soldats qui s'y trouvent…

— Nous pourrons nous y risquer tard cette nuit, quand ils seront tous endormis, proposa Dominic.

Arutha se tourna vers un soldat.

— Dites au capitaine Subai que la moitié des effectifs doit redescendre de deux niveaux et remonter de l'autre côté pour attendre près de la deuxième porte qui s'ouvre sur cette pièce.

Le soldat salua et s'éloigna pour exécuter ces ordres. Arutha s'adressa de nouveau à Dominic.

— Je viens de réaliser que nous n'avons rencontré aucun obstacle dans les niveaux inférieurs, mais les portes qui s'ouvrent sur cette pièce sont peut-être bloquées. Je ne voudrais pas que cet assaut échoue parce que quelqu'un a placé un lit de camp en travers de la porte. Celui qui rentrera le premier là-dedans devra s'assurer que l'autre porte s'ouvre rapidement.

Dominic acquiesça et regarda en direction du soldat qui tenait le sablier.

— Plus qu'un jour et demi.

Roo avait attendu ce moment avec impatience. Les deux derniers jours avaient traîné en longueur, heure après heure, seconde après seconde, au point qu'il avait cru en perdre l'esprit. À présent, il était temps de partir, enfin. Il regarda les types que John avait rassemblés. Au nombre de seize, ils paraissaient peu recommandables mais pas particulièrement redoutables. Cependant, Roo avait rencontré suffisamment de tueurs apparemment inoffensifs pour savoir qu'il valait mieux ne pas se fier aux apparences.

— Certains parmi vous savent-ils manœuvrer un navire ?

Trois levèrent la main. Roo secoua la tête et pointa le premier du doigt.

— Toi, si tu m'entends crier, coupe les amarres. (Il se tourna vers le deuxième.) Toi, pareil : si tu m'entends crier, lève la première voile que tu pourras atteindre. Quant à toi, ajouta-t-il en s'adressant au dernier, tu vas prendre la barre et nous emmener en eaux profondes. (Il regarda ensuite leurs compagnons.) Les autres, vous n'aurez qu'à suivre les instructions de ces trois-là. Si nous réussissons à capturer ce navire, je veux pouvoir lever l'ancre avant que quiconque sur le rivage puisse venir en aide à l'équipage.

En son for intérieur, il ajouta : *Et mettre les voiles loin de Sarth si l'attaque de Greylock devait échouer.*

— Vous êtes prêts ? reprit-il à voix haute. (Tout le monde hocha la tête.) Dès que l'opération aura commencé, ne vous arrêtez à aucun prix, sauf si je vous en donne l'ordre ou si nous sommes attaqués. (Il ouvrit la porte du magasin de Vinci.) Allons-y.

Les brigands suivirent Roo dans la pénombre qui précède l'aube et descendirent la rue où se situait le magasin de Vinci. Puis ils tournèrent et prirent la route du Roi, qui traversait Sarth de part en part et servait d'artère principale. Ils la remontèrent d'un bon pas, sans toutefois se mettre à courir. Puis, quand la route obliqua de nouveau vers le nord, ils s'engagèrent dans une rue plus étroite qui les conduisit à l'extrémité sud des quais. Dans l'esprit de Roo, Sarth ressemblait à une main droite posée violemment en travers d'un rivage orienté nord-ouest. Le pouce reposait à l'endroit où la route suivait la direction de l'ouest sur quelques kilomètres. Puis elle tournait vers le nord et remontait le long de l'index. La majeure partie de la ville se nichait là, entre ces deux doigts. Les quais se situaient à la base du pouce et suivaient la route du Roi un moment. Plusieurs pâtés de maisons se dressaient entre la route et la baie.

En arrivant sur les quais, Roo constata que Vinci avait donné l'ordre de laisser l'entrepôt ouvert. Ce dernier se situait tout au bout du dernier quai, la partie la plus à l'ouest du pouce dans l'imagination de Roo. À l'intérieur se trouvaient deux bateaux. Sur les seize individus qui accompagnaient Roo, six soulevèrent chaque embarcation et leur firent descendre la rampe pour les mettre à l'eau. Puis ils se séparèrent et montèrent à bord, huit dans le premier bateau, Roo et les huit autres dans le second. Ils osaient à peine respirer pour ne pas faire de bruit, mais autour d'eux tout était calme.

Deux hommes par bateau sortirent les avirons et commencèrent à ramer doucement, traversant la baie pour rejoindre le navire qui se découpait en noir sur le gris du ciel et de l'eau. À mesure qu'ils se rapprochaient, Roo sentit un froid glacial envahir son estomac.

— Merde, murmura-t-il doucement.

— Qu'est-ce qu'il y a ? s'enquit son voisin.

— C'est un navire marchand de Queg.

— Et alors ? demanda un autre.

— Alors, rien. J'ai déjà tellement d'ennuis avec Queg que ça ne changera pas grand-chose. Je suis un homme mort s'ils m'attrapent.

Un troisième individu se mit à glousser tout bas.

— Non, mais ça pourrait bien rendre votre agonie un petit peu plus douloureuse, fit-il remarquer.

— Merci, dit Roo. Je me sens beaucoup plus rassuré maintenant.

Le premier bateau arriva près de la poupe du grand bâtiment, un navire marchand à deux mâts. L'homme qui se tenait à l'avant de la petite embarcation bondit pour attraper la ligne d'ancre et grimpa lestement jusqu'au plat-bord. Il risqua un coup d'œil, se retourna et fit signe à ceux qui attendaient en contrebas. La voie était libre.

En silence, les hommes commencèrent à grimper à bord du navire.

Sur le pont, le marin de quart dormait, adossé au bastingage. Sur un signe de Roo, l'un des brigands assomma le garde endormi avec la poignée d'une épée. Le malheureux s'effondra, inconscient.

Par gestes, Roo donna l'ordre à ses compagnons de se déployer. Ils obéirent et s'enfoncèrent au cœur du navire. Le silence régnait. Puis, brusquement, un cri s'éleva à l'avant, aussitôt suivi par des bruits de coups. D'autres voix fusèrent avant que le silence se réinstalle. Une minute plus tard, un groupe de marins visiblement abattus sortit par l'écoutille avant, suivis quelques instants plus tard par un autre groupe à l'arrière. Il n'y avait que vingt-deux personnes à bord, en incluant le capitaine et son second. Tous dormaient et avaient été facilement tirés du sommeil par les brigands armés.

Roo poussa un soupir de soulagement. Le navire était à lui.

Il regarda l'un des passagers, qui ne ressemblait pas à un marin.

— Où l'avez-vous trouvé, celui-là ? demanda-t-il à un contrebandier.

— Dans une petite cabine voisine de celle du capitaine.

Roo s'approcha de l'individu.

— Vous me paraissez familier. Qui êtes-vous ?

L'homme refusa de répondre.

— Qu'on allume une lanterne, ordonna Roo.

Un contrebandier s'exécuta et rapporta la lanterne, que Roo approcha du visage de l'autre homme.

— Je vous connais ! Vous êtes l'un des employés de Vasarius. Vous vous appelez Velari.

— Bonsoir, monsieur Avery, répondit poliment le dénommé Velari.

Roo éclata de rire.

— Ne me dites pas que ce navire appartient à messire Vasarius ?

— Si, répondit le serviteur.

C'était lui qui avait accueilli Roo lors de sa première visite à Queg.

— Voyez-vous ça, commenta Roo. De toute façon, je suis sûr que Vasarius me tient personnellement responsable de tous les revers qu'il a subis depuis notre dernière rencontre, alors cette nouvelle offense ne risque guère de le surprendre.

— Il finira par l'apprendre, Avery, le prévint Velari.

— Vous n'aurez qu'à le lui dire vous-même.

— Moi ? Vous n'allez pas nous tuer ?

— Je n'ai aucune raison de le faire. En fait, nous allons vous faire une fleur. Dans les prochaines heures, une guerre va éclater dans le coin. D'ici là j'ai bien l'intention de sortir de ce port et de faire voile vers le sud.

— Il va y avoir la guerre ? répéta Velari.

— Oui, celle-là même à cause de laquelle vous étiez censé couler ce navire à l'embouchure du port dès qu'on vous en aurait donné le signal.

— Couler le navire ? répéta Velari. Mais pourquoi ferait-on une chose pareille ?

— Pour empêcher les navires du royaume d'entrer dans le port, répondit Roo.

— Nous n'avons jamais reçu un tel ordre, protesta le Quegan.

— Mais alors vous attendez quoi ?

Seul le silence répondit à cette question.

Roo fit mine de se détourner. Puis il fit brusquement volte-face et enfonça son poing dans l'estomac de Velari. Ce dernier s'effondra et fut incapable de respirer pendant quelques instants. Puis il se mit à quatre pattes et vomit sur le pont. Roo s'agenouilla, lui empoigna les cheveux et l'obligea à relever la tête.

— Maintenant, dites-moi, que faites-vous à bord de ce navire ? Vous attendez quoi ?

Velari regarda Roo mais refusa de nouveau de répondre. Roo sortit sa dague et la lui agita sous le nez.

— Vous parleriez davantage si je vous privais de certaines parties de votre corps ?

— Nous attendons l'arrivée d'un autre navire.

— Quel navire ?

Comme Velari gardait toujours le silence, Roo enfonça la pointe de sa dague dans le gras de l'épaule du Quegan, lentement, augmentant la pression au fur et à mesure pour que la douleur vienne rapidement sans toutefois causer de dommages sérieux.

Velari frémit. Puis les larmes lui montèrent aux yeux et il se mit à crier.

— Arrêtez ! supplia-t-il.

— Quel navire ? répéta Roo en enfonçant davantage la pointe.

La blessure qu'il infligeait au Quegan était légère, mais l'intéressé ne le savait pas et n'était de toute évidence pas habitué à souffrir.

— Messire Vasarius doit venir à Sarth, sanglota Velari.

— Vraiment ? fit Roo en essuyant sa lame avant de la ranger. Pourquoi ?

— Pour nous ramener à Queg et nous servir d'escorte.

Roo se redressa, les yeux écarquillés. Puis il se tourna vers le chef des contrebandiers.

— Préparez-vous à hisser les voiles dès que je vous crierai de lever l'ancre ; lorsque je remonterai sur le pont, il faudra que nous soyons déjà loin d'ici.

Roo courut jusqu'à une écoutille et dégringola le long de l'échelle qui menait au pont inférieur. Il se pencha pour passer la porte qui s'ouvrait sur la cale principale et découvrit des caisses et des sacs arrimés des deux côtés. Il attrapa l'un des sacs et tenta de le soulever, mais c'était trop lourd. À l'aide de son couteau, Roo coupa la corde qui fermait le sac. Aussitôt, de l'or se répandit sur le plancher de la cale.

— Levez l'ancre ! cria Roo aussi fort qu'il le put.

Des voix masculines s'élevèrent sur le pont. Le bruit d'un poing fracassant une mâchoire fit comprendre à Roo que les contrebandiers faisaient en sorte que les marins capturés obéissent aux ordres. Il entendit une hache retomber et devina qu'ils venaient de couper la chaîne qui les reliait à l'ancre.

Roo dénicha une barre pour faire levier et ouvrit l'une des caisses. Même dans l'obscurité qui régnait à l'intérieur de la cale, il n'eut aucun mal à identifier les articles de luxe que contenait la caisse. Pierres précieuses, pièces de monnaie, bijoux et même un rouleau de soie de grande qualité avaient été jetés en vrac dans la caisse dont on avait cloué le couvercle.

Roo savait qu'il venait de découvrir le butin des pillages de Krondor et de Sarth, mis en caisses et entreposé dans la cale de ce navire pour être envoyé à Queg. Tout en remontant sur le pont, il se demanda pourquoi le général Fadawah envoyait de telles richesses au seigneur Vasarius.

En débouchant à l'air libre, il vit les voiles se déployer. Le contrebandier qu'il avait nommé timonier était bien à son poste et le navire commençait à avancer lentement vers l'embouchure du port. Roo vint se camper devant Velari.

— Qu'est-ce que Fadawah achète à Queg ?

Si le Quegan avait eu un instant l'envie de ne pas répondre, celle-ci s'enfuit dès que Roo sortit sa dague et la lui présenta.

— Des armes ! Il achète des armes !

— Quelles armes ?

— Des épées, des boucliers, des piques et des arcs. Des flèches, des arbalètes et des carreaux. Des catapultes et des balistes. Et puis du feu quegan aussi.

— Et elles doivent arriver ici ?

— Non, elles ont déjà été livrées, à Ylith. Mais l'or était ici et Fadawah s'est arrangé pour l'entreposer en secret à bord de ce navire.

— Pourquoi ne pas l'avoir mieux protégé ? s'enquit l'un des contrebandiers, tout proche. Je veux dire, si on l'avait su, on se serait emparé de ce navire nous-mêmes il y a des semaines !

— Des gardes auraient attiré l'attention, expliqua Roo. Ils ont fait circuler la rumeur qu'il s'agissait d'un navire qu'ils saborderaient pour bloquer l'entrée du port. (Il sourit.) Les gars, on va se rendre plus loin qu'on le pensait. On ne va pas aller jusqu'à la crique et débarquer pour rejoindre l'armée. On va aller jusqu'à Krondor !

— Pourquoi ? demanda l'un des contrebandiers.

— Parce que je réquisitionne cet or au nom de la couronne. Car vous n'imaginez pas la somme qu'elle me doit, la couronne. Je réquisitionne donc cette cargaison en tant que remboursement partiel de ma dette. En plus, vous serez payés un mois de salaire pour chaque journée qu'on passera en mer.

Un autre contrebandier prit un air calculateur.

— Et pourquoi on le partagerait pas, tout simplement ? On travaille pas pour vous, Avery.

Roo sortit son épée du fourreau avant que l'autre ait le temps de réagir et en appuya la pointe sur sa gorge.

— On ne partage pas parce que je suis le seul vrai soldat à bord de ce navire et parce que toi et ta petite bande de rats avides d'argent allez pouvoir gagner un peu d'or, du vrai. Pourquoi mourir afin que quelques-uns d'entre vous se partagent le magot alors que vous pourriez tous vivre et gagner assez pour vous enivrer jusqu'à la fin de vos jours ?

— Je faisais que demander, protesta l'autre en reculant.

— Sans oublier, ajouta Roo, que John Vinci connaît chacun d'entre vous : si je mourais et si vous refaisiez surface quelque part dans l'Ouest avec de l'or, il enverrait des assassins vous éliminer.

Ce n'était que du bluff, mais ces bandits ne devaient pas être assez intelligents pour s'en rendre compte, estimait Roo. Il se retourna et cria d'une voix forte :

— Déployez autant de voile que possible dès que nous serons sortis du port ! Et allez voir s'il n'y a pas un pavillon du royaume dans la cabine du capitaine. Si c'est le cas, hissez-le. Je ne veux pas me faire couler par l'un des vaisseaux de guerre de Reeves avant d'avoir pu leur expliquer qu'on est dans le même camp.

Au moment où ils sortaient du port, le marin dans la vigie s'écria :

— Galère en vue à tribord !

Roo courut à l'avant du navire et regarda dans la direction indiquée. De fait, une galère de guerre quegane venait de surgir de la brume matinale. Sans hésiter, Roo se précipita à l'endroit où était retenu, sous bonne garde, le capitaine du navire.

— Jusqu'à quelle distance du cap pouvez-vous manœuvrer ce navire sans nous tuer tous ?

— À cette vitesse, je ne pourrais guère m'en approcher.

— Donc, soit on ralentit et on se fait capturer, soit on vire au sud et on s'échoue sur les écueils.

— En effet, répondit le capitaine avec un sourire.

Roo regarda en direction des voiles qui faseyaient. Il n'était pas un vrai marin, mais il avait servi à bord d'un navire durant deux longues traversées vers Novindus. Il s'adressa aux marins perchés dans la voilure :

— Je donnerai à chacun de vous mille pièces d'or si on arrive à semer cette galère !

Les marins quegans choisissaient rarement ce métier par vocation ; au contraire, on les obligeait souvent à s'engager. Ils n'éprouvaient donc pas une profonde loyauté envers leur empereur. Brusquement, l'animation s'accrut frénétiquement dans la voilure tandis que Roo lançait des ordres. Le capitaine comprit alors qu'il avait affaire à un homme qui connaissait les bateaux.

— On peut gîter à bâbord en quelques instants et éviter les rochers si on reste bien dans le lit du vent, monsieur Avery.

Roo se tourna de nouveau vers lui.

— Seriez-vous en train de changer de camp ?

— Cela fait douze ans que je navigue pour le compte de messire Vasarius et c'est à peine si j'ai réussi à gagner mille pièces d'or en un tel laps de temps.

— Bien, fit Roo. Ça fera deux mille pièces d'or pour le capitaine. Maintenant, sortez-nous de là.

Le capitaine lança des ordres à son tour et s'avança pour reprendre la barre au contrebandier à qui Roo avait confié cette tâche.

— Que comptez-vous faire de moi ? s'enquit Velari.

— Est-ce que vous savez nager ?

— Oui, mais…

Roo fit un signe de tête à l'intention du contrebandier qui venait de lâcher le gouvernail. Visiblement costaud, il attrapa Velari par le col et le fond de sa culotte, fit deux grandes enjambées et jeta le Quegan par-dessus bord. Lorsque ce dernier remonta à la surface, Roo se pencha et cria :

— Peut-être que votre employeur s'arrêtera pour vous repêcher !

La galère ne cessait de se rapprocher. Roo monta sur le gaillard d'arrière et la regarda fondre droit sur eux. Le navire commença à virer de bord et finit par tourner carrément le dos à la galère lorsque le capitaine prit la direction du sud. Les hommes qui se tenaient à la proue de l'autre bateau laissèrent transparaître leur étonnement en voyant le navire qu'ils étaient censés escorter tourner dans la mauvaise direction. Quelques instants plus tard, la galère fit de même et se lança à leur poursuite.

— Parviendrons-nous à la distancer ? demanda Roo.

— Si le vent tombe avant que leurs esclaves se fatiguent, la réponse est non. En revanche, si leurs esclaves se fatiguent les premiers, nous avons une chance.

— Je déteste l'idée d'infliger ça aux malheureux esclaves, mais espérons que nous aurons du vent.

Le capitaine acquiesça.

— Quel est votre nom ?

— Nardini.

— Eh bien, capitaine Nardini, avant la guerre, je possédais une flotte navale et j'ai bien l'intention d'en avoir une à nouveau. Si nous survivons, non seulement je vous donnerai votre or, mais en plus je vous offrirai un poste.

— Ça serait bien, admit Nardini, un homme d'âge moyen qui commençait à perdre ses cheveux. Je n'ai jamais visité Krondor, je n'en connais que les quais. Ça doit faire trois ans que je n'y suis pas retourné.

— La cité a beaucoup changé depuis votre dernière visite, le prévint Roo.

— C'est ce que j'ai entendu dire.

Roo regarda derrière lui et vit que la galère maintenait la même trajectoire qu'eux et qu'une distance de deux cents mètres les séparait. Ils venaient de contourner le pouce, ainsi que Roo le visualisait, et la côte s'éloignait sur leur droite. Ils se trouvaient à présent en eaux relativement profondes.

Roo savait que des navires du royaume devaient arriver à Sarth avant midi pour renforcer les troupes à terre. Il se prit à espérer qu'elles arrivent avant que la galère de Vasarius rattrape son bâtiment.

— Essayez d'ouvrir, chuchota Arutha.

Tout doucement, le soldat qui se trouvait le plus près fit bouger le loquet et la porte s'ouvrit. Il y eut un léger grincement mais personne à l'intérieur de la pièce ne parut le remarquer. Arutha fut le deuxième à rentrer dans la pièce en question et regarda autour de lui dans la pénombre. Une chandelle solitaire brûlait sur la table qui se dressait à mi-chemin du long mur, en face de l'escalier menant au niveau suivant. Dix-huit tapis encombraient le sol, douze inoccupés et six sur lesquels se trouvaient des envahisseurs. Par signes, le capitaine Subai donna l'ordre de les neutraliser, ce qui fut fait. Des soldats entrèrent par l'autre porte et Arutha chuchota en souriant :

— Eh bien, on dirait que je leur dois des excuses. Ils ont grimpé beaucoup de marches pour rien.

— Ce n'est pas grave, ils comprendront, répliqua Subai.

Arutha se retourna pour essayer de localiser le frère Dominic. Le moine portait un heaume et un plastron d'armure, mais pas d'épée, seulement un gourdin. Il avait expliqué que son ordre lui interdisait de verser le sang. Visiblement, fêler des crânes était permis, en revanche, avait sèchement fait remarquer le duc.

— Et maintenant ?

— Je sens quelque chose…, murmura Dominic.

— Quoi ?

— Je ne sais pas. Une présence…

— Une présence ? répéta Arutha.

— C'est quelque chose que j'ai déjà senti, mais plus faible, plus lointain.

— Qu'est-ce que c'est ? insista le duc.

— Je ne sais pas, chuchota le moine. En tout cas, ce n'est pas bon. Je devrais monter l'escalier le premier. S'il s'agit de quelque chose de magique ou de mystique, je saurai sûrement nous protéger.

Arutha acquiesça tout en fronçant les sourcils. Depuis la mort des prêtres-serpents panthatians et du démon Jakan – que Pug avait détruit –, personne n'avait rapporté la présence d'activités magiques parmi les envahisseurs. La possibilité qu'un représentant des ténèbres puisse être dissimulé en leur sein et sur le point de se manifester le perturbait. Mais le duc savait qu'il ne pouvait plus reculer.

Dominic gravit les marches. Arutha, Subai et les soldats le suivirent. Ils entrèrent dans un long couloir où une porte s'ouvrait de part et d'autre, chacune menant à une grande salle où, l'année précédente encore, étaient entreposés des livres. À présent, elles abritaient des hommes endormis, comme les soldats purent le constater en ouvrant chaque porte. Arutha effectua une rapide estimation et songea qu'en comptant les deux pièces, il devait y avoir là une centaine d'envahisseurs. Par signes, il communiqua ses instructions. Subai posta un archer à chaque bout du couloir.

Puis il entreprit de réveiller les dormeurs, en silence et un par un, de sorte que chacun, en se réveillant, se retrouva avec une lame nue devant les yeux et des archers qui le tenaient en joue. En moins d'une demi-heure, les cent mercenaires furent rassemblés dans la salle du bas où ils retrouvèrent les six premiers prisonniers.

— Cela ne peut pas durer, annonça Subai à voix basse.

Comme si ces mots avaient valeur de prophétie, ils furent repérés, au sommet de l'escalier suivant, par deux hommes qui remontaient le couloir dans leur direction. Dès qu'ils virent les uniformes noirs, les mercenaires comprirent qu'il y avait des soldats du royaume dans le bâtiment et donnèrent l'alerte.

— Tout le monde à son poste ! s'écria Arutha.

Chaque soldat savait ce qu'il avait à faire. Il existait une douzaine d'endroits stratégiques dans toute l'abbaye. Si les troupes du royaume parvenaient à s'en emparer, les envahisseurs se retrouveraient coupés de la ville que surplombait le bâtiment. En fin de compte, Arutha et ses hommes seraient peut-être obligés de se replier dans les sous-sols de l'abbaye, mais ils parviendraient quand même à empêcher la garnison de lancer une contre-attaque et de porter secours aux envahisseurs qui occupaient Sarth.

Des mercenaires endormis ouvrirent les portes de part et d'autre du couloir. Arutha se retrouva brusquement obligé de se battre pour se défendre. Il n'avait encore jamais pris part à un combat et avait toujours craint jusqu'à présent de ne pas être à la hauteur. Il redoutait de découvrir qu'à sa grande honte, il était incapable de servir le roi comme l'avaient déjà fait son père ou ses fils. Cependant, sans hésitation, il engagea froidement le combat avec un ennemi déterminé à le tuer. Il n'eut pas le temps de s'appesantir sur les doutes qui l'assaillaient autrefois. Très vite, sans effort conscient de sa part, les années d'entraînement et de pratique prirent le dessus et il commença à donner des coups de toutes parts avec l'épée qui avait appartenu à l'homme dont il portait le nom : le prince Arutha.

Lentement, ils avancèrent dans le couloir, repoussant les troupes du général Nordan devant eux. Au bout du corridor se trouvait un nouvel escalier qui montait vers un autre étage. Le temps qu'Arutha y parvienne, le sol était jonché de cadavres – des envahisseurs pour la plupart – et un trio de mercenaires se tenait au pied des marches. Ils savaient que leurs assaillants auraient du mal à se battre dans l'escalier car l'avantage de la hauteur compliquait la tâche des soldats du royaume.

— À terre ! s'écria une voix à l'autre bout du couloir.

Sans hésiter, Arutha se jeta par terre au mépris de la flaque de sang dans laquelle il s'allongea. Une volée de flèches passa au-dessus de sa tête et les trois hommes qui se trouvaient sur la première marche de l'escalier s'effondrèrent. Arutha n'eut pas le temps de se remettre debout que déjà des soldats passaient en courant à côté de lui, martelant les marches avec leurs bottes tandis qu'ils se précipitaient pour attaquer l'ennemi au niveau suivant.

Arutha savait que cet étage-ci se trouvait juste en dessous du sol. Au-dessus se dressaient l'abbaye, l'écurie, les dépendances et les remparts. S'ils parvenaient à monter dans la tour au-dessus de l'abbaye et à prendre possession des postes-clés sur les remparts, ils remporteraient la victoire.

Arutha prit une profonde inspiration et courut après les soldats qui étaient passés devant lui.

Chapitre 13

CALAMITÉ

E rik chargea l'ennemi.
Sa compagnie fut la deuxième à franchir la barricade, suivant de près un détachement de Lanciers royaux krondoriens menés par Owen Greylock. La cavalerie lourde balaya sans effort les envahisseurs en enfonçant leur ligne de défense. La compagnie d'Erik suivait celle d'Owen à une centaine de mètres sur sa droite. Elle prit d'assaut une série de tranchées très profondes protégées par un feu nourri de flèches tirées depuis un bosquet d'arbres situés une douzaine de mètres derrière la dernière tranchée.

Erik avait lui-même choisi d'effectuer cette manœuvre car c'était le genre de défense qu'il valait mieux prendre d'assaut avec l'infanterie montée plutôt qu'avec la cavalerie. Au moment où ses hommes parvinrent à la limite de portée des flèches ennemies, Erik ordonna une halte. Les soldats tirèrent sur leurs rênes puis mirent pied à terre, un homme sur cinq emmenant son cheval et celui de ses compagnons à l'arrière. Les autres formèrent les rangs lorsqu'Erik en donna l'ordre et parcoururent à pied les cent derniers mètres qui les séparaient des lignes ennemies.

Erik savait que, pour réussir à enfoncer cette partie de la ligne, il lui fallait frapper vite et fort à l'endroit où elle jouxtait le flanc de la colline. Il y avait là toute une série de tranchées peu profondes qui n'offraient guère de protection aux défenseurs. Dès que ses hommes et lui auraient passé ces tranchées, il serait facile de contourner le reste de leurs adversaires pour aller déloger les archers sous les arbres et cerner les mercenaires enterrés dans les autres tranchées.

Comme il s'y attendait, il fallut moins d'une demi-heure à ses soldats pour venir à bout du flanc droit de la défense. Voyant qu'il avait la situation en main, Erik retourna chercher sa monture et ordonna à ses hommes de continuer à avancer tandis qu'une poignée d'entre eux restait derrière pour escorter les prisonniers jusqu'à la palissade que l'on était en train d'ériger pour les enfermer.

Sur tout le front, la première phase de la bataille se déroulait sans anicroche. Erik s'était attendu à une résistance plus acharnée sur le flanc gauche, cette partie de la ligne de défense qui se trouvait entre la route et les falaises, mais la progression rapide des forces du royaume avait totalement démoralisé les troupes avancées de Fadawah.

Puisque la situation était sous contrôle, Erik envoya un messager chercher le deuxième élément de l'armée de Greylock, les régiments d'infanterie lourde qui se cachaient à Krondor depuis une semaine. Ils se trouvaient pour le moment à une demi-journée de la côte et l'on aurait besoin d'eux le lendemain matin s'il fallait déloger les envahisseurs du goulet situé au sud de Sarth.

Tout en faisant signe à son infanterie montée de se regrouper pour repartir, Erik remercia le ciel que Sarth ne soit pas une ville cernée de remparts, contrairement à d'autres cités du royaume. Il attendit avec impatience que sa compagnie reforme les rangs, car leur ordre de mission était des plus simples : entrer dans Sarth aussi vite que possible. Lorsque tout le monde fut en selle, Erik donna l'ordre d'avancer.

Des compagnies d'archers se pressaient de chaque côté afin de dénicher des tireurs embusqués dans les bois. Ils avaient pour renforts plusieurs bataillons d'infanterie.

Des piquiers lourds qui joueraient un rôle vital lorsqu'il s'agirait de briser une contre-attaque couraient également sur la route. Erik dut leur donner l'ordre de s'arrêter afin que ses cavaliers ne se retrouvent pas coincés derrière les soldats à pied, forcément plus lents. Quand tout le monde fut rassemblé, Erik donna de nouveau l'ordre d'avancer. Les piquiers s'écartèrent afin de laisser passer l'infanterie montée, puis lui emboîtèrent le pas. La marche reprit son cours.

Les collines résonnaient de cris, de hurlements, du bourdonnement des flèches et du fracas de l'acier. Cependant, il ne s'agissait de toute évidence que d'une action de nettoyage. La véritable bataille restait à venir.

Erik ordonna à ses hommes d'aller au petit galop. Peu à peu, ils distancèrent l'infanterie.

Erik avait atteint Krondor sans incident. John Vinci et lui avaient réussi à franchir le goulet afin de retourner dans la crique des contrebandiers, d'où ils avaient pris un bateau pour embarquer à bord d'un navire rapide à destination de Krondor. Ils avaient atteint la ville à temps pour donner à Greylock le plan détaillé dont il avait besoin.

Le lendemain matin, des éclaireurs et des compagnies d'infiltration avaient été envoyés pour détruire les positions avancées de Nordan. Les bataillons qu'Owen avait amenés la veille à Krondor à la faveur de la nuit étaient partis deux heures plus tard et avaient chevauché toute la journée pour prendre position à une demi-journée de cheval au sud de Sarth.

À l'aube, ils avaient entrepris de marcher sur la ville.

Erik jeta un coup d'œil au soleil et songea qu'ils avaient peut-être bien une heure d'avance sur le programme. Toutes les minutes gagnées au cours de la première phase de l'assaut étaient à leur avantage. Ils auraient besoin d'autant d'hommes que possible si le duc Arutha ne parvenait pas à prendre le contrôle de l'abbaye et si Nordan lançait une contre-offensive sur cette route.

Jetant un coup d'œil vers la mer, Erik aperçut des voiles dans le lointain, celles de deux navires se dirigeant vers le sud. Il se demanda s'il s'agissait d'envahisseurs ou de Quegans. Quoi qu'il en soit, ils n'allaient pas tarder à se jeter dans les bras d'une flotte de navires partis de Port-Vykor et venus prêter main-forte aux troupes terrestres dans l'assaut contre Sarth.

— Ils gagnent du terrain, s'alarma Roo.

— La brise matinale fraîchit, admit le capitaine Nardini, mais, en vérité, la personne qui commande cette galère est prête à tuer ses esclaves.

— Y a-t-il des armes à bord de ce navire ?

— Seulement celles que vous avez apportées avec vous. Depuis le début, l'idée était d'avoir l'air inoffensif et de sortir en douce du port sans que quiconque se doute que l'on transportait tout cet or. (Le capitaine jeta un coup d'œil derrière lui puis tourna de nouveau son attention vers les voiles.) Nous n'avons pas de balistes, ni d'autres machines de guerre, si c'est ce que vous voulez savoir.

— Oui, c'est bien ce que je voulais savoir.

Lentement, la galère se rapprochait toujours plus du navire de Roo.

— Voiles en vue devant nous ! s'écria la vigie.

— Dans quelle direction ? demanda le capitaine.

— Dans deux directions différentes ! Droit devant et cinq points sur le tribord avant !

Roo se précipita à la proue et plissa les yeux, ébloui par le soleil matinal qui dissipait la brume. Droit devant lui, il aperçut une douzaine de petits points blancs, les voiles de la flotte qui venait de Port-Vykor, tandis que sur sa droite des points plus gros indiquaient la présence d'une autre flotte, plus proche celle-là.

Roo revint en courant auprès du capitaine.

— On a des ennuis.

— Je sais, répondit Nardini. Si le vent ne grossit pas, cette galère va nous rattraper en moins d'une heure.

— Pire que ça. On dirait qu'une flotte de corsaires quegans se dirige dans notre direction. Elle risque de nous rattraper avant la flotte du royaume.

Nardini parut perplexe.

— Normalement, il n'y a plus assez de navires à Queg pour monter une telle expédition. Quelques nobles parmi les plus riches, comme Vasarius, possèdent encore une galère, celle qu'ils n'ont pas envoyée au combat l'année dernière, mais je serais surpris d'apprendre qu'il reste plus de cinq vaisseaux de guerre sur toute l'île. On est en train d'en faire construire une douzaine, mais ils ne seront pas prêts à appareiller avant au moins un mois.

— Alors, à qui appartient cette deuxième flotte ? demanda Roo.

Nardini haussa les épaules.

— On le saura bien assez tôt.

— J'envie votre calme, reconnut Roo.

— Bah, pour être franc avec vous, si vous réussissez à vous en sortir, je suis un homme riche. Sinon, je dirai que j'étais votre prisonnier.

Roo ne put se défendre d'admirer l'assurance de cet homme. Mais il était de nature contrariante et ne put s'empêcher de lui rabattre le caquet.

— Oui, mais si Vasarius nous rattrape, j'espère pouvoir vivre assez longtemps pour vous entendre lui expliquer comment vous avez réussi à nous laisser capturer son navire.

Le visage de Nardini perdit toute couleur.

— Toutes voiles dehors ! s'exclama-t-il à l'adresse des marins perchés dans la mâture.

Roo éclata de rire.

Le capitaine continua de lancer des ordres tandis que les deux flottes se rapprochaient du navire.

— Dès que vous pourrez identifier cette flotte à tribord, dites-le bien fort ! s'écria Roo à l'adresse de la vigie.

— Bien, monsieur !

Roo ne tarda pas à se rendre compte qu'il lui était impossible de ne pas regarder continuellement derrière lui pour tenter de mesurer la progression de la galère. Il n'avait aucun mal à se représenter le contremaître, sous le pont, frappant son tambour avec ses maillets de bois pour que les esclaves rament à l'unisson. Il savait que lorsqu'il serait suffisamment proche, le capitaine de la galère demanderait à passer en vitesse d'abordage. Les battements du tambour s'accéléreraient alors : l'énorme navire ferait un bond en avant et son puissant éperon de fer viendrait heurter la poupe du petit bâtiment. Puis des hommes armés envahiraient ce dernier et si Roo avait de la chance, il mourrait au combat.

Comme la galère se rapprochait davantage, Roo aperçut un homme debout à la proue qui fixait le bateau avec intensité.

— Mais c'est messire Vasarius en personne ! s'exclama Roo au bout de quelques instants.

— Dans ce cas, espérons que le vent se lève ou que les esclaves meurent rapidement, car il n'aura aucune pitié pour nous, commenta Nardini.

— J'ai eu l'occasion de constater par moi-même que cet homme est en effet totalement dépourvu d'humour, reconnut Roo.

— Je n'ai pour ma part jamais eu le plaisir de dîner avec lui. Nous nous voyions toujours pour affaires.

— Avec un peu de chance, vous n'en aurez plus l'occasion de sitôt.

— Navires du royaume à tribord ! s'écria la vigie.

Roo courut à l'avant du bateau. Au bout de quelques minutes, il se rendit compte que les deux escadrilles qui se dirigeaient vers lui appartenaient bel et bien au royaume. Il laissa échapper un cri de joie et se retourna pour crier à l'adresse du capitaine :

— Lesquels pouvons-nous rejoindre au plus vite ?

— Ceux à tribord sont plus près de nous, mais nous allons perdre de la vitesse si nous changeons de trajectoire maintenant ! répondit Nardini à l'autre bout du navire.

Roo ne chercha pas à argumenter.

— Essayez de garder autant de vitesse que possible et laissons Vasarius choisir qui il affrontera en premier.

Au même moment, il entendit quelque chose s'écraser sur son navire. Il courut à la poupe et vit le capitaine recroquevillé sur le gouvernail, à l'abri du château arrière.

— Qu'est-ce que c'était ? demanda Roo à Nardini.

— Un tir de baliste ! Vasarius cherche à nous ralentir !

— Ou il est assez fou pour couler son propre trésor plutôt que de le laisser s'échapper. (Roo regarda par-dessus son épaule, en direction des marins qui travaillaient avec l'énergie du désespoir et des contrebandiers qui observaient la scène d'un air apeuré.) Est-ce qu'il y a un arc à bord de ce navire ?

Seul le silence répondit à sa question.

— Merde, jura Roo. On ne peut pas même pas riposter.

— Si le tir avait porté un peu plus à gauche, notre barre ne fonction-nerait plus.

Comme s'il l'avait entendu, l'officier responsable de la baliste tira de manière plus précise et le capitaine Nardini fut pratiquement coupé en deux par la barre lorsqu'elle s'enfonça brutalement dans son corps. Le sang jaillit de la bouche et du nez du malheureux et ses yeux devinrent vitreux avant même qu'il touche le sol.

Roo vit la barre osciller librement et comprit qu'elle n'était plus reliée au gouvernail. Il savait qu'il était possible de continuer à contrôler en partie le navire en amenant les voiles, mais il ignorait comment. En outre, il n'était plus question d'aller à pleine vitesse désormais. Le navire commença à dériver à tribord. Dans la mâture, les marins tentèrent d'amener les voiles avec l'énergie du désespoir. Ils baissèrent les yeux, attendant les ordres, et certains aperçurent le capitaine étendu mort sur le pont.

Roo poussa un soupir résigné.

— Préparez-vous à repousser nos assaillants ! s'exclama-t-il en tirant son épée.

Aussitôt, les marins perchés dans la mâture se laissèrent glisser le long des écoutes pour atterrir sur le pont. Ceux qui n'avaient pas d'armes se munirent de cabillots – de grosses chevilles en bois qu'ils pouvaient faire tournoyer tel un morgenstern.

La distance qui les séparait de la galère continuait de se réduire. Un autre tir de baliste atteignit la poupe du navire. Un craquement retentit et le bâtiment tout entier frémit sous l'impact.

Une voix s'éleva de l'intérieur du navire.

— On prend l'eau !

— Merveilleux, commenta Roo.

Son navire commença à tourner en direction de la galère lorsque le vent changea de bord. Brusquement, l'éperon de l'énorme galère se retrouva pointé sur la poupe à tribord.

Une flèche passa à côté de Roo qui s'aperçut qu'il offrait une cible parfaite aux archers perchés dans la mâture de l'autre bâtiment. Il s'accroupit derrière la mince protection d'un panneau de cale, sachant qu'il n'avait que très peu d'espoir de survivre. S'ils parvenaient à rester en vie jusqu'à ce que la flotte du royaume les rejoigne, Vasarius serait obligé de se replier. Mais les chances de voir cette poignée de marins et de contrebandiers tenir l'équipage en échec étaient bien minces.

De toute évidence, deux des marins étaient d'accord avec son esti-mation car ils se jetèrent à l'eau, préférant essayer d'atteindre le rivage à la nage plutôt que d'affronter la colère de l'équipage d'un vaisseau de guerre quegan.

— Tenez vos positions ! hurla Roo dans l'espoir de parvenir à raviver le courage de ses compagnons par son autorité.

Brusquement, le navire frémit à nouveau et se mit à tanguer tel un rat attrapé par un terrier. La poupe se souleva lorsque l'énorme éperon de fer emboutit le navire par l'arrière, à tribord. Roo tint bon tandis que d'autres flèches passaient au-dessus de sa tête.

Il se recroquevilla autant que possible, dans l'attente du premier assaillant.

Comme s'il suffisait d'y penser, les marins quegans se lancèrent à l'abordage, glissant le long de cordes suspendues par-dessus la proue de la galère. Tous étaient vêtus d'un pantalon et d'une chemise blancs, coiffés d'un foulard rouge et armés de couteaux et de coutelas. Roo se félicita en silence du fait que Vasarius n'était pas accompagné par des légionnaires quegans. Les hommes qui venaient d'envahir son navire ne valaient guère mieux que des pirates et pouvaient être tenus en échec.

Roo bondit sur le premier qui l'approcha et le transperça de part en part sans même lui laisser le temps de se défendre. Puis il recula derrière le mât d'artimon pour se protéger des archers. Un autre pirate trouva le moyen de s'interposer entre Roo et les traits qui lui étaient destinés ; il s'effondra sur le pont en hurlant, une hampe de flèche dépassant de sa cuisse.

Roo entendit les membres de son équipage grimper l'échelle qui menait du pont principal au gaillard d'arrière et vit les assaillants hésiter. Il lança alors une attaque furieuse contre un autre Quegan qui recula, obligeant ceux qui étaient derrière lui à faire de même. Brusquement, certains pirates se retrouvèrent ainsi rassemblés à l'arrière du bateau. Les flèches pleuvaient au-dessus de leurs têtes, atteignant les Quegans comme les hommes de Roo, sans faire de distinction.

Roo entendit un nouveau cri au-dessus de lui et plongea tandis qu'une deuxième volée de flèches abattait les hommes autour de lui. Roo frappa un mourant, qui grogna lorsqu'il roula sur lui avant de se remettre debout. Un Quegan plein d'initiative tenta de se servir du corps d'un camarade comme d'un bouclier contre les flèches mais Roo le transperça avant qu'il ait réussi à soulever le cadavre sur ses épaules.

Un trait frôla le visage de Roo, suffisamment près pour que le marchand sente le souffle de son passage sur sa peau. Il recula en essayant à nouveau de mettre le mât d'artimon et les voiles entre lui et les archers.

Il regarda autour de lui et s'aperçut que seuls deux de ses compagnons tenaient encore debout. En outre, une demi-douzaine de Quegans marchaient sur lui. Il comprit également qu'en sautant sur le pont, il s'exposerait encore davantage au tir nourri de flèches.

Roo n'aurait jamais bâti une telle fortune s'il avait été en proie à l'hésitation. C'est pourquoi il s'écria, sans même regarder derrière lui : « Abandonnez le navire ! » et ne fit qu'une enjambée avant de se jeter par-dessus bord. Il était sur le point de crever la surface de l'eau lorsqu'il ressentit une douleur cuisante à l'épaule. Involontairement, il ouvrit la bouche, qui se remplit d'eau de mer, ainsi que ses narines. Il commença à s'étouffer.

Il s'obligea à remonter à la surface et recracha de l'eau. Par un effort de volonté, il réussit à ne pas paniquer et parvint à reprendre son souffle tandis que les flèches pleuvaient autour de lui. Il aspira une goulée d'air, plongea à nouveau et commença à nager en direction du rivage. Puis, après avoir retenu sa respiration aussi longtemps que possible, il revint à la surface et se retourna, nageant sur place.

La panique venait de gagner les deux navires. Les marins qui se tenaient sur le pont du bâtiment de Roo tentèrent avec l'énergie du désespoir de grimper à nouveau sur les cordes qu'ils avaient utilisées lors de l'abordage. En effet, la galère commençait à reculer pour libérer son éperon du navire prêt à couler, car deux vaisseaux de guerre du royaume s'apprêtaient à fondre sur elle.

Il s'agissait de deux cotres de guerre très rapides. En temps ordinaire, ils n'auraient cependant pas pu rivaliser avec une galère de guerre quegane, mais celle-ci manœuvrait difficilement, gênée par le navire en train de couler. Les deux cotres ressemblaient à des chiens de chasse prêts à se jeter sur un ours blessé qui se serait coincé le museau dans un piège.

Les marins s'agitaient sur le pont. On eût dit une fourmilière dans laquelle on venait de donner un coup de pied. Le premier cotre fit feu avec sa baliste et déchira le gréement. Le second tira une pierre qui détruisit plusieurs rames à bâbord, tuant sûrement au passage une douzaine d'esclaves lorsque les débris voltigèrent à l'intérieur de la coque.

Puis le navire le plus proche de Roo l'empêcha de voir la galère pendant plusieurs minutes. Il entendit des balistes tirer plusieurs fois avant que le navire s'écarte et qu'il puisse apercevoir la galère. Celle-ci était en feu. Le navire de l'autre côté tira un autre épieu enflammé et l'équipage de la galère commença à sauter par-dessus bord.

Roo fit demi-tour et se mit à nager en direction du rivage, mémorisant le paysage et ses différents repères. Au bout de quelques minutes, un autre navire du royaume apparut, faisant voile dans sa direction. Roo leva le bras et agita la main. Les voiles furent amenées et les marins, armés, se rassemblèrent sur le pont pour commencer à sortir les naufragés de l'eau. Roo regarda de nouveau en direction des deux navires quegans unis en une étreinte mortelle. Celui qui contenait le trésor se retourna et Roo aperçut la poupe sur laquelle étaient peints en rouge les mots *Shala Rose*. Il se rendit alors compte qu'il avait ignoré jusqu'à ce moment quel était le nom du navire dont il s'était emparé. Puis le bâtiment commença à couler par l'arrière, entraînant par la proue la galère en flammes.

Les deux navires prenaient l'eau mais il y avait encore plein de monde sur le pont de la galère. Pendant un moment, Roo se demanda si quelqu'un avait pensé à détacher les esclaves à fond de cale et adressa une prière silencieuse pour ceux qui ne pourraient pas remonter à l'air libre.

Puis le navire du royaume fut sur lui et on lui lança une corde. Roo l'attrapa et se hissa à bord. Des mains rudes l'aidèrent à passer par-dessus le bastingage. Dégoulinant d'eau de mer, il prit pied sur le pont.

— Peut-on savoir qui vous êtes ? lui demanda l'un des officiers.

— Rupert Avery, de Krondor.

Sa réponse provoqua un visible changement d'attitude.

— Monsieur Avery, je suis le lieutenant Aker, officier en second à bord de ce navire.

— Ravi de vous rencontrer. Quelques-uns des types qui nagent dans l'eau sont mes hommes, mais la plupart sont Quegans.

— Vraiment ? s'étonna le jeune officier. Les Quegans prendraient-ils part à cette guerre ?

— Disons simplement que c'est une affaire personnelle. Malgré tout, ils ne seront sans doute pas bien disposés envers nous.

— Si vous le désirez, monsieur, je vais vous conduire auprès de notre capitaine.

Roo suivit le lieutenant sur le gaillard d'arrière et s'arrêta au pied de l'échelle qui menait au château. Roo savait que, dans la marine du royaume, la tradition interdisait à quiconque de gravir les marches du domaine du capitaine sans invitation.

— Capitaine Styles ! appela l'officier.

Une tête couronnée de gris apparut par-dessus la balustrade.

— Qu'y a-t-il, lieutenant Aker ?

— Capitaine, voici monsieur Rupert Avery, de Krondor.

— J'ai entendu parler de vous. Pardonnez mon manque d'hospitalité, mais des hommes sont en train de se noyer et nous devons les sauver.

— Bien entendu, capitaine, répliqua Roo.

— Peut-être accepterez-vous de dîner avec moi ce soir, lorsque nous serons arrivés à Sarth, suggéra Styles.

Il tourna les talons avant que Roo ait le temps de répondre. Le marchand se tourna vers le jeune officier.

— Lieutenant, quel est le nom de ce navire ?

— Vous êtes à bord du *Bulldog Royal,* monsieur. Si vous voulez bien me suivre, nous devrions pouvoir vous trouver des vêtements secs.

Tandis qu'ils traversaient le pont, Roo aperçut d'autres navires du royaume faisant voile vers le nord avec à leur bord des soldats venus prêter main-forte aux troupes terrestres.

— Combien y a-t-il de navires ? demanda-t-il.

— Une douzaine, cinq pour le transport de troupes et nous autres pour les protéger. Jusqu'ici, nous n'avions pas rencontré de bâtiments ennemis. Celui-ci était le premier.

— Je suis un peu perplexe, confessa Roo. Comment se fait-il qu'il y ait deux escadrilles ?

— Nous venons de la Côte sauvage, monsieur Avery, expliqua Aker. C'est tout ce qui reste de la flotte de Carse, ainsi que deux ou trois navires venus de Tulan et de Crydee. (Il tendit le doigt derrière lui.) L'autre escadrille vient de Port-Vykor.

— Peu m'importe votre origine, je suis bien content que vous soyez là.

Roo suivit son guide à l'intérieur du navire, jusqu'à une petite cabine qui devait justement appartenir au lieutenant. Ce dernier lui donna une chemise et un pantalon blancs, ainsi que des chaussettes et des sous-vêtements secs. Roo se changea rapidement.

— Dès que la situation se sera stabilisée, je veillerai à ce que ces habits vous soient rendus, promit-il.

— Rien ne presse, monsieur, je possède une autre tenue de rechange.

Roo remonta sur le pont et vit ses compatriotes tirer les Quegans hors de l'eau avant de les attacher et de les obliger à s'asseoir sous l'œil vigilant de marins du royaume armés. Roo reconnut, assis au premier rang et semblable à un rat mouillé, un visage familier et visiblement abattu.

Le marchand s'avança et s'agenouilla juste devant les gardes pour regarder cet homme dans les yeux.

— Messire Vasarius, quel plaisir de vous voir ici.

— Avery. (Le noble quegan cracha presque son nom.) Ai-je donc offensé les dieux pour qu'ils vous aient personnellement choisi pour m'empoisonner la vie ?

Roo haussa les épaules.

— Je l'ignore. Vous êtes simplement l'infortuné qui m'a permis d'aider mon roi. Cela n'a rien de personnel.

— Bien au contraire, gronda Vasarius.

— Dans ce cas, vous feriez mieux de réviser votre jugement, car vous n'êtes plus en mesure de me menacer. (Roo leva les yeux en direction du lieutenant Aker et lui dit :) Cet homme est un noble quegan très haut placé ; il fait partie du Sénat impérial.

Sur ordre du lieutenant, deux gardes aidèrent Vasarius à se relever et le libérèrent de ses liens.

— Je vais vous conduire à une cabine, messire. Vous comprenez qu'il y aura quelqu'un à l'extérieur pour monter la garde.

Vasarius répondit à la courtoisie de l'officier par un brusque hochement de tête et le suivit à l'intérieur du navire.

Roo prit un moment pour observer les prisonniers quegans. La dernière fois qu'il avait vu un groupe à l'air aussi misérable, c'était dans la cellule de la mort à Krondor.

— Que va-t-il leur arriver ? demanda-t-il à un marin du royaume.

Le garde haussa les épaules.

— Ils iront travailler dans un camp, j'imagine. Si nous arrivons un jour à conclure un traité avec Queg, il y aura peut-être un échange de prisonniers. Enfin, il paraît que les Quegans ne libèrent jamais les prisonniers, donc j'imagine que ceux-là vont nous rester sur les bras.

Roo marcha jusqu'au bastingage et étudia de nouveau les caractéristiques du paysage : la courbe que décrivait la route et l'étrange bosquet d'arbres près du gros rocher surplombant la plage. Puis il regarda par-dessus son épaule, de l'autre côté du pont, à l'endroit où la galère quegane venait de sombrer et où l'on ne voyait plus que des bulles d'air exploser en surface. Oui, il était certain de pouvoir retrouver cet endroit un jour. Il lui suffirait alors d'embaucher un magicien de la guilde des renfloueurs pour récupérer le navire et le trésor et il serait à nouveau l'homme le plus riche de l'Ouest. Il sourit jusqu'aux oreilles.

Arutha s'accroupit derrière une porte. Une flèche passa dans l'ouverture et vint frapper le plancher en bois de l'entrée principale de l'abbaye. Les soldats de Subai avaient pris le contrôle du bâtiment mais les envahisseurs tenaient les remparts et les cuisines. Subai avait posté des hommes sur le toit de l'abbaye et ces derniers échangeaient à présent des tirs avec leurs adversaires sur les remparts. Jusque-là, les deux camps se retrouvaient isolés.

— Si nous parvenons à les empêcher d'atteindre le portail, cela vaut bien une victoire, confia Arutha à Subai.

— Si tout se déroule comme prévu, il suffira de les retenir jusqu'à la tombée de la nuit.

Arutha jeta un coup d'œil au soleil et songea qu'il devait être près de midi.

— Plus que six ou sept heures à tenir, alors.

— Mais je suis inquiet, messire, avoua Subai. Je crois avoir surpris des échanges par signes entre les soldats sur les remparts et ceux qui sont dans l'écurie. S'ils ont pris le risque de déposer un homme à l'aide d'une corde de l'autre côté du portail, il est peut-être déjà arrivé au bas du mont pour demander de l'aide.

Arutha savait que si des renforts se présentaient aux portes de l'abbaye, tout serait perdu. L'édifice appartenait à l'origine à un seigneur du royaume, il s'agissait en réalité d'une forteresse. La tour s'élevait haut dans le ciel et semblait presque toucher les nuages. À l'intérieur, les soldats du royaume s'y taillaient en ce moment même un chemin à coups d'épée. Dès qu'ils prendraient pied sur le toit, l'abbaye serait à eux. Une grande citadelle avait été construite autour de cette tour, avec deux bâtiments qui servaient de dépendances, le tout fermé par un mur d'enceinte. Arutha avait étudié les plans en compagnie du capitaine Subai et du père Dominic jusqu'à ce qu'il connaisse aussi bien les lieux que les traits de ses propres fils. Il savait que, de l'extérieur, la forteresse était pratiquement inexpugnable. Le seul moyen de la faire tomber était de s'en emparer de l'intérieur. Autrement, il s'ensuivrait un long siège auquel devraient participer un grand nombre de soldats, représentant autant d'hommes en moins pour la campagne principale.

— Je ne m'inquiète pas pour ça, confia Arutha. Pour pouvoir ouvrir le portail et faire entrer les renforts, il leur faudrait courir le risque de se faire tirer dessus. En plus, s'ils pouvaient se permettre d'affaiblir la défense de Sarth en envoyant des soldats au secours de l'abbaye, c'est que nous aurions déjà perdu la bataille.

Brusquement un cri s'éleva en provenance de l'écurie. Les envahisseurs s'apprêtaient à charger. Arutha, sous le choc, resta paralysé un moment tandis que des hommes armés couraient en direction de l'abbaye. Une volée de flèches passa au-dessus de leurs têtes, obligeant le duc à s'éloigner de l'ouverture. De nombreux assaillants s'effondrèrent sous les tirs des archers du royaume postés sur le toit de l'abbaye, mais la plupart réussirent à rejoindre l'entrée, où se tenaient Arutha, Subai et une douzaine de soldats. Le duc engagea le combat avec le premier assaillant et le tua avant même qu'il puisse entrer. Puis il regarda derrière son adversaire au moment où celui-ci s'effondrait et vit certains envahisseurs sauter à bas du parapet, au risque de se briser les os, afin de pouvoir ouvrir le portail en bois massif.

— Attention au portail! s'exclama le duc en frappant le nouvel adversaire qui se présentait devant lui.

On entendit des chevaux hennir au moment où un groupe de cavaliers sortait au galop de l'écurie pour tenter d'atteindre le portail. Sans hésiter,

Arutha s'écria : « Suivez-moi ! » et courut à découvert. Il savait que s'il parvenait à empêcher les cavaliers de sortir de la cour, il éviterait que Nordan ait vent de l'attaque contre l'abbaye. En leur barrant l'accès au portail, il briserait les dernières résistances des envahisseurs et les obligerait à se rendre. La moitié de la garnison se trouvait déjà sous bonne garde dans les sous-sols de l'abbaye et une centaine de cadavres ou de blessés était étendue à travers l'ensemble des bâtiments. Il ne restait plus qu'une autre centaine de soldats, coincés dans la cuisine et l'écurie ou sur les remparts.

Arutha sentit monter en lui un sursaut d'énergie, un sentiment proche de la joie mélangé à de la terreur, tandis qu'il traversait la mêlée en parant les coups qui pleuvaient. Il s'en prit à un cavalier qui tentait d'engager le combat contre un soldat du royaume. La lame du duc frappa à l'aveuglette, sans blesser l'envahisseur mais en le distrayant suffisamment pour permettre à l'autre soldat de le jeter à bas de sa selle.

La cour grouillait de cavaliers dont les montures ruaient et regimbaient, prises de panique au milieu des combats. Arutha jeta un coup d'œil sur sa gauche et vit Subai ordonner par signes à ses hommes de se déployer. D'un geste, il leur indiqua une volée de marches, non gardées par des envahisseurs, qui menaient au sommet des remparts.

Arutha regarda ensuite en direction du portail et vit deux hommes, dont l'un était blessé, retirer la barre.

— Le portail ! s'écria-t-il avant de se mettre à courir comme un fou.

À mi-chemin entre le corps principal de l'abbaye et le portail, le duc reçut une flèche dans le cou, entre son plastron et son heaume.

Pendant quelques instants, il eut l'impression d'avoir reçu un coup de poing en raison de la violence de l'impact. Ses jambes cédèrent sous lui, mais la douleur n'était pas très vive. Puis sa vision parut se contracter, comme s'il tombait à la renverse dans un long tunnel où l'obscurité montait de toutes parts. Sans très bien comprendre ce qui lui arrivait, Arutha, duc de Krondor, sombra dans le néant.

Subai était au milieu de l'escalier qui menait aux remparts lorsqu'il vit Arutha s'effondrer.

— Ramenez le duc par ici ! ordonna-t-il à deux de ses hommes.

Les soldats se précipitèrent au beau milieu du combat et réussirent à empoigner le duc et à le ramener auprès de Subai. Ce dernier s'agenouilla auprès d'Arutha, mais il avait déjà vu suffisamment de cadavres pour savoir qu'il n'avait pas à y regarder à deux fois. *Quelle ironie*, songea-t-il, *qu'un homme aussi courageux aille mourir au cours de son premier combat*. Puis Subai chassa le duc de ses pensées, car il avait une bataille à gagner.

Erik fit un signe à l'adresse de Greylock. Alors, les deux armées du royaume se lancèrent à l'attaque. Les cavaliers dévalèrent la grand-rue de Sarth en direction de la halle des artisans, le quartier général et dernier bastion des envahisseurs. Jusque-là, la reconquête de Sarth s'était déroulée sans la moindre anicroche. Toute la défense de la cité avait été concentrée au sud pour repousser l'attaque centrale de Greylock. Suivant le plan, Greylock avait tenu bon et avait engagé le combat. Pendant ce temps, Erik, sur le flanc droit, avait balayé une maigre résistance sur le dangereux versant des collines à l'est de la route tandis que les navires du royaume déposaient d'autres soldats sur les quais.

Owen parvint à maintenir un front stable tandis qu'Erik faisait mine d'attaquer sur le flanc droit. L'ennemi fit volte-face pour affronter Erik qui se retira au moment où les autres soldats, sous les ordres du duc de Ran, attaquaient les envahisseurs par-derrière. En quelques minutes, la déroute de Nordan fut totale.

De nombreux mercenaires s'enfuirent vers le nord par la route du Roi, mais quelques centaines se retranchèrent dans le grand édifice qui dominait la grand-place de Sarth. La colonne d'Erik, au moment de charger, vira brusquement à droite et aborda le bâtiment par le nord-est tandis que les hommes de Greylock attaquaient au sud-est. Très vite, la halle se retrouva cernée.

De temps en temps, les envahisseurs tiraient des flèches depuis les fenêtres du premier étage, mais en dehors de ça, le bâtiment était entièrement fermé. Au rez-de-chaussée, portes et fenêtres avaient été barricadées.

Erik se tourna vers Duga, le capitaine mercenaire qui avait été parmi les premiers à changer de camp durant la guerre.

— Dites à nos hommes de rester en retrait ! ordonna-t-il.

Puis il éperonna sa monture et rejoignit Greylock.

— Quels sont vos ordres, maréchal ?

Owen transpirait à grosses gouttes sous le soleil de midi et ses cheveux humides collaient sur son front.

— Je commence à m'impatienter, Erik. (Il amena sa monture un peu plus près du bâtiment et s'écria :) Eh vous, dans la halle !

Une flèche partit du premier étage et manqua Greylock de peu.

— Merde alors ! Je veux vous parler !

— Laissez-moi faire, demanda Erik qui reprit dans la langue de Novindus : « Notre chef souhaite vous parler ! »

Au bout d'un moment, une voix s'éleva à l'intérieur du bâtiment :

— Quelles sont vos conditions ?

Erik traduisit.

— Dis-lui qu'elles sont très simples : ils doivent jeter leurs armes et se rendre ou nous brûlerons ce bâtiment avec eux à l'intérieur ! Ils doivent se décider sur-le-champ !

Erik traduisit et l'on entendit une violente dispute éclater à l'intérieur. Puis il y eut des bruits de bagarre. Erik regarda Owen, qui hocha la tête.

— Chargez ! s'écria Erik.

De tous côtés, les troupes du royaume s'élancèrent à l'assaut de l'édifice. Erik et Owen étant les plus proches, ils coururent vers la porte principale.

— Qu'on apporte un bélier ! cria Erik par-dessus son épaule.

Tandis que des soldats s'empressaient d'obéir, d'autres défoncèrent des portes plus petites ou tentèrent d'arracher les volets. La porte principale s'ouvrit brusquement et quelqu'un jeta son épée qui atterrit avec fracas aux pieds d'Erik.

— On sort ! s'écria une voix à l'intérieur.

Erik et Owen s'écartèrent de la porte et un groupe d'individus sortirent du bâtiment en tenant leur épée par la lame. Quand ils arrivèrent devant les soldats du royaume, ils jetèrent leurs armes à terre, comme le faisaient tous les mercenaires de Novindus lorsqu'ils désiraient se rendre. Duga rejoignit Erik.

— Je connais ces types. Ce sont de bons gars pour la plupart, quand on veut bien leur donner leur chance. (Il ajouta, en apercevant d'autres mercenaires qui venaient en dernier en traînant les pieds :) Mais vous devriez probablement en pendre quelques-uns pour que l'air soit un peu plus respirable par ici.

— On va tous les enfermer en attendant de pouvoir les renvoyer chez eux, répliqua Erik.

— Vous savez, capitaine, même après avoir passé l'hiver avec vous, je ne comprends toujours pas votre façon de penser, à vous autres gens du royaume. De toute façon, tous les événements de ces dernières années ont aucun sens pour moi. Quand cette guerre sera finie, vous pourrez peut-être m'expliquer tout ça.

— Dès que quelqu'un me l'aura également expliqué, promit Erik.

Des soldats entrèrent dans le bâtiment et firent sortir les derniers envahisseurs. Quelques-uns furent transportés inconscients et couverts de sang.

— Ceux-là ne voyaient pas pourquoi ils devraient se rendre, expliqua l'un des envahisseurs à Erik et à Duga. Nous, on voyait pas pourquoi on devrait se faire tuer pour les beaux yeux de Fadawah.

Duga sourit.

— Nordan va péter des flammes quand il apprendra ce qui s'est passé.

— C'est déjà fait, expliqua le mercenaire en désignant l'un des hommes qui avaient perdu connaissance. C'est lui, le général Nordan.

Erik fit signe à deux soldats d'emmener le général inconscient à l'écart. Owen hocha la tête, un sourire de satisfaction sur le visage. Des rapports commençaient à arriver, disant que la ville était sous contrôle.

— Erik, prends une compagnie et va voir si les nôtres ont réussi à s'emparer de l'abbaye, ordonna Owen. Si jamais tu tombes sur nos ennemis, fais demi-tour et reviens aussi vite que possible. (Il se tourna vers Duga.) Postez-vous avec vos hommes au bas de la route de l'abbaye pour faire barrage au cas où Erik reviendrait en hâte.

Erik salua son supérieur et s'apprêta à aller chercher son cheval.

— Capitaine, le rappela Owen.

Erik se retourna pour regarder son vieil ami.

— Oui, maréchal ?

— Tes gars se sont bien battus sur le flanc droit. Tu n'as qu'à le leur dire de ma part.

Erik sourit.

— Je n'y manquerai pas.

Il regagna d'un pas pressé l'endroit où se trouvait son cheval et croisa Jadow Shati en chemin.

— Prends la deuxième unité et suis-moi, dit-il à son vieux compagnon.

Jadow, qui semblait revenir d'une petite balade matinale et non sortir d'une bataille, hocha la tête et relaya les ordres.

— Deuxième unité, avec moi. Les autres, aidez à sécuriser la zone.

Erik traversa la ville de Sarth à la tête de sa petite troupe. Il y avait encore des combats çà et là, aux endroits où des partisans de Nordan refusaient farouchement de se rendre. Mais on voyait surtout des groupes de prisonniers désarmés que les soldats du royaume emmenaient là où l'on construisait un enclos pour eux. On apercevait également dans les hauteurs autour de Sarth quelques habitants qui s'étaient enfuis au cours de la bataille. Les plus courageux d'entre eux s'apprêtaient à redescendre en ville.

Erik et ses cavaliers prirent la direction de l'est. Au lieu de faire demi-tour sur la route du Roi à l'endroit où elle tournait vers le sud, ils s'engagèrent sur une voie plus petite qui partait vers les hauteurs. Sur le premier mont, celui qui surplombait la côte, se dressait l'abbaye de Sarth, qui abritait autrefois la plus grande bibliothèque de tout Midkemia.

Les chevaux étaient fatigués à cause des charges qu'ils avaient dû mener, mais Erik les poussa quand même, impatient de savoir si Arutha et Subai avaient réussi ou si une troupe d'envahisseurs s'apprêtait à fondre sur Sarth. Sur les terres conquises par Fadawah, l'armée du royaume avait si bien repris celles situées au sud qu'Erik était convaincu que quelque chose de terrible allait arriver.

Comme ses hommes et lui approchaient du sommet, ils entendirent des bruits de combat à l'intérieur de l'abbaye. La route qui permettait de gravir le mont était relativement étroite, si bien que les soldats ne chevauchaient qu'à deux de front. Puis, à environ trente mètres du portail, elle s'élargit, permettant aux cavaliers de se déployer. Les archers montés étaient prêts et se mirent à tirer sur les quelques envahisseurs visibles sur les remparts. Erik transmit ses ordres par signes et une douzaine de cavaliers mirent pied à terre pour courir jusqu'au portail. Ils lancèrent des grappins par-dessus et les fixèrent solidement puis commencèrent à grimper tandis que les archers continuaient à occuper l'ennemi sur le mur d'enceinte. Dès que les premiers furent passés de l'autre côté, un second groupe grimpa par-dessus le portail et des combats éclatèrent sur les remparts. Erik savait que ses hommes seraient morts avant d'avoir atteint les escaliers s'il n'y avait eu des troupes du royaume déjà à l'intérieur. Un cri retentit et Erik demanda à ses hommes de se mettre en position pour charger. Puis il en donna l'ordre dès que les battants du portail commencèrent à s'ouvrir.

Ses hommes et lui surgirent au beau milieu d'une bataille acharnée, où cavaliers et fantassins s'affrontaient dans un combat à mort. Erik frappa le premier cavalier qu'il trouva sur son chemin et lui fit vider les étriers. La brusque apparition des soldats du royaume acheva de démoraliser les derniers envahisseurs. Rapidement, ils commencèrent à reculer et à jeter leurs armes en signe de reddition.

Erik reprit son souffle tout en balayant du regard la scène qui l'entourait. De nombreux hommes gisaient dans la cour, ainsi que quelques chevaux, morts ou blessés.

Erik fit signe à Jadow Shati d'enfermer les prisonniers dans l'écurie. Puis il mit pied à terre et conduisit son cheval jusqu'à l'entrée du bâtiment principal. Au passage, il leva les yeux vers la vieille tour qui le surplombait et jugea cette forteresse capable de soutenir un siège d'une année à condition que ses occupants disposent des ressources nécessaires. Il s'estima chanceux d'avoir réussi à convaincre le prince de lancer l'attaque aussi vite que possible plutôt que de laisser à Nordan l'occasion de se retrancher pour de bon.

— Erik ! fit une voix derrière lui.

Il se retourna et aperçut le capitaine Subai qui lui faisait signe de le rejoindre. Erik se hâta de gagner l'entrée principale du bâtiment. Là, sur le seuil, gisait le duc Arutha. Erik regarda Subai, qui secoua légèrement la tête.

— Il a tenté d'empêcher les envahisseurs d'ouvrir le portail, expliqua doucement Subai. Si vous étiez arrivés une demi-heure plus tôt…

Erik contempla la dépouille du duc, qui paraissait dormir.

— Il s'est bien battu ?

— Oui, très bien, répondit Subai. Dans la vie, ce n'était peut-être pas un guerrier, mais il est mort comme tel.

— Dès que nous nous serons assurés que l'abbaye est sûre, j'enverrai un message à Greylock. Le prince doit être informé au plus vite.

— Patrick voudra entrer dans Krondor au bras de sa jeune épouse dès qu'il le pourra.

— Il est parti pour Rillanon ? demanda Erik en faisant référence aux rumeurs destinées à tromper l'ennemi sur les intentions du royaume.

— Ce n'est plus nécessaire, répliqua Subai. Maintenant qu'Arutha est mort, Patrick va devoir se rendre à Krondor, avec ou sans sa princesse. (Il regarda vers le sud comme s'il pouvait voir la capitale dans le lointain.) Là réside notre faiblesse, capitaine. Si Kesh apprend que nous avons envoyé tous nos soldats à la reconquête d'Ylith et que seuls les mercenaires de Duko gardent la frontière, sans troupes de soutien cantonnées à l'intérieur de Krondor, il pourrait bien y avoir du grabuge.

— Espérons que nous parviendrons à empêcher Kesh de découvrir tout cela avant la fin de la guerre dans le Nord.

Subai baissa les yeux pour contempler Arutha.

— Il était de son devoir de s'en assurer. (Il regarda Erik en ajoutant :) Désormais, cette tâche incombe à un autre. Mais le choix de son successeur revient au prince. (D'un geste, il ordonna que l'on emporte le corps du duc à l'intérieur.) Dès que Greylock enverra des soldats pour prendre possession de l'abbaye, mes Pisteurs repartiront pour Krondor. Nous devons ramener le duc chez lui.

— Quant à moi, je partirai pour le Nord avec Greylock.

Erik tourna les talons et ressortit dans la cour, afin de ramener l'ordre et s'assurer que la situation serait sous contrôle au plus vite. Le royaume venait de remporter une victoire époustouflante, qui lui avait coûté moins cher que prévu et qui s'était produite plus rapidement qu'on l'avait imaginé. Cependant, il restait beaucoup à faire.

Chapitre 14

CONSÉQUENCES

Jimmy pleurait.

Il se tenait au garde-à-vous à côté de son frère sur les marches du palais de Krondor, un pas en retrait du prince. Mais les larmes coulaient librement sur son visage. Il ne parvenait pas à imaginer une existence sans son père. Il savait pourtant que ceux qui se battent meurent parfois, mais son père n'était pas un guerrier. Il avait étudié l'art du combat, comme tous les nobles du royaume, mais il avait voué sa vie à la diplomatie, à la justice et à l'administration du royaume. La seule fois où il avait choisi de se battre, cette décision lui avait coûté la vie.

Dash, quant à lui, n'avait jamais imaginé que le retour de son père à Krondor se ferait sur un chariot transformé en corbillard. Les traits figés en un masque impassible, il regarda passer le véhicule qui transportait le corps. Un jour de deuil avait été décrété en l'honneur du duc Arutha et des autres soldats tombés au cours de la prise de Sarth.

Dash se demanda si cela en valait la peine. Il ne ressentait rien, à l'exception d'un grand vide au fond de lui. Jimmy exprimait librement sa colère et sa douleur, mais quelque chose de plus profond était enfoui chez son frère. Dash regarda les nobles et les capitaines du royaume incliner respectueusement la tête au passage du corps de son père et ne parvint pas à trouver un sens à tout cela.

Son père avait toujours été quelqu'un de raisonnable. Il maniait bien l'épée, suffisamment du moins lors des duels d'entraînement, et entretenait sa forme physique en montant à cheval et en nageant dès que l'occasion se présentait. Mais il n'avait jamais pris part à une action militaire. Dash se rendit alors compte qu'il pensait toujours au présent. D'après le capitaine Subai, Arutha avait fait preuve de courage jusqu'au bout, mais on n'aurait jamais dû l'autoriser à prendre part à cette mission. Dash sentit les larmes lui monter aux yeux et les ravala.

Le duc Arutha avait toujours été le membre le plus pragmatique de la famille. La mère des garçons n'avait qu'une obsession : les ragots de la cour de Rillanon et les longues visites qu'elle rendait à sa propre famille à Roldem. L'enfance des deux frères avait été dominée par les nounous, les précepteurs et leur grand-père, qui leur avait appris à escalader les murs, forcer les serrures et toutes sortes de conduites extravagantes. Leur grand-mère avait été pour eux une présence apaisante et leur père un véritable roc, un homme calme et peu loquace qui manifestait son affection et son attention par de petits gestes. Dash n'arrivait pas à se souvenir d'une seule rencontre où son père ne l'aurait pas accueilli par une chaleureuse accolade. Il se rappela les nombreuses fois où Arutha s'était tenu debout à ses côtés, la main sur l'épaule de son fils comme s'il était important d'avoir un contact physique.

Brusquement, Dash prit conscience qu'il pleurait la disparition de toute sa famille. Ses grands-parents de Roldem étaient toujours restés plus ou moins des étrangers, malgré la demi-douzaine de visites qu'il avait effectuées dans le royaume insulaire lorsqu'il était enfant – ses grands-parents, de leur côté, ne s'étaient déplacés qu'une seule fois à Rillanon, pour le mariage de leur fille. Sa sœur était mariée au duc de Faranzia, à Roldem, et n'avait plus remis les pieds dans le royaume depuis son mariage. Tout ce qui lui restait, c'était son frère, Jimmy.

Lorsque le chariot eut disparu au coin des écuries, le prince Patrick prit la parole :

— Messieurs, la nation tout entière pleure la disparition de votre père. À présent, vous voudrez bien me rejoindre dans une heure pour tenir conseil, je vous prie.

Il adressa un signe de tête à Francie, qui se tenait de l'autre côté de la cour avec son père. Puis il fit demi-tour et gravit les grandes marches du palais. Dès que le prince fut rentré, les nobles du royaume commencèrent à se disperser.

Jimmy prit une profonde inspiration, afin de reprendre le contrôle de ses émotions, et fit signe à Dash de l'accompagner. Ils contournèrent le palais pour rejoindre l'endroit où un ordonnateur des pompes funèbres s'apprêtait à s'occuper de la dépouille de leur père. Deux soldats descendirent délicatement du chariot le corps du duc Arutha, enveloppé de pied en cap dans un linceul improvisé, une toile de lin défraîchie que quelqu'un avait dénichée à Sarth. L'ordonnateur se tourna vers Jimmy :

— Vous êtes le fils de messire Arutha ?

Jimmy acquiesça et indiqua d'un geste que Dash était son frère. L'ordonnateur affecta un air plein de compassion.

— La nation pleure avec vous, messire. Comment souhaitez-vous que l'on dispose du corps de votre père ?

Jimmy se figea puis se tourna vers Dash.

— Je n'ai… jamais…

— Que fait-on d'habitude ? demanda son frère.

— En tant que duc de Krondor, votre père a le droit d'être enterré dans le caveau du palais. En tant que comte de Vencar, il peut prendre place dans celui du palais de Rillanon. À moins que vous ayez une propriété familiale ?

Jimmy regarda à nouveau son frère, qui garda le silence.

— Ma famille n'a d'autre propriété que cette ville, déclara enfin l'aîné. Mais mon père est né et a été élevé à Rillanon. C'est son foyer. Ramenez-le là-bas.

— Comme vous voulez, répondit l'ordonnateur.

Dash posa la main sur l'épaule de Jimmy.

— Allons boire un verre.

— D'accord, mais juste un. Nous devons rencontrer le prince dans une heure. Nous nous enivrerons à la mémoire de notre père plus tard.

Dash hocha la tête tandis qu'ils repartaient tous les deux vers l'entrée principale du palais.

Lorsqu'ils y parvinrent, ils tombèrent sur Malar Enares qui se tenait juste devant.

— Messieurs, c'est vraiment regrettable. Je vous présente toutes mes condoléances.

Le serviteur du val des Rêves avait découvert mille et un moyens de se rendre utile au palais. Quand Jimmy était revenu à Krondor, s'attendant à trouver le serviteur sous bonne garde, il avait été à la fois amusé et surpris de découvrir qu'il travaillait avec énergie dans le quartier général de Duko. Il réalisait des merveilles dès qu'il s'agissait d'organiser, de nettoyer et de remettre les choses en ordre. Il s'était de nouveau attaché au service de Jimmy lorsque Duko était parti prendre le commandement des Marches du Sud et des forteresses le long de la frontière keshiane.

Malar suivit les deux frères à l'intérieur.

— Puis-je faire quelque chose pour vous, messieurs ?

— Si vous pouviez apporter une très bonne bouteille de cognac dans mes appartements, je vous en serais reconnaissant.

— Je vais voir ce que je peux faire, répondit Malar en s'empressant de joindre le geste à la parole.

Dash et Jimmy traversèrent les longs couloirs du palais, qui avaient presque retrouvé leur splendeur d'avant la destruction de Krondor. L'édifice était toujours plein d'ouvriers qui repeignaient les bordures de portes et de fenêtres, remplaçaient le carrelage et suspendaient les tapisseries. Les escaliers de service menant aux étages supérieurs avaient encore besoin de réparations, mais les maçons avaient ôté toutes les pierres fissurées et fini de les remplacer. La suie et les dégâts causés par l'incendie n'étaient également plus visibles.

— Tu te souviens à quoi ressemblait cet endroit avant ? s'enquit Dash.

— Tu sais, c'est exactement à ça que je pensais, confessa Jimmy. Je sais que les tapisseries sont différentes, mais que je sois pendu si j'arrive à décrire à quoi ressemblaient les anciennes.

— Patrick a demandé à faire refaire les anciennes bannières de la salle d'audience du prince.

— Ce ne sera pas pareil, mais je peux comprendre pourquoi.

Les deux frères arrivèrent devant les appartements de Jimmy et entrèrent. Ils restèrent assis en silence pendant une minute avant que Dash finisse par prendre la parole :

— Je suis tellement en colère contre lui !

Il regarda son frère avec des yeux pleins de larmes.

Jimmy sentit l'émotion le gagner à son tour.

— Je sais. Putain, je peux pas croire qu'il ait pu être stupide à ce point ! S'en aller et se faire tuer comme ça…

— Tu as écrit à notre mère et à nos tantes ?

— Pas encore. Je le ferai ce soir. Je ne sais pas encore très bien ce que je vais dire.

Dash se mit à pleurer pour de bon.

— Dis-leur qu'il est mort en brave, pour son roi et sa patrie.

— C'est un piètre réconfort, répliqua Jimmy.

Dash s'essuya les yeux.

— Il fallait qu'il y aille.

— Non, c'est faux, rétorqua Jimmy.

— Si, il le fallait, insista Dash. Toute sa vie, il s'est tenu dans l'ombre de grand-père et de l'homme dont il portait le nom.

Jimmy s'essuya les yeux à son tour.

— L'histoire ne retiendra qu'un seul Arutha de Krondor. (Il soupira.) Père aura sans doute droit à une petite mention quelque part : « l'homme qui portait le nom d'un grand prince et qui administra de façon admirable les cités de Rillanon et de Krondor ». Mais il était plus que ça.

— Seulement pour ceux d'entre nous qui l'ont connu et aimé, tempéra son frère.

Jimmy se leva lorsqu'on frappa à la porte. Il alla ouvrir. Malar Enares se tenait sur le seuil avec une bouteille de cognac et deux verres en cristal sur un plateau.

Jimmy s'écarta pour laisser entrer le serviteur. Malar déposa le plateau sur la table.

— Je souhaite vous faire part de mon profond regret, messieurs. Je n'ai pas eu le plaisir de rencontrer votre distingué père, mais je n'ai rien entendu à son sujet qui ne soit pas élogieux.

— Merci, répondit Jimmy.

Dash s'empara de la carafe et versa à boire tandis que le serviteur s'en allait en refermant la porte derrière lui. Après avoir tendu un verre à son frère, Dash souleva le sien en disant :

— À notre père.

— À notre père, répéta Jimmy. (Au bout d'une minute, il ajouta :) Je sais ce qu'il ressentait.

— Comment ça ? demanda Dash.

— Peu importe si je suis doué ou jusqu'où je m'élèverai, il n'y aura jamais qu'un seul James de Krondor.

— Un seul Jimmy les Mains Vives, approuva Dash.

— Cependant, si grand-père était là, il nous dirait que cela n'a rien à voir avec la renommée.

— Mais il appréciait cette notoriété, rappela Dash.

— C'est vrai, reconnut Jimmy. Mais il l'a acquise en se montrant extrêmement brillant dans ses actes. Au départ, il n'avait pas l'intention de devenir le noble possédant l'intelligence la plus diabolique de l'Histoire.

— C'est peut-être ce que notre père a compris dès le départ : il faut faire son travail et laisser l'Histoire décider d'elle-même, fit remarquer Dash.

— Tu as sans doute raison. Bon, on ferait bien de se rendre dans le bureau de Patrick pour voir quelle est sa décision.

Dash se leva et ajusta sa tunique.

— Tu crois qu'il va te nommer duc de Krondor ? Vu que tu es le fils aîné, etc.

Jimmy éclata de rire.

— Je ne pense pas. Il voudra choisir quelqu'un de plus expérimenté pour ce poste, tout comme le roi.

Dash ouvrit la porte.

— Tu n'as que deux ans de moins que Patrick, Jimmy.

— C'est exactement la raison pour laquelle Borric voudra quelqu'un de plus âgé et de plus sage pour gouverner Krondor, répondit Jimmy en franchissant le seuil de ses appartements. Si père avait été duc de Crydee ou de Yabon, j'aurais certainement hérité du titre ; par contre, on m'aurait envoyé un puissant conseiller par le premier bateau en partance pour l'Ouest. Mais Krondor ? Non, il y a trop de choses en jeu et trop de possibles erreurs à commettre. (Tout en remontant le couloir, il ajouta :) Et puis, tu imagines les maux de tête ? Quoi que Patrick ait à m'offrir, ce sera toujours mieux que le titre de duc.

Ils traversèrent le palais d'un pas pressé jusqu'à ce qu'ils aient atteint l'entrée située sur le côté des appartements du prince. Jimmy frappa et la porte s'ouvrit. Un page s'effaça pour les laisser entrer. Comparés aux logements exigus que Patrick avait dû supporter à la Lande Noire, ceux-là étaient spacieux. Les livres et les parchemins que le duc Arutha avait donné l'ordre d'emporter en lieu sûr retrouvaient à présent leurs rayonnages ou leurs placards d'origine. Malar tendait justement un tas de parchemins à un secrétaire.

— Alors, on donne un coup de main ? demanda Jimmy en passant.

— J'apporte mon aide là où on en a besoin, répondit le serviteur en souriant.

Les deux frères entrèrent dans les appartements privés du prince. Patrick leva les yeux. À côté de son bureau se tenait le duc Brian de Silden, qui hocha la tête à l'intention des deux jeunes gens. Ces derniers savaient que Brian et leur père avaient été des amis très proches à la cour et que Brian comprenait et partageait leur chagrin mieux que n'importe quel autre noble du royaume.

Patrick se redressa sur sa chaise.

— Messieurs, permettez-moi de vous redire à quel point la mort de votre père me fait de la peine. Ce ne sont pas seulement sa famille et ses amis qui le pleurent, mais le royaume tout entier. (Le prince balaya la pièce du regard comme s'il cherchait quelque chose.) C'est comme si je m'attendais à le voir arriver d'un instant à l'autre. Je me rends compte à présent à quel point je m'en remettais à ses conseils.

Il laissa échapper un lent soupir et poursuivit :

— Mais nous devons continuer notre mission, comme toujours. Messire Brian sera mon conseiller jusqu'à ce que le roi décide de nommer un nouveau duc de Krondor. (Patrick regarda Jimmy :) Je te connais suffisamment bien pour savoir que tu ne t'attendais pas à recevoir ce titre.

Jimmy secoua la tête.

— Dans dix ans peut-être, mais pas maintenant.

Patrick hocha la tête.

— Tant mieux, parce que nous avons besoin de toi ailleurs qu'à Krondor.

— Où cela, Altesse ?

— J'ai besoin d'une personne de confiance pour garder un œil sur Duko. Tu t'entends bien avec lui, visiblement. Je veux envoyer quelqu'un sur place pour s'assurer qu'il se tient tranquille.

Jimmy inclina la tête.

— Altesse.

— J'ai envoyé un message à mon père, Jimmy. Je suis sûr qu'il suivra mes recommandations et te nommera comte de Vencar, comme ton père avant toi. C'est une jolie petite propriété et Arutha aurait voulu que tu l'aies.

Jimmy hocha de nouveau la tête.

— Merci, Votre Altesse.

Dash et lui avaient été élevés à Vencar. Comme la plupart des propriétés situées sur l'île de Rillanon – là où le royaume était né – elle était minuscule à bien des égards et ne couvrait qu'une centaine d'acres, comprenant une crique, des prairies et des pâturages. Les métayers avaient cessé d'en exploiter la terre des siècles auparavant, lorsque Rillanon avait débordé sur le continent. Cependant, en dépit de sa modeste superficie, il s'agissait de l'une des plus jolies propriétés du royaume. Leur grand-père s'était arrangé pour qu'on la donne à Arutha lorsque le vieux comte de Vencar était mort sans héritier. Jimmy était né au palais, tout comme sa sœur, mais ils avaient déménagé là-bas quand il était encore bébé. Dash était né à Vencar. C'était leur foyer.

— Donc, reprit Patrick, à moins que mon père m'écrive pour me dire que je suis un idiot, à compter de ce jour, tu deviens le comte James.

— Je remercie Son Altesse.

— Quant à toi, Dash, j'ai un travail spécial pour toi.

— Altesse.

— Nous avons un problème, ici, à Krondor. L'armée se trouve dans le Nord et les épées de Duko dans le Sud. Je ne dispose que de la garde du palais. Or, la cité revit peu à peu et elle est envahie de brigands et de ruffians, de coupe-jarrets et de voleurs. Il me faut quelqu'un pour rétablir l'ordre. Je crois que, de toutes les personnes à ma disposition, c'est toi qui as le plus d'affinités avec le monde de la rue. Je te nomme donc shérif de Krondor. Jusqu'à ce que nous puissions recréer le guet de la cité et le bureau de police, tu incarneras la loi. Recrute qui tu peux, mais arrange-toi pour garder cette cité sous contrôle jusqu'à ce que les guerres soient finies.

— Shérif ? répéta Dash.

— Y verrais-tu une objection ?

— Euh... non, Altesse. Je suis juste un peu surpris.

— La vie est pleine de surprises, répliqua Patrick. (Il indiqua les parchemins sur son bureau.) Voilà les rapports en provenance des deux fronts. Les Keshians reculent devant Duko à Finisterre mais commencent à lancer des raids du côté de Shamata. Ils refusent de trop s'approcher, par peur des magiciens du port des Étoiles, je pense, mais ne cessent de harceler nos patrouilles qui ne sont déjà guère nombreuses. De l'autre côté, Greylock a consolidé sa position à Sarth et pousse vers le nord. (Une expression inquiète apparut sur le visage de Patrick.) Mais il y a quelque chose qui cloche. La défense le long de la côte est bien faible. Nous savons que Fadawah nous a offert Duko parce qu'il doutait de sa loyauté.

» Mais il apparaît maintenant qu'il a également abandonné Nordan. Or, d'après nos informations, Nordan était son plus vieil allié et celui en qui il avait le plus confiance.

— Peut-être qu'il ne contrôle pas aussi bien ses hommes que nous le pensions, suggéra Jimmy.

— Tous les rapports indiquent que les envahisseurs ont passé un hiver difficile, intervint Brian de Silden. Apparemment, beaucoup sont morts de leurs blessures ou à cause de la faim. Mais nos agents nous ont également appris qu'ils commercent désormais avec Queg et les Cités libres. Ils ont de la nourriture en abondance et se sont établis à Ylith.

Patrick se passa la main sur le visage.

— Avons-nous des nouvelles de Yabon ?

— Aucune, répondit le duc Brian. Nous n'en avons plus depuis la bataille de Sarth. Pas un seul navire n'arrive à franchir le barrage des pirates quegans pour atteindre les Cités libres. Tous les navires de la Côte sauvage ont été appelés en renfort de l'attaque contre Sarth. Si nous devions recevoir des nouvelles, ce serait par courrier, mais il y a peu de chances qu'un messager parvienne à franchir les lignes ennemies. Nous apprendrons peut-être quelque chose en approchant d'Ylith, mais pour le moment, nous ne pouvons qu'espérer que le jeune duc soit capable de garder LaMut et Yabon intactes.

Patrick regarda Jimmy et Dash.

— Venez dîner avec moi ce soir, tous les deux. Nous discuterons de votre mission respective. En ce qui te concerne, Jimmy, tu pars demain.

— Demain ? s'écria Dash. Mais Patrick..., pardon, Altesse, je pensais que nous pourrions accompagner notre père à Rillanon pour assister à ses funérailles.

— Nous n'en avons pas le temps, je suis désolé. Vous devrez lui dire adieu ce soir après le dîner. Peut-être pourrions-nous organiser une petite veillée... Oui, cela serait de circonstance. Mais en raison des exigences de cette guerre, aucun d'entre nous ne peut s'accorder le luxe de faire son deuil ou de se laisser aller à sa joie. J'ai dû mentir à de nombreux nobles du royaume qui voulaient un mariage d'État ; quant à ma promise, elle n'est pas ravie à l'idée de se marier au milieu des cendres de Krondor, elle qui pensait le faire au palais de Rillanon. Nous devons tous faire des sacrifices.

— On se verra donc au dîner, fit Dash.

— Vous pouvez prendre congé, ajouta Patrick.

Les deux frères s'inclinèrent et quittèrent le bureau du prince.

— Tu y crois, toi ? demanda Jimmy.

— À quoi ?

— À cette histoire de sacrifices ?

Dash haussa les épaules.

— Tu connais Patrick. Il ne sait jamais quand il dépasse les bornes et quand il devrait juste la fermer.

Jimmy éclata de rire tandis qu'ils tournaient dans le couloir menant à leurs appartements.

— Tu as raison. C'est sûrement pour ça qu'il joue si mal aux cartes.

— Parfait, déclara Nakor.

Aleta resta immobile mais rétorqua :

— J'ai l'air bête comme ça.

— Non, tu es splendide, répliqua l'Isalani.

La jeune femme se tenait debout sur une boîte, un drap enroulé autour de la tête et des épaules. Pour le reste, elle était vêtue d'une robe ordinaire. Face à elle, un sculpteur modelait l'argile avec énergie pour tenter de restituer fidèlement ses traits. Cela faisait trois jours qu'il y travaillait, mais il finit par reculer en disant :

— C'est fini.

Nakor fit le tour de l'effigie tandis qu'Aleta descendait de la boîte et s'approchait pour jeter un coup d'œil.

— Je ressemble vraiment à ça ?

— Oui, répondit Nakor en continuant à faire le tour de la statue. Oui, cela fera l'affaire, déclara-t-il. Combien de temps cela va prendre ? ajouta-t-il en regardant le sculpteur.

— De quelle taille vous la voulez ?

— Grandeur nature. (Il désigna Aleta.) Je veux que la statue soit de la même taille que son modèle.

— Alors cela prendra un mois pour chaque statue.

— Bien, un mois c'est parfait.

— Voulez-vous que je les livre ici ?

— J'en veux une ici, pour la mettre dans la cour. L'autre devra être livrée à Krondor.

— Pardon ? M. Avery n'a jamais parlé de Krondor.

— Voulez-vous laisser de simples charretiers ériger votre statue ?

Le sculpteur haussa les épaules.

— Ça ne fait aucune différence pour moi, mais ça va vous coûter plus cher.

Nakor fronça les sourcils.

— Ça, c'est entre Roo et vous.

Le sculpteur hocha la tête et enveloppa soigneusement le modèle en argile dans une toile cirée avant de rejoindre son chariot, à l'extérieur.

— Est-ce que c'est fini en ce qui me concerne ? demanda Aleta.

— Sans doute pas, répondit Nakor, mais tu n'as plus besoin de poser.

— Quel est le but ? demanda-t-elle en repliant le drap qu'elle avait porté. Je me sentais vraiment bête à poser comme ça.

— C'est pour une statue de la déesse.

— Tu m'as fait poser pour incarner la déesse ! (Aleta parut épouvantée.) Mais c'est...

— Quelque chose que je ne comprends pas, avoua Nakor d'un air perplexe. Mais je sais que j'ai choisi la bonne personne.

Le père Dominic, qui était resté durant toute la durée de l'échange dans un coin de la pièce, s'avança.

— Croyez-moi, mon enfant, cet homme étrange sait des choses, des choses qu'il ne comprend pas. Mais s'il les sait, alors c'est qu'elles sont vraies.

La jeune femme parut encore plus perplexe à la suite de cet exposé.

— Si Nakor dit qu'il est tout à fait approprié que vous posiez pour incarner la déesse, alors c'est le cas, expliqua Dominic. Faites-moi confiance. Ce n'est pas un blasphème.

Ces paroles rassurèrent la jeune femme.

— Bon ce n'est pas tout ça, mais j'ai des lessives à faire.

Lorsqu'elle fut partie, Dominic rejoignit Nakor et lui demanda :

— Que voyez-vous chez cette fille ?

L'Isalani haussa les épaules.

— Quelque chose de merveilleux.

— Vous ne pourriez pas être plus précis ?

— Non. Venez-vous à Krondor avec moi ?

— Mon temple m'a donné l'ordre de vous aider au mieux de mes capacités, répondit Dominic. Si cela signifie que je dois vous accompagner à Krondor, alors oui, j'irai.

— Tant mieux, commenta Nakor. Les choses ici vont continuer à suivre leur cours sans moi. Sho Pi est parfaitement capable de nourrir ceux qui ont faim et d'éduquer les enfants. Il a déjà commencé à apprendre aux disciples les premiers principes qu'on enseigne à un futur moine de Dala – l'ordre dont il faisait partie avant de me rencontrer. C'est un bon début et cela permettra de trier ceux qui veulent manger gratuitement et dormir au chaud, et ceux qui veulent vraiment contribuer à notre cause.

— Quand partons-nous ? demanda Dominic.

Nakor haussa les épaules.

— D'ici un jour ou deux. Les derniers régiments vont partir rejoindre le prince à Krondor ; nous n'aurons qu'à les accompagner.

— Très bien, je serai prêt, promit Dominic.

Quand le moine fut parti, Nakor se retourna et contempla Aleta, qui étendait du linge sur un fil tendu en travers de la cour. Le soleil l'éclairait par-derrière et un halo de lumière dorée apparut autour de sa tête pendant quelques instants lorsqu'elle se dressa sur la pointe des pieds pour accrocher les vêtements. Nakor sourit jusqu'aux oreilles.

— Oui, quelque chose de vraiment merveilleux, se dit-il à lui-même.

Le dîner fut calme. Les conversations, sporadiques, manquaient d'entrain et tournaient essentiellement autour des problèmes de la couronne, quand il ne s'agissait pas d'anecdotes au sujet de messire Arutha. Il y eut aussi de longs moments de silence.

Lorsque les convives eurent mangé le dernier plat, les domestiques firent passer des plateaux sur lesquels se trouvaient des verres en cristal et des carafes de cognac. Patrick prit la parole :

— Puisque les fils de messire Arutha n'auront pas le loisir de retourner à Rillanon assister aux funérailles de leur père, j'ai pensé qu'il convenait d'organiser une veillée non officielle à sa mémoire. Si vous vouliez bien, messieurs, dire un mot ou deux au sujet du disparu, ce serait de circonstance. Messire Brian, peut-être ?

— Arutha et moi étions amis depuis l'enfance, rappela le duc de Silden. Il possédait de nombreuses qualités, mais si l'on me demandait de citer la plus remarquable d'entre elles, je dirais qu'il s'agissait de l'extraordinaire clarté de ses pensées. Quelle que soit l'opinion qu'il avait sur un sujet, celle-ci provenait toujours d'un esprit remarquable. Il était peut-être l'homme le plus doué que je connaisse.

Jimmy et Dash échangèrent un regard surpris car ils ne s'étaient jamais demandé quelle opinion ses pairs pouvaient bien avoir d'Arutha.

Les autres nobles firent également quelques remarques. Le capitaine

Subai fut le dernier à prendre la parole avant les garçons. N'étant pas un adepte des grands discours, il paraissait mal à l'aise, mais s'exprima néanmoins.

— Je pense pour ma part que le duc était sans doute l'homme le plus sage que j'aie rencontré. Il connaissait ses limites sans pour autant avoir peur de les repousser. Il plaçait le bien-être des autres au-dessus du sien. Il adorait sa famille. Il nous manquera.

Subai regarda Jimmy, qui choisit de commencer son discours par ces mots :

— Il portait le nom d'un grand homme. (Il hocha la tête à l'intention de Patrick qui fit de même, appréciant l'allusion à son grand-père.) Et il a été élevé par un personnage probablement unique dans l'histoire de notre royaume. Pourtant, il a su être lui-même. (Regardant le prince, Jimmy ajouta :) Je me suis souvent demandé ce que cela signifiait d'être le petit-fils du duc James de Krondor, sans doute parce que je porte son nom. Je me suis rarement demandé ce que cela faisait d'être son fils. (Les larmes montèrent aux yeux du jeune homme.) Je regrette seulement de ne pas avoir pu lui dire à quel point il comptait pour moi.

— Moi aussi, reconnut Dash. Je croyais peut-être qu'il serait toujours là. J'espère ne jamais refaire cette erreur avec quelqu'un qui m'est cher.

Le prince se leva et prit un verre sur l'un des plateaux que portaient les domestiques. D'autres l'imitèrent. Jimmy et Dash soulevèrent leur verre au moment où le prince s'écria :

— À messire Arutha !

Messire de Silden, le capitaine Subai et les autres nobles conviés au dîner « intime » de Patrick portèrent un toast à leur tour puis vidèrent leur verre.

— Ce dîner est à présent terminé, messieurs, déclara alors Patrick.

Il sortit de la pièce. Comme il se devait, les autres convives attendirent un moment avant de faire de même.

Dash et Jimmy quittèrent la salle juste derrière messire de Silden et le capitaine Subai. Ils souhaitèrent une bonne nuit à ces derniers et s'en allèrent vers leurs propres chambres. Jimmy s'apprêtait à dire bonne nuit à son frère lorsqu'un page arriva en courant.

— S'il vous plaît, messieurs ! Le prince demande que vous le rejoigniez immédiatement !

Les deux frères s'empressèrent de suivre le page qui les ramena au bureau du prince. En entrant, ils le trouvèrent debout devant son bureau, le visage rouge et figé par la colère. Patrick tenait dans son poing serré un parchemin qu'il venait de broyer. Il le tendit à messire de Silden qui le défroissa pour lire le message. Lorsque ce fut fait, il écarquilla les yeux.

— Par tous les dieux ! s'exclama-t-il. LaMut est tombée, ajouta-t-il à voix basse d'un air consterné.

— Un soldat a réussi à s'échapper et à atteindre Lorièl avec la moitié de l'armée de Fadawah à ses trousses. Il est mort après avoir délivré son message. Celui-ci nous est parvenu grâce à un courrier qui s'est rendu à la Lande Noire avant de venir ici. LaMut est aux mains de l'ennemi depuis maintenant trois semaines, conclut Patrick d'un ton amer.

» Nous nous sommes réjouis de la facilité avec laquelle nous avons repris Sarth, mais c'était un piège. Fadawah nous a rendu un port de pêche sans grande importance pour mieux s'emparer du cœur du duché de Yabon ! La cité de Yabon elle-même est désormais en grand péril et nous ne sommes pas plus près de reconquérir Ylith qu'au début du dégel !

Le prince paraissait au bord de l'affolement. Brusquement, Jimmy et Dash ressentirent l'absence de leur père avec une acuité douloureuse. Tous deux regardèrent Brian de Silden qui restait silencieux, comme effrayé à l'idée de parler.

— Je sais ce qu'il faut faire ! finit par s'écrier Patrick. Nous devons envoyer une lettre à Yabon, écrire au duc Carl de tenir bon jusqu'à ce que nous puissions lui envoyer des renforts.

— Qu'en est-il de Lorièl ? s'enquit Jimmy.

— La ville tient toujours, répondit le prince. Mais nous ne savons pas pour combien de temps encore. Fadawah a amassé un très grand nombre de soldats sous ses remparts et d'après le message, la bataille fait rage. Peut-être est-elle déjà tombée. Le message ajoute que nos ennemis manipulent une espèce de magie noire qu'ils dirigent contre les défenseurs.

Dash et Jimmy échangèrent un regard épouvanté. D'après la rumeur, les prêtres-serpents panthatians avaient tous disparu, mais cette affirmation était sans doute un peu prématurée. De plus, cette magie était peut-être l'œuvre de mages humains.

— Nous devons avertir mon arrière-grand-père, s'écria Jimmy.

— Le magicien ? fit Patrick. Où est-il ?

— Il doit encore être en Elvandar, si les choses se sont déroulées comme il l'avait prévu. Il devrait revenir au port des Étoiles dans un mois.

— Capitaine Subai, pouvez-vous envoyer des messagers à Yabon ? demanda Patrick.

— C'est difficile, Altesse. Un homme seul réussirait peut-être à traverser les montagnes au nord de Lorièl et à prendre contact avec les habitants des collines de Yabon. L'un d'eux pourrait alors continuer jusqu'en Elvandar.

— Subai, je veux que vous partiez dès l'aube vers la Lande Noire. Réunissez toute l'aide nécessaire et partez pour le Nord. Je n'ai personne d'autre à qui confier cette mission. Greylock et la Lande Noire vont continuer leur route jusqu'à atteindre les positions ennemies au sud d'Ylith. Jimmy, tu vas descendre rejoindre Duko dans le Sud et le mettre au courant de ce qui se passe. Krondor n'est plus qu'une coquille vide et vulnérable. Nous devons présenter un visage fort au reste du monde. Dash, tu dois garder cette cité sous contrôle, par n'importe quel moyen. Messire de Silden, veuillez rester avec moi afin de m'aider à rédiger les ordres de mission. Les autres peuvent se retirer.

Jimmy attendit d'être à l'extérieur des appartements du prince pour demander :

— Capitaine Subai, si j'écris un message à mon arrière-grand-père, vous voudrez bien vous assurer qu'il le reçoive avec les autres lettres ?

— Bien sûr. J'imagine que nous serons tous les deux à la porte de la cité à la première heure demain matin. Vous me donnerez votre missive à ce moment-là. J'aurai moi-même quelque chose à vous remettre. En attendant, dormez bien.

Jimmy et Dash souhaitèrent également une bonne nuit au capitaine.

— Allez, shérif, dit Jimmy, viens m'aider à écrire une lettre à notre arrière-grand-père.

— Shérif ! répéta Dash.

Il poussa un soupir et suivit son frère.

L'aube était encore loin, mais le ciel s'éclairait déjà à l'est lorsque Dash dit au revoir à son frère. Sur un autre cheval se trouvait Malar Enares, le serviteur du val des Rêves. Il avait appris que Jimmy s'en allait dans le Sud et lui avait demandé la permission de l'accompagner. En effet, avait-il expliqué, si le travail ne manquait pas à Krondor, l'argent, lui, faisait défaut. Peut-être les commerces que possédait son ancien maître le long de la frontière keshiane étaient-ils encore ouverts. Comme le bonhomme paraissait plutôt inoffensif et savait souvent se rendre utile, Jimmy avait accepté.

Le capitaine Subai arriva à la tête d'une compagnie de Pisteurs et tendit à Jimmy un paquet enveloppé dans de la toile.

— C'était l'épée de votre père, Jimmy. Je la lui ai prise avant qu'ils ne préparent son corps pour le ramener à Krondor. Je me suis dit qu'elle vous revenait, puisque vous êtes l'aîné.

Jimmy prit le paquet et enleva la toile. La poignée de l'épée était usée et le fourreau abîmé et couvert d'égratignures, mais la lame était intacte. Jimmy la sortit du fourreau et discerna le contour d'un minuscule marteau de guerre apparemment gravé à la naissance de la lame. Il savait que c'était à cet endroit que Macros le Noir avait incrusté le talisman donné par l'abbé de Sarth au prince Arutha lorsque ce dernier avait dû affronter le chef moredhel Murmandamus. L'épée était restée accrochée au mur d'un bureau de Krondor depuis la mort du prince jusqu'à ce que le duc James l'envoie à son fils. À présent, elle se trouvait entre les mains de Jimmy.

— Je ne sais pas, dit ce dernier. Je crois que cette épée revient au roi ou au prince Patrick.

Subai secoua la tête.

— Non, si le prince de Krondor avait voulu que cette arme revienne au roi, il aurait pris des dispositions en ce sens. S'il l'a laissée à Krondor, c'est qu'il y avait une raison.

Jimmy continua à la tenir respectueusement entre ses mains pendant un moment, puis il défit sa ceinture, à laquelle était accrochée sa propre épée, et la donna à Dash avant de mettre la ceinture de son père.

— Merci.

Dash rejoignit le capitaine Subai :

— Pourriez-vous demander au messager que vous enverrez en Elvandar de remettre ceci à notre arrière-grand-père, je vous prie ?

Subai prit la lettre et la glissa dans sa tunique.

— Je suis le messager en question. Je guiderai personnellement les Pisteurs jusqu'à Yabon et au-delà jusqu'en Elvandar.

— Merci, lui dit Dash.

— Au cas où nous n'aurions pas l'occasion de nous revoir un jour, jeune Jimmy, je tiens à vous dire que ça a été un honneur de vous rencontrer, ajouta Subai.

— Bon voyage, capitaine, répondit l'intéressé.

Les Pisteurs sortirent de la cour du palais et lancèrent leurs montures au trot, adoptant une allure détendue. Jimmy regarda Dash.

— Prends soin de toi, petit frère.

Dash tendit le bras pour serrer la main de Jimmy.

— Toi aussi, grand frère. Fais attention. Je ne sais pas dans combien de temps on se reverra, mais tu vas me manquer.

Jimmy acquiesça.

— Les lettres que nous avons écrites à notre mère et au reste de la famille sont dans la sacoche du messager qui est parti pour Rillanon. Quand je saurai quelle sera ma destination finale, je te le ferai savoir.

Dash agita la main tandis que Jimmy et son escorte sortaient de la cour à leur tour. Puis il fit demi-tour pour rentrer au palais. Il ne lui restait plus qu'une heure avant la réunion avec le prince, messire Brian et les autres nobles de la cour. Après quoi il lui faudrait rétablir l'ordre et instaurer de nouveau la loi à Krondor pendant que Jimmy ferait route vers Port-Vykor.

Chapitre 15

TRAHISON

J immy s'immobilisa.

Son escorte s'arrêta derrière lui.

— Nous ne sommes pas censés aller plus loin, messire, déclara le capitaine qui commandait la compagnie de gardes royaux. (Il regarda autour de lui avant d'ajouter :) Le soin de vous accompagner revient à ces...

— Capitaine ?

— Loin de moi l'idée de manquer de respect au duc Duko, messire, mais après tout, il y a encore un an, nous nous battions contre lui et ces misérables chiens à qui il donne le nom de soldats. (L'officier nota l'air désapprobateur de Jimmy et reprit :) Quoi qu'il en soit, ils devraient déjà être là pour monter leur camp avant de repartir en patrouille.

— Ils ont peut-être eu des ennuis.

— C'est possible, messire.

Ils se trouvaient à un carrefour, à l'endroit même où s'arrêtaient les patrouilles krondoriennes. Au-delà, tout ce qui descendait vers le sud était de la responsabilité de Duko. La route qui partait vers le sud-ouest menait à Port-Vykor tandis que celle du sud-est, qui commençait à proximité de la baie de Shandon, aboutissait à Finisterre.

— Tout ira bien, capitaine, assura Jimmy. Nous sommes à mi-chemin de Port-Vykor et devrions rencontrer l'une des patrouilles de messire Duko d'un jour à l'autre. S'ils ne sont pas là aujourd'hui, nous les croiserons demain, j'en suis sûr.

— Je me sentirais quand même mieux si vous attendiez ici jusqu'à leur arrivée, messire. Nous pouvons nous attarder encore une demi-journée ou plus.

— Merci, capitaine, mais c'est non. Plus vite j'arriverai à Port-Vykor, plus tôt je pourrai m'atteler à la tâche que le prince m'a confiée. Nous allons suivre la route du sud-ouest jusqu'au coucher du soleil, puis nous monterons le camp. Si demain, la patrouille de Duko ne nous a pas rejoints, nous poursuivrons notre chemin jusqu'à Port-Vykor tout seuls.

— Très bien, messire. Que les dieux veillent sur vous.

— Sur vous également, capitaine.

Malar et Jimmy quittèrent la patrouille krondorienne, qui repartit vers le nord tandis que les deux hommes prenaient la direction du sud-ouest. Ils chevauchèrent à travers la paisible campagne, couverte de broussailles et de champs qui auraient pu être cultivés s'ils n'avaient été si souvent ravagés par les bottes des conquérants. Au cours des cent dernières années, les Keshians et les soldats des Isles avaient transformé ce paysage vallonné et peu boisé en un désert humain. À l'est, les terres fertiles du val des Rêves permettaient aux fermiers et à leurs familles de subsister en dépit de la menace constante de conflit entre les nations qui les bordaient. Mais la région que traversaient actuellement Jimmy et Malar n'offrait pas une telle abondance. À part les deux voyageurs, il ne devait pas y avoir âme qui vive à quatre-vingts kilomètres à la ronde.

— Que fait-on maintenant, messire ? s'enquit Malar lorsque le soleil commença à sombrer à l'ouest.

Jimmy regarda autour de lui et désigna un petit vallon au bord d'un ruisseau bien clair.

— Nous camperons ici pour la nuit. Demain, nous continuerons vers Port-Vykor.

Malar débarrassa les chevaux de leur selle et les étrilla, ce qui permit à Jimmy de découvrir qu'il était bon palefrenier, en plus de ses nombreux autres talents.

— Donnez à manger aux bêtes pendant que je ramasse du bois, ordonna le jeune homme.

— Bien, messire.

Jimmy fit le tour du site où il avait choisi de camper et ramassa suffisamment de petites branches et de brindilles pour allumer un bon feu.

Lorsque ce fut fait, Malar entreprit de cuisiner un repas acceptable : des gâteaux secs ainsi que du bœuf séché et des légumes coupés en petits morceaux mélangés à du riz, un plat auquel il ajouta des épices, ce qui lui donna un goût savoureux. Le serviteur sortit également une bouteille de vin de la lande Noire – il avait même pensé à apporter les verres.

— Port-Vykor ne se trouve pas vraiment sur votre chemin, dit Jimmy en mangeant. Si vous êtes prêt à courir le risque, je veux bien vous donner ce cheval et vous laisser partir vers l'est. Vous êtes encore au nord de la frontière, vous devriez pouvoir atteindre le val sans danger.

Malar haussa les épaules.

— Je finirai bien par retourner dans le val, messire. Mon maître est certainement mort, mais sa famille a peut-être réussi à maintenir son commerce à flot et je pourrai sans doute leur être utile. Mais je préférerais passer encore un peu de temps en votre compagnie – je me sens plus en sécurité avec vous, grâce à la férocité de votre lame, que si j'étais seul.

— Vous vous en êtes pourtant bien sorti durant tous ces mois d'hiver où vous avez erré dans les bois.

— C'était par nécessité et non par choix. D'ailleurs, j'ai passé la plus grande partie de mon temps à me cacher en mourant de faim.

Jimmy acquiesça, termina son repas et but son vin.

— N'aurait-il pas tourné ? demanda-t-il.

Malar en but une gorgée à son tour.

— Je ne crois pas, messire.

Jimmy haussa les épaules.

— Il a un goût bizarre, comme du métal.

Malar prit une nouvelle gorgée.

— Je ne remarque rien, messire. C'est peut-être dû à l'arrière-goût que vous a laissé le plat. À présent que vous avez fini de manger, buvez à nouveau, le vin aura peut-être un autre goût.

Jimmy avala une autre gorgée.

— Non, il a vraiment tourné. (Il reposa son verre.) Je crois que je ferais mieux de boire de l'eau. (Malar fit mine de se lever mais Jimmy le devança.) Non, j'y vais.

Il se dirigea vers le ruisseau. Brusquement, il fut pris d'un étourdissement. Il se retourna et regarda en direction de l'endroit où étaient attachés les chevaux. Ces derniers lui parurent s'éloigner. Puis il eut l'impression de tomber dans un trou, car le sol lui semblait beaucoup plus proche à présent. Jimmy baissa les yeux et vit qu'il était tombé à genoux. Il essaya de se relever mais la tête lui tourna. Il s'effondra sur le sol et roula sur le dos. Le visage de Malar Enares apparut dans son champ de vision et sa voix lui parvint de très loin :

— Je crois que le vin avait bel et bien tourné, messire James.

Le serviteur disparut. Jimmy tenta de le suivre et se mit à plat ventre. La tête appuyée sur le bras, il vit Malar s'approcher de son cheval et ouvrir la sacoche contenant les messages destinés au duc Duko. Le serviteur en examina plusieurs, hocha la tête et les remit dans la sacoche.

281

Jimmy sentit le froid envahir peu à peu ses jambes et éprouva un sentiment de panique un peu distant. Son cerveau s'embrumait et il n'arrivait pas à se rappeler ce qu'il était censé faire. Sa gorge commençait à se resserrer et sa respiration devenait de plus en plus difficile. Jimmy tenta d'ouvrir sa bouche de force à l'aide de sa main gauche, mais il avait l'impression de porter d'énormes gants. Des sensations sourdes atteignirent son cerveau. Il se retrouva brusquement avec des haut-le-cœur et vomit sur ses propres doigts. Il suffoqua, s'étrangla et cracha avant de gémir à haute voix. Une douleur insupportable envahit son corps tandis que son estomac se soulevait à nouveau.

La voix de Malar lui parvint encore une fois de très loin :

— Quel dommage qu'un noble aussi jeune et beau que vous doive mourir d'une façon aussi déshonorante et salissante ! Mais telles sont les nécessités de la guerre.

Quelque part dans la pénombre, Jimmy entendit un cheval s'éloigner. Puis une nouvelle crampe lui causa une douleur atroce et tout devint noir.

Dash contempla le visage des nouvelles recrues. Certains étaient d'anciens soldats, des hommes grisonnants qui se rappelaient comment on manie une épée. Les autres venaient de la rue, des durs tout aussi susceptibles de se bagarrer dans une taverne que d'essayer de ramener la paix en ville. Quelques-uns, enfin, étaient des mercenaires à la recherche d'un travail stable, des citoyens du royaume visiblement, mais pas des criminels connus.

— Krondor est actuellement sous loi martiale, ce qui signifie que le moindre crime ou délit est passible de pendaison.

Les recrues se regardèrent. Certains individus hochèrent la tête.

— Ceci va commencer à changer à partir d'aujourd'hui, poursuivit Dash. Vous êtes la première compagnie d'agents de police. Plus tard, on vous expliquera plus en détail ce que cela signifie ; mais pour le moment, nous n'avons malheureusement pas le temps de vous former. Je vais donc éclaircir certains points avec vous. (Il leva le brassard rouge qu'il tenait à la main et sur lequel figurait un blason grossier semblable à celui du prince.) Vous porterez ceci tout le temps que durera votre tour de garde. C'est à ça que l'on vous reconnaîtra. Si vous fracassez la tête de quelqu'un pendant que vous portez ce brassard, on dira que vous rétablissez l'ordre ; sinon vous ne serez qu'un autre ruffian que j'enverrai derrière les barreaux. C'est bien compris ?

Tous hochèrent la tête ou grognèrent pour montrer leur assentiment.

— Les règles sont très simples. Ce brassard ne vous donne pas le droit de brutaliser quelqu'un, de régler vos comptes personnels ou de harceler les femmes de cette ville. Si l'un d'entre vous est reconnu coupable d'agression, de viol ou de vol, il sera pendu. C'est bien clair ?

Tous gardèrent le silence un moment tandis que quelques-uns hochaient la tête pour montrer qu'ils avaient compris.

— Est-ce que c'est clair ? répéta Dash.

Cette fois-ci, ils lui répondirent à voix haute.

— Bien. Maintenant, voyons les horaires. Jusqu'à ce que nous puissions recruter davantage de personnel, vous travaillerez douze heures suivies d'une demi-journée de congé. Un jour sur cinq, la moitié d'entre vous travaillera vingt-quatre heures d'affilée tandis que l'autre moitié fera ce qu'elle voudra de sa journée. Si vous connaissez quelqu'un en âge de porter une arme et digne de confiance, envoyez-le-moi.

D'un geste, il divisa les quarante recrues en deux groupes.

— Vous, dit-il à celui de droite, vous êtes l'équipe de jour. Et vous, ajouta-t-il en se tournant vers sa gauche, celle de nuit. Trouvez-moi encore une vingtaine d'hommes capables et nous pourrons faire trois tours de garde.

Les recrues acquiescèrent.

— Le palais nous servira de quartier général jusqu'à ce que l'on ait reconstruit la prison et la cour de justice. Les geôles du palais sont les seules dont nous disposions pour l'instant. Il n'y a pas beaucoup de place, alors n'allez pas me les remplir avec des ivrognes et des cogneurs. Si vous devez mettre fin à une bagarre, renvoyez les participants chez eux avec un coup de pied aux fesses. Par contre, si vous devez les arrêter, ne faites pas les timides. Si les gens sont trop stupides pour ne pas saisir l'occasion de s'en tirer avec un simple avertissement, c'est qu'ils ont besoin de voir un juge.

» Nous allons annuler le couvre-feu du marché de la vieille ville : c'est là-bas que les gens font du commerce pendant que l'on reconstruit le reste de la cité, et s'il doit y avoir du grabuge, je préfère que ce soit concentré en un seul endroit. Vous pouvez donc répandre la nouvelle : à partir de maintenant, le marché sera ouvert depuis le coucher du soleil jusqu'à minuit. Le reste de la ville restera sous couvre-feu, sauf si les gens rentrent du marché, bien sûr. Par contre, il vaudra mieux pour eux qu'ils nous montrent les marchandises qu'ils y auront achetées ou l'or qu'ils y auront gagné.

» Si quelqu'un vous pose problème, occupez-vous de lui. On n'aura pas assez de monde pour vous sortir de là si vous vous retrouvez dans une mauvaise situation. (Il dévisagea chacun des hommes qu'il avait désormais sous ses ordres et ajouta :) Si vous vous faites tuer, je vous promets qu'on vous vengera.

— C'est réconfortant, commenta l'un d'eux, ce qui fit rire les autres.

— Je vais accompagner le premier groupe au marché. Ceux qui sont de nuit, allez vous coucher. Vous devrez patrouiller la cité tout entière. Si vous voyez quiconque en dehors du marché après la tombée de la nuit, arrêtez-le.

» Pour aujourd'hui, si quelqu'un vous le demande, dites que vous êtes les nouveaux policiers de cette ville. Il faut que l'on sache que l'ordre va de nouveau être instauré à Krondor. Maintenant, allons-y.

Les vingt hommes qui travaillaient de jour se levèrent et suivirent Dash à l'extérieur de la pièce. Ce dernier traversa la cour d'honneur du palais et franchit le pont-levis qui venait tout juste d'être réparé. En revanche, les douves qui entouraient les remparts étaient toujours à sec. Une partie du système d'écoulement des eaux était toujours en travaux et les douves allaient continuer à isoler le palais du reste de la cité pendant encore quelques semaines.

— Si personne ne vous pose de problème et ne vous oblige à le traîner en prison, ne restez pas plantés là à attendre que ça se passe, reprit Dash en traversant le pont-levis. Je veux que vous visitiez chaque endroit dans la limite de votre circuit. Il faut que les citoyens voient beaucoup de brassards rouges… Laissons-les croire qu'il y a une douzaine d'hommes là où, en réalité, vous êtes seuls. Si on vous pose la question, dites que vous ne savez pas combien vous êtes exactement, mais que vous êtes nombreux.

Ses compagnons hochèrent la tête. Tandis qu'ils prenaient la direction du marché, Dash commença à les répartir par groupes de deux et à faire prendre à chacun un itinéraire différent, distribuant ses consignes en ce premier jour où il entrait dans ses nouvelles fonctions. Plus d'une fois, en son for intérieur, il maudit Patrick de l'avoir choisi.

Dash n'avait plus que quatre hommes avec lui lorsqu'il arriva sur la place du marché. Peu après la construction du donjon d'origine, lorsque le premier prince de Krondor avait fait de cette cité la capitale de l'Ouest du royaume des Isles, les commerçants, les pêcheurs et les fermiers du coin avaient commencé à se retrouver régulièrement sur ce marché pour échanger, négocier ou vendre leurs produits. Au fil des ans, la cité avait grossi et s'était développée au point que la majeure partie des échanges avait désormais lieu entre hommes d'affaires et prenait place dans tous les quartiers. Cependant, l'ancienne place du marché était toujours là et c'était vers elle que la cité en pleine renaissance s'était tournée pour retrouver son âme financière. Il y avait là une foule d'hommes et de femmes de toutes les conditions : marchands ou nobles, pêcheurs ou fermiers, commerçants ou colporteurs, ainsi que la cohorte habituelle de putains, de mendiants, de voleurs et de vagabonds.

Plusieurs personnes dévisagèrent les cinq hommes d'un œil méfiant car la majorité des soldats étaient partis dans le Sud avec Duko ou dans le Nord avec les armées de l'Ouest et l'on ne voyait plus que rarement des individus armés d'une épée. Seule la garde royale du prince était restée, mais ses membres ne sortaient pas du palais.

Non loin de l'endroit où ses compagnons et lui débouchèrent sur la place, Dash repéra un visage familier. Luis de Savona était occupé à décharger un chariot, secondé par une femme en qui Dash reconnut, non sans surprise, l'épouse de Roo Avery, Karli.

— Commencez à vous balader parmi la foule, ordonna Dash à ses hommes. À moins qu'un meurtre soit sur le point d'avoir lieu, contentez-vous de regarder.

Les nouveaux agents de police se séparèrent et Dash en profita pour rejoindre Luis et Karli. Un commerçant du coin observait attentivement les gestes de Luis, qui tendait des cartons de marchandises à son commis.

— Madame Avery ! Luis ! Comment allez-vous ?

Luis regarda dans la direction du jeune homme et sourit.

— Dash ! C'est bon de vous revoir.

— Quand êtes-vous arrivé à Krondor ?

— Très tôt ce matin, répondit Luis.

Ils se serrèrent la main.

— J'ai été navrée d'apprendre la disparition de votre père, déclara Karli. Je me souviens encore du jour où je l'ai rencontré, lorsqu'il est venu chez nous. (Elle jeta un coup d'œil où se tenait autrefois sa maison, juste en face du *Café de Barret*, qui n'était plus désormais qu'un squelette noirci.) Il s'est montré très gentil envers Roo et envers moi.

— Merci. C'est très difficile, mais... Enfin, vous avez perdu votre père, vous aussi, vous savez ce que c'est.

La jeune femme acquiesça.

Luis désigna le brassard que portait Dash.

— Qu'est-ce que c'est ?

— Je suis le nouveau shérif de Krondor. C'est à moi qu'il revient de faire respecter la loi dans la cité.

Luis sourit.

— Vous feriez mieux de revenir travailler pour Roo. Vous y perdriez votre titre de noblesse, mais vous gagneriez plus en travaillant moins.

Dash éclata de rire.

— Vous avez sûrement raison mais, dans l'état actuel des choses, nous manquons de personnel et le prince Patrick a besoin de toutes les bonnes volontés. (Il jeta un coup d'œil aux marchandises.) Ça vient de la Lande Noire ?

— Non, répondit Luis. Nous avons vendu les marchandises de la Lande Noire dès notre arrivée, tôt ce matin. Cette cargaison-ci provient de la Côte sauvage, en réalité. Les navires ne peuvent toujours pas rentrer dans le port, alors ils mouillent au large de La Pêche et nous amenons les marchandises à terre grâce aux bateaux de pêche.

— Comment va votre frère ? demanda Karli.

— Bien, il est en mission pour Patrick. Il doit se trouver à mi-chemin de Port-Vykor à l'heure qu'il est.

Luis termina de descendre la cargaison en disant :

— Donnez-moi une minute et je vous offre une bière.

— Elle sera la bienvenue, Luis.

Karli recompta les pièces d'or que lui donnait le commerçant, sous l'œil vigilant du garde du corps de ce dernier.

— Luis, nous ne pouvons pas faire boire le jeune Dash plus que de raison, tempéra-t-elle. Nous devrions plutôt lui proposer de manger un morceau avec nous. (Elle regarda l'intéressé.) Vous avez faim ?

— Plutôt, oui.

Ils traversèrent le marché jusqu'à une cuisine en plein air où l'on vendait des tourtes à la viande. Karli en acheta trois, puis se rendit avec ses compagnons à un chariot où l'on vendait de la bière. Luis commanda trois chopes bien fraîches. Après quoi, comme la plupart des gens qui mangeaient sur le marché, ils restèrent debout et s'efforcèrent de ne pas gêner la foule qui arpentait les allées.

— Je ne plaisantais qu'à moitié, vous savez, reprit Luis. On aurait bien besoin de vos services. Les choses commencent à revenir à la normale et les hommes de talent comme vous vont devenir riches. (Il ponctua son discours d'un geste de sa main infirme tout en tenant la tourte de l'autre.) Depuis qu'Helen et moi nous sommes mariés, Roo me laisse diriger Avery & Jacoby quand il n'est pas là.

— D'ailleurs, c'est devenu Avery & DeSavona, intervint Karli. Helen y tenait beaucoup.

Luis esquissa un petit sourire.

— Ce n'était pas mon idée. (Il posa la tourte et souleva la chope de bière en étain.) Je suis si occupé que je ne sais pas ce que je vais faire après. Les constructeurs de chariot à la Lande Noire sont en train de remettre notre entreprise de transport au niveau où elle était avant la destruction de la cité et les demandes de livraison commencent à affluer.

— Qu'en est-il des autres affaires que possédait Roo ?

Luis haussa les épaules.

— Pour ma part, je dirige Avery & DeSavona. Le reste appartenait en majorité à la compagnie de la Triste Mer. Mais j'ai l'impression que l'entreprise en question est partie en fumée avec une grande partie de la cité. Je sais que Roo possédait également des intérêts dans l'Est, mais je crois qu'il a beaucoup emprunté pour pouvoir remettre cette entreprise-ci à flot. J'en sais beaucoup sur ses affaires, mais il y a encore plus de choses que j'ignore.

Il regarda Karli.

— Roo me tient au courant de tout ce qui concerne ses affaires, reconnut la jeune femme. Excepté ce qui a trait à la couronne. Je crois que le royaume lui doit beaucoup d'argent.

— N'en doutez pas, fit Dash. Mon grand-père a contracté plusieurs gros prêts auprès de la compagnie de la Triste Mer. (Il regarda autour de lui.) Je ne doute pas que le royaume finira par rembourser votre mari mais, comme vous pouvez le voir, il y a beaucoup de réparations à faire avant de pouvoir éponger les dettes. (Il termina sa tourte et vida sa chope d'un long trait.) Je vous remercie pour le repas…

Il n'eut pas le temps de terminer sa phrase car un cri s'éleva dans l'allée voisine et le poussa à se retourner.

— Au voleur !

Dash s'élança en courant vers l'origine de l'incident. Au détour d'un étal, il aperçut un homme qui courait droit vers lui mais qui regardait par-dessus son épaule. Dash rassembla son courage et, au moment où l'individu tourna la tête pour regarder devant lui, le frappa en travers de la poitrine en tendant le bras. Comme Dash s'y attendait, le voleur perdit l'équilibre et tomba à la renverse.

Dash s'agenouilla et posa la pointe de son épée contre la gorge du voleur avant que celui-ci ait eu le temps de reprendre ses esprits.

— Alors, on est pressé ?

L'homme fit mine de bouger, mais se ravisa lorsque Dash accentua la pression de sa lame.

— Plus maintenant, répondit le voleur en faisant la grimace.

Deux des agents de Dash apparurent.

— Emmenez-le au palais, ordonna le jeune homme.

Il regarda ses recrues remettre le voleur debout et l'emmener. Puis il rejoignit Luis et Karli qui terminaient leur repas.

— Je vais devoir vous emprunter votre chariot un moment.

Dash s'avança vers le chariot d'Avery & DeSavona, grimpa dessus et se mit debout sur le siège du conducteur.

— Je m'appelle Dashel Jameson ! Je suis le nouveau shérif de Krondor ! Les hommes qui portent des brassards rouges comme le mien sont mes agents ! Faites circuler la nouvelle : la loi va de nouveau être appliquée à Krondor !

Plusieurs marchands applaudirent sans grand enthousiasme, mais la plus grande partie des gens rassemblés sur le marché paraissaient indifférents ou ouvertement méprisants. Dash retourna auprès de Karli et de Luis.

— Eh bien, je crois que ça s'est plutôt bien passé, vous ne trouvez pas ?

Karli se mit à rire tandis que Luis répondait :

— Il y en a beaucoup sur cette place qui préféreraient ne pas voir l'ordre s'instaurer de nouveau dans la cité.

— Et je crois que je viens de repérer l'un d'entre eux. Excusez-moi, fit Dash avant de s'élancer parmi la foule à la poursuite d'un gamin qui venait de dérober une babiole à un marchand distrait.

Karli et Luis le regardèrent disparaître au sein de la foule.

— J'ai toujours apprécié ce jeune homme, commenta la première.

— Il ressemble beaucoup à son grand-père, ajouta le second. C'est un charmant voyou.

— Ne dites pas ça. Il a bien trop le sens du devoir pour être un voyou.

— Me voilà remis à ma place. Vous avez raison, bien sûr.

Karli se mit à rire.

— Helen vous a bien éduqué, n'est-ce pas ?

Luis rit à son tour.

— C'était facile. Je ne voudrais pas la rendre malheureuse.

— Ça ne risque pas d'arriver, riposta Karli. Allons, il y a une autre cargaison qui nous attend sur les quais. Allons la chercher.

Comme Luis montait sur le chariot, Karli mit la main derrière elle, sur ses reins, et s'étira.

— Je ne tiendrai plus comme ça très longtemps. J'espère que Roo a fini et reviendra bientôt du Nord.

Luis hocha la tête tandis que la jeune femme grimpait à bord du chariot. Puis il fit claquer les rênes et les chevaux prirent la direction du port.

Messire Vasarius jeta un coup d'œil sur sa gauche.

— Vous êtes venu vous moquer de moi, Avery ?

— Pas du tout, messire Vasarius. Je suis venu profiter de la brise du soir, tout comme vous.

Le noble quegan regarda son ancien associé devenu son ennemi.

— Votre capitaine s'est montré presque aimable en m'autorisant à sortir un peu de ma cabine.

— Comme il se doit eu égard à votre rang. Si la situation avait été inversée, j'imagine qu'en ce moment, je serais au fond de la cale d'une galère quegane en train de manier une rame.

— Comme il se doit eu égard à votre rang, répliqua Vasarius.

Roo éclata de rire.

— Je vois que vous n'avez pas tout à fait perdu votre sens de l'humour.

— Je ne plaisantais pas, répliqua le noble d'un air impassible.

Le sourire de Roo s'évanouit.

— Eh bien, on dirait que le destin a voulu que vous subissiez un sort beaucoup moins dur que celui qui m'aurait été réservé.

— Je vous aurais fait tuer.

— Je n'en doute pas. (Roo garda le silence un moment avant de reprendre :) Mon prince va certainement vous renvoyer à Queg à bord du premier navire en provenance des Cités libres, car il ne désire pas contrarier davantage votre empereur. Il me semble donc que nous avons là une occasion de parvenir à un compromis.

Vasarius se tourna pour dévisager Roo.

— Un compromis ? Pour quoi faire ? Vous avez gagné. Je suis au bord de la ruine. J'ai engagé jusqu'à mon dernier sou pour acheter les navires et les marchandises que nous avons vendues à Fadawah. Mon or repose à présent au fond de la mer et je ne vois pas comment vous pourriez m'aider, puisque c'est vous qui avez coulé mon trésor !

Roo haussa les épaules.

— À proprement parler, c'est vous qui avez coulé le trésor. Moi, j'essayais juste de le voler. Dans tous les cas, ces richesses appartenaient aux citoyens du royaume ou provenaient peut-être de ce continent à l'autre bout du monde. J'ai donc du mal à vous plaindre, si vous voyez ce que je veux dire.

— Pas vraiment. Mais c'est une discussion purement académique, n'est-ce pas ?

— Pas nécessairement.

— Si vous avez une proposition à faire, allez-y, s'impatienta le noble quegan.

— Je ne suis pas responsable de votre cupidité, Vasarius. Si vous aviez fait preuve d'un tant soit peu de prudence, vous n'auriez pas envoyé votre flotte tout entière dans les passes des Ténèbres sur la foi d'une simple rumeur.

Vasarius se mit à rire.

— Une rumeur que vous avez pris soin de répandre.

— Bien sûr, reconnut Roo, mais si vous vous étiez renseigné sérieusement, vous auriez réfléchi avant de vous lancer dans cette aventure.

— Votre duc James était bien trop malin pour ça. Je suis sûr que si j'avais mené mon enquête, j'aurais déniché encore davantage de rumeurs au sujet d'une immense flotte rapportant de l'or d'un continent situé à l'autre bout du monde.

—Je l'admets. James possédait l'esprit le plus fascinant que j'aie jamais connu. Mais ce n'est pas là où je voulais en venir. L'important, c'est que vous avez autant à gagner que moi et nous devons nous mettre d'accord là-dessus avant d'arriver à Krondor.

—De quoi s'agit-il ?

—Du prix de ma vie.

Vasarius dévisagea Roo pendant un moment avant de dire :

—Je vous écoute.

—Je comptais emmener votre navire au trésor à Krondor. Je vous aurais rendu le vaisseau, car je ne voudrais pas que l'on me prenne pour un pirate, mais l'or appartenait au royaume et devait lui être restitué. (Il sourit.) Il se trouve que la couronne me doit énormément d'argent et je pense que j'aurais récupéré une bonne partie du trésor pour éponger cette dette. Donc, dans un sens, ce trésor est plus à moi qu'à vous.

—Avery, votre logique me stupéfie.

—Merci.

—Ce n'était pas un compliment. De plus, le trésor repose au fond de l'océan au moment où nous parlons.

—C'est vrai, mais je sais comment le récupérer, déclara Roo.

Vasarius plissa les yeux.

—Et vous avez besoin de moi pour ça ?

—Non, pour être franc, je n'ai pas du tout besoin de vous. En fait, à moins que vous connaissiez un magicien, vous ne m'êtes d'aucune utilité. Je peux m'adresser à la guilde des renfloueurs de Krondor. Ils sont très occupés à nettoyer le port pour le moment mais le prince me laissera sûrement en emprunter quelques-uns pour un tarif raisonnable.

—Dans ce cas, pourquoi venir m'en parler ?

—Parce que j'ai une offre à vous faire. Je m'approprierai ce que je récupérerai de l'océan. Je devrai en donner un dixième à la couronne pour avoir interrompu le nettoyage du port. Et je serai obligé de lui réclamer le reste en paiement de ma dette, j'en ai bien peur. Sans compter qu'il faudra payer le tarif de la guilde. Mais je suis prêt à diviser équitablement ce qui restera et à en envoyer la moitié à Queg.

—En échange de quoi ?

—Votre promesse de ne pas engager un assassin hautement qualifié dès que vous rentrerez chez vous.

—C'est tout ?

—Non, je veux que vous fassiez le serment de ne jamais vous en prendre à moi ou à ma famille et de ne jamais laisser un Quegan sur qui vous avez de l'influence nous poser un problème.

Vasarius garda le silence pendant un très long moment et Roo résista à l'impulsion de parler.

Enfin, le noble quegan reprit la parole :

— Si vous arrivez à renflouer le navire et à me donner la moitié du trésor moins la part du prince et le tarif de la guilde, alors je veux bien renoncer à exercer des représailles contre vous ou votre famille.

L'air nocturne était plutôt frais si bien que Roo serra les bras contre son corps.

— Voilà qui me soulage d'un grand poids.

— Y a-t-il autre chose ?

— Une suggestion, peut-être.

— Laquelle ? demanda Vasarius.

— Lorsque la guerre contre Fadawah sera finie, il y aura de nombreuses opportunités de réaliser des bénéfices – mais pas si une guerre éclate entre Queg et le royaume. Nos deux pays ont suffisamment souffert du passage des envahisseurs dans la Triste Mer ; des combats supplémentaires ne feraient que nous saigner à blanc, tous.

— Je suis d'accord. Nous ne sommes pas prêts à faire la guerre.

— Le problème n'est pas là, rétorqua Roo. Le problème, c'est que quand vous serez prêts à la faire, ça ne profitera toujours pas aux deux camps.

— C'est à nous d'en décider, protesta le Quegan.

— Allons, si vous ne partagez pas mon point de vue, essayez au moins d'envisager ceci : il y aura beaucoup à reconstruire tout autour de la Triste Mer lorsque la guerre contre Fadawah s'achèvera et ceux qui ne se battront pas pourront récolter une bonne partie des bénéfices. J'aurai besoin d'associés dans un certain nombre d'affaires que je compte entreprendre.

— Vous avez l'audace de me proposer un nouveau partenariat alors que j'ai fait cette terrible erreur une fois ?

— Non, mais si un jour vous avez envie de vous associer à nouveau, je serai là, prêt à vous écouter.

— J'en ai assez entendu, décréta Vasarius. Je retourne dans ma cabine.

— Réfléchissez-y, messire, insista Roo comme le noble quegan s'éloignait. Un grand nombre d'individus vont avoir besoin d'un moyen de transport pour traverser la Mer sans Fin et retourner sur Novindus. Or, il y a peu de navires. Les tarifs d'une telle traversée risquent d'être élevés, croyez-moi.

Vasarius hésita un bref instant, puis se remit en route et disparut dans l'escalier qui menait au pont principal et aux cabines en dessous.

Roo se retourna pour contempler la nuit remplie d'étoiles et l'écume des vagues.

— Je le tiens ! chuchota-t-il pour lui-même.

Jimmy avait l'impression d'avoir reçu un coup de pied dans les côtes, car il avait du mal à respirer. Il sentit quelqu'un tirer sur son col et entendit une voix lointaine qui disait :

— Buvez ceci.

Quelque chose d'humide effleura ses lèvres et de l'eau fraîche lui coula dans la bouche. Aussitôt, le jeune homme se mit à boire, par réflexe. Brusquement, son estomac se révolta. Il recracha toute l'eau et se convulsa, soutenu par des mains puissantes.

Ses yeux refusaient de s'ouvrir, ses tempes bourdonnaient et son dos lui faisait mal comme s'il avait été frappé à coups de massue. De plus, il avait souillé son pantalon avec ses propres excréments. De nouveau, on lui glissa un verre entre les lèvres et une voix recommanda à son oreille :

— Buvez lentement.

Jimmy laissa l'eau s'écouler doucement dans sa gorge et cette fois son estomac ne protesta pas. D'autres mains soulevèrent le jeune homme et le déplacèrent.

Il perdit conscience.

Un peu plus tard, il se réveilla à nouveau et s'aperçut qu'une demi-douzaine d'hommes armés avaient monté un camp.

— Est-ce que vous vous sentez de boire encore un peu d'eau ? demanda l'un d'eux.

Jimmy acquiesça et le soldat lui rapporta un verre. Le jeune homme but et s'aperçut alors qu'il avait terriblement soif. Il but encore mais, au bout du troisième verre, l'autre rangea la gourde en disant :

— Ça suffit – en tout cas, pour l'instant.

— Qui êtes-vous ? demanda Jimmy d'une voix qui lui parut rauque et lointaine, comme si elle appartenait à un étranger.

— Je suis le capitaine Songti. Je vous ai reconnu. Vous êtes celui que l'on appelle le baron James.

Jimmy se redressa.

— Depuis, je suis devenu comte. J'ai reçu un nouveau titre. (Il regarda autour de lui et vit que le soleil se levait.) Combien de temps suis-je resté inconscient ?

— Nous vous avons trouvé une heure après le coucher du soleil. On se préparait à monter le camp pas très loin d'ici et j'ai envoyé un cavalier explorer la zone, comme je le fais toujours. Il a vu votre feu de camp et quand on est allés voir de quoi il s'agissait, on vous a trouvé allongé là. Il n'y avait pas de sang, alors on s'est dit que vous aviez dû faire une intoxication à cause de la nourriture.

— J'ai été empoisonné par du vin, expliqua Jimmy. Mais je n'en ai pas bu beaucoup.

— Vous avez le palais fin, approuva le capitaine, un homme au visage rond pourvu d'un collier de barbe. Cela vous a sauvé la vie.

— Je me demande si Malar essayait vraiment de me tuer. Il aurait facilement pu m'égorger s'il l'avait voulu.

— Peut-être, reconnut Songti. Ou alors il s'est enfui précipitamment parce qu'il avait peur de nous. Il a très bien pu partir quelques minutes seulement avant notre arrivée – à moins qu'il nous ait entendus et que nous, on ne l'ait pas vu. Je ne sais pas.

Jimmy hocha la tête et regretta aussitôt son geste, qui lui fit voir trente-six chandelles.

— Où est mon cheval ?

— Il n'y a pas de cheval ici. On n'a trouvé que vous, votre tapis de sol, le feu qui couvait et le verre vide que vous teniez.

Jimmy tendit la main.

— Aidez-moi à me lever.

— Vous devriez vous reposer.

— Capitaine, aidez-moi à me lever, répéta Jimmy d'un ton péremptoire.

Songti obéit.

— Auriez-vous des vêtements de rechange à me prêter ? demanda le jeune homme lorsqu'il fut debout.

— Hélas non. On n'est plus qu'à trois jours de Port-Vykor et prêts à rentrer.

— Trois jours…, répéta Jimmy. (Il se tut un moment puis demanda :) Aidez-moi à marcher jusqu'à la crique.

— Puis-je vous demander pourquoi ?

— Parce que j'ai besoin de prendre un bain et de laver mes vêtements.

— Je comprends, fit le capitaine, mais on ferait mieux de retourner aussi vite que possible à Port-Vykor pour que vous puissiez récupérer à votre aise.

— Non, parce que, quand j'aurai pris mon bain, j'aurai autre chose à faire.

— Quoi donc, messire ?

— Il faut que je retrouve quelqu'un, répondit Jimmy en regardant la route qui partait en direction du sud-est. Et quand ce sera fait, il faudra que je le tue.

Chapitre 16

SUPERCHERIE

E rik fronça les sourcils.
Owen, de son côté, proféra des jurons :
— On s'est fait avoir comme des bleus.

Subai, encore couvert de la poussière de la route et épuisé par plusieurs jours de chevauchée ininterrompue, fit remarquer :

— Patrick avait raison. Ils nous ont laissés reconquérir Sarth et pendant qu'ils prenaient LaMut, ils en ont profité pour bâtir ça.

« Ça » n'était autre qu'une impressionnante rangée de barricades en terre. Elle débutait au pied d'un à-pic impossible à escalader à moins d'être une chèvre de montagne, et s'achevait au bord des falaises surplombant la mer. Les envahisseurs avaient abattu les arbres sur presque un kilomètre de long et n'avaient laissé que les souches pour empêcher l'ennemi de lancer une charge de cavalerie. La structure n'avait qu'une seule ouverture, fermée par une immense porte en bois qui se dressait en travers de la route du Roi et qui était sans doute aussi grande que la porte du Nord de Krondor.

Les cent premiers mètres descendaient en pente douce jusqu'à un minuscule cours d'eau qui croisait la grand-route. Puis, de là jusqu'à la barricade, le terrain s'élevait abruptement. Impossible de charger cette position défensive sans récolter au passage de sérieuses blessures. Quant à utiliser un bélier, mieux valait ne pas y penser, car il aurait déjà fallu pouvoir le monter à flanc de colline. Le mur mesurait un mètre quatre-vingts de haut et l'on pouvait voir le soleil se réfléchir sur les heaumes des soldats qui se tenaient derrière. Des marches avaient dû être construites derrière la palissade pour permettre à des archers de tirer sur quiconque tenterait de monter à l'assaut de la colline.

— J'aperçois au moins une douzaine de catapultes là-haut, compta Erik.

— C'est une sacrée défense qu'ils ont là, commenta Subai.

Greylock fut bien obligé d'abonder dans son sens.

— Il faut qu'on parle.

Les trois officiers s'éloignèrent de la position avancée et passèrent parmi les compagnies de soldats du royaume prêtes à attaquer dès qu'en serait donné l'ordre. Puis ils s'arrêtèrent dans une clairière située à cent mètres du front.

— Je ne vois aucun moyen de franchir ce barrage facilement, annonça Owen.

— Je suis d'accord, reconnut Erik. Mais ce qui m'inquiète, c'est le nombre de barricades comme celle-ci que nous allons trouver en remontant la côte jusqu'à Questor-les-Terrasses.

— On pourrait peut-être demander à notre invité, suggéra Owen en indiquant l'endroit où le général Nordan et quelques autres capitaines de l'armée de Fadawah se trouvaient sous bonne garde.

La plupart des prisonniers de Sarth avaient été cantonnés dans l'enceinte même de la ville, mais les officiers suivaient les déplacements des commandants de l'armée du royaume. Owen et ses compagnons se dirigèrent vers le pavillon sous lequel ils logeaient et firent signe aux gardes de leur amener Nordan.

Ce dernier entra sous la tente juste au moment où l'on apportait une table et des chaises afin de permettre à Greylock de s'asseoir, ce qu'il fit, indiquant à Erik et à un Subai extrêmement fatigué de faire de même. En revanche, il laissa Nordan debout.

— Alors, fit Owen, combien de positions défensives allons-nous trouver entre ici et Questor-les-Terrasses ?

Nordan haussa les épaules.

— Je ne sais pas. Fadawah n'a pas jugé bon de me tenir informé de ce qui se passait derrière mes lignes. (Il regarda autour de lui.) S'il l'avait fait, je ne serais pas là à vous parler, maréchal. Je me trouverais précisément derrière cette barricade.

— Il vous a lâché, pas vrai ? fit Erik.

— À moins qu'il ait l'intention de créer la surprise et de surgir à dos de dragon pour me ramener à Ylith, oui, on dirait bien qu'il m'a lâché.

— Duko nous a dit que Fadawah redoutait qu'on lui dispute le commandement de son armée.

Nordan acquiesça.

— On m'a envoyé à Sarth plus pour surveiller Duko que pour établir une véritable deuxième ligne de défense. (Il regarda de nouveau autour de lui.) Puis-je m'asseoir ?

D'un geste, Owen demanda à ce que l'on rapporte une chaise supplémentaire. Lorsque ce fut fait, Nordan s'assit.

— Vous étiez censé assaillir Krondor ; moi, de mon côté, je devais descendre jusqu'à la cité, observer un peu la bataille puis partir pour le Nord et choisir entre fortifier Sarth ou me replier encore plus au nord. Comme vous n'avez pas attaqué Krondor, je n'ai pas eu de décision à prendre.

— Messire Duko s'est dit qu'il était temps de changer d'allégeance, expliqua Subai. Sans sa coopération, nous n'aurions pas récupéré Sarth si facilement.

— Messire Duko, répéta Nordan comme s'il testait le son de ces deux mots ensemble. Alors c'est un partisan du royaume, maintenant ?

— En effet, répliqua Greylock. Il protège notre frontière méridionale, celle qui borde l'empire de Kesh la Grande.

— Pensez-vous que nous pourrions parvenir à un arrangement du même type ? s'enquit Nordan.

Owen éclata de rire.

— Duko avait une armée et une cité à offrir. Qu'avez-vous donc à mettre sur la table ?

— J'avais peur qu'on en arrive là.

— Vous savez, intervint Erik, si vous croyez qu'un mot de vous suffirait à convaincre les soldats sur la barricade de se rendre, cela pourrait tout à fait nous inciter à envisager pour vous un sort plus agréable.

— Vous êtes le type qu'ils appellent la Lande Noire, pas vrai ? demanda Nordan.

Erik acquiesça.

— Vous me connaissez ?

— On vous a longtemps cherché quand votre capitaine Calis est devenu un renégat et s'est enfui avec ses Aigles cramoisis. On connaissait de réputation cet officier qui ressemblait à l'un des Longues-Vies et son grand sergent blond qui se battait comme un démon. La reine Émeraude servait peut-être la cause des ténèbres, mais elle comptait des hommes intelligents parmi ses commandants.

» Kahil était l'une de ses âmes damnées, ajouta Nordan d'un ton songeur. Pourtant, il a réussi à gagner la confiance de Fadawah. Je suis moi-même l'un des plus vieux compagnons du général. Vous avez servi suffisamment longtemps à nos côtés pour savoir que nos coutumes sont différentes des vôtres, ajouta-t-il en s'adressant à Erik. Un prince n'est qu'un employeur, et nous ne sommes généralement pas plus loyaux envers lui qu'envers un simple marchand. Pour des mercenaires comme nous, il n'est qu'un marchand avec beaucoup d'or.

» Fadawah et moi, on s'est connus enfants, on vivait dans des villages voisins des terres occidentales. On a rejoint les Poings de Fer de Jamagra et on a commencé à se battre. Pendant des années, on a combattu côte à côte. Puis, quand Fadawah a fondé sa propre compagnie, je suis devenu son capitaine en second. Quand il est devenu général, il m'a nommé son commandant en second. Quand il a rencontré la femme qui se faisait appeler la reine Émeraude et qu'il lui a prêté un serment de sang, je l'ai suivi.

Subai regarda Erik qui hochait la tête et reprit :

— Je crois qu'il faudrait que nous en sachions davantage au sujet de ce Kahil.

— C'était l'un des capitaines de la reine, expliqua Nordan. Nous l'avons rencontré lorsqu'elle a demandé à Fadawah de prendre le commandement de ses troupes. J'ai trouvé ça bizarre qu'elle ait envoyé quelqu'un nous chercher alors qu'elle avait déjà ses propres commandants, mais elle proposait un bon salaire et des conquêtes qui nous permettraient de devenir plus riches que tout ce qu'on pourrait imaginer.

» Kahil s'est spécialisé dans l'espionnage : avant l'assaut, il se glissait à l'intérieur des cités que nous devions attaquer, rassemblait des informations et semait la discorde au sein de la population. Il a passé plus de temps avec la reine Émeraude que quiconque excepté Fadawah et ceux qu'elle appelait ses Immortels, ces hommes qui acceptaient de mourir dans son lit pour nourrir sa faim dévorante.

— Vous étiez au courant de ça ? s'étonna Erik.

— Des bruits couraient à ce sujet mais, quand vous êtes dans une situation comme celle-là, vous essayez d'ignorer tout ce qui peut vous détourner de votre mission. J'étais son capitaine, je lui avais prêté serment et je ne pouvais la trahir, à moins d'être renvoyé, capturé ou tué.

— Je comprends, fit Erik.

— Quand tout ce chaos autour de Krondor nous a permis de comprendre que nous avions été dupés par une créature démoniaque et que la reine Émeraude n'était plus notre véritable maîtresse, nous avons dû nous débrouiller tout seuls. Fadawah est un homme ambitieux, Kahil également. Je pense que c'est lui qui a suggéré à Fadawah de me faire subir le même sort qu'à Duko.

» On m'a fait croire que je devais défendre Sarth tout en cachant un millier d'hommes dans l'abbaye. Au moment où votre armée remontait la route en toute tranquillité, je devais faire une sortie et vous attaquer par-derrière pendant que Fadawah vous repoussait au sud le long de la côte. Mais on ne m'a jamais envoyé les mille soldats en question, ajouta Nordan d'un ton amer. J'aurais dû le comprendre lorsque à trois reprises j'ai vu arriver vingt hommes au lieu des deux cents que j'attendais. Par contre, j'ai eu droit à une visite prolongée de Kahil qui a examiné l'abbaye et m'a dit que tout se déroulait comme prévu. J'ai reçu moins de quatre cents hommes au total dont la plupart ne paraissaient pas très doués.

— Nous statuerons sur votre sort plus tard, général, décréta Owen. Pour le moment, mon problème, c'est de reconquérir le duché de Yabon au nom de mon roi.

Nordan se leva.

— Je comprends, maréchal. Les circonstances m'obligeront donc à attendre votre bon plaisir.

Greylock fit signe à un soldat de ramener le prisonnier parmi les autres officiers captifs.

— Il y a une chose qui me dérange dans son récit, déclara Owen dès que Nordan fut hors de portée de voix.

— Laquelle ? demanda Erik.

— Cette remarque que lui aurait faite Kahil, comme quoi tout se déroulait comme prévu.

— J'ai participé à l'attaque de l'abbaye, rappela Subai. Je n'ai rien vu là-bas que nous ayons à redouter.

— Je ne pense pas qu'il faisait allusion à l'abbaye, répliqua Owen. Je crois qu'il faisait référence à un plan à plus grande échelle que Fadawah nous aurait pondu.

— Et que nous découvrirons le moment venu, conclut Erik.

Owen pointa son index sur son vieil ami.

— C'est bien ce qui me fait peur.

Il désigna ensuite la table et demanda à ce qu'on leur apporte à manger ; aussitôt, les domestiques s'empressèrent d'obéir. Le maréchal se tourna ensuite vers l'un des officiers subalternes qui assistaient à la réunion :

— Prévenez-moi dès que les commandants feront savoir que toutes nos unités sont en place.

Erik réfléchit un moment avant de déclarer :

— Nous pourrions les attaquer de nuit.

— De nuit ? répéta Subai.

Le ton d'Erik indiquait qu'il ne préconisait pas cette solution en particulier et qu'il ne faisait qu'émettre une suggestion.

— Si nous pouvions approcher de la barricade avant qu'ils repèrent nos unités avancées, nous pourrions peut-être ouvrir une brèche avant qu'ils fassent trop de dégâts avec leurs catapultes et leurs archers.

Owen prit un air dubitatif.

— Je pense qu'on devrait faire ça de manière traditionnelle, c'est-à-dire monter le camp et dire à nos hommes de se reposer. Au lever du jour, on se rassemblera et on formera les rangs. J'irai avec Erik exiger leur reddition et lorsqu'ils refuseront de se soumettre, nous les attaquerons.

Erik soupira.

— Si seulement je pouvais trouver une astuce… Subai, y aurait-il un moyen de faire passer certains soldats à l'extrémité de la barricade, du côté de l'à-pic ?

— Quelques-uns, peut-être, répondit le capitaine. Mais ça ne servirait qu'à les faire massacrer tous s'ils étaient découverts. Si mes Pisteurs et moi devions nous en charger, en revanche, nous pourrions grimper là-haut et nous mettre en position sans qu'on nous voie, j'en suis sûr.

— Mais vous devez porter des messages dans le Nord, rappela Owen. Non, messieurs, cette fois, nous devons monter à l'assaut et enfoncer la porte. Dites à vos hommes de se tenir prêts.

Erik se leva.

— Je vais aller surveiller le déploiement des troupes.

Mais Owen lui fit signe de rester et attendit que les autres officiers soient sortis pour demander :

— Peux-tu amener une escouade sur la plage, au pied de ces falaises ?

— Je peux l'amener sur la plage, confirma Erik, mais je ne sais pas si on pourra escalader les falaises.

— Dans ce cas, tu ferais bien d'aller y faire un tour pour voir avant que la nuit tombe. Si on arrivait à faire passer une compagnie de l'autre côté de la barricade en escaladant les falaises, on pourrait faire sauter la porte de l'intérieur.

Erik réfléchit à cette éventualité.

— La porte est plus proche de la falaise que de l'à-pic d'environ une centaine de mètres, n'est-ce pas ?

— Tu crois que tu peux y arriver ?

— Laissez-moi descendre sur la plage jeter un coup d'œil. Je serai de retour aussi vite que possible.

Il se leva de sa chaise et se rendit à l'endroit où campaient ses Aigles cramoisis.

— Jadow, s'exclama-t-il, j'aurais besoin d'une escouade !

Le gros lieutenant et un sergent du nom d'Hudson s'exécutèrent presque immédiatement. Le temps qu'Erik se rende auprès des chevaux, il fut rejoint par une douzaine de soldats. Il leur suffit de quelques minutes pour seller les bêtes et se préparer à partir. Erik rassembla alors son escouade et regarda autour de lui, surpris de constater à quel point le camp paraissait bien organisé. Pourtant, les soldats avaient fait le trajet depuis Sarth à marche forcée et les intendants militaires avaient dû faire appel à toute leur ingéniosité pour pouvoir rassembler des vivres et les expédier dans le Nord dans un délai aussi court. Mais ils avaient réussi et le gros des armées de l'Ouest se trouvait à présent réuni, fort de quatre-vingt mille hommes à l'avant-garde et secondé par dix mille soldats à moins d'une semaine de là, postés aux endroits sélectionnés par l'état-major d'Owen. Cependant, la logistique restait encore un concept abstrait pour Erik. Jusque-là, il n'avait servi au sein de l'armée que dans les petites compagnies de Calis sur Novindus ou sur les positions défensives de Krondor et de la Lande Noire. C'était la première fois qu'il était responsable d'un grand nombre de soldats au cours d'une marche.

Les milliers d'hommes, de chariots et de chevaux qui arpentaient la route dans les deux sens soulevaient une quantité de poussière impressionnante. Erik savait qu'il n'aurait aucun mal à descendre explorer la plage sans qu'une sentinelle ennemie le voie et que leur ruse soit éventée.

Il trouva un chemin qui lui permettait de descendre jusqu'à une petite crique à environ un kilomètre et demi des lignes et guida son escouade dans la descente. La route s'étrécissait à mesure qu'elle approchait du sable, si bien qu'ils furent bientôt obligés de chevaucher en file indienne.

Les hommes s'arrêtèrent tandis qu'Erik suivait la côte du regard. Il se tourna vers les soldats qu'avait choisis Jadow et demanda :

— Y a-t-il de bons nageurs parmi vous ?

Deux d'entre eux levèrent la main. Erik regarda Jadow en souriant.

— Oh non, mec, protesta le sergent. Depuis la fois où nous avons traversé ce fleuve pour entrer dans Maharta, j'ai juré de ne plus mettre un pied dans l'eau.

Erik sauta à bas de sa monture et commença à ôter son armure.

— Cette fois, nous n'aurons pas à porter trente-cinq kilos d'amure.

Jadow mit pied à terre à son tour et entreprit de se déshabiller tout en proférant des jurons dans sa barbe.

Les deux soldats qui s'étaient portés volontaires se retrouvèrent bientôt, comme leurs officiers, en maillot de corps et caleçon long.

— On va nager par groupes de deux. Soyez prudents, le courant m'a l'air violent. Et faites attention aux récifs.

Erik conduisit son petit monde aussi loin qu'ils pouvaient aller sur la plage sans trop s'approcher du pan de falaise qui s'avançait parmi les récifs. Puis il entra dans l'eau et se retourna pour expliquer :

— Je pense qu'il est plus prudent d'y aller à la nage que de marcher dans les déferlantes qui vont s'écraser sur les rochers.

Erik conduisit ses compagnons jusqu'à l'endroit où les vagues venaient se briser sur le sable. Il plongea sous une déferlante, ressortit derrière elle et s'éloigna ainsi de la plage. Puis, quand la mer autour de lui ne fit plus que le balancer au rythme du ressac, le jeune homme choisit une trajectoire parallèle à la plage. L'eau était froide pour cette période de l'année, et la progression difficile. Pourtant, Erik se rendit compte au bout de quelques minutes qu'il avait laissé son partenaire derrière lui. Il attendit que le soldat le rattrape, puis recommença à nager. Ils entrèrent dans une crique, la première d'une série d'anses au pied des falaises, et firent du sur-place le temps que les autres les rejoignent.

— Il reste environ un kilomètre et demi avant de retourner sur la terre ferme. (Il tendit le doigt.) On dirait qu'il y a un banc de sable par là-bas.

— Si tu le dis, répliqua Jadow. Moi, tout ce que je vois, ce sont des brisants et des récifs.

— Eh bien, tâche de les éviter, riposta Erik en se lançant de nouveau dans une série de brasses vigoureuses.

Il leur fit contourner un second pan de falaise et se dirigea vers de nouveaux rochers. Puis il s'arrêta et tendit le doigt.

— Regardez ! Un bout de plage !

Il nagea directement vers les brisants, se laissa porter par l'un d'eux puis se releva ensuite, l'eau lui arrivant jusqu'aux genoux. Il regarda tout autour de lui et vit ses trois compagnons se laisser eux aussi porter par les déferlantes – Jadow parut avaler une bonne quantité d'eau au passage.

Erik leva les yeux pour regarder la falaise. Il fit signe aux autres de se rassembler autour de lui et leur déclara :

— Je crois que nous nous trouvons entre nos lignes et celles de nos ennemis. C'est difficile à dire, ajouta-t-il en suivant la côte du regard. (Il fit une pause pour reprendre son souffle.) Allez, venez. On a du pain sur la planche si on veut rentrer avant la nuit.

Jadow gémit.

— Qu'est-ce qu'il y a ? lui demanda Erik.

— Mec, j'y pensais même pas. Va falloir qu'on rentre à la nage !

Erik et les deux autres éclatèrent de rire.

— Oui, à moins que tu veuilles rester là.

Il s'élança au pas de course sur la plage tandis que Jadow répondait :

— Je commence à me dire que ça doit être sympa de vivre sur le sable. Je pourrais pêcher, construire une cabane, tu sais, ce genre de choses.

Erik sourit.

— Tu finirais pas t'ennuyer.

Ils longèrent le pied des falaises en courant, Erik levant les yeux de temps en temps. Ils parcoururent un long ruban de plage sinueux, traversèrent une série de flaques laissées par la marée et escaladèrent plusieurs gros rochers affleurants avant qu'Erik soit enfin convaincu qu'ils se trouvaient suffisamment loin des fortifications ennemies pour ne pas être vus.

— Jadow, ça te dirait d'escalader cette falaise ? demanda-t-il en levant les yeux.

Le sergent l'imita.

— Pas vraiment, finit-il par répondre.

— Est-ce que c'est faisable ?

— Sûrement, mais c'est un boulot pour les Pisteurs. Ils sont très doués pour ce genre de trucs.

— Les Pisteurs devront contourner l'extrémité orientale de la barricade, grimper dans les collines et se rendre dans le Nord. Subai a pour mission de porter des messages jusqu'à Yabon.

— Bon, tu en connais, toi, des types qui soient assez fous pour nager jusqu'ici et escalader ces rochers, tout ça pour se bagarrer à mains nues contre nos ennemis ?

Erik dévisagea son camarade avant de répondre :

— Oui, je pense que j'ai exactement les types qu'il nous faut.

— Laisse-moi mettre les choses au clair, déclara Owen. Tu veux que demain, je me contente de mener de petites attaques éclair, juste pour voir ?

Erik désigna la ligne de défense qui venait juste d'être dessinée sur la carte d'Owen.

— Ils vont nous saigner à blanc si on tente de prendre d'assaut cette barricade. Reportons ça d'un jour ou deux. Parce que si j'arrive à escalader cette falaise et à ouvrir la porte de l'intérieur pour vous faire tous rentrer, on peut gagner quelques journées et sauver la vie de nombreux soldats.

— Oui, mais si tu n'arrives pas à atteindre cette porte, tu te feras massacrer, rétorqua Greylock.

— À ce que je sache, personne n'a jamais promis à un soldat qu'il vivrait éternellement, riposta Erik.

Owen ferma les yeux.

— La vie semblait tellement plus simple quand tu ferrais les chevaux pendant que j'apprenais aux fils d'Otto à se servir d'une épée, soupira-t-il.

— Ce n'est pas moi qui dirai le contraire, reconnut Erik en s'asseyant.

— Alors, qui emmènes-tu avec toi ? C'est une mission périlleuse… Inutile de le souligner, pas vrai ?

— En effet, approuva Erik en souriant. (Il prit le verre de vin que lui tendait un aide de camp avant d'ajouter :) Akee et ses Hadatis sont arrivés ce matin. Ce sont les meilleurs grimpeurs que nous ayons.

Owen hocha la tête en guise d'assentiment.

— C'est bien vrai. Ils sont aussi très doués à l'épée, si je me souviens bien.

— Très.

— Eh bien, j'avais l'intention de les envoyer explorer la crête, mais si je permets à Subai d'emmener tous ses Pisteurs, ça lui donnera une meilleure chance d'atteindre Yabon.

— Je n'ai pas regardé la liste des décès. Combien de Pisteurs nous reste-t-il ?

— Pas assez. En réalité, nous manquons d'hommes dans chaque division. En toute justice, nous avons perdu plus de valeureux soldats à la Lande Noire et sur les crêtes du Cauchemar que ce que les dieux auraient dû exiger de nous. Tu te rends compte qu'on a là-dehors le cœur des armées de l'Ouest ? Si nous échouons, il ne restera plus rien. (Owen soupira.) Subai n'a plus que quatorze Pisteurs sous ses ordres.

— Quatorze ? (Erik secoua la tête d'un air de regret.) Il commandait plus d'une centaine d'hommes avant la guerre.

— Les traqueurs et les éclaireurs sont des denrées rares, renchérit Owen. On ne les entraîne pas du jour au lendemain comme ta bande de coupe-jarrets.

Erik sourit.

— Mes coupe-jarrets ont prouvé leur valeur bien plus souvent qu'aucune autre unité de cette armée. Et nous avons perdu trop d'Aigles à mon goût.

Pendant un moment, il songea à ces hommes avec qui il avait servi durant ses deux expéditions sur Novindus : Luis et Roo, Nakor et Sho Pi, et tous ceux qui étaient tombés en cours de route : Billy Goodwyn, qui s'était fracassé le crâne, victime d'une chute de cheval ; Biggo, le bagarreur épris de religion, et Harper, un bien meilleur sergent qu'Erik lui-même ne l'avait jamais été. Il y avait eu beaucoup d'autres morts, mais l'une de ces disparitions avait particulièrement marqué Erik :

— Même si je préférerais que Calis continue à diriger cette compagnie à ma place, avoua-t-il, je donnerais bien toutes les années qu'il me reste à vivre pour ramener Bobby de Loungville parmi nous.

Owen leva son verre.

— Je suis d'accord, mon garçon, crois-moi. (Il but.) Mais il serait fier de toi, à n'en pas douter.

— Quand tout sera terminé, et que nous commencerons à ramener ces mercenaires sur Novindus, je veux retrouver cette grotte de glace et ramener Bobby chez nous.

— On a déjà fait des choses plus insensées par le passé, reconnut Owen. Mais tous ces gens dont nous parlons sont morts et enterrés, Erik. Pourquoi Bobby entre tous ?

— Parce que c'était lui. Sans son entraînement, la plupart des Aigles ne seraient plus là aujourd'hui. Calis était notre capitaine, mais Bobby était notre âme.

— Eh bien, tu mèneras peut-être ton projet à bien si le prince accepte de te libérer de ton service pendant quelque temps. Moi, en tout cas, je lui demanderai de te donner une promotion pour m'ôter une partie du poids que j'ai sur les épaules.

— C'est gentil, mais je la refuserai.

— Pourquoi ? s'étonna Owen. Tu es marié et j'imagine qu'un jour, tu auras des enfants. Une promotion ne t'apportera pas seulement un nouveau grade, elle te permettra aussi de gagner plus d'argent.

— Je ne suis pas inquiet de ce côté-là. Je veux dire, j'ai assez d'argent, même si les investissements que Roo m'a fait faire ne me rapportent rien à terme. Je saurai prendre soin de Kitty et de nos futurs enfants. Simplement, je ne veux pas devenir un officier d'état-major.

— Tu sais, Erik, on n'aura plus vraiment besoin de capitaine lorsque cette guerre sera finie. La noblesse reviendra de nouveau au premier plan et se chargera de maintenir la paix.

Le jeune homme secoua la tête.

— Je ne pense pas que ce soit une bonne idée. Je crois que la guerre de la Faille et cette invasion nous ont prouvé que l'on a besoin d'une plus grande armée de métier. N'oublions pas que Kesh cherche à nouveau à envahir une partie de nos terres au sud. Compte tenu du nombre de victimes dans notre camp, je crois que le prince a besoin de davantage de soldats en permanence qu'il n'y en a jamais eu dans l'Ouest.

— Tu n'es pas le premier à le dire, reconnut Owen, mais tu connais la politique… Les nobles ne l'accepteront jamais.

— Ils y seront bien obligés si le roi l'ordonne. Et un jour, Patrick sera roi.

— En voilà, une perspective effrayante, plaisanta Owen.

— Il finira par grandir, rétorqua Erik.

Owen éclata de rire.

— Écoutez-moi ça ! Vous avez le même âge tous les deux !

Erik haussa les épaules.

— Je me sens beaucoup plus vieux.

— C'est compréhensible, ça c'est sûr. Allons, va donc trouver les Hadatis et demande-leur s'ils sont assez fous pour te suivre. Je ne serais pas surpris qu'ils refusent, car ils me paraissent plus intelligents que la moyenne.

Erik se leva, salua négligemment son supérieur et s'en alla. Lorsque le jeune homme fut parti, Owen se tourna vers la carte en disant à son aide de camp :

— Dites au capitaine Subai que je veux le voir, je vous prie.

Jimmy pointa du doigt.

— Là-haut !

Il avait réquisitionné un cheval et renvoyé deux hommes à Port-Vykor en les chargeant de se partager la même monture. Puis il avait ordonné aux dix autres soldats de l'aider à poursuivre Malar, dont il connaissait la seule destination possible.

Jimmy était à présent persuadé que Malar Enares était un espion keshian. Un simple voleur lui aurait pris ses armes et son or. Malar, lui, n'avait volé que le cheval de sa victime pour lui servir de monture de rechange durant sa fuite vers les lignes keshianes. S'il était besoin d'une preuve, il suffisait de considérer qu'il avait commencé par s'emparer des ordres que le prince destinait à Duko.

Le capitaine Songti et ses hommes avaient paru dubitatifs, mais ils ne lui en avaient pas moins obéi.

— Messire James…, commença Songti lorsqu'ils s'arrêtèrent pour permettre aux chevaux de se reposer.

— Appelez-moi Jimmy. Messire James était mon grand-père.

— Messire Jimmy, rectifia Songti.

— Non, juste Jimmy.

Le capitaine haussa les épaules.

— Jimmy, vous vous déplacez avec une certaine détermination, sans même suivre une piste. Dois-je en déduire que vous savez où se dirige le fugitif ?

— En effet. Il n'y a pas beaucoup d'endroits où l'on peut franchir en toute sécurité la frontière entre Kesh et le royaume. Or, je ne connais qu'un seul point de passage à proximité où Malar ait une chance de croiser une patrouille keshiane avant de tomber sur l'une des nôtres. Il se trouve là-haut, sur les hauts plateaux du désert, ajouta-t-il en désignant une lointaine chaîne de collines. Il s'agit du col de Dulsur. C'est un petit défilé très étroit qui s'ouvre sur l'oasis d'Okateo – un endroit très prisé des contrebandiers.

— Et des espions, suggéra Songti.

— Effectivement, convint Jimmy.

— Si vous connaissez cet endroit de réputation, messire, pourquoi ne pas y installer une garnison ?

Jimmy haussa les épaules.

— Parce qu'il est tout aussi utile pour nous que pour les Keshians de laisser le col ouvert.

— Je crois que je ne comprendrai jamais votre civilisation, messire.

— Eh bien, quand la guerre sera finie, vous pourrez rentrer sur Novindus si vous le souhaitez.

— Je suis un soldat et j'ai servi messire Duko presque toute ma vie. Je ne saurais pas quoi faire sur Novindus. Aucun de nous ne le saurait.

D'un geste, Jimmy lui fit comprendre qu'il était temps de se remettre en route.

— Aussi sûr que le soleil se lève à l'est, il y a des gens sur Novindus qui doivent être en train de se bâtir un petit empire, comme Fadawah le fait ici.

— Certains parmi les plus jeunes souhaiteront peut-être rentrer, dit Songti en remontant en selle. Mais ceux d'entre nous qui servent depuis longtemps sous les ordres de Duko préféreront faire leur vie ici, dans votre royaume.

— Dans ce cas, il est temps de commencer à le considérer comme notre royaume à tous.

— C'est également ce qu'affirme messire Duko, admit Songti en faisant signe à la patrouille d'avancer.

Ils suivirent une piste poussiéreuse qui les mena dans un paysage désertique avec des dunes à perte de vue, des plantes sèches et résistantes et de la roche blanchie par le soleil. Un vent sec soufflait et le sable s'infiltrait dans les narines et les yeux des soldats, menaçant de leur arracher la peau. Même l'eau avait le goût de la substance fine et poudreuse qui s'insinuait partout.

Ils atteignirent un haut plateau. De nouveau, Jimmy pointa le doigt en direction des hauteurs.

— L'oasis se trouve au sommet de cet autre plateau.

L'endroit en question se situait bien trois cents mètres au-dessus de celui sur lequel ils se trouvaient. En se retournant, l'on pouvait voir les plaines qui allaient jusqu'à la baie de Shandon.

— Je parie qu'on peut voir la baie d'ici, par temps clair, déclara Songti.

— Pas seulement, répondit Jimmy. On m'a raconté qu'on peut voir le sommet des Calastius au nord.

Il talonna sa monture et poursuivit son chemin vers le col en compagnie de son escorte.

La nuit les trouva occupés à se reposer dans un grand col abrité du vent et du sable, les hommes assis sur des rochers et adossés à leur selle quand celle-ci ne se trouvait pas sous leurs pieds et les chevaux attachés non loin de là. Jimmy refusa qu'on allume un feu, de peur qu'il y ait des Keshians à proximité ou que Malar ne se retourne et aperçoive sa lueur.

Il savait qu'il avait de grandes chances de rattraper l'espion si ce dernier ne connaissait pas aussi bien ces collines que lui. Jimmy avait certes grandi dans la lointaine Rillanon, mais son grand-père avait fait en sorte que son frère et lui connaissent tous les points faibles de la frontière commune avec Kesh : toutes les criques qui servaient de repaires aux contrebandiers, les pistes, les sentiers de chèvres, les petits cours d'eau et les brèches dans les montagnes. Jimmy se souvenait que le savoir de son grand-père était digne d'une encyclopédie. Il s'était assuré que ses deux petits-fils connaissent le moindre point stratégique d'où l'on pourrait attaquer le royaume.

— Êtes-vous certain que nous allons attraper cet espion ? demanda le capitaine Songti tout en mâchonnant une lanière de bœuf séché.

— Il le faut. Il a volé les ordres que je devais porter à Duko et en sait trop sur le manque de défenses à Krondor. Le message détaillait également la façon dont Duko devait s'occuper de la menace keshiane contre Finisterre.

— Nous avons rencontré quelques Keshians. Ce sont des guerriers déterminés.

— Les Chiens Soldats keshians n'ont pas une réputation de lâcheté, c'est certain. Quelquefois, leurs chefs se conduisent en couards mais lorsqu'ils donnent l'ordre à leurs hommes de se battre jusqu'au dernier, ceux-ci obéissent.

— En mettant la main sur cet homme, nous réussirons à éviter un grand combat ?

— Oui.

— Dans ce cas, il faut tout faire pour l'arrêter.

— Nous repartirons dès l'aurore. (Jimmy resserra sa cape autour de lui et ajouta :) Réveillez-moi juste avant le départ.

Akee et ses hommes se déployèrent au pied de la falaise.

— Quelle est la meilleure façon de procéder ? s'enquit Erik.

Ils avaient apporté des armes et des vêtements secs enveloppés dans de la toile cirée, suivant à la nage le parcours qu'Erik avait découvert un peu plus tôt. Le plan était d'escalader la falaise dans le noir. Juste avant l'aube, les Pisteurs, accompagnés de quelques douzaines de membres de l'armée régulière, étaient censés faire autant de bruit que possible à l'autre bout de la barricade afin de faire croire aux défenseurs que les soldats du royaume s'apprêtaient à contourner l'obstacle du côté de l'à-pic. Ils se replieraient sitôt le combat engagé, et les Pisteurs en profiteraient pour escalader l'à-pic et passer dans les hauteurs. Après cela, ils poursuivraient leur voyage vers Yabon en suivant le versant occidental de ces montagnes. Les Krondoriens, pour leur part, se replieraient à grand bruit dans un désordre apparent.

Tout le monde espérait que cette diversion permettrait à Erik et aux Hadatis de se glisser derrière les défenseurs pour atteindre la porte de la barricade. S'ils parvenaient à l'ouvrir, Greylock leur avait promis qu'ils n'auraient à tenir la position que pendant deux minutes. Il disposait de deux escadrons de cavalerie, des archers montés qui pouvaient rejoindre la porte en moins de deux minutes, ainsi qu'une compagnie de lanciers lourds capables de franchir les lignes et balayer les défenseurs sur le parapet.

Du haut de la falaise leur parvinrent des cris – les soldats qui menaient les attaques destinées à tester les défenses ennemies avaient dû recevoir l'ordre de se replier. Les envahisseurs n'avaient cessé de les repousser depuis midi et Owen avait décidé de mettre un terme à ces raids comme le soleil se couchait. Erik espérait que ces attaques avaient suffisamment occupé les défenseurs et détourné leur attention des falaises. Sinon, les Hadatis et lui risquaient de recevoir un très mauvais accueil en arrivant au sommet.

— Pashan est notre meilleur grimpeur, affirma Akee en levant les yeux. Il va monter le premier et emporter un filin avec lui. S'il réussit à atteindre le sommet, nous attacherons une autre corde à son filin et il la hissera jusqu'à lui. Même vous devriez être capable d'atteindre le sommet à l'aide d'une corde, capitaine, ajouta-t-il avec un petit sourire.

— Je suis flatté par la confiance que vous placez en moi, répondit Erik.

Le dénommé Pashan se débarrassa de ses armes, la longue épée que portaient la plupart des Hadatis en travers du dos et la courte lame qu'ils accrochaient à la ceinture. Petit et trapu, il possédait des bras et des jambes visiblement très musclés. Il ôta également ses bottes souples en daim et tendit le tout à un camarade. Puis il prit le filin, très mince, et l'enroula soigneusement en travers de sa poitrine, à la manière du tartan que portaient tous les Hadatis quand ils revêtaient la tenue traditionnelle de leur clan. La majeure partie du filin traînait derrière lui et partait d'un rouleau posé sur le sable. Akee recommanda à ses hommes de veiller à ce que le filin se déroule doucement pour éviter que Pashan perde l'équilibre à cause d'une résistance inattendue.

Pashan ajusta son kilt et commença l'ascension. Erik jeta un coup d'œil en direction de l'ouest. Le soleil s'était couché quelques minutes plus tôt. À présent, tout le monde regardait cet homme courageux escalader une falaise avec précaution sous une lumière déclinante. Il ferait noir avant qu'il atteigne la sécurité du sommet.

Les minutes s'égrenèrent lentement. Pashan continuait à monter, bougeant prudemment les mains et les pieds, testant chaque prise avant de continuer. Comme une mouche sur un mur, il avançait lentement vers le sommet, légèrement plus à droite par rapport à son point de départ.

Erik était stupéfait. D'abord, Pashan escalada six mètres, puis neuf, puis douze. Lorsqu'il arriva à quinze mètres au-dessus du sol, il n'avait parcouru qu'un tiers du chemin. Cependant, il ne s'arrêta pas pour se reposer et Erik songea que s'accrocher à la paroi d'une falaise n'était sans doute pas plus reposant que de grimper. Le rythme de Pashan restait toujours le même : il mettait le pied sur une prise, la main sur une autre, puis déplaçait son poids avant de continuer à grimper.

Au fur et à mesure que la nuit tombait, Pashan devint de plus en plus difficile à discerner sur la roche. Erik le perdit de vue au sein des ombres d'un noir d'encre qui régnaient entre les rochers. Puis il repéra un mouvement et constata que le Hadati se trouvait à présent aux deux tiers du sommet de la falaise.

De nouveau, il disparut dans la pénombre et les minutes traînèrent en longueur. Comme les ténèbres s'installaient pour la nuit – les lunes ne se lèveraient que juste avant l'aube – le filin finit par se tendre d'avant en arrière.

— Attachez-le à l'autre corde, ordonna Akee.

Le mince filin fut coupé et attaché avec soin à l'extrémité d'une corde beaucoup plus solide. Lorsque ce fut fait, ils tirèrent fermement sur le filin à trois reprises. Pashan tira rapidement la corde vers le sommet.

Celle-ci se déroula avant de se tendre à son tour d'avant en arrière. La première fois, c'était un signal destiné à indiquer que Pashan était arrivé au sommet et qu'il fallait attacher la corde. Le second signal semblait vouloir dire qu'il avait trouvé un endroit où attacher la corde ou creusé un trou pour pouvoir tirer dessus. Celui qui allait à présent escalader la falaise serait le plus petit du groupe restant. Il rejoindrait Pashan et l'aiderait à tenir la corde. Ceux qui suivaient ajouteraient leur force à mesure que les plus corpulents tenteraient l'ascension.

Le deuxième Hadati rangea ses armes dans un ballot qu'il mit en travers de ses épaules et commença à grimper à la corde en se servant de ses pieds pour aller plus vite. Erik fut stupéfait de constater à quelle vitesse il escaladait la falaise.

Puis le troisième le suivit.

Seuls les bruits en provenance du camp ennemi, dans le lointain, rompraient le silence nocturne. Il n'y avait ni cris d'alarme ni bruits de combat. Un par un, les cinquante Hadatis firent l'ascension, jusqu'à ce qu'il n'y ait plus qu'Erik et Akee sur la plage.

— Après vous, dit Erik.

Sans un mot, Akee acquiesça et grimpa à son tour.

Erik attendit puis attrapa la corde. Il n'avait jamais été un bon grimpeur et avait choisi de monter en dernier au cas où il glisserait. S'il devait se tuer en tombant, il préférait ne pas entraîner Akee avec lui.

Il s'aperçut que ses pieds ne lui servaient pas à grand-chose tandis qu'il s'efforçait de se hisser le long de la corde. Il était puissamment bâti et possédait un large torse, mais cela signifiait également qu'il pesait lourd. Ses bras le brûlaient et son dos criait de douleur lorsqu'il approcha du sommet. Brusquement, la corde bougea et Erik connut un instant de panique avant de s'apercevoir qu'on le soulevait.

Akee tendit le bras par-dessus le rebord de la falaise, prit Erik par le poignet et le tira d'un coup sec pour le déposer sain et sauf au sommet.

— Quelqu'un vient, expliqua-t-il dans un murmure.

Erik acquiesça, prit le couteau qu'il avait à la ceinture et regarda autour de lui. Il se trouvait au sein d'un bosquet de pins et de trembles clairsemés et il lui semblait être seul avec Akee. Les autres Hadatis avaient apparemment réussi à se fondre dans les bois.

Akee s'avança rapidement pour couper la corde attachée à un arbre voisin et jeta le tout par-dessus le rebord de la falaise. Puis il entraîna Erik et se glissa avec lui sous les arbres.

Non loin de là, Erik entendit des hommes qui marchaient. L'un d'eux s'exprima dans la langue de Novindus :

— Puisque je te dis que j'ai cru entendre quelque chose ! On aurait dit quelqu'un qui bougeait.

— Il n'y a personne ici, répliqua l'autre voix.

Erik s'aplatit contre le tronc d'un petit chêne et jeta un coup d'œil à travers les branches basses d'un pin. Il vit alors deux silhouettes apparaître à l'autre bout de la clairière. L'une portait une torche.

— Faudrait être con pour croire que quelqu'un pourrait s'aventurer par ici.

— Dans ce cas, t'es justement l'homme de la situation, plaisanta l'autre.

— Très drôle.

Ils débouchèrent sur l'espace dégagé qui surplombait la mer.

— Y a un sacré à-pic, reprit le deuxième homme, alors ne va pas t'approcher trop près.

— Pas besoin de me le dire, mon gars. J'ai horreur de la hauteur.

— Ben alors, comment t'as fait pour grimper sur les remparts de Krondor ?

311

—J'en ai pas eu besoin. J'ai attendu qu'ils fassent exploser les murs et je suis rentré.

—T'as eu de la chance. Tu vois, y a personne ici. Qu'est-ce que tu t'imaginais ? Que quelqu'un allait envoyer des singes escalader ces sacrées falaises ou qu'il allait se passer un truc magique ?

—J'ai vu assez de trucs bizarres liés à la magie pour le restant de mes jours, reconnut le premier homme tandis que son compagnon et lui faisaient demi-tour pour rentrer au camp. Tu te rappelles ce démon et la reine, et pis aussi les prêtres-serpents ? Si j'ai plus de contact avec la magie jusqu'à la fin de ma vie, ça m'ira très bien.

—Je t'ai parlé de la fois où j'ai rencontré cette danseuse à Hamsa ? Ça, c'était ce que j'appelle de la magie.

—Seulement six ou sept fois, alors épargne-moi...

Les voix s'éloignèrent. Erik entendit alors quelqu'un dire derrière lui :

—Ils ont cru que les bois étaient vides.

—Tant mieux, Akee. Maintenant, on va pouvoir attendre avant de poursuivre notre mission. Faites passer le mot, ajouta Erik, et dites à vos hommes de rester cachés. Nous nous rassemblerons une heure avant l'aube.

Akee disparut dans la pénombre sans ajouter un mot.

Chapitre 17

ASSAUTS

J immy tendit le doigt devant lui.

— Je les vois, acquiesça le capitaine Songti.

Ils étaient venus explorer les abords de l'oasis d'Okateo et venaient d'apercevoir une patrouille de soldats keshians paresseusement étendus à l'ombre des palmiers.

— Ce sont des Frontaliers impériaux, chuchota Jimmy. Vous voyez ces longues lances ?

Appuyées sur les rochers près de l'endroit où étaient attachés les chevaux se trouvaient vingt lances longues et effilées décorées d'une bannière.

— On dirait qu'il va falloir les surprendre en leur tombant dessus avant qu'ils aient le temps de prendre leurs armes, commenta Songti.

— Vous avez raison, approuva Jimmy. Nous ne devons pas utiliser d'arcs.

— Serait-ce votre homme ? ajouta le capitaine en désignant une silhouette assise de l'autre côté du feu de camp.

— Oui, c'est bien lui.

Malar était assis à côté d'un officier keshian qui examinait le paquet de messages que Jimmy était censé apporter à Duko.

— Nous allons devoir les tuer tous avant qu'ils repartent demain matin, reprit le jeune homme.

— Ils sont plutôt laxistes, ils ne montent même pas la garde autour de leur camp, s'étonna Songti.

— Ce sont des bâtards arrogants, mais ils ont des raisons de l'être. Ils possèdent l'une des meilleures cavaleries légères au monde. Vous voyez ces types aux cheveux longs, qu'ils rassemblent sous leur heaume quand ils sont à cheval ? demanda Jimmy. (Il indiquait six individus qui se tenaient légèrement à l'écart et se reposaient autour d'une grande marmite de ragoût tout en conversant à voix basse.) Ce sont des Ashunta. Ils viennent du cœur de l'empire et sont les meilleurs cavaliers du monde.

— Certains de mes gars risquent de ne pas être d'accord, objecta Songti.

Jimmy sourit.

— D'accord, alors disons que ce sont les meilleurs cavaliers de Triagia.

— Plus depuis que nous sommes arrivés.

Le capitaine se retourna et fit signe à ses hommes, qui attendaient plus loin sur la piste. Lentement, ils avancèrent pour rejoindre leur officier.

— Dès que vous attaquerez, reprit Jimmy, Malar essayera de sauter sur le cheval le plus proche et s'en aller par là. (Il désigna un passage qui partait vers le sud et les terres frontalières de Kesh.) Laissez-moi le temps de me poster là-bas, comme ça, s'il essaye de s'enfuir, je lui sauterai dessus depuis ces rochers.

— Je vous accompagne. Il pourrait avoir l'idée d'emmener un ami avec lui.

— Ignorez l'ami en question sauf s'il s'agit de cet officier qui est en train de lire les documents. Avant toute chose, nous devons absolument récupérer ces papiers et tuer tous ceux qui les auront lus.

— C'est facile, répliqua Songti. Nous n'aurons qu'à les tuer tous.

Jimmy ne put s'empêcher d'admirer la confiance dont son compagnon faisait preuve, car ils avaient affaire à une patrouille de vingt Frontaliers keshians et ils n'étaient que dix soldats du royaume, sans compter le jeune homme lui-même.

— Il faut frapper vite et fort, recommanda-t-il.

Il se leva et contourna les rochers qui surplombaient l'oasis en courant à moitié accroupi jusqu'à ce qu'il arrive à l'endroit qu'il avait indiqué précédemment.

Par gestes, Songti transmit ses consignes à ses hommes, puis il vint se poster aux côtés de Jimmy.

Brusquement, des cris s'élevèrent et l'oasis sombra dans le chaos. Bien que désavantagés en nombre, les soldats du royaume bénéficiaient de l'effet de surprise. Jimmy n'avait pas besoin de regarder la scène pour savoir qu'en contrebas des hommes mouraient sans avoir le temps d'atteindre leurs armes. Les sifflements des flèches avaient quelque chose de rassurant puisque seuls les hommes de Songti en possédaient.

Comme il l'avait prédit, Jimmy entendit un cavalier entrer au galop dans le défilé. Le jeune homme se tint prêt.

Malar apparut au détour du chemin. Il montait à cru, ayant à peine pris le temps d'enfiler une bride à sa monture, et transportait la sacoche contenant les messages. Lorsqu'il passa en dessous de Jimmy, celui-ci lui sauta dessus et le jeta à bas de sa monture. La sacoche vola dans les airs tandis que Jimmy, à la réception de son saut, se démettait l'épaule. Il roula sur le sol et se remit debout en grognant de douleur. Il avait heurté un affleurement rocheux et sentait son bras gauche commencer à s'engourdir. Il comprit aussitôt ce qui était arrivé à son épaule.

Un autre cheval apparut et Songti sauta à son tour, jetant le cavalier à bas de sa selle. Jimmy eut à peine le temps d'éviter le second cheval qui passa au galop à côté de lui. Puis le jeune homme se retourna pour essayer de trouver Malar et vit l'espion tenter de s'enfuir en courant derrière l'animal.

Serrant son épée de la main droite puisqu'il avait l'autre bras ballant, Jimmy s'élança à la poursuite de sa proie. Il passa à côté de Songti, assis en travers de la poitrine d'un Keshian qu'il était en train d'étouffer.

Malar atteignit un nouveau tournant de la piste et Jimmy le perdit de vue. Il courut alors plus vite encore mais, comme il négociait le virage à son tour, il sentit une violente douleur envahir son épaule gauche.

Malar avait grimpé sur un rocher pour pouvoir lui donner un violent coup de pied. Il avait visé la tête mais avait atteint son épaule à la place. Le résultat fut le même, car Jimmy faillit perdre conscience à cause de la douleur. Un cri s'échappa involontairement de ses lèvres tandis qu'il trébuchait sur la droite.

Cependant, il réussit à garder les idées suffisamment claires pour penser à lever son épée sur laquelle Malar manqua de s'empaler en sautant à bas de son rocher. L'espion heurta le sol et recula d'un pas.

— Eh bien, jeune homme, il me semble que j'aurais dû utiliser un poison plus violent.

Jimmy secoua la tête pour retrouver ses esprits.

— Mais alors vous n'auriez pas pu en boire du tout.

Malar sourit.

— Apprendre à résister aux effets du poison n'a pas été chose facile, mais j'ai découvert au fil des ans que cela en valait la peine. J'aimerais beaucoup poursuivre cette discussion, mais je ne crois pas que vos hommes soient occupés encore très longtemps, alors il me faut partir.

Il n'était armé que d'une dague, mais il s'avança d'un air confiant, comme s'il pensait que Jimmy, malgré son épée, ne saurait rivaliser avec lui.

Cependant, les années d'entraînement que Jimmy avait endurées depuis l'enfance prirent le dessus et il bondit sur sa droite lorsque Malar, de manière tout à fait sournoise, fit un geste éclair de la main gauche et qu'une dague jusque-là invisible rebondit sur les rochers devant lesquels le jeune homme se tenait l'instant d'avant. Jimmy savait que cet homme devait avoir dissimulé plusieurs lames sur sa personne. D'ailleurs, lorsqu'il se retourna pour affronter l'espion, celui-ci s'apprêtait déjà à se jeter sur lui, une dague dans chaque main.

Pour éviter cette attaque, Jimmy tomba à la renverse et infligea un nouvel accès de douleur atroce à son épaule gauche. Comme Malar s'approchait à nouveau, Jimmy lui donna un coup de pied et lui fit perdre l'équilibre. Mais la jambe de l'espion avait la dureté d'un roc et le jeune homme comprit qu'il ne fallait pas se fier à cette maigre carrure : Malar n'était pas un gringalet. Sans perdre de temps, Jimmy roula sur lui-même pour se relever et donna un grand coup d'épée que l'espion évita de peu en se jetant en arrière au mépris des rochers pointus qui jonchaient le sol.

Jimmy lança aussitôt une nouvelle attaque pour ne pas laisser à ce dangereux adversaire l'occasion de se reprendre, d'autant que lui-même n'avait plus qu'un bras valide. Il donna un autre coup de taille qui faillit de nouveau atteindre l'espion keshian. Malar recula tant bien que mal, escaladant à moitié un rocher. Cependant, au lieu de continuer à battre en retraite, il se servit de la hauteur pour se jeter en avant en passant sous la garde de Jimmy.

Ce dernier sentit une lame glisser le long de ses côtes. La douleur lui coupa le souffle mais il réussit à se tordre suffisamment pour que la lame ne s'enfonce pas dans son corps. Il contracta sa poitrine et son estomac et donna un violent coup de tête à Malar. Ce dernier recula d'un air hagard, le sang coulant à flots de son nez brisé. Jimmy, quant à lui, sentit la tête lui tourner pendant quelques instants.

Brusquement, il faillit se faire renverser par un cheval qui passa au galop, crinière au vent. Jimmy se releva aussi vite qu'il le put et s'aperçut qu'il avait perdu son épée en cours de route. L'espion keshian sourit tel un loup enragé et s'accroupit en tenant sa dernière dague de la main droite.

— Ne bougez pas, jeune noble, et vous aurez droit à une fin rapide et indolore.

Il s'avança d'un pas vers Jimmy, qui fit diversion en lui envoyant une poignée de sable dans les yeux. Malar se détourna, momentanément aveuglé, et Jimmy bondit pour lui attraper le poignet de sa main valide. Rassemblant toutes ses forces, il tenta de briser le poignet de l'espion par un simple effort de volonté. Malar grogna de douleur mais refusa de lâcher la dague. Comme

Jimmy l'avait prédit, la maigre carrure du Keshian dissimulait une force terrible. Visiblement, il n'allait pas se laisser distraire par quelque chose d'aussi trivial qu'un poignet cassé.

Malar tira sur son bras tandis que Jimmy continuait à s'accrocher à son poignet de sa main valide. De son poing gauche, Malar lui donna un coup dans l'épaule. Jimmy poussa un cri de douleur et sentit ses genoux céder sous son poids.

Il faillit perdre conscience lorsque Malar le frappa de nouveau, au même endroit, et sentit ses forces l'abandonner. Malar tira encore sur son bras et libéra son poignet de l'étreinte de Jimmy. Puis, avec adresse et en un seul geste, il fit passer la dague de la main droite à la gauche. L'espace d'un instant, Jimmy leva les yeux vers l'espion qui se tenait au-dessus de lui, prêt à lui porter le coup fatal.

Puis Malar écarquilla les yeux, surpris, avant de les baisser, tandis que la dague s'échappait de ses doigts. Il porta la main à son dos et se retourna comme pour obtenir un meilleur angle de vision. Jimmy aperçut alors une hampe de flèche qui dépassait de l'épaule droite de l'espion. Puis un second trait l'atteignit avec un bruit sourd.

Malar tomba à genoux et ses yeux se révulsèrent tandis que du sang jaillissait de son nez et de sa bouche. Alors, il tomba tête la première sur le sol devant Jimmy.

Le jeune homme se retourna et vit Songti et l'un de ses hommes, armés d'un arc, se précipiter vers lui. Jimmy s'agenouilla puis tomba à la renverse et se cogna sur les rochers.

— Êtes-vous blessé ? demanda Songti en s'agenouillant près de lui.

— Je m'en sortirai, répondit Jimmy d'une voix rauque. Je me suis démis l'épaule.

— Laissez-moi voir ça.

Le capitaine palpa délicatement l'épaule du jeune homme qui sentit la douleur le traverser de la taille à la mâchoire.

— Juste un moment, promit Songti.

Puis, avec des gestes sûrs, il attrapa le haut du bras de Jimmy d'une main, son épaule de l'autre et remit le tout en place.

Jimmy écarquilla les yeux et sentit les larmes perler à ses paupières. Pendant une seconde, il fut incapable de respirer, puis la douleur s'évanouit.

— Il vaut mieux le faire tout de suite, avant que les chairs enflent et qu'on ne puisse pas remettre l'épaule en place, expliqua Songti. Dans ce cas-là, on a besoin d'un guérisseur, d'un prêtre ou d'une bonne dose de cognac. Ça ira mieux demain.

— Si vous le dites, répondit Jimmy d'une voix faible.

— J'ai réussi à arrêter le deuxième cavalier, mais il y en avait un troisième.

— Il a bien failli me renverser, reconnut Jimmy tandis que Songti l'aidait à se relever.

— C'était l'officier.

Jimmy proféra un juron.

— Les messages de Duko sont toujours là ?

L'archer regarda autour de lui, aperçut la sacoche en cuir et la ramassa.

— Oui, ils sont là.

Jimmy fit signe au soldat d'approcher et de donner la sacoche au capitaine. Ce dernier en sortit les documents en disant :

— Les messages sont au nombre de sept.

— Ils sont tous là, affirma Jimmy qui baissa les yeux pour contempler le cadavre de l'espion. Il s'en est fallu de peu.

Songti fit signe à l'archer de soutenir Jimmy.

— Nous devons enterrer les morts. S'il y a une autre patrouille à proximité et qu'ils voient les vautours tourner autour de l'oasis, ils risquent de venir voir ce qui se passe demain matin.

Jimmy secoua la tête.

— Ça n'a pas d'importance. Avant même que le jour se lève, nous devons retraverser la frontière. Il va peut-être falloir tuer les chevaux pour y arriver, mais nous devons absolument aller jusqu'à Port-Vykor. Ensuite, il faudra que je rentre à Krondor le plus vite possible.

— Parce que cet officier s'est échappé ?

Jimmy fit un signe de tête affirmatif.

— Je ne sais pas avec quelle attention il a lu ces documents ; je ne sais pas non plus ce que Malar lui a raconté. Mais je suis sûr qu'il dira à ses supérieurs que Krondor n'est plus protégée que par une poignée de gardes du palais et que tous les soldats qui ne sont pas coincés à Finisterre ou dans le val sont dans le Nord pour affronter Fadawah.

— Vous pensez que ces Keshians pourraient chercher à en tirer profit ?

— Sans le moindre doute, répondit Jimmy. Il leur suffit de frapper vite et fort contre la cité et ils mettront du même coup la main sur le prince Patrick. Le roi leur accorderait beaucoup pour récupérer son fils.

— C'était plus simple quand nous vivions sur Novindus.

Jimmy éclata de rire, bien que cela fût douloureux.

— Je n'en doute pas.

En s'appuyant sur l'archer, il retourna en clopinant à l'oasis.

Erik entendit le Hadati bouger avant même de le voir surgir de la pénombre.

— Il est presque l'heure, l'avertit Akee.

Ils avaient passé la nuit dissimulés dans les bois derrière la barricade qui bloquait la grand-route. À deux reprises, des mercenaires s'étaient approchés de l'endroit où attendait Erik, mais personne n'avait pris la peine de patrouiller sous les arbres au sommet de la falaise.

Erik hocha la tête. Le ciel s'éclairait à l'est. Bientôt, si tout se déroulait comme prévu, une diversion à l'autre bout de la barricade donnerait à Erik l'opportunité de frapper les envahisseurs par-derrière et d'ouvrir la porte.

— Allons jeter un coup d'œil aux alentours, suggéra-t-il.

Plié en deux, il passa entre les arbres jusqu'à ce qu'il atteigne une clairière au sud de la route. Il évalua la distance qui le séparait de la porte – une centaine de mètres environ – et dénombra une douzaine de feux de camp entre les lourds battants en bois et sa position et une vingtaine d'autres feux de l'autre côté de la route. Devinant qu'Akee se tenait juste derrière son épaule, il chuchota :

— Je m'attendais à trouver davantage d'hommes de ce côté-ci.

— Moi aussi. Si nous arrivons à ouvrir la porte, la bataille sera vite terminée.

Il ne mentionna pas le sort qui les attendait s'ils ne parvenaient pas à l'ouvrir.

— J'ai une idée, lui dit Erik. Dites à vos hommes de ne pas bouger quand on entendra sonner l'alerte. Qu'ils attendent jusqu'à ce que je vous fasse signe.

— Vous serez où ?

Erik tendit le doigt.

— Quelque part par là.

Il portait son uniforme noir, mais sans son tabard frappé de l'insigne des Aigles cramoisis. Il pouvait très bien se faire passer pour un mercenaire qui aimait s'habiller en noir. Il jeta un rapide coup d'œil en direction de son compagnon et s'aperçut qu'Akee avait un bandeau bleu noué autour du front.

— Est-ce que je pourrais vous emprunter ça ? demanda-t-il, ne sachant pas très bien si le bandeau avait une signification quelconque.

Akee ne répondit pas mais dénoua le bandeau, puis passa derrière Erik et le lui attacha autour du front. À présent, le jeune homme ressemblait encore moins à un soldat du royaume.

Erik, prudent, choisit de sortir des bois entre deux feux de camp et se déplaça avec précaution pour ne pas réveiller les défenseurs endormis. Il entendit des gens converser à voix basse sur la barricade et comprit que les soldats de garde échangeaient des ragots ou se racontaient des histoires pour se tenir éveillés.

Erik parvint en bordure de la route et changea d'attitude. Il se mit à marcher d'un pas vif comme s'il avait quelque chose d'important à faire. Il s'engagea sur la route avec assurance et se dirigea vers la porte. Comme il s'en approchait, il étudia la façon dont elle avait été construite. Le dispositif était simple mais efficace. Chaque battant possédait un grand support en fer maintenu en place par de gros boulons en fer également. Une barre en chêne était posée sur ces supports et soutenue par de longs poteaux fichés dans le sol. Il devrait être facile de faire tomber les poteaux et d'ôter la barre de ses supports ; en revanche, il le serait beaucoup moins de vouloir défoncer la porte depuis l'autre côté.

— Hé ! s'exclama-t-il avant que quelqu'un lui demande ce qu'il faisait là.

Il prit une voix de basse dans l'espoir de déguiser l'accent avec lequel il parlait la langue des envahisseurs.

— Qu'est-ce qu'il y a ? demanda le soldat qui était responsable de la porte – un sergent ou un capitaine à en juger par son apparence.

— On vient juste d'arriver du Nord et je dois voir le responsable du camp.

— Vous trouverez le capitaine Rastav là-bas, répondit le soldat en désignant une grande tente à peine visible dans la pénombre annonciatrice de l'aube. Quelles nouvelles du Nord ?

— Vous vous appelez pas Rastav ? grogna Erik.

— Non, répondit l'autre en se hérissant un peu.

— Alors mon message vous est pas destiné, pas vrai ?

Erik tourna les talons et s'en alla avant que le soldat puisse lui répondre. Il se dirigea d'un pas mesuré mais décidé vers la tente de commandement puis changea brusquement de trajectoire et s'engagea entre les feux de camp. La plupart des mercenaires dormaient, mais certains se dirigeaient vers les tranchées voisines pour se soulager ou s'occupaient de ranimer les feux pour faire la cuisine quand ils ne mangeaient pas déjà. Il hocha la tête d'un air distrait ou salua d'un geste vague les quelques personnes qu'il croisa, leur donnant l'illusion que ce camp lui était familier et qu'on le connaissait, notamment ces gens, là-bas, qu'il saluait de la main.

Erik arriva à un endroit particulièrement tranquille où un seul mercenaire était réveillé et préparait du café, à en juger par l'odeur.

— Vous auriez pas une tasse pour moi ? demanda-t-il en rejoignant l'homme.

L'autre leva les yeux et hocha la tête, lui faisant signe d'approcher. Erik s'exécuta et s'agenouilla près du guerrier.

— J'ai encore quelques minutes devant moi avant d'aller me présenter à la porte et je trouve du café chaud nulle part.

— Je vois ce que vous voulez dire, répondit le soldat en lui tendant une tasse rempli du liquide noir et fumant. Vous êtes avec Gaja ?

Erik avait déjà entendu parler de ce capitaine, mais ne connaissait rien de précis à son sujet.

— Non, on vient juste d'arriver. (Il désigna la tente de commandement.) Mon capitaine se trouve là-dessous, il parle avec Rastav, alors je me suis dit que j'irais bien faire un tour pour trouver à boire. (Il se leva.) Merci, je rapporterai la tasse quand mon tour de garde sera fini.

Le soldat balaya cette remarque d'un geste de la main.

— Gardez-la. On a volé tellement de vaisselle que je songe à ouvrir un magasin.

Erik reprit sa balade en buvant son café, qui n'était pas trop mauvais pour une boisson sélectionnée par l'intendant militaire, et en profita pour inspecter la zone. Il devait y avoir un millier d'hommes dans le camp et, pour autant qu'il pouvait en juger, environ deux cents sur la barricade, ce qui ne faisait pas plus de douze cents mercenaires au total. Erik tenait là une nouvelle énigme car, de l'autre côté, on avait l'impression que la moitié de l'armée de Fadawah se tenait là. Cependant, il savait que s'il parvenait à ouvrir la porte, la bataille serait gagnée en quelques minutes et non en quelques heures.

Il se trouvait à mi-chemin de la porte sur le trajet du retour quand il entendit un cri s'élever à l'autre bout de la barricade, du côté des collines. Puis il y eut d'autres cris lorsque l'alerte fut donnée. Erik s'immobilisa et compta jusqu'à dix, au moment où un cor sonna l'appel aux armes. Les mercenaires se réveillèrent en sursaut et se levèrent d'un bond. Erik jeta sa tasse et se mit à courir parmi eux.

— Ils ont attaqué le flanc droit ! Allez à l'est ! s'écria-t-il de sa voix la plus autoritaire.

Les autres, encore à moitié endormis, commencèrent à courir vers l'autre bout de la ligne. Comme Erik approchait de la porte, un soldat accourut en demandant :

— Qu'est-ce qu'il se passe ?

Erik comprit aussitôt qu'il s'agissait d'un sergent ou d'un capitaine, bref d'un officier qui n'était pas habitué à obéir aveuglément.

— J'ai des ordres de la part de Rastav ! Vous êtes le capitaine Gaja ?

— Non, je suis Tulme. Gaja doit venir me relever dans une heure.

— Bon, Tulme, prenez deux hommes sur trois et envoyez-les sur notre flanc droit ! L'ennemi a ouvert une brèche de ce côté-là !

Erik continua à courir et à crier :

— Tout le monde sur le flanc droit ! Dépêchez-vous !

Les mercenaires, voyant leurs camarades se précipiter pour obéir, s'empressèrent de faire de même. Erik courut alors jusqu'à un endroit où Akee pouvait le voir et lui fit signe de le rejoindre. Aussitôt, les Hadatis surgirent des bois.

Erik se précipita à la porte et s'écria :

— Voici les ordres : ouvrez la porte et préparez-vous à faire une sortie !

— Quoi ? fit l'un des soldats. Mais qui êtes-vous ?

Erik sortit son épée et tua l'individu en question avant qu'il ne puisse réagir.

— La chance ne pouvait pas durer éternellement, expliqua-t-il à Akee lorsque ce dernier le rejoignit.

Les Hadatis tuèrent tous ceux qui se tenaient devant la porte avant que quiconque se tenant à plus de vingt-cinq mètres remarque quoi que ce soit. Ils firent tomber les poteaux. Ceux-ci n'avaient pas encore touché le sol qu'Erik et Akee, avec l'aide de deux autres Hadatis, retiraient déjà la lourde barre en chêne des supports en fer qui la maintenaient en place.

Comme ils portaient la barre à l'écart, d'autres ouvrirent la porte.

— Deux minutes ! s'exclama Erik. Il suffit de la garder ouverte pendant deux minutes !

Les secondes s'égrenèrent lentement tandis que les mercenaires sur le front commençaient à poser des questions. Brusquement, Erik réalisa que les défenseurs qui se trouvaient au nord de sa position sur la barricade avaient compris que quelque chose allait de travers.

Soudain, des hommes accoururent pour attaquer les Hadatis, qui tenaient d'une main leur épée longue et de l'autre leur glaive. Ils s'écartèrent pour laisser suffisamment de place entre eux et pouvoir causer un maximum de dégâts. Erik hésita à peine quelques instants puis bondit au sommet d'une pile de sacs de céréales et se hissa sur la barricade derrière le parapet. Il ne pouvait laisser des archers prendre position derrière les Hadatis, sinon le combat serait perdu.

Erik jeta un coup d'œil vers le sud et vit que la cavalerie du royaume était déjà en chemin. Encore une minute et la victoire serait à eux.

Il s'élança à l'attaque au sommet de la barricade. Le premier mercenaire qu'il rencontra paraissait perplexe, comme s'il essayait encore de comprendre ce qui se passait à l'est. Erik l'attrapa et le jeta à bas du rempart. Le mercenaire atterrit sur deux de ses camarades qui couraient en contrebas. Derrière eux, les autres s'immobilisèrent. Puis un carreau d'arbalète effleura la tête d'Erik qui plongea.

Il battit en retraite, les armes levées devant lui, puis s'immobilisa quand il vit des mercenaires avancer dans sa direction. Le premier ralentit, ne sachant s'il avait affaire à un ami ou un ennemi. Erik le laissa attendre de bon cœur afin de permettre à la cavalerie du royaume d'atteindre la porte.

Brusquement, un sentiment d'inquiétude envahit ceux qui se tenaient non loin de la porte lorsqu'ils comprirent enfin ce qui venait de se passer. Ils chargèrent les Hadatis et le mercenaire qui faisait face à Erik poussa un cri de rage et se jeta sur lui.

Erik recula d'un pas lorsque l'autre lui porta une attaque. Ce faisant, l'individu se déséquilibra lui-même et il suffit à Erik de lui donner un coup de pied adroit pour l'envoyer valdinguer par-dessus le parapet. Le suivant s'approcha un peu plus prudemment, quoique tout aussi furieux, et attaqua le premier. Erik reçut le coup sur son épée, para puis se jeta de manière inattendue sur son adversaire et le frappa au visage avec la garde de son arme. L'autre bascula en arrière et renversa le mercenaire qui le suivait.

Erik jeta un coup d'œil par-dessus le parapet pour voir que les deux premiers cavaliers du royaume n'étaient pas loin et baissaient déjà leur lance en s'apprêtant à gravir les derniers mètres les séparant de la porte. Erik eut une illumination et s'écria à pleins poumons :

— Jetez vos armes ! C'est terminé !

L'homme qui lui faisait face hésita.

— C'est ta dernière chance ! cria de nouveau Erik. Je te dis de jeter ton arme !

L'homme dévisagea le géant blond qui se tenait devant lui. Pendant ce temps, les lanciers franchirent la porte et vinrent rejoindre les Hadatis qui faisaient tournoyer leurs lames en infligeant de terribles blessures aux envahisseurs qui s'approchaient trop. D'un air dégoûté, le mercenaire jeta son épée.

Un groupe de cavaliers ennemis surgit derrière les lignes et fut chargé par les lanciers krondoriens au moment où le second escadron franchissait la porte. Une échelle s'abattit contre la barricade près de l'endroit où se tenait Erik, qui comprit alors que Greylock, pour ne pas prendre de risque, avait profité de l'obscurité pour envoyer des hommes au plus près des lignes ennemies. Il jeta un coup d'œil sur sa droite et vit des soldats d'infanterie traverser en courant l'espace à découvert qui bordait la barricade.

Erik se pencha par-dessus le parapet et faillit se faire fracasser le crâne en guise de récompense.

— Hé ! protesta-t-il à l'intention du soldat du royaume qui, debout sur l'échelle à mi-chemin du sommet, l'avait attaqué avec son épée. Faites attention ! Vous pourriez tomber et vous faire mal !

Ce n'était pas ce à quoi le soldat s'attendait, si bien qu'il s'immobilisa.

— Continue à avancer ! protesta à son tour l'homme qui le suivait.

— Vous savez, vous pouvez redescendre et passer par la porte, leur dit Erik.

— Désolé, capitaine de la Lande Noire, s'excusa le premier soldat.

Erik regarda sur sa gauche et vit des mercenaires jeter leurs armes et reculer tandis qu'une compagnie de lanciers avançait lentement sur eux, leurs lourdes armes pointées à hauteur de poitrine.

Erik vit la cavalerie légère entrer derrière Jadow et Duga et gesticula pour attirer leur attention. Jadow s'avança vers son ami qui lui cria :

— Essaye de remettre un peu d'ordre et envoie quelqu'un dire à Greylock de venir, et vite.

Jadow fit signe qu'il avait compris et fit demi-tour pour aller prévenir Owen lui-même. Duga sauta à bas de son cheval, passa d'un air plein d'assurance à côté des lanciers et commença à dépouiller les mercenaires de leurs armes. Erik jeta un coup d'œil vers le fond du camp adverse où un combat avait éclaté entre les lanciers et la cavalerie des envahisseurs. Il s'aperçut alors que leurs ennemis n'avaient pas encore compris qu'ils avaient perdu. Il connaissait bien ces unités de cavalerie et savait que, s'il n'intervenait pas, il risquait d'y avoir quelques crânes fracassés avant qu'ils apprennent que la bataille était perdue. Il ordonna à des messagers d'aller annoncer la nouvelle aux combattants pour éviter que des hommes meurent inutilement.

Puis il descendit de la barricade tandis que les premiers éléments d'infanterie du royaume franchissaient la porte à leur tour. À la recherche du lieutenant qui commandait la cavalerie légère, il passa entre la foule des prisonniers.

— Allez donc donner un coup de main aux lanciers, là-bas dans le fond, puis fouillez les bois qui bordent la route sur une distance de huit kilomètres. Si certains mercenaires ont réussi à prendre la fuite pour avertir Fadawah que cette position est tombée, je veux qu'ils soient arrêtés.

Le cavalier le salua, relaya les ordres et s'en alla au galop tandis qu'Erik partait à la recherche d'Akee.

— Comment vont vos hommes ?

— Ils ont récolté quelques blessures mais il n'y a pas eu de mort, répondit le chef des hommes des collines. Si on avait laissé quelques minutes de plus à nos ennemis pour s'organiser, il en aurait peut-être été autrement.

— Je crois que vous avez raison, approuva Erik.

Il laissa les Hadatis et se retourna au moment où Jadow et Owen franchissaient la porte. Avant de les rejoindre, il s'adressa à un soldat qui passait :

— Trouvez-moi parmi les prisonniers un capitaine du nom de Rastav et amenez-le ici.

Owen regarda autour de lui.

— Il n'y a pas beaucoup de monde. Ils essayaient encore de faire illusion ? demanda-t-il.

— Presque, répondit Erik. Si nous n'avions pas réussi à ouvrir la porte de l'intérieur, ils nous auraient saignés, mais pas autant que nous le pensions.

Owen regarda vers le nord, comme s'il pouvait voir au-delà de l'horizon.

— Mais que fait Fadawah ?

— Si seulement je le savais, répondit Erik en se tournant quant à lui vers le sud. Et si seulement je savais aussi ce qui passe là-bas.

— Ça, c'est le problème de Duko et de Patrick, pas le nôtre. Allez viens, commençons à organiser les choses par ici avant de repartir.

Erik salua son supérieur puis tourna les talons et entreprit de remettre de l'ordre au sein du chaos dans lequel avait sombré la barricade.

Dash avait du mal à contenir sa rage. Une douzaine de ses agents se tenaient dans la pièce et échangeaient des regards entre eux. Certains paraissaient ouvertement effrayés.

Deux de ses hommes gisaient morts à ses pieds. Ils avaient été attaqués et tués au cours de la nuit, et l'on avait déposé leurs corps égorgés devant la porte de la nouvelle prison du marché.

— Quelqu'un payera pour ça, chuchota Dash.

Nolan et Riggs avaient été récemment recrutés et venaient juste de terminer leur formation. Le mois qui venait de s'écouler avait été difficile pour Dash, mais l'ordre revenait doucement dans les rues de Krondor et certains grands quartiers de la cité retrouvaient petit à petit un rythme pas très éloigné de celui qu'ils avaient avant la guerre.

Le prince avait autorisé l'achat d'un bâtiment juste en retrait de la place du marché et un ferronnier venait juste de terminer les barreaux des cellules. Une émeute avait bien failli éclater près des quais la nuit précédente, si bien que la prison était remplie à la limite de ses capacités. Dash avait d'ailleurs été très occupé à traîner les contrevenants devant la cour de justice établie par le prince la semaine précédente. Deux nobles de l'Est faisaient office de juges et un grand nombre d'ivrognes s'étaient déjà retrouvés condamnés aux travaux forcés de façon expéditive. La plupart ne prenaient qu'un an, mais certains recevaient des condamnations allant de cinq à dix ans, ce qui soulevait une tempête de protestations parmi les habitants des quartiers les plus agités de

Krondor. Jusque-là, ils avaient manifesté leur mécontentement de vive voix en insultant les agents de police pendant leur ronde. Mais au cours de la nuit, ils étaient passés au niveau supérieur.

— Quelle partie de la cité devaient-ils patrouiller ? s'enquit Dash.

Gustave, l'ancien prisonnier, s'était présenté quelques jours plus tôt pour demander un poste et Dash l'avait nommé caporal. C'était lui qui se chargeait de distribuer les tours de garde.

— Près de l'ancien quartier pauvre.

— Merde, jura Dash.

L'ancien quartier pauvre de Krondor ressemblait à présent à un bidonville peuplé de cabanes, de tentes et de gens vivant parfois à l'abri d'un simple pan de mur. On y trouvait tous les vices possibles et imaginables ; la guilde des voleurs était d'ailleurs en train d'y établir sa domination plus rapidement que la couronne, comme on aurait pu s'y attendre.

— À présent, difficile de dire ce qui va se passer.

Depuis qu'il avait accepté le poste de shérif de Krondor, Dash avait réussi à garder le nombre de pendaisons au minimum. Deux meurtriers avaient été exécutés en place publique cinq jours plus tôt, mais les crimes et délits étaient bénins pour la plupart.

— Que faisaient ces deux-là là-bas, dans tous les cas ? reprit Dash. C'étaient encore des bleus.

— Le tirage au sort les avait désignés, répondit Gustave. De toute façon, il n'y a personne ici qui possède une grande expérience, Dash, ajouta-t-il en baissant la voix.

Le jeune homme acquiesça. Les deux malheureux n'étaient plus des adolescents à peine en âge de se raser, loin de là.

— À partir de demain, ceux qui patrouilleront dans ce coin-là le feront par groupes de quatre.

— Et pour ce soir ? s'enquit Gustave.

— Je m'en charge, répondit Dash en sortant de la petite salle.

Il descendit la rue, traversa la place du marché et prit la direction de l'ancien quartier pauvre, veillant à rester sur ses gardes tout en ouvrant l'œil. Même en plein jour, on risquait de s'attirer des ennuis dans cette partie de la cité.

Il entra bientôt dans un bâtiment à deux étages que l'incendie n'avait pas épargné. Il ôta rapidement son brassard rouge et ressortit sur l'arrière de l'édifice. Puis il remonta d'un pas pressé une étroite ruelle et escalada une barrière en bois qui tenait encore debout, par miracle, entre deux murs de pierre quand tout aux alentours avait été réduit en cendres. Dash se baissa pour passer sous une arche de pierre et atteignit sa destination.

Il se glissa dans un bâtiment non verrouillé, un ancien petit commerce érigé en bordure du quartier pauvre. Il se dissimula à l'intérieur dans la pénombre tout en observant le quartier au-dehors.

Hommes et femmes allaient et venaient entre les tentes et les cabanes, échangeant marchandises, nourriture et articles de contrebande. Dash, pour sa part, était à la recherche d'une personne bien précise et allait devoir attendre jusqu'à ce qu'elle apparaisse.

Peu avant le coucher du soleil, un petit homme arriva en courant près du bâtiment. Perdu dans ses pensées, il avait visiblement une course à faire. Lorsque cet homme passa devant la porte ouverte, Dash tendit le bras, l'attrapa par le col de sa chemise miteuse et l'attira à l'intérieur.

L'homme poussa un cri de terreur et se mit à le supplier.

— Ne me tuez pas ! Ce n'est pas moi qui ai fait ça !

Dash lui plaqua la main sur la bouche et lui demanda :

— Qu'est-ce que tu n'as pas fait, Kirby ?

Comprenant qu'il n'allait pas se faire tuer, du moins pas tout de suite, le petit homme se détendit, ce qui permit à Dash d'enlever sa main.

— Ben, ce que vous croyez que j'ai fait, répondit le dénommé Kirby.

— Kirby Dokins, la seule chose que tu fasses dans la vie, c'est vendre des informations. Si tu ne m'étais pas aussi utile, je t'écraserais comme l'insecte que tu es.

Le petit homme qui répandait une puanteur infecte sourit jusqu'aux oreilles. Son visage n'était plus qu'une mosaïque de cicatrices et de taches en tout genre. Officiellement, il mendiait dans la rue, mais accessoirement il jouait les informateurs quand l'occasion s'en présentait. Il avait survécu à la destruction de la cité comme le cafard qu'il était, en se glissant dans un trou entre deux pierres.

— Mais pour le moment, vous avez besoin de moi, pas vrai ?

— Pour le moment, reconnut Dash. On a balancé deux de mes hommes sur le pas de la prison, la nuit dernière. Ils ont eu la gorge tranchée. Je veux les coupables.

— Personne ne s'en vante.

— Vois si tu peux trouver quelque chose. Je t'attendrai ici ce soir, à minuit, et tu feras bien de venir aussi et de me donner des noms.

— Ça risque d'être difficile, répondit le mouchard.

— Trouve les responsables, répéta Dash en soulevant le petit homme de façon à ce que leurs nez se touchent presque. Je n'ai pas besoin de t'inventer des crimes pour pouvoir te pendre, alors tu as intérêt à ce que je sois content de toi.

— Je ne vis que pour vous faire plaisir, shérif.

— Alors continue. (Dash le libéra.) Et fais passer un message au vieil homme.

— Lequel ? demanda Kirby en feignant l'ignorance.

— Je n'ai pas besoin de te le préciser. Dis-lui que si j'apprends qu'il est le responsable de ce meurtre, le peu d'affection que je pouvais éprouver à l'égard de sa joyeuse bande de mimes disparaîtra à jamais. Si certains de ses hommes se sont amusés à trancher la gorge des miens, il ferait bien de me les livrer ou j'écraserai les Moqueurs, tous jusqu'au dernier.

Kirby eut quelques difficultés à déglutir.

— Je ferai passer le message si cela s'avère nécessaire.

Dash poussa le petit homme au-dehors.

— Va. Et n'oublie pas : reviens à minuit.

Dash vit qu'il lui restait encore une heure de jour et songea que de nombreuses tâches l'attendaient à son quartier général. Il entreprit de retourner à la nouvelle prison et maudit Patrick de lui avoir confié l'ingrate mission de forcer les habitants de Krondor à l'obéissance. Mais tant que ce travail serait le sien, se jura le jeune homme, il le ferait de son mieux. Or, le premier de ses devoirs était de garder ses agents en vie.

Dash pressa le pas, traversa un rai de lumière déclinante et se laissa de nouveau avaler par les ombres de Krondor.

Chapitre 18

O wen se tortilla sur son siège.

Il n'arrivait pas à trouver une position confortable sur cette chaise pliante, et pourtant la situation exigeait qu'il y passe des heures assis à éplucher des rapports et des communiqués.

Erik surgit alors de la pénombre nocturne que venaient illuminer les feux de camp à perte de vue et salua son supérieur.

— Nous avons interrogé les capitaines et ils semblent tout aussi ignorants des intentions de Fadawah que les mercenaires qu'ils ont engagés.

— Il y a pourtant une logique derrière tout ça, soupira Owen. Mais je suis trop stupide pour la découvrir.

Il fit signe à Erik de s'asseoir.

— Vous n'êtes pas stupide, juste fatigué, rétorqua le jeune homme en prenant place à côté de son commandant.

— Pas tant que ça, protesta Owen dont le visage ridé comme du vieux cuir s'éclaira d'un sourire. Pour être tout à fait sincère, j'ai eu droit à trois bonnes nuits de sommeil depuis que tu nous as ouvert la porte. En fait, je crois que c'est même trop bon.

Il se pencha en avant pour regarder la carte comme si, à condition de la fixer suffisamment longtemps, il allait y découvrir quelque chose de nouveau.

Des compagnies de soldats ne cessaient d'arriver du sud. Les prisonniers, quant à eux, étaient rassemblés dans un camp de fortune édifié avec des troncs d'arbres abattus sur place.

— La seule chose qui me vienne à l'esprit, reprit Erik, c'est que Fadawah ne savait pas quoi faire de certains de ses hommes et qu'il nous les a sacrifiés.

— Peut-être, mais si tu n'avais pas ouvert cette porte, nous aurions souffert en essayant de prendre d'assaut cette barricade, protesta Owen en désignant le grand obstacle en terre qui se dressait derrière lui et la tente de commandement.

— C'est vrai, mais un jour ou deux nous auraient suffi pour nous en emparer.

— Je me demande pourquoi Fadawah a recours à de telles extrémités pour nous faire croire qu'il est là alors qu'en fait ce n'est pas vrai.

— Ce n'est qu'une supposition, prévint Erik, mais s'il a pris LaMut, il se dirige peut-être au sud d'Ylith à présent, dans l'attente d'une contre-attaque.

— Il ne peut ignorer Yabon, rétorqua Owen. Tant que le duc Carl s'y retranchera avec son armée, Fadawah devra garder les yeux tournés vers le nord. Carl pourrait faire entrer et sortir des hommes de Yabon si le général relâche la pression. Même ainsi, il y a encore des Hadatis là-haut qui sont capables de franchir ses lignes comme ils veulent. Et je suis sûr que les nains et les elfes ne doivent pas se montrer très accueillants lorsque ses patrouilles s'éloignent un peu trop de leur position actuelle. Non, il doit conquérir tout le duché de Yabon avant de redescendre au sud.

— Dans ce cas, il n'espère tout de même pas nous ralentir avec ces simulacres de défense ?

Le visage d'Owen trahit tout à coup son inquiétude.

— Je ne sais pas si ce sont des simulacres, ou plutôt des obstacles irritants destinés à nous ralentir.

Erik étrécit brusquement les yeux.

— À moins qu'il ne cherche justement à nous faciliter la tâche.

— Que veux-tu dire ?

— Imaginons un instant que nous trouvions encore une ou deux barricades dans ce genre-là ?

— Continue…

Erik désigna la carte.

— Disons qu'en arrivant aux abords de Questor-les-Terrasses, nous tombions sur une fortification identique : nous en serons tout excités et nous nous précipiterons sur Ylith.

— En courant tout droit à l'abattoir ?

Erik acquiesça et indiqua des points précis sur la carte.

— Vous voyez cette chaîne de montagnes inhospitalières qui se trouve au nord de la route qui relie Questor-les-Terrasses à la combe aux

Faucons ? Fadawah contrôle les deux extrémités de la route. S'il parvient à nous empêcher d'accéder aux crêtes, il peut se retrancher par ici. (Le doigt d'Erik désigna un point où la route se rétrécissait particulièrement, à environ trente kilomètres d'Ylith.) Imaginons qu'il y établisse une série de fortifications, avec tunnels, catapultes, tours de tir et tout le bataclan. Si on s'y engage un peu trop vite, on risque de sortir de là en bouillie. (Son doigt suivit une ligne partant de cet endroit jusqu'à un point qui représentait Ylith sur la carte.) Il peut se protéger derrière des murs de près de neuf mètres de haut qui n'ont qu'un seul point faible, une poterne qui s'ouvre sur les quais et qu'il n'aura aucun mal à protéger. Il lui suffit de saborder des navires à l'entrée du port pour pouvoir s'abriter dans la cité comme une tortue dans sa carapace. (Plus il parlait et plus il était convaincu de la justesse de son analyse.) Nous ne pouvons débarquer sur le rivage à l'ouest de la ville, car il fait partie des Cités libres. Or Patrick ne peut courir le risque de se mettre à dos les seules personnes qui ont choisi de rester neutres autour de la Triste Mer. En plus, pour y arriver, il nous faudrait affronter les derniers vaisseaux de guerre que Queg a gardés en réserve.

Owen soupira.

— Sans oublier que notre flotte est là pour soutenir l'armée sur son flanc gauche, s'assurer que nous sommes bien approvisionnés et rapatrier les blessés à Sarth ou à Krondor.

Erik se frotta le menton.

— Je suis prêt à parier que si on pouvait voir la région à travers les yeux d'un oiseau, on découvrirait que nos ennemis sont en train de bâtir un très lourd réseau de fortifications le long de cette route.

— Ça paraît logique, en effet. Mais il est vrai que j'ai vu beaucoup trop de choses insensées au cours d'une guerre pour accorder plus de confiance que ça à la théorie. Il va falloir attendre ce que Subai aura à nous révéler quand il reviendra.

— S'il revient, souligna Erik.

— En attendant, essayons de nous couvrir, proposa Owen.

— Comment ?

— Je vais donner l'ordre à l'amiral Reeves d'envoyer un cotre longer la côte en partant de Sarth. Je veux voir jusqu'où il peut remonter avant qu'on essaye de l'en dissuader.

Erik se pencha en avant.

— Je vous parie qu'on essayera de l'arrêter par ici, prédit-il en désignant un point juste à l'ouest de Questor-les-Terrasses.

— Non, je préfère ne pas parier, je commence à apprécier tes intuitions.

Erik se laissa de nouveau aller contre le dossier de sa chaise.

— En fait, j'espère que j'ai tort et que Fadawah est immobilisé devant Yabon. J'imagine seulement ce que je ferais si je devais bâtir des fortifications le long de cette route.

— Tu as trop d'imagination, on ne te l'a jamais dit ?

Erik dévisagea son vieil ami avant de répondre :

— Pas assez souvent. (Il se leva et ajouta :) J'ai des choses à faire. Quand j'aurai fini de parler aux prisonniers, il faudra que j'écrive mon rapport.

— Le dîner est prêt. Reviens avant qu'il n'y ait plus rien à manger. Tu me trouveras ici.

Owen retourna à ses rapports tandis qu'Erik s'éloignait.

Dash attendait et sentait la colère monter en lui à mesure que les ténèbres s'épaississaient. Il était déjà minuit un quart et Kirby ne se montrait toujours pas. Le jeune homme s'apprêtait à partir à sa recherche quand il sentit une présence derrière lui. Il posa la main sur la poignée de sa dague. Puis, d'un air faussement nonchalant, il se dirigea vers la sortie, à l'arrière du commerce incendié.

Dès qu'il eut franchi le seuil, il se tourna sur le côté et se hissa d'un geste fluide sur une poutre qui dépassait du toit. Puis il sortit sa dague et attendit.

Quelques instants plus tard, une silhouette sortit à son tour du bâtiment et regarda tout autour. Dash attendit. En contrebas, la silhouette enveloppée d'un manteau s'avança d'un pas. Le jeune homme se laissa tomber sur le sol et posa sa dague contre la gorge de l'intrus. Une voix surgit des profondeurs de la capuche :

— Mais c'est que tu mordrais, le Chiot !

Dash fit faire volte-face à l'intrus.

— Trina !

La jeune femme sourit.

— Tu te souviens de moi, ça fait plaisir.

— Qu'est-ce que tu fais là ?

— Range-moi ton cure-dents et je te le dirai.

Dash grimaça un sourire.

— Désolé, mais je parie que tu es aussi dangereuse que belle.

Trina esquissa une petite moue théâtrale.

— Vilain flatteur.

Le sourire de Dash s'évanouit.

— J'ai deux cadavres sur les bras et je veux des réponses. Où est Kirby Dokins ?

— Il est mort.

Dash remit sa dague au fourreau.

— Serais-je devenue brusquement moins dangereuse ? s'enquit Trina.

— Non, répondit le jeune homme en l'entraînant de nouveau à l'intérieur du commerce. Mais si les Moqueurs avaient exécuté mon mouchard, on ne t'aurait pas envoyée me prévenir.

— Et alors ?

— Ça signifie également que vous n'avez pas tué mes agents.

— Bravo, le Chiot, bonne déduction !

— Qui les a tués ?

— Une de tes vieilles connaissances pense qu'un nouveau gang est en train de s'installer en ville. Des contrebandiers, peut-être. Pourtant, on ne dirait pas qu'il y a beaucoup de nouveautés sur le marché, si tu vois ce que je veux dire.

— Oui, je vois.

La jeune femme voulait dire par là qu'il n'y avait pas eu d'augmentation significative dans l'offre de drogues et de marchandises volées ou d'autres articles de contrebande.

— Vous pensez à un autre Rampant ? ajouta Dash.

— Tu connais bien ton histoire, le Chiot.

— Pour toi, ce sera shérif le Chiot, je te prie.

Trina éclata de rire. C'était la première fois que Dash l'entendait rire sans se moquer et ce son lui parut bien doux.

— Cependant, jusqu'ici on nous a laissés tranquilles, donc si ces types ont l'intention de s'approprier notre territoire, ils ne sont pas encore prêts à essayer. Notre vieil ami m'a demandé de te dire que nous ne savons pas qui a tué tes deux gars, mais qu'il faut que tu saches que ce n'étaient pas des enfants de chœur sortis du temple de Sung. Trouve pour qui Nolan et Riggs travaillaient avant de rejoindre ton équipe et tu tiendras peut-être un indice.

Dash réfléchit avant de conclure :

— Donc le Juste pense que ces deux-là connaissaient leurs assassins.

— Peut-être, ou alors ils se sont simplement trouvés au mauvais endroit au mauvais moment. Quoi qu'il en soit, une fois le meurtre accompli, quelqu'un a voulu te faire croire qu'il s'agissait d'un défi à ton autorité. C'est pour ça qu'ils ont abandonné les cadavres sur le pas de ta porte. Si les Moqueurs avaient tué ces hommes, ils les auraient jetés dans le port.

— Qui a tué Kirby ?

— On ne le sait pas, assura Trina. Aujourd'hui, on l'a vu fureter partout, comme la sale petite fouine qu'il était, et puis, brusquement, on a retrouvé son cadavre flottant dans les égouts, il y a environ deux heures.

— Où ça ?

— Cinq Points, près du gros déversoir qui se trouve sous l'Avenue qui Pue.

Tel était le surnom que donnaient les habitants du quartier pauvre à la route des Tanneurs, où se dressaient avant la guerre de nombreuses entreprises répandant des effluves peu engageants. Le nom « Cinq Points » désignait un gros carrefour où débouchaient cinq égouts, trois gros et deux petits. Dash ne s'y était jamais rendu mais savait où cela se trouvait.

— C'est là que vous opérez ? s'enquit Dash.

— Non, on ne va pas si haut, mais ne compte pas sur moi pour te dire où on opère.

Dash sourit dans la pénombre.

— Je ne te le demande pas. Pas encore, en tout cas.

— Je ne te le révélerai jamais, shérif le Chiot, jamais.

— Quoi d'autre ?

— C'est tout, répondit Trina.

— Dis au vieil homme que je le remercie.

— Il ne l'a pas fait par affection pour toi, shérif le Chiot, objecta Trina. C'est juste que nous ne sommes pas encore prêts à se mettre la couronne à dos. Mais c'est vrai qu'il m'a demandé de te dire encore un truc.

— Quoi donc ?

— Évite de faire des menaces en l'air. Le jour où tu déclareras la guerre aux Moqueurs, tu feras bien de commencer à dormir avec ton épée.

— Dans ce cas, dis à mon oncle que c'est valable pour lui également.

— Ce sera fait. Bonne nuit.

— J'ai été ravi de te revoir, Trina.

— C'est toujours un plaisir, shérif le Chiot.

La jeune femme franchit le seuil du bâtiment et disparut dans la nuit.

Par courtoisie, Dash attendit cinq minutes avant de sortir à son tour, pour que Trina soit sûre qu'il ne la suivait pas. De toute façon, il savait qu'il pouvait la retrouver quand il le voulait. Et puis, il était davantage préoccupé par cette question essentielle : qui avait tué ses agents ?

Il s'enfonça dans les ténèbres pour regagner son quartier général.

Roo laissa échapper un petit rire en découvrant la scène qui s'offrait à lui. Nakor sautillait partout comme une sauterelle en lançant des ordres aux ouvriers qui s'efforçaient de redresser la statue. Roo rangea son chariot sur le bas-côté afin de laisser passer les véhicules qui le suivaient. Puis il sauta à terre et traversa la route pour rejoindre Nakor.

— Que fais-tu ? lui demanda-t-il en riant.

— Ces idiots ont l'intention de détruire cette œuvre d'art !

— Je crois au contraire qu'ils font ce qu'il faut, répliqua Roo, mais pourquoi vouloir la mettre là ?

D'un geste, il indiqua un champ en friche à l'extérieur des remparts de Krondor. Jadis une petite ferme se dressait là, mais elle avait été détruite au cours de l'invasion et il ne restait plus que des fondations de pierre noircie pour témoigner de son passage.

— Pour que tous les gens qui entreront dans Krondor puissent la voir, répondit Nakor tandis que les ouvriers redressaient la statue.

Roo prit un instant pour la contempler. L'expression qu'affichait ce visage de pierre retenait l'œil. Il la regarda pendant un long moment avant de déclarer :

— C'est vraiment une très belle statue, Nakor. Voilà donc ta déesse ?

— Oui, c'est la Dame, acquiesça l'Isalani.

— Mais pourquoi ne pas l'installer au cœur de ton temple ?

— Parce que je n'en ai pas encore, répondit Nakor en faisant signe aux ouvriers de retourner au chariot. Il faut que je trouve un endroit où le faire construire.

Roo éclata de rire.

— Ne me regarde pas comme ça. Je t'ai déjà donné un entrepôt à la Lande Noire. En plus, je ne possède aucun bâtiment près de la place des Temples.

Une étincelle s'alluma dans les yeux de Nakor.

— Mais bien sûr, la place des Temples ! C'est là que nous devons construire le nôtre !

— Je ne manque pas d'ouvriers du bâtiment, reconnut Roo avant de dévisager l'Isalani en plissant les yeux. Mais je suis un peu à court de charité, ces temps-ci.

— Ah, fit Nakor en riant. Cela signifie que tu as de l'argent. Tu ne fais preuve d'avarice que quand tu as de l'or. Quand tu es ruiné, tu sais être très généreux.

Roo se mit à rire à son tour.

— Tu es un type surprenant, Nakor.

— C'est bien vrai, reconnut l'intéressé. Bon, pour être honnête, j'ai réussi à réunir un peu d'or, alors tu n'auras pas à me faire bâtir un temple gratuitement. Par contre, j'aimerais… disons, une petite ristourne ?

— Je vais voir ce que je peux faire. (Roo regarda autour de lui pour s'assurer que personne ne pouvait l'entendre.) En ville, la confusion règne encore pas mal. Beaucoup de propriétaires fonciers sont morts et la couronne n'a pas encore dressé la liste de qui possède quoi.

— Tu veux dire que Patrick n'a pas encore saisi les parcelles qui n'ont pas été réclamées.

— Tu m'as compris. Ceux qui occupent les parcelles en question semblent avoir un certain avantage – tant que le véritable propriétaire ne réclame pas son bien. Il se trouve que je connais une parcelle à l'abandon à l'angle nord-ouest de la place des Temples, près de celui de Lims-Kragma. Elle appartenait à un de mes anciens associés. Ça a toujours été un terrain difficile à mettre en valeur, coincé entre le temple de la déesse de la Mort et celui de Guis-wan. Le vieux Crowley a essayé de me le vendre une fois, mais j'ai refusé. Comme il fait partie de ceux qui n'ont pas survécu à l'invasion, sa parcelle n'a pas été réclamée. Il n'a laissé aucun héritier, ajouta Roo dans un murmure. Si ce n'est pas toi, ce sera quelqu'un d'autre qui se l'appropriera, à moins qu'il tombe dans l'escarcelle du prince.

Nakor sourit.

— Ça ne m'ennuie pas de me retrouver entre la déesse de la Mort et le Chasseur aux Mâchoires Rouges, alors je suis sûr que ça n'embêtera pas non plus la Dame. Je vais aller voir ça.

Roo jeta un nouveau coup d'œil à la statue.

— C'est vraiment du beau travail.

Nakor rit.

— Le sculpteur a été très inspiré.

— Je veux bien le croire. Qui est le modèle ?

— L'une de mes disciples. Elle est spéciale.

— Ça se voit, commenta Roo.

— Où pars-tu ? lui demanda Nakor en grimpant sur le siège du chariot et en faisant signe aux ouvriers de monter à l'arrière.

— Je retourne à Ravensburg. Je suis en train de reconstruire l'*Auberge du Canard Pilet* pour Milo. Maintenant que sa fille habite à la Lande Noire, il va me céder la moitié de ses parts.

— Toi, aubergiste ? s'écria Nakor en laissant échapper un rire incrédule.

— Du moment que ça rapporte !

Nakor rit de nouveau, salua Roo d'un geste de la main et fit avancer son chariot au sein de la file de véhicules qui s'apprêtaient à entrer en ville.

Roo grimpa sur son propre chariot et regarda de nouveau la statue. Il s'aperçut alors que des gens s'arrêtaient pour la regarder ou lui jetaient un coup d'œil en passant. Une femme s'approcha et la toucha d'un air plein de respect. *Décidément*, se dit Roo en son for intérieur, *ce sculpteur a vraiment été très inspiré.*

Il fit claquer les rênes et poussa son attelage à prendre la route de l'Est.

Sa situation restait difficile, mais depuis la capture de Vasarius, sa vie avait pris un meilleur tournant.

Il avait découvert qu'il appréciait réellement de passer du temps avec ses enfants. De plus, Karli se révélait une bien meilleure compagne qu'il ne l'aurait cru quand il l'avait épousée. Enfin, bien que la couronne ne lui ait pas remboursé la moindre pièce d'or depuis l'hiver, Roo savait qu'il pouvait utiliser cette dette à son avantage. Il avait besoin d'une grosse quantité de monnaie sonnante et trébuchante mais il se ferait rembourser le reste sous forme d'intérêts financiers et de concessions de la part de la couronne. Kesh et le royaume finiraient par signer un nouvel accord de paix, ce qui permettrait au commerce des articles de luxe, extrêmement rentable, de redémarrer. À présent que Jacob d'Esterbrook était mort, les échanges commerciaux avec le Sud allaient être beaucoup plus ouverts.

— Oui, se dit Roo à lui-même en prenant la route de sa ville natale. Tout semble décidément s'arranger pour le mieux.

— Si la situation continue à empirer, on va finir par tout perdre, affirma Jimmy.

Le duc Duko hocha la tête.

— Du côté de Finisterre, nous sommes coincés. (Il désigna la carte.) On dirait qu'ils n'ont pas envie de partir et pourtant ils ne veulent pas occuper l'endroit.

Les deux hommes étaient dans la plus grande pièce de la plus grande auberge de Port-Vykor, une ville qui, encore cinq ans auparavant, n'existait pas. En découvrant le site, Jimmy s'était dit que si le premier prince de Krondor était descendu un petit peu plus au sud, tant d'années auparavant, il aurait établi la capitale du royaume de l'Ouest à cet endroit et non à Krondor.

Le port, très spacieux, s'ouvrait sur une baie aux eaux peu agitées où les navires ne risquaient pas grand-chose, même lors des pires tempêtes qui balayaient la Triste Mer. Les quais pouvaient être agrandis à volonté et une large route au nord-est permettait d'accéder facilement à la ville depuis l'intérieur des terres. Déjà, des négociants venaient vendre leurs marchandises dans le camp militaire et des commerces ne cessaient d'ouvrir autour de la barricade en bois qui protégeait le port. *D'ici une douzaine d'années, il y aura une véritable cité ici*, s'était dit Jimmy.

Il avait rejoint la ville aussi vite que son cheval le lui permettait et avait remis ses messages à Duko deux jours plus tôt que prévu. Il s'était ensuite accordé une journée complète de repos et avait dormi la plupart du temps.

Duko avait envoyé davantage de soldats patrouiller la région et des messagers revenaient à présent en ville avec les toutes dernières informations.

L'épaule gauche de Jimmy était toujours très endolorie et s'ornait d'un énorme hématome violacé qui virait au jaune et au vert à présent qu'il commençait à régresser. On s'était également occupé de ses diverses entailles, si bien qu'en dépit de sa fatigue, il se savait en voie de guérison. Encore quelques jours et il serait à nouveau en pleine forme.

Il en était venu à apprécier leur ancien ennemi. Messire Duko était un homme réfléchi. S'il était né dans le royaume au sein d'une famille d'aristocrates, il se serait élevé très haut, peut-être même jusqu'à obtenir la place qu'un destin tortueux lui avait permis de décrocher. D'une certaine façon, cela rassurait Jimmy de voir qu'une position aussi importante pour le royaume était détenue par un homme intelligent et talentueux.

Jimmy n'avait pas demandé à Duko quels étaient les ordres que lui avait envoyés le prince Patrick. Il savait que le duc lui dirait tout ce que lui, Jimmy, avait besoin de savoir, et pas davantage.

Duko fit signe au jeune homme de l'accompagner jusqu'à une autre table où on leur avait servi du vin et de la nourriture.

— Vous avez faim ?

Jimmy sourit.

— Oui, dit-il en se levant du siège qu'il occupait près de la table de travail.

— Je n'ai pas de domestiques, avoua Duko. La facilité avec laquelle ce Keshian s'est insinué dans le palais à Krondor m'a rendu méfiant envers tous ceux que je ne connais pas. J'ai bien peur que cela n'ait pas contribué à me rendre populaire auprès des officiers qui occupaient précédemment un poste à Port-Vykor. Ceux qui n'ont pas été rappelés dans le Nord, je les ai envoyés défendre le port ou commander la garnison de Finisterre.

Jimmy acquiesça.

— Ce n'est pas très politiquement correct, mais c'est bien vu.

Le vieux général sourit.

— Merci du compliment.

— Messire, reprit Jimmy, je suis à votre disposition. Le prince Patrick me l'a expressément demandé. Je dois servir d'agent de liaison entre Votre Grâce et la couronne.

— C'est donc vous que Patrick a choisi pour m'espionner ?

Jimmy éclata de rire.

— Je suis sûr que vous pouvez comprendre la prudence et la méfiance de mon prince envers un ancien ennemi aussi formidable que vous, messire.

— Je comprends, même si cela ne m'enchante guère.

— Je crois que vous apprécierez ma présence, messire. Vous allez faire l'objet d'une certaine curiosité dans les mois à venir, et cela pas seulement de la part de la couronne. De nombreux nobles de l'Est ont des fils ou des frères qu'ils tenteront de caser dans l'Ouest à des postes vacants. Plusieurs vont sans doute débarquer ici sans crier gare. Certains seront des volontaires tout à fait sincères, des fils ou des frères cadets cherchant à se couvrir de gloire en combattant Kesh comme leurs ancêtres avant eux. D'autres, en revanche, chercheront à vous discréditer, vous ou un autre seigneur rival du leur, à moins qu'ils se contentent de rassembler des informations pour les vendre à qui cela intéresse. De tout temps, la politique des nobles de l'Est a toujours été complexe et mortelle. Je peux vous aider à éviter un grand nombre de ces pièges.

— Je veux bien vous croire, répondit Duko. Je suis avant tout un soldat, mais là d'où je viens, on ne devient pas l'un des plus grands généraux de son temps si l'on n'a pas quelque facilité à traiter avec les princes et les souverains. En règle générale, ils sont davantage obsédés par leur amour-propre que désireux de trouver de réelles solutions aux problèmes. J'ai dû me protéger plus souvent qu'à mon tour des hauts fonctionnaires qui voulaient agir contre moi au sein même de la cour de mon employeur. Nous ne sommes donc pas si différents, après tout.

— Vous savez, Votre Grâce, quand on regarde l'histoire du royaume, il ne faut pas oublier que derrière chaque vainqueur, il y a un vaincu et que les habitants de l'Ouest n'ont pas tous accueilli le royaume à bras ouverts. Ce sont les érudits gagnés à la cause de nos rois qui ont fait le récit des siècles passés ; si vous souhaitez avoir un point de vue légèrement différent sur la façon dont nous avons annexé l'Ouest, je peux vous recommander une ou deux histoires publiées dans les Cités libres qui jettent une lumière peu flatteuse sur nos souverains.

— L'histoire est écrite par les vainqueurs, c'est bien connu, approuva Duko. Mais je ne m'en soucie guère. C'est l'avenir qui m'inquiète.

— Voilà qui est sage, compte tenu des circonstances.

— Pour le moment, je m'inquiète surtout de cet officier keshian et des conséquences que pourrait entraîner sa fuite.

Jimmy acquiesça.

— Malar était en train de lui montrer les documents quand nous les avons trouvés. Peut-être commençait-il tout juste à lui en expliquer la signification. S'il a juste eu le temps de dire que Krondor est vulnérable, les Keshians penseront que nous allons renforcer nos défenses puisque nous avons démasqué leur espion. Nous parviendrons peut-être à éviter les problèmes de ce côté-là. Par contre, s'il a mémorisé le moindre détail, il sera capable de dire à ses supérieurs que nous sommes dans l'impossibilité de protéger Krondor.

— Si je pouvais chasser les Keshians de Finisterre, cela pourrait aider, renchérit Duko.

— C'est vrai, approuva Jimmy, mais sans soldats supplémentaires, je ne vois pas comment vous pourrez y parvenir. Soutenir un siège est une chose, mais monter une contre-offensive efficace… ?

Il haussa les épaules.

— Avec tout ce désert derrière eux, je suis impressionné de constater que les Keshians réapprovisionnent si bien leur armée, admit Duko. Si nous pouvions disposer d'une partie de la flotte pour intercepter les navires qui les approvisionnent au départ de Durbin, nous pourrions leur porter un grand coup, mais en dehors de ça, je ne sais absolument pas comment je vais les déloger de là. J'ai demandé au prince la permission d'envoyer Reeves et l'une de ses escadrilles au large de Durbin, mais… (Le duc haussa les épaules à son tour.) Le prince semble réticent.

— Comparé aux dernières guerres contre Kesh, ce conflit reste un « malentendu », expliqua Jimmy. C'est pourquoi on peut comprendre que Patrick soit réticent à l'idée d'aggraver la situation. Mais je suis à court d'idées, messire. (Il se leva.) Si vous voulez bien m'excuser, je crois que je vais marcher un peu pour m'éclaircir les idées. Sinon, je risque de m'endormir sur votre table.

— Le sommeil est réparateur, répliqua Duko. Si vous sentez le besoin de faire la sieste, ce n'est pas moi qui vous refuserai ce plaisir. J'ai vu les cicatrices que vous a laissées ce Keshian.

— Si j'en éprouve encore le besoin après ma promenade, messire, j'irai dormir un peu avant le dîner.

D'un geste, Duko lui donna la permission de se retirer et Jimmy sortit de la pièce. L'auberge reconvertie en quartier général était bondée, car de nombreux secrétaires étaient là pour servir l'état-major. Jimmy s'amusa en constatant à quel point les secrétaires et les fonctionnaires du royaume arrivaient à bousculer rapidement l'approche beaucoup plus nonchalante des mercenaires originaires de l'autre côté de la Mer sans Fin. Au pire, un capitaine originaire de Novindus devait s'occuper de l'organisation et de la logistique de l'équivalent d'une baronnie, c'est-à-dire quelques centaines d'hommes tout au plus. Un général comme Duko disposait rarement de plus de quelques milliers d'hommes sous ses ordres. Et voilà que, du jour au lendemain, on forçait ces mercenaires désordonnés à agir telle une armée parfaitement organisée et liée par la tradition. Jimmy songea qu'avant la fin de cette campagne, plus d'un secrétaire risquait de récolter un œil au beurre noir ou une fracture du crâne à cause d'un soldat de Novindus rongé par la frustration.

Si cette campagne se termine un jour, rectifia Jimmy en sortant du bâtiment pour explorer Port-Vykor.

Le claquement des fouets résonnait dans l'air nocturne. Subai reconnut le bruit, même de loin, car il l'avait assez souvent entendu quand il était enfant et qu'il vivait dans les collines en bordure de Durbin.

Son grand-père avait fait partie des guides impériaux keshians à la réputation quasi légendaire, les meilleurs éclaireurs et Pisteurs de tout l'empire. Il avait transmis pratiquement tout son savoir à son petit-fils, c'est pourquoi, lorsque les marchands d'esclaves venaient attaquer les villages afin de capturer garçons et filles pour remplir leurs enclos d'esclaves, Subai se servait de ses talents pour se cacher.

Une fois, en rentrant chez lui après l'une de ces attaques, il avait trouvé les corps de son père et de son grand-père taillés en pièces. Sa mère et sa sœur, quant à elles, avaient disparu. Bien qu'il n'ait été âgé à l'époque que de onze ans, il avait rassemblé ses maigres possessions et était parti à la poursuite des hommes qui avaient massacré sa famille.

Le temps qu'il arrive sur les quais de Durbin, Subai avait déjà tué trois hommes. Il n'avait jamais retrouvé ceux qui avaient capturé sa mère et sa sœur. Or, Durbin était un lieu plus dangereux encore que les collines voisines. Subai s'était donc embarqué clandestinement à bord d'un navire à destination de Krondor et avait réussi à rester caché pendant tout le voyage.

Ne sachant que faire d'autre, il s'était rendu dans un village voisin de la capitale et avait travaillé comme domestique pour une famille qui l'avait logé et nourri en échange. Puis, à seize ans, il était retourné à Krondor pour s'engager dans l'armée du prince.

À vingt-cinq ans, on l'avait nommé commandant des Pisteurs royaux. Cependant, dix ans plus tard, il se souvenait encore du claquement du fouet des marchands d'esclaves.

Il restait encore cinq Pisteurs avec lui lorsque Subai atteignit la région à l'est de Questor-les-Terrasses. Deux de ses hommes étaient déjà redescendus vers le sud pour prévenir le maréchal Greylock qu'il n'y avait pas d'autres fortifications comme celle qui se dressait entre Sarth et Questor-les-Terrasses. En revanche, ils avaient aperçu deux tours de guet, avec des cavaliers prêts à se relayer pour annoncer l'arrivée des forces du royaume. Subai avait dessiné des cartes détaillées afin d'indiquer leur position. La meilleure approche serait de les attaquer avant que l'ennemi puisse avertir Fadawah de leur arrivée. Subai faisait confiance au capitaine de la Lande Noire et savait que ses Aigles cramoisis parviendraient à s'emparer rapidement des tours.

Subai avait également laissé quatre de ses Pisteurs perchés sur les collines au-dessus de l'endroit où son compagnon et lui se trouvaient. Ils se frayaient un chemin sur les flancs escarpés afin d'enquêter sur l'origine des sons provenant de la grand-route. Ils avaient laissé leurs chevaux suffisamment haut pour ne pas avoir à s'inquiéter d'être découverts, à moins bien sûr de se jeter tout droit dans les bras d'une sentinelle.

Cependant, compte tenu de l'équilibre précaire dont on disposait sur les pentes escarpées qui descendaient vers la côte, Subai doutait qu'il y ait le moindre garde à cet endroit. Chaque pas se faisait avec précaution, pour ne pas déloger de pierre et éviter de trébucher, car la moindre chute devait être mortelle.

Les arbres étaient assez gros pour que l'on puisse s'y accrocher, mais la progression restait difficile.

Quand son compagnon et lui arrivèrent au bord d'une corniche qui se transformait en un véritable à-pic avant de rejoindre une autre pente escarpée quinze mètres plus bas, Subai comprit que leurs efforts en valaient la peine. Sans mot dire, il sortit de sa tunique un rouleau de parchemin très fin ainsi qu'une toute petite boîte et quelques crayons. Avec des gestes économes, il dessina ce qu'il avait sous les yeux et ajouta quelques notes. Au bas, il écrivit un petit commentaire, puis rangea son nécessaire à écrire.

— Étudie ce que tu vois en contrebas, ordonna-t-il à son compagnon.

Ils restèrent ainsi une heure entière à regarder des citoyens du royaume transformés en forçats creuser de profondes tranchées le long de la route qu'allait devoir emprunter l'armée de Greylock. Les envahisseurs élevaient également des murs, mais contrairement à la barricade en terre qui se dressait plus au sud, il s'agissait d'énormes constructions qui mêlaient le fer et la pierre. Une forge avait été édifiée près du front et jetait une lueur rougeâtre infernale sur des centaines de malheureux travaillant pour l'ennemi. Des gardes marchaient le long des files de prisonniers et, pour la plupart, maniaient le fouet pour obliger les pauvres ouvriers à travailler dur.

Subai entendait également le bruit de plusieurs scies et constata qu'une scierie avait été édifiée près de la côte. Des cavaliers descendaient la route et des chariots tirés par des bœufs avançaient lentement en direction des barricades.

— Nous devons remonter en haut de la colline, déclara Subai comme la nuit tombait. Sinon, nous allons rester coincés ici toute la nuit.

Il se leva mais, au moment où il s'apprêtait à repartir, il entendit son compagnon s'écrier :

— Capitaine, regardez !

Subai regarda dans la direction indiquée et proféra un juron. Le long de la route, aussi loin que son regard pouvait porter, des lumières brillaient dans l'obscurité naissante. Il s'agissait de forges supplémentaires et de torches qui lui permirent de prendre conscience d'une réalité terrifiante : le royaume ne pourrait pas gagner cette guerre en combattant de cette manière. Le capitaine entreprit de gravir la colline, sachant qu'il lui faudrait attendre l'aube avant de rédiger un long rapport à l'intention d'Owen Greylock. Puis il lui faudrait gagner le Nord au plus vite et atteindre Yabon avant que la cité tombe. Comme LaMut, Zûn et Ylith se trouvaient déjà aux mains de l'ennemi, Subai comprit que le roi et le prince de Krondor ne s'étaient pas encore rendu compte qu'ils étaient sur le point de perdre la province de Yabon pour toujours.

Et si Yabon tombait, ce ne serait plus qu'une question de temps avant que les envahisseurs prennent à nouveau la direction du sud pour tenter de reconquérir Krondor et le reste du royaume de l'Ouest.

Chapitre 19

DÉCISIONS

L e vent balayait la plage.
Pug se promenait main dans la main avec Miranda en regardant le soleil se lever. Ils avaient marché ainsi toute la nuit en discutant des problèmes importants qu'il leur fallait résoudre.

— Je ne vois pas pourquoi tu devrais faire quoi que ce soit maintenant, protesta Miranda. On s'est reposés en Elvandar pendant des semaines et cela t'a permis de te débarrasser de toute cette colère que tu nourrissais envers le prince. Je croyais... enfin, je me disais qu'après, tu pourrais te contenter d'ignorer la stupidité de Patrick.

Pug sourit.

— Ignorer la stupidité d'un marchand ou d'un domestique est une chose. Ignorer celle d'un prince en est une autre. Il ne s'agit pas seulement des Saaurs. Ce n'est que l'un des symptômes de la crise. La vraie question est de savoir qui, en fin de compte, est responsable de mes pouvoirs : moi, ou la couronne ?

— Je comprends, mais pourquoi précipiter cette décision ? Pourquoi ne pas attendre jusqu'à ce qu'il devienne évident qu'on te demande d'agir contre ta conscience ?

— Parce que je préfère éviter de me retrouver dans une situation où, entre deux maux, je devrais choisir le moindre pour éviter le pire.

— Malgré tout, je persiste à penser que tu précipites trop les choses, insista Miranda.

— Je dois d'abord m'occuper de certains détails avant de m'envoler pour Krondor afin d'expliquer mon point de vue à Patrick, la rassura Pug.

Ils escaladèrent quelques rochers et se frayèrent un chemin parmi les bâches, ces cavités rocheuses remplies d'eau laissée par la marée.

— Quand j'étais petit, à Crydee, je suppliais le père de Tomas de me laisser aller sur la plage, au sud de la ville, pour y ramasser des crabes et des araignées de mer, reprit Pug. Il faisait le meilleur ragoût de fruits de mer que j'aie jamais mangé.

— Tout cela paraît loin, n'est-ce pas ? fit Miranda.

Pug se tourna vers sa femme, un sourire enfantin sur les lèvres.

— Parfois, j'ai l'impression que c'était il y a des siècles et parfois il me semble que c'était hier.

— Que vas-tu faire pour les Saaurs ? Tu ne résoudras pas ce problème en te réfugiant dans tes souvenirs.

— Cela fait plusieurs nuits, mon amour, que je passe du temps avec l'un des plus vieux jouets de ma collection.

— Tu veux parler du cristal dont tu as hérité de Kulgan ?

— Précisément, celui qui a été fabriqué par Althafain de Carse. Je m'en suis servi pour explorer la planète. Je crois avoir trouvé un endroit où nous pourrions amener les Saaurs.

— Tu me le montres ?

Pug lui tendit la main.

— De toute façon, il faut que je m'entraîne à utiliser ce sortilège de téléportation. Entoure-nous d'une bulle de protection, s'il te plaît.

Miranda s'exécuta et une sphère transparente et bleutée apparut autour d'eux.

— Évite de nous matérialiser à nouveau à l'intérieur d'une montagne et nous n'aurons pas besoin de cette protection.

— Je fais ce que je peux, protesta Pug. Allons, faisons un essai, ajouta-t-il en passant le bras autour de la taille de sa femme.

Aussitôt, le paysage autour d'eux se mit à tourbillonner ; lorsqu'il s'immobilisa, la plage avait fait place à une vaste plaine couverte de hautes herbes.

— Où sommes-nous ? demanda Miranda.

— Sur l'Ethel-du-ath – c'est du moins le nom qu'on lui donne dans la langue locale, répondit Pug.

La sphère bleue disparut et une chaude brise d'été vint balayer le couple.

— On dirait du bas-delkian, commenta Miranda.

— Il s'agit de la plaine de Duathian, approuva Pug. Viens, suis-moi.

Il l'emmena à quelques centaines de mètres plus au sud. La jeune femme s'aperçut alors qu'ils se trouvaient au sommet d'une imposante falaise.

— Il y a plusieurs millénaires, cette partie du continent s'est élevée tandis que l'autre s'est affaissée, expliqua Pug. La falaise ne mesure jamais moins de cent quatre-vingts mètres de haut. Il existe deux ou trois endroits où on peut l'escalader, mais je ne le recommande pas malgré tout.

Miranda s'éleva dans les airs et continua à marcher, puis se retourna et regarda en bas.

— Ça fait une sacrée chute.

— Espèce de frimeuse, va ! (Pug poursuivit d'un ton plus sérieux :) Des réfugiés de Triagia sont venus peupler la partie inférieure de ce continent à l'époque des purges que menaient les Ishapiens contre les hérétiques d'Al-maral.

— Ceux-là même qui se sont installés sur Novindus, ajouta Miranda en regagnant la terre ferme. Personne ne vit ici ?

— Non, personne. Tout ce qu'on a là, c'est environ un million de mètres carrés de plaines, de collines verdoyantes, de rivières et de lacs, avec des montagnes au nord et à l'ouest et des falaises au sud et à l'est.

— Tu veux donc installer les Saaurs ici.

— Jusqu'à ce que je trouve une meilleure solution, confirma Pug. La région est suffisamment vaste pour qu'ils puissent y vivre pendant plusieurs siècles si besoin est. En fin de compte, je retournerai sur Shila pour débarrasser ce monde des derniers démons. Mais, même ainsi, cela prendra des siècles pour que la vie reprenne ses droits sur la planète et que les Saaurs puissent s'y installer à nouveau.

— Et s'ils ne veulent pas venir vivre ici ? s'inquiéta Miranda.

— Je ne vais sans doute pas avoir le luxe de leur laisser le choix, répondit Pug.

Miranda passa les bras autour de la taille de son mari et le serra contre elle.

— Tu commences tout juste à te rendre compte de ce que ces choix vont te coûter, n'est-ce pas ?

— Je t'ai déjà raconté l'histoire des Jeux impériaux ?

— Non.

Le magicien serra sa femme contre lui ; l'instant d'après, ils étaient de retour sur la plage de l'île du Sorcier.

— Regardez-moi qui joue les frimeurs à présent ! s'exclama Miranda, partagée entre l'amusement et la colère.

— Je crois que j'ai pigé le truc, répondit Pug avec un sourire narquois.

Miranda lui donna une bourrade sur l'épaule.

— Tu ne peux pas te permettre de « croire », tu ferais mieux d'en être sûr – surtout si tu n'as pas envie de découvrir avec quelle rapidité tu es capable d'ériger un sortilège de protection quand tu te matérialiseras à l'intérieur de la roche !

— Désolé, fit Pug dont l'expression démentait clairement ses paroles. Rentrons à la maison.

— J'aurais bien besoin de dormir un peu, approuva Miranda. Nous avons parlé toute la nuit.

— C'est qu'il y avait beaucoup de sujets importants dont nous devions discuter, répondit son mari en la prenant par la taille.

Ils marchèrent en silence sur le sentier qui permettait de gravir la colline et de retourner à la villa.

— Je venais tout juste de devenir un Très-Puissant, commença brusquement Pug, et Hochopepa, mon mentor, m'avait convaincu d'assister à une grande fête donnée par le seigneur de guerre en l'honneur de l'empereur. Il devait y annoncer une grande victoire sur le royaume. (Pug se tut, plongé dans ses souvenirs. Puis il reprit la parole au bout d'un moment :) Ils ont fait s'affronter des soldats du royaume contre des soldats thuril, le peuple de ma femme. Cela m'a mis dans une colère noire.

— Je peux le comprendre, commenta Miranda tout en continuant à remonter le chemin.

— Je me suis servi de mes pouvoirs pour détruire l'arène impériale. J'ai demandé aux vents d'apporter la tempête, j'ai déchiré les cieux pour en faire tomber le feu, j'ai appelé la pluie et provoqué des tremblements de terre, bref je leur ai fait la totale.

— Ça a dû être impressionnant.

— Ça l'était. J'ai terrifié plusieurs milliers de personnes, Miranda.

— Et tu as sauvé les hommes qui étaient condamnés à se battre à mort ?

— Oui.

— Mais ?

— Mais pour sauver une quarantaine de soldats injustement condamnés, j'ai tué plusieurs centaines de personnes dont le seul crime était d'être nées sur Kelewan et d'être venues assister à une fête donnée pour leur empereur.

— Je crois que je comprends, fit Miranda.

— Je me suis laissé aller à la colère, voilà tout. Si j'étais resté calme, j'aurais peut-être trouvé une meilleure solution, mais j'ai laissé la rage me consumer.

— C'est compréhensible.

— Peut-être, mais ça n'en reste pas moins impardonnable. (Il s'arrêta au sommet de la colline qui séparait la plage de l'intérieur de l'île et contempla le paysage.) Regarde la mer. Elle s'en moque de tout ça. Elle, elle subsiste. Ce monde également. Shila survivra à ses épreuves, en fin de compte. Quand le dernier démon sera mort de faim, la vie reviendra sur cette planète, sous forme d'un météore tombé du ciel, ou sur les ailes du vent, ou par un tout autre moyen que je ne saurais appréhender. Peut-être s'agira-t-il simplement d'un tout petit brin d'herbe dissimulé derrière une pierre que les démons n'auront pas vu, ou d'un minuscule organisme vivant au fond des océans. Quoi qu'il en soit, ce monde verra à nouveau la vie se développer, même si je n'y retourne jamais.

— Qu'essayes-tu de me dire, mon amour ?

— Il est tentant de se croire tout-puissant quand ceux qui vous entourent le sont beaucoup moins mais, comparés à la vie elle-même et à cette capacité qu'elle a de résister à tout, même à la destruction, nous ne sommes rien. (Pug regarda sa femme.) Les dieux ne sont rien. (Il se tourna ensuite vers leur foyer.) En dépit de mon grand âge, je ne suis guère plus qu'un enfant qui essaye d'appréhender la marche de l'univers. Je comprends maintenant pourquoi ton père possédait une telle soif de connaissance et pourquoi Nakor se délecte de chaque nouvelle découverte. Nous sommes semblables à des enfants à qui l'on offre un nouveau jouet, fût-ce une babiole.

Il se tut.

— Parler d'enfants te rend triste ? demanda doucement Miranda.

Ils s'engagèrent dans la descente, traversèrent un bosquet d'arbres et s'approchèrent du jardin qui entourait leur propriété. On y voyait des étudiants rassemblés en cercle et occupés à pratiquer un exercice que Pug leur avait montré la veille.

— Quand j'ai senti mes enfants mourir, j'ai dû faire appel à toute la force de ma volonté pour ne pas retourner affronter le démon, avoua le magicien.

Miranda baissa les yeux.

— Je suis heureuse que tu ne l'aies pas fait, mon amour.

Elle s'en voulait encore de l'avoir poussé à attaquer le démon prématurément et d'avoir failli le perdre au passage.

— Tu sais, peut-être que j'ai tiré la leçon de cette expérience malheureuse, rétorqua son mari. Si j'étais retourné défier Jakan pendant qu'il se trouvait encore à Krondor, je serais peut-être mort et je n'aurais pas pu le vaincre à Sethanon.

— C'est pour ça que tu ne veux pas aider le royaume à déloger le général Fadawah d'Ylith ?

— Oui. Patrick serait ravi que je fasse une apparition et que j'incendie la province de Yabon tout entière. Il enverrait volontiers des pionniers de l'Est pour y replanter des arbres. Il appellerait ça une grande victoire. Mais je doute que les habitants de la province apprécieraient, pas plus que leurs voisins les elfes ou les nains. De plus, la plupart de ces gens ne sont pas plus diaboliques que ceux qui servent Patrick. Je m'aperçois que la politique m'intéresse un peu moins chaque jour.

— Voilà qui est sage, approuva Miranda. Tu es aussi fort que moi et, à nous deux, nous pourrions conquérir une petite nation.

— C'est vrai, répondit Pug avec un sourire, le premier depuis qu'il avait parlé de son expérience dans l'arène. Mais qu'est-ce que tu en ferais ?

— Demande à Fadawah, suggéra sa femme. Il a un plan en tête, c'est évident.

— Mes inquiétudes dépassent largement le cadre du royaume, répliqua Pug en entrant dans le bâtiment principal.

— Je sais.

— Je perçois quelque chose en ce moment que je n'avais pas ressenti depuis des années.

— De quoi s'agit-il ? lui demanda Miranda.

— Je n'en suis pas sûr. Quand je le saurai, je te le dirai.

Pug refusa d'en dire plus. Tous deux connaissaient l'existence au sein du cosmos de cet être maléfique, le Sans-Nom, qui se trouvait à l'origine de tous les troubles qu'ils combattaient depuis un siècle. Or cet être maléfique contrôlait des agents humains que Pug avait croisés à plusieurs reprises par le passé. Le magicien ne voulut pas en parler à sa femme, mais il songea à Sidi, ce magicien fou qui avait semé le chaos au nom de Nalar cinquante ans plus tôt. Pug le croyait mort, mais il n'en était plus aussi sûr. Si ce n'était pas Sidi qu'il percevait à distance, ce devait être un autre comme lui, et ces deux possibilités terrifiaient Pug autant l'une que l'autre. Jamais il n'aurait imaginé, à l'époque où il avait fait partie de l'Assemblée de Kelewan ou du temps où il avait créé l'académie du port des Étoiles, qu'un jour il aurait à affronter des forces aussi grandes.

L'ampleur de cette tâche avait tendance à décourager Pug avant même qu'il eût commencé à se battre. Il remercia les dieux de lui avoir permis de rencontrer Miranda car, sans elle, il aurait cédé au désespoir depuis longtemps.

Dash leva les yeux et se retrouva confronté à un visage familier.

— Talwin ?

L'ancien prisonnier passa à côté des deux agents qui, assis à table, buvaient du café en attendant de partir en patrouille à leur tour.

— Est-ce que je pourrais vous parler en privé ? demanda Talwin, qui s'était évanoui dans la nature juste après que Dash se fut échappé de Krondor.

— Bien sûr. (Dash se leva et lui fit signe de l'accompagner dans un coin de l'auberge reconvertie en prison.) Je me suis demandé ce qui t'était arrivé, reconnut-il lorsqu'ils furent hors de portée de voix des agents. Quand je suis allé faire mon rapport, je vous ai laissés toi et Gustave à l'extérieur d'une tente. Quand je suis revenu, il n'y avait plus que Gustave.

Talwin sortit de sa tunique un parchemin décoloré et visiblement ancien. Dash le déplia et lut :

Pour quiconque lira cette lettre :

Le porteur de ce document pourra être identifié par un grain de beauté sur le cou et une cicatrice à l'intérieur de son bras gauche. C'est un serviteur de la couronne et je demande que vous lui portiez toute l'aide et l'assistance nécessaires sans lui poser de question.

Signé,
James, duc de Krondor

Dash haussa les sourcils. Il regarda Talwin et vit ce dernier désigner le grain de beauté qu'il avait au cou, puis relever sa manche pour exhiber la cicatrice à son bras gauche.

— Qui es-tu ?

— J'étais l'agent de votre père, et de votre grand-père avant lui.

— Agent ? Espion, tu veux dire.

— Entre autres.

— Et je suppose que Talwin n'est pas ton vrai nom ?

— Il a son utilité. (Baissant la voix, il ajouta :) En tant que shérif de Krondor, vous devez savoir que je suis désormais responsable du réseau d'information au sein du royaume de l'Ouest.

Dash acquiesça.

— Connaissant mon grand-père, il n'a pas dû donner carte blanche à beaucoup d'agents, j'imagine que cela fait donc de toi un espion très important. Pourquoi ne pas m'avoir montré ce papier plus tôt ?

— Je le porte rarement sur moi. J'ai dû aller le déterrer de sa cachette. S'il venait à tomber entre de mauvaises mains, ce document signerait mon arrêt de mort.

— Alors pourquoi venir me le montrer aujourd'hui ?

— Cette cité a beaucoup souffert et bien qu'elle paraisse sortir de l'ornière, elle est encore très vulnérable. Votre boulot est de rétablir l'ordre et le mien est de dénicher les agents ennemis.

Dash se tut un moment avant de demander :

— Très bien. De quoi as-tu besoin ?

— De votre coopération. Je ne peux pas opérer à partir du palais tant que le personnel n'est pas à nouveau au complet ; or j'ai besoin d'un travail qui me permette de fourrer mon nez partout en ville sans qu'on me pose trop de questions.

— Tu veux un poste d'agent, si je comprends bien.

— En effet. Quand le danger sera passé et que la ville sera redevenue un peu plus sûre, je vous laisserai tranquille et retournerai au palais, promit Talwin. Mais pour le moment, j'ai besoin de jouer les agents de police.

— À qui dois-tu faire tes rapports ? À moi ? s'enquit Dash.

— Non. Je ne présente mes rapports qu'au duc de Krondor.

— Il n'y a plus de duc de Krondor.

— Pas pour le moment, mais jusqu'à ce que le prince en désigne un nouveau, j'irai faire mes rapports, si besoin est, au duc Brian.

Dash acquiesça pour montrer qu'il trouvait ça logique.

— L'as-tu déjà mis au courant de ton existence ?

— Non, pas encore, avoua Talwin. Moins il y aura de gens au courant, mieux ce sera. La rumeur prétend que le roi va désigner Rufio, comte Delamo, de Rodez. Si c'est vrai, je me présenterai à lui dès qu'il arrivera.

— Ça ne me plaît pas d'avoir un espion parmi mes agents, mais je sais que c'est nécessaire. Veille seulement à m'avertir si tu découvres des choses que je devrais savoir.

— Je le ferai, assura Talwin.

— C'est tout ce que je peux faire pour toi ?

— Non, il faut que je sache qui a tué vos deux agents.

Brusquement, la situation s'éclaira pour Dash qui s'écria :

— Ces hommes travaillaient pour toi, c'est ça ?

Talwin acquiesça.

— Comment avez-vous deviné ?

— Les Moqueurs. L'un d'eux m'a conseillé de trouver pour qui travail-laient Nolan et Riggs avant de rejoindre les rangs de ma police.

— Ils ont longtemps travaillé sur les quais pour votre grand-père et votre père. Nous avons gardé profil bas durant la chute de la cité et avons réussi à rester en vie. J'ai été capturé et mis au travail sur ces maudits remparts jusqu'à votre arrivée. Je ne pouvais prendre le risque de montrer à quiconque que je connaissais le moyen de m'évader et je n'ai jamais pu échapper à l'attention des gardes et des autres prisonniers. Votre arrivée a été un véritable don du ciel. Nous délivrer des Moqueurs a été la cerise sur le gâteau.

— Ravi d'avoir pu rendre service, commenta sèchement Dash.

— Nolan et Riggs ont effectué aussi des travaux forcés. Ils ont été relâchés quand Duko a passé son accord avec le prince. Je les ai envoyés travailler pour vous parce qu'il fallait que je remette mon réseau en place. C'étaient mes deux derniers agents dans cette ville, avoua-t-il d'un air peiné.

— Tu vas donc devoir recommencer à zéro.

— Oui. C'est la seule raison pour laquelle je vous raconte tout cela.

— Je comprends, admit Dash. Écoute, les circonstances nous obligent à travailler ensemble. Quelqu'un a tué l'un de mes meilleurs informateurs quand j'ai commencé à demander autour de moi qui a tué tes hommes.

— Quelqu'un tient à nous garder à l'écart, comprit Talwin.

— De toute façon, nous n'avons pas assez de monde pour tout ce qu'il y a à faire. Va donc fouiner partout. Je ne vais pas t'ennuyer avec un emploi du temps normal. Si quelqu'un s'en étonne, tu n'auras qu'à dire que tu es mon adjoint et que je t'ai envoyé en mission pour moi. Par contre, je pense que nous ferions bien de mettre rapidement quelqu'un d'autre au courant.

— Qui ça ?

— Gustave. On peut compter sur lui.

— Ce n'est pas l'idée que je me fais d'un agent, répondit Talwin d'un ton dubitatif.

— Ce n'est pas la mienne non plus, reconnut Dash, mais on ne peut pas tous être rusés comme des renards. Je veux qu'une troisième personne soit au courant de cette affaire. Comme ça, si nous mourons tous les deux, Gustave pourra aller trouver Brian de Silden et lui faire savoir pourquoi. Par contre, je ne pense pas que nous l'enverrons ramper dans les égouts.

— Je suis d'accord, mais nous aurons également besoin de gens qui rampent dans les égouts.

Dash sourit.

— Pas vraiment. Il suffit de passer un accord avec les bonnes personnes.

— Les Moqueurs ?

— Ils croient qu'une autre organisation essaye de s'implanter en ville, mais toi et moi nous savons ce qu'il en est.

Talwin acquiesça.

— Ce sont des espions keshians ou quegans.

— Ou les deux, renchérit Dash.

— Quelle que soit leur origine, nous devons les trouver et vite, parce que si l'une de ces deux nations apprend que Krondor abrite moins de cinq cents hommes d'armes, nous pourrions bien tous mourir avant les premières neiges.

— Je m'occupe des Moqueurs, déclara Dash. Toi, trouve-toi des agents.

Je ne veux pas savoir qui ils sont, à moins que tu veuilles les faire entrer à mon service.

— Entendu.

— Je présume que tu utilises des intermédiaires ?

— Vous présumez bien.

— Dresse-m'en la liste et donne-la-moi. Je la cacherai dans ma chambre au palais. (Il sourit.) Il se trouve que j'arrive à y retourner une fois par semaine pour changer de vêtements et prendre un bain. Je laisserai une lettre cachetée au duc Brian avec la mention « N'ouvrir qu'après ma mort » pour lui indiquer où trouver la liste.

— Quand j'aurai remis mon réseau en place, cette liste devra être détruite, exigea Talwin.

— Moi je veux bien, répondit Dash, mais à quoi vont servir ces agents si toi et moi disparaissons sans pouvoir prévenir la couronne de leur existence ?

— Je comprends, reconnut Talwin.

— Viens avec moi.

Dash ramena son compagnon au centre de la pièce et s'adressa aux deux agents de police qui se reposaient.

— Je vous présente Talwin. C'est mon nouvel adjoint. Il travaillera ici, à mon bureau, quand je n'y serai pas. Vous deux, emmenez-le faire un tour pour lui montrer comment on fonctionne. Ensuite, vous devrez faire ce qu'il vous dit.

Talwin acquiesça et Dash lui remit un brassard rouge. Puis, quand il fut parti, Dash retourna s'asseoir pour se remettre au travail. Distraitement, il se demanda combien d'autres petites surprises, mises en place par son grand-père et son père, Krondor lui gardait encore en réserve.

— Le gentilhomme que vous voyez là, sur cet étalon rétif, s'appelle Marcel Duval, expliqua Jimmy. Il est écuyer à la cour du roi et un ami très proche du fils aîné du duc de Bas-Tyra.

Le mot « rétif » décrivait bien l'étalon noir qui ne cessait de s'ébrouer et de frapper le sol avec son sabot ; il paraissait prêt à faire vider les étriers à son cavalier à tout moment. L'écuyer attendit, pour mettre pied à terre, qu'un aide de camp accoure vers lui et prenne l'animal par la bride. Puis il sauta à terre et mit rapidement de la distance entre lui et le cheval.

Duko se mit à rire.

— Pourquoi avoir choisi un animal aussi difficile ?

— Par vanité. C'est un défaut courant à l'est de la Croix de Malac.

— Et quelle est cette compagnie qu'il amène ?

— Sa propre garde privée. De nombreux aristocrates de l'Est se font plaisir en s'offrant de telles compagnies. Elles font joli lors des défilés.

Il suffisait effectivement d'observer les soldats qui accompagnaient le prince pour comprendre qu'il s'agissait là d'une unité faite pour parader et non pour combattre. Tous montaient des chevaux noirs qui mesuraient à peu près la même taille et semblaient dépourvus de marques ou de cicatrices. Chaque soldat portait une culotte en daim rentrée dans des bottes noires qui leur arrivaient au genou et dont le large revers s'ornait d'un galon écarlate, la couleur exacte de leur tunique bordée de noir aux épaules, aux poignets et le long du col. Leur cuirasse en acier poli était quant à elle rehaussée de cuivre sur les bords. Pour compléter cet uniforme, chacun portait une petite cape jaune jetée en travers de l'épaule gauche, un casque rond en acier doublé de fourrure blanche et une chaîne en acier également autour du cou. Tous étaient armés d'une lance à hampe de bois laqué noir et à pointe d'acier.

Duko ne put s'empêcher de rire à nouveau.

— Ils vont apprendre à se salir, par ici.

Brusquement, Jimmy partit à rire lui aussi et put à peine se maîtriser tandis que l'écuyer gravissait les marches du perron de l'auberge. Lorsque la porte s'ouvrit, l'un des plus vieux compagnons de Duko annonça :

— Un gentilhomme désire vous voir, messire.

Duko s'avança vers Duval en lui tendant la main :

— Écuyer Marcel, votre réputation vous précède !

Il était d'usage que l'écuyer se présente lui-même au duc et non l'inverse, si bien que Duval fut complètement pris au dépourvu. Il s'immobilisa sans trop savoir s'il devait serrer la main que lui présentait le duc ou s'incliner devant lui. Il choisit de faire une révérence rapide et maladroite et de tendre la main au moment où le duc retirait la sienne. Jimmy avait mal aux côtes à force de contenir son hilarité.

— Euh… Votre Grâce, salua le noble rougissant. Je suis venu mettre mon épée à votre service. (Puis l'écuyer du Bas-Tyra aperçut Jimmy qui se tenait sur le côté :) James ?

— Marcel, répondit le jeune homme en s'inclinant légèrement.

— Je ne vous savais pas ici, écuyer.

— En réalité, il convient désormais de l'appeler comte James, intervint Duko.

Marcel écarquilla les yeux, ce qui ne contribua qu'à lui donner un air plus comique encore. Non content de porter le même uniforme que ses hommes, il avait choisi de se coiffer d'un casque plus gros, décoré de part et d'autre d'ailes stylisées. Il était en outre affligé d'un visage rond et d'une grosse moustache qu'il sculptait en pointe avec de la cire.

— Félicitations.

Jimmy ne put résister au plaisir de le tourmenter.

— J'ai reçu ce titre en raison du décès de mon père, expliqua-t-il d'un ton grave.

Marcel Duval eut la décence de rougir violemment de cette gaffe et se mit à balbutier, visiblement au bord des larmes :

— Je suis tellement navré… messire, dit-il d'un ton si contrit que cela en devenait comique.

Jimmy ravala un éclat de rire et reprit :

— C'est bon de vous revoir, Marcel.

Duval, totalement déconfit, ignora cette remarque et se tourna vers Duko :

— Je viens mettre cinquante lanciers à votre disposition, messire ! s'exclama-t-il d'un ton qui se voulait martial.

— Je vais demander à mon sergent d'installer vos hommes dans le camp, écuyer. Tant que vous serez sous mes ordres, vous aurez le grade de lieutenant. Joignez-vous à nous ce soir pour dîner. (Puis Duko s'écria d'une voix forte :) Matak !

Le vieux soldat qui avait ouvert la porte entra de nouveau :

— Oui ?

— Indique à cet officier et à ses hommes un endroit où ils pourront planter leurs tentes.

— À vos ordres, messire.

Le vieux soldat ouvrit en grand la porte, ce qui permit à Duval de battre en retraite. Lorsque le malheureux fut parti, Jimmy laissa enfin libre cours à son hilarité.

— Dois-je en déduire que vous ne vous entendiez pas bien avec lui par le passé ? demanda Duko.

— Oh, Marcel est inoffensif bien qu'ennuyeux. Quand nous étions plus jeunes, à Rillanon, il essayait toujours de s'incruster dans des fêtes ou des réunions auxquelles il n'avait pas été convié. Je crois qu'il essayait de s'insinuer dans les bonnes grâces de Patrick. (Jimmy soupira.) C'était notre bon prince, d'ailleurs, qui ne pouvait pas supporter Marcel. Francie, Dash et moi, nous nous entendions plutôt bien avec lui.

— Qui est Francie ? s'enquit le duc.

Le visage de Jimmy s'assombrit tandis que de vieux souvenirs remontaient brusquement à la surface.

— La fille du duc de Silden, répondit-il.

— En tout cas, ce Duval nous amène cinquante soldats. Nous les entraînerons et, si on n'arrive pas à en tirer grand-chose, on pourra toujours les envoyer en patrouille. Comme ils seront visibles de loin, les Keshians sauront que nous sommes dans les parages.

— Il sera effectivement difficile de les louper, avec ces tuniques écarlates, approuva Jimmy.

Quelqu'un frappa à la porte, qui s'ouvrit. Un messager entra en coup de vent et tendit un paquet à Jimmy :

— Des messages en provenance de Finisterre, messire.

Jimmy prit le paquet et l'ouvrit, tandis que Duko congédiait le messager d'un geste de la main. Jimmy tria rapidement les messages urgents et les communiqués qui pouvaient attendre, puis ouvrit la première missive.

— Merde, dit-il après l'avoir parcourue en diagonale. (Le duc apprenait à lire la langue du roi, mais préférait laisser Jimmy déchiffrer les messages à sa place et lui en faire un résumé.) Il y a eu une nouvelle attaque ; cette fois, deux villages au sud de Finisterre ont été pillés. Le capitaine Kuvak va cesser de patrouiller la région car les villageois ont fui et n'ont plus besoin de la protection du comte.

Duko secoua la tête.

— Tu parles d'une protection ! S'il avait vraiment protégé ces villages, ils n'auraient pas été pillés !

Jimmy savait que l'immobilisme de cette guerre mettait les nerfs de tout le monde à vif, surtout ceux du duc. Kuvak était l'un des officiers en qui Duko avait le plus confiance, c'est pourquoi il avait été choisi pour organiser la défense du château de Finisterre. Jimmy passa directement à la fin du rapport.

— Nos ennemis évitent toujours le château et Kuvak a mis en déroute deux autres attaques dans la région.

Duko retourna à la fenêtre pour contempler Port-Vykor qui s'agrandissait rapidement.

— Je sais que Kuvak fait de son mieux. Ce n'est pas sa faute. (Il se tourna vers la carte de la région.) Quand viendront-ils à nous ?

— Les Keshians ?

— Ils ne pourront pas continuer à faire ça éternellement. Il y a une raison derrière ces attaques. Ils nous testent. Et quand ils nous révéleront leurs intentions, il sera peut-être trop tard pour réagir.

Jimmy garda le silence. Pendant que les ambassadeurs négociaient au port des Étoiles, des représentants des deux nations mouraient. Les Keshians ne se décideraient à attaquer que s'ils pouvaient y gagner un avantage dans les négociations.

L'invasion du val des Rêves, l'annexion de la côte occidentale de Finisterre à Port-Vykor ou la capture de Krondor, tout était possible. Or les soldats du royaume n'étaient capables de défendre que deux de ces endroits. Ils avaient donc une chance sur trois de commettre une erreur fatale. Dans un coin de son esprit, Jimmy pensait toujours à cet officier keshian qui avait pris la fuite, et à ce qu'il savait.

— Là-haut, derrière toi ! fit Dash.

Trina se retourna et leva les yeux en souriant. De nouveau, le jeune homme songea à quel point elle pourrait être attirante si elle décidait un jour de mettre son physique en valeur.

— Tu t'améliores, shérif le Chiot !

Dash sauta à bas de la poutre sur laquelle il s'était posté et atterrit avec légèreté sur le sol.

— J'ai appris pour qui travaillaient Nolan et Riggs, déclara-t-il.

— Et alors ?

— Alors, je sais que ceux qui les ont tués sont des ennemis de la couronne mais aussi des Moqueurs.

— Donc, l'ennemi de mon ennemi est mon ami ?

Dash sourit d'un air malicieux.

— Je n'irais pas jusque-là. Disons qu'il est dans notre intérêt commun de découvrir qui, en dehors des voleurs, se sert des égouts pour aller et venir.

Trina s'adossa au mur et observa Dash des pieds à la tête d'un air appréciateur.

— Quand on nous a appris qu'on t'avait nommé responsable de la sécurité de cette ville, on a d'abord cru à une plaisanterie. Mais je crois qu'on a eu tort. Tu ressembles beaucoup plus à ton grand-père que je l'aurais cru.

— Tu connaissais mon grand-père ?

— Seulement de réputation. Notre vieil ami admirait ton grand-père autant qu'il le redoutait.

Dash se mit à rire.

— J'ai toujours su que mon grand-père avait quelque chose de spécial, mais je ne l'avais jamais vu sous cette lumière-là.

— Penses-y, shérif le Chiot. Un voleur qui devient le noble le plus puissant du royaume, tu parles d'une histoire !

— Sans doute, mais pour moi, c'était juste mon grand-père, et les aventures qu'il racontait n'étaient que ça, de merveilleuses histoires.

— Que proposes-tu de faire ? demanda Trina en changeant abruptement de sujet.

— Je voudrais que vous veniez m'avertir si vous voyez l'un de ces étrangers dans les égouts, surtout si vous découvrez leur cachette.

— Tu sais qui ils sont ?

— Oui, j'ai ma petite idée, admit Dash.

— Tu veux bien m'en parler ?

— Le ferais-tu, si tu étais à ma place ?

Trina rit à son tour.

— Non, sûrement pas. Qu'est-ce que les Moqueurs ont à gagner dans tout ça ?

— J'aurais cru que vous voudriez juste vous débarrasser de ces fauteurs de trouble.

— Ils ne nous dérangent absolument pas, rétorqua la jeune femme. Nous connaissions Nolan et Riggs parce qu'ils avaient l'habitude de nous acheter des informations et qu'ils avaient passé quelques accords. Nous avons toujours pensé qu'ils travaillaient pour l'un des hommes d'affaire de Krondor, du genre d'Avery et de sa clique – un type qui ne souhaitait pas faire de commerce de façon traditionnelle ou encore un noble qui n'avait pas envie de payer tous ses impôts... ce genre de choses.

Dash comprit qu'elle essayait de lui soutirer des informations.

— Je me moque de savoir pour qui travaillaient Nolan et Riggs avant la guerre. L'important, c'est qu'ils étaient sous ma responsabilité lorsqu'ils se sont fait égorger. Je me fiche de savoir si c'était en raison d'une vieille querelle ou parce qu'ils se sont trouvés au mauvais endroit et au mauvais moment. Je ne peux me permettre de laisser circuler dans cette ville des gens qui pensent qu'ils peuvent tuer impunément mes agents. C'est aussi simple que ça.

— Si tu le dis, shérif le Chiot. Mais tu n'as toujours pas donné ton prix.

Dash ne se faisait aucune illusion et savait que faire une offre ne servirait qu'à perdre du temps.

— Demande au vieil homme ce qu'il veut, mais dis-lui que je refuse de compromettre la sécurité de cette ville ou de détourner le regard s'il s'agit d'un crime capital. Dans ce cas-là, je me passerai de votre aide.

— Je lui demanderai, promit la jeune femme.

Elle fit mine de partir mais Dash la rappela.

— Trina...

Elle s'arrêta et sourit.

— Tu veux autre chose ?

Dash ignora le sous-entendu.

— Comment va-t-il ?

Le sourire de Trina s'évanouit.

— Pas bien.

— Est-ce que je peux faire quelque chose ?

Le sourire de la jeune femme réapparut, mais il était bien pâle et dépourvu de moquerie.

— Non, je ne crois pas, mais c'est gentil de l'avoir demandé.

— Tu sais, il fait partie de ma famille.

Trina garda le silence pendant un long moment, puis elle tendit la main et caressa la joue de Dash.

— Oui, c'est vrai, plus que je le croyais.

Puis elle tourna brusquement les talons, franchit le seuil du vieux bâtiment et disparut, avalée par les ombres.

Dash attendit quelques minutes avant de ressortir par-derrière. Il éprouvait une étrange sensation en son for intérieur. Il ne savait pas si c'était dû à son inquiétude pour la santé du vieil homme ou à la possible présence d'agents keshians en ville, ou encore à la caresse de la jeune femme sur sa joue.

— Et merde, si seulement elle n'était pas aussi séduisante, marmonna-t-il.

Mettant de côté la vision d'une jolie femme qui avait tendance à le distraire, il commença à réfléchir de nouveau sur les problèmes de sécurité à Krondor.

Chapitre 20

CONFRONTATION

P artout, des hommes criaient.

Erik donna l'ordre d'avancer au troisième régiment d'infanterie. Les soldats s'élancèrent sur le terrain à découvert transformé en véritable abattoir. Le lourd bélier avait déjà enfoncé la porte, et les deux premières vagues de soldats du royaume s'étaient engouffrées dans la brèche. Elles combattaient à présent à l'intérieur même des fortifications ennemies et se heurtaient cette fois-ci à une plus forte résistance. Cependant, comme pour les deux premières barricades, les défenseurs se battaient plus pour la forme que dans un réel espoir de gagner.

Erik et Greylock avaient bien reçu les messages envoyés par Subai. Sa description des obstacles qui les attendaient les inquiétait beaucoup. Erik redoutait même qu'ils ne parviennent pas à temps pour sauver Yabon. La fête de Banapis devait avoir lieu la semaine suivante : l'été était déjà à moitié écoulé. Si de grosses pluies d'automne se mettaient à tomber ou si l'hiver arrivait de façon précoce avec son cortège de neige et de mauvais temps, le royaume risquait de perdre la province de Yabon pour de bon. Et s'il perdait Yabon cette année-là, il pourrait bien reperdre Krondor la suivante.

Si ce n'était plus tôt.

Erik ne pouvait s'empêcher de penser que Krondor gisait vulnérable à la merci des Keshians. Ces derniers en étaient-ils seulement conscients ? Il espérait que les négociations allaient bon train au port des Étoiles.

Il mit de côté son inquiétude et regarda Owen, qui hocha la tête.

361

Erik éperonna son cheval. Il ne savait pourquoi, mais le maréchal de Krondor lui avait demandé de rester derrière, près de la tente de commandement, au lieu de mener le premier assaut comme il le souhaitait.

Les combats firent rage pendant une heure avant que la défense s'effondre brusquement. Erik passa alors la porte de la barricade et s'aperçut qu'une fois encore, leurs ennemis ne disposaient pas des ressources nécessaires pour se défendre.

Erik fit le tour des fortifications et constata que la situation était à présent sous contrôle. Comme il l'avait déjà fait précédemment, il envoya des unités de cavalerie légère explorer les environs à la recherche de mercenaires qui auraient réussi à s'enfuir. Il fallait à tout prix les empêcher d'atteindre leurs propres lignes.

Greylock apparut à son tour sur le seuil de la barricade et Erik fit avancer sa monture vers lui.

— Tout ça est inutile. Si Subai a raison, nous aurions dû monter le camp au pied de ces remparts et les laisser mourir de faim.

Owen haussa les épaules.

— Le prince nous a ordonné de nous dépêcher. (Il observa la scène qui les entourait et ajouta :) Mais si tu me mettais le couteau sous la gorge, je serais bien forcé de reconnaître que tu as raison. (Il se dressa sur ses étriers.) Mon derrière regrette le temps où je m'asseyais sur une chaise confortable à l'*Auberge du Canard Pilet*, avec une chope de bière à la main et le ragoût de ta mère devant moi.

Erik sourit.

— Je répéterai ces paroles à ma mère la prochaine fois que je la verrai. Elle en sera flattée.

Owen lui rendit son sourire. Puis, brusquement, il parut être projeté de sa selle et tomba à la renverse. Il passa par-dessus la croupe de son cheval et atterrit durement sur le dos tandis que l'animal apeuré bondissait en avant.

Erik regarda tout autour de lui et ne vit que des mercenaires qui jetaient leurs armes et levaient les mains avant d'être emmenés à l'arrière du camp. Il nota quelques signes de résistance çà et là et des combats sporadiques dans le lointain, mais l'arbalétrier qui avait tiré sur Greylock n'était visible nulle part.

— Merde !

Erik sauta à bas de son cheval et courut jusqu'à l'endroit où gisait Greylock. Avant même de s'être agenouillé à côté de son vieil ami, Erik savait déjà la terrible vérité. Un carreau d'arbalète dépassait de la cuirasse d'Owen et avait réduit en bouillie le haut de sa poitrine et le bas de son cou. Du sang giclait partout et les yeux d'Owen fixaient le ciel d'un regard sans vie.

Erik sentit le désespoir et une colère froide l'envahir. Il avait envie de hurler mais résista à cette impulsion. Owen avait toujours été son ami, avant même qu'Erik devienne un soldat, et ils avaient partagé un même amour des chevaux et un même goût pour les grands vins de la lande Noire et les fruits d'un labeur honnête. Baissant les yeux sur le corps sans vie de son vieil ami, Erik fut envahi par un grand nombre d'images : des fous rires communs à propos d'une plaisanterie, des pertes endurées ensemble, et surtout l'approbation d'un vieux professeur qui s'était toujours montré prodigue de ses louanges et parcimonieux de ses critiques.

Erik se retourna et chercha des yeux l'homme qui avait abattu Owen. Non loin de là, il repéra deux soldats du royaume qui se disputaient. L'un tenait une arbalète et l'autre pointait l'index dans la direction d'Erik. Ce dernier bondit sur ses pieds et courut les trouver.

— Que s'est-il passé ?

On aurait dit que le dieu assassin Guis-wan venait d'apparaître devant eux. Le premier semblait sur le point de vomir. La sueur se mit à dégouliner sur son front tandis qu'il balbutiait :

— Capitaine… je…

— Qu'avez-vous fait ?

— J'étais sur le point de tirer quand l'ordre de cesser le combat a été donné, expliqua le soldat, visiblement au bord des larmes. Alors j'ai mis l'arbalète sur mon épaule et le coup est parti tout seul.

— C'est vrai ! renchérit son compagnon. Le coup est parti derrière lui. C'était un accident.

Erik ferma les yeux et sentit un frisson lui parcourir le corps en remontant depuis la plante des pieds, le long de ses jambes et en passant par le bas-ventre avant de terminer sa course dans sa poitrine. De tous les tours qu'on lui avait joués durant sa courte vie, celui-ci était le plus cruel. Owen était mort par la faute de l'un de ses propres soldats, par accident, parce que cet homme s'était montré fainéant et négligent.

Erik se força à déglutir et à ravaler sa rage et sa frustration. Il savait que d'autres officiers auraient pendu cet homme pour ne pas avoir ôté le carreau de son arbalète, coûtant ainsi la vie au commandant des armées de l'Ouest. Mais il regarda les deux soldats impliqués dans l'incident et leur dit :

— Allez-vous-en.

Sans hésiter, ils se mirent à courir, comme s'ils souhaitaient mettre le plus de distance possible entre eux et le jeune capitaine aux allures de géant. Mieux valait s'éloigner avant qu'il laisse enfin libre cours à sa colère. Erik resta immobile un moment puis se retourna et vit que des soldats s'étaient rassemblés autour du corps d'Owen Greylock, maréchal de Krondor.

Calmement, Erik passa entre ces hommes, les repoussant gentiment mais fermement jusqu'à pouvoir s'agenouiller à nouveau auprès de son vieil ami.

Il le prit dans ses bras comme il l'aurait fait avec un enfant et se tourna en direction de la porte. La bataille n'était pas encore tout à fait terminée, mais les forces du royaume avaient la situation en main. Erik éprouvait le besoin et se faisait un devoir de ramener son ami sous sa tente de commandement. Il lui était inconcevable de confier cette tâche à quelqu'un d'autre. Lentement, il redescendit vers le camp, le corps de son ami dans les bras.

Les officiers s'étaient rassemblés dans un silence embarrassé. Erik se tenait à côté de la chaise vide ayant appartenu à Owen. Il balaya la tente du regard et compta au moins une douzaine d'officiers détenant un grade supérieur au sien. Cependant, Erik avait l'avantage d'occuper une position unique, celle de capitaine des Aigles cramoisis. La noblesse le surpassait également au niveau du rang, mais aucun de ses représentants ne faisait partie de la chaîne de commandement établie par Patrick.

Erik s'éclaircit la gorge, timidement, avant de prendre la parole :

— Mes seigneurs, nous voici face à un dilemme. Le maréchal n'est plus et nous avons besoin d'un commandant. Jusqu'à ce que le prince en désigne un nouveau, nous devons tous rester unis pour faire notre devoir. (Il balaya du regard les visages qui l'entouraient et sentit le poids de nombreux regards méfiants.) Si le capitaine Subai était présent parmi nous, je m'en serais volontiers remis à lui en tant que commandant, compte tenu des années qu'il a passées au service de la principauté. De même, si mon prédécesseur, le capitaine Calis, était là, il aurait facilement pu accéder au poste de commandant. Mais nous sommes face à une situation à la fois dangereuse et embarrassante.

Erik regarda un vieux soldat qui portait le titre de comte de Makurlic.

— Messire Richard.

— Capitaine ?

— De tous les officiers ici présents, c'est vous qui avez servi le plus longtemps et qui êtes notre aîné à tous. Je serais honoré d'obéir à vos ordres.

Le comte, d'importance mineure, originaire d'une toute petite région du royaume située non loin de Taunton, parut à la fois surpris et ravi. Il regarda autour de lui et déclara, voyant que personne ne soulevait d'objections :

— Je servirai de commandant par intérim jusqu'à ce que le prince fasse son choix, capitaine.

Les officiers présents sous la tente comprirent que le conflit entre le capitaine nommé par le prince et les nobles accrochés à leurs traditions avait été évité. Le soulagement qui les envahit fut presque palpable.

— Préparons le voyage de retour du maréchal à Krondor, décréta le comte de Makurlic. L'état-major devra se réunir juste après.

Erik de la Lande Noire salua son nouveau supérieur.

— À vos ordres, commandant.

Il sortit de la tente avant que quiconque ait pu dire un mot et partit à la recherche de Jadow Shati. Il devait s'assurer que ses propres hommes savaient ce qu'ils avaient à faire avant qu'un autre officier les envoie sur une autre mission. En public, il voulait bien s'en remettre au nouveau commandant, mais il n'avait pas l'intention de soumettre les membres de sa compagnie à la volonté d'un homme qui, l'année précédente, donnait encore des fêtes dans sa paisible demeure de bord de mer, à un demi-continent de là.

À l'exception des soldats qui gardaient les prisonniers, toute l'armée du royaume de l'Ouest se mit au garde-à-vous au passage du chariot qui devait ramener le corps de Greylock à Krondor. Des hommes qui avaient à peine connu le maréchal se tenaient côte à côte avec les soldats qui avaient combattu sous ses ordres depuis le début.

En dépit de la victoire de la veille, une sombre atmosphère régnait dans le camp, comme si chacun sentait qu'ils en avaient fini avec les combats faciles et que l'avenir ne leur réservait que davantage de deuils et de souffrances.

Les tambours battaient à un rythme lent tandis qu'un unique cor sonnait un chant d'adieu. Sur le passage du chariot, chaque compagnie mettait sa bannière en berne et les soldats saluaient leur officier, le point sur le cœur et la tête baissée.

Lorsque le chariot fut passé devant chaque régiment, une compagnie de lanciers krondoriens composée de vingt soldats triés sur le volet encadra le véhicule pour escorter le chef de l'armée jusqu'à la capitale.

Chaque officier congédia sa compagnie et Richard, comte de Makurlic, fit sonner le cor pour appeler l'état-major à se réunir. Erik se hâta de gagner la tente de commandement en mettant de côté le malaise qu'il éprouvait à voir quelqu'un d'autre assis sur la vieille chaise d'Owen.

Le comte Richard était un homme âgé. Il possédait des cheveux gris et des yeux bleus pour principales caractéristiques. Son visage tout en longueur semblait usé par les années passées à servir sa nation. Mais lorsqu'il prit la parole, ce fut d'une voix ferme et sans hésitation :

— Messieurs, mon premier acte sera de nommer le capitaine de la Lande Noire au poste de commandant en second, afin que la transition se fasse, autant que faire se peut, dans la continuité. Pour cette raison, je demande à chacun de vous de conserver le poste qui lui a été assigné précédemment et de me faire parvenir toutes vos communications par l'intermédiaire du capitaine de la Lande Noire. Je vais ordonner à mon fils, Leland, d'assumer le commandement des escadrons de cavalerie de Makurlic. Ce sera tout.

Les nobles et les officiers s'en allèrent mais Richard retint son nouveau commandant en second.

— Erik, restez un moment, je vous prie.

— Oui, commandant ? s'enquit le capitaine lorsqu'ils furent seuls.

— Je sais pourquoi vous m'avez choisi, fiston, affirma le vieil homme. Vous vous y entendez en politique. J'apprécie ce fait. Ce que j'apprécierais moins, en revanche, serait que vous m'utilisiez pour servir vos propres desseins.

Erik se raidit.

— Commandant, je suivrai vos ordres et vous ferai profiter des meilleurs conseils que je suis capable d'offrir. Si vous trouvez que mes services laissent à désirer, vous pourrez me renvoyer à votre guise et je ne m'en plaindrai pas, pas même au prince.

— Bien dit, approuva le comte. À présent, j'ai besoin de connaître ce qu'il y a dans votre cœur. Je vous ai vu mener les hommes au combat, la Lande Noire, et le récit de vos actions l'année dernière sur les crêtes du Cauchemar est tout à votre honneur, mais j'ai besoin de savoir si je peux compter sur vous.

— Messire, ne voyez dans votre nomination aucune ambition de ma part. J'ai été nommé capitaine à mon corps défendant, mais je sers mon royaume du mieux que je peux. Si vous souhaitez me remplacer et m'envoyer servir à l'arrière, derrière mes propres hommes, j'accepterai vos ordres et m'en irai remplir toute mission que vous me donnerez.

Le vieil homme le dévisagea pendant encore un petit moment avant de conclure :

— Ce ne sera pas nécessaire, Erik. Par contre, je veux bien que vous m'expliquiez la situation.

Le jeune homme acquiesça et révéla qu'avec Greylock, ils redoutaient que Fadawah tente d'endormir leur vigilance en leur cédant une série de modestes défenses pour les pousser à charger aveuglément sa véritable position. Erik désigna une pile de parchemins.

— Voici tous les messages de Subai, commandant, et je vous suggère de les lire. (Il désigna ensuite la carte étalée sur la table devant le comte Richard.) Nous sommes ici et devrions tomber sur la première véritable position défensive dans ces environs-là, ajouta-t-il tandis que son doigt faisait un bond de quatre-vingt-quinze kilomètres sur la carte. Si les dires de Subai sont véridiques, ça va être l'enfer pour arriver à Ylith.

— J'imagine que vous avez étudié toutes les alternatives, comme débarquer les hommes sur le territoire des Cités libres et attaquer par l'ouest, ou débarquer à l'extérieur du port ?

Erik acquiesça. Richard reprit :

— Plus tard, il faudra me parler plus en détail des possibilités que vous avez écartées, juste au cas où je trouverais une solution que vous et Owen n'auriez pas vue. Mais je suis certain que vous avez pensé à tout. En partant du principe que j'ai raison, qu'allons-nous donc faire ?

— Je veux emmener une patrouille au nord et voir jusqu'où on peut aller avant que les choses tournent mal. Je veux voir de mes yeux ce que nous a décrit Subai, messire.

Richard, comte de Makurlic, resta silencieux un long moment, évaluant les choix qui s'offraient à lui.

— J'ai écrit une lettre au prince Patrick pour lui demander de me relever de mes fonctions. Mais j'imagine que je vais devoir agir tel un commandant jusqu'à ce qu'il me trouve un remplaçant.

» Voici donc ce que vous allez faire. Envoyez les Hadatis en éclaireurs sur notre flanc droit. Ils savent traverser les collines mieux que quiconque. Dites-leur de partir immédiatement. Envoyez ensuite un détachement, choisi parmi vos Aigles cramoisis, sur le flanc gauche, le long de la côte, en lui recommandant bien de rester invisible.

» Puis, dès l'aube demain matin, je veux que mon fils et vous emmeniez une patrouille de cavaliers sur la grand-route. Faites autant de bruit que possible.

Erik approuva d'un hochement de tête.

— Voilà qui devrait nous débarrasser de quiconque chercherait à monter une embuscade.

— Si les dieux étaient plus cléments, vous entreriez tous en même temps dans Ylith et porteriez un toast avec des chopes de bière. Cependant, les dieux semblent plutôt à court de clémence envers le royaume, ces derniers temps. (Richard leva les yeux et vit qu'Erik était encore là.) Eh bien, allez-y, ou vous pouvez disposer, je ne sais pas ce que je suis censé dire.

Erik sourit au vieil homme.

— À vos ordres, commandant.

Il le salua puis s'en alla.

Talwin, posté à l'extérieur du bâtiment, fit un geste à l'intention de Dash qui lui fit signe à son tour, par la porte ouverte. Il désigna Talwin et les hommes qui l'accompagnaient et leur fit comprendre qu'ils devaient faire le tour du pâté de maisons voisin pour prendre à revers les individus qu'ils épiaient. Ceux-ci, réunis dans une cour derrière un magasin à l'abandon du quartier pauvre, étaient au nombre de quatre et attendaient depuis une demi-heure l'arrivée d'un cinquième compère. Talwin disparut dans la nuit avec ses hommes.

Dash avait mis une semaine pour découvrir, avec l'aide des Moqueurs, l'heure et le lieu de ce rendez-vous. Talwin avait identifié trois de leurs proies comme de probables agents keshians, le quatrième étant soit un autre agent, soit leur employé. Dash avait surpris des bribes de leur conversation et savait qu'ils commençaient à se lasser d'attendre. Ils n'allaient pas tarder à s'en aller si cette personne ne se montrait pas.

Dash voulait que Talwin et les deux policiers qui l'accompagnaient se postent de l'autre côté de la cour dans laquelle ils pourraient s'engouffrer par une clôture en ruine, juste à côté d'une ruelle. Dash et ses hommes, quant à eux, se trouvaient à l'intérieur d'un vieux magasin. Levant les yeux vers le plafond plongé dans la pénombre, Dash aperçut ses trois agents accroupis de manière peu confortable sur les poutres qui soutenaient le toit. *Je ferais mieux de les faire descendre*, songea-t-il, *sinon ils seront bientôt trop engourdis pour bouger.*

Dash leur fit signe de descendre. Les trois policiers se suspendirent aux poutres puis se laissèrent tomber en silence sur le sol. Dash se tenait tout près de la porte ouverte et se tapit dans l'obscurité pour ne pas éveiller la vigilance des espions dans la cour.

— Il ne viendra pas, déclara l'un des quatre hommes, un individu musclé vêtu tel un ouvrier. Nous devrions nous séparer et nous retrouver demain dans un autre endroit.

— Ils l'ont peut-être arrêté, suggéra un autre, qui possédait un physique longiligne et menaçant et portait une épée ainsi qu'une dague à la ceinture.

— Qui ça, « ils » ? demanda le premier.

— De qui crois-tu qu'il s'agisse ? Les agents du prince, bien sûr !

— Pour ça, il faudrait qu'ils se montrent plus rapides qu'ils ne l'ont été jusqu'ici, répliqua une nouvelle voix au moment où un homme surgissait d'un bâtiment voisin. Vous avez bien failli vous faire choper.

— Comment ça ?

— J'ai vu des policiers passer en courant devant ce bâtiment. On aurait dit qu'ils venaient de jeter un coup d'œil par la porte. Mais ils n'ont pas dû vous voir.

Dash décida qu'il était temps. Dégainant son épée, il surgit hors de sa cachette, ses trois agents derrière lui. Le premier espion tourna les talons pour s'enfuir et se jeta tout droit dans les bras de Talwin au moment où celui-ci surgissait par un gros trou dans la clôture.

— Jetez vos armes ! ordonna Dash.

Quatre des suspects obéirent, mais le cinquième, le grand maigre que Dash estimait dangereux, sortit les siennes.

— Fuyez ! ordonna-t-il à ses compagnons.

Puis, comme pour leur donner du temps, il se jeta sur Dash, armé de son épée dans une main et de sa dague dans l'autre.

Dash s'était entraîné à ce genre de duel mais l'espion pratiquait cet art avec excellence. L'un des policiers tenta de porter secours à son shérif mais faillit pratiquement le faire tuer.

— Reculez ! ordonna Dash après avoir esquivé de justesse une botte portée avec adresse.

Le policier recula. Talwin surgit derrière le grand maigre et l'assomma en lui assénant un coup à la base du crâne avec la poignée de son épée. Dash, énervé par cette longue nuit d'attente, se tourna vers son agent en criant :

— Voilà comment il faut faire ! Il faut les assommer par-derrière ! On ne se jette pas au beau milieu d'un combat au risque de provoquer la mort de quelqu'un ! Pigé ?

Le policier acquiesça d'un air embarrassé. Dash se retourna alors pour examiner les autres prisonniers. Le cinquième, celui qui était arrivé le dernier, lui paraissait familier. Dash le dévisagea pendant quelques instants avant d'écarquiller les yeux.

— Je vous connais ! Vous êtes l'un des secrétaires du palais !

Visiblement terrifié, l'intéressé ne répondit pas.

— Ramenons-les au palais pour les interroger, suggéra Talwin. Enfin, si vous êtes d'accord, shérif.

— C'est une bonne idée, shérif adjoint, répondit Dash.

Les autres policiers savaient qu'il se passait quelque chose d'étrange concernant Talwin, mais personne n'avait encore fait de commentaires, du moins pas en présence de Dash. Ce dernier ordonna à deux des prisonniers de ramasser leur complice évanoui et leur fit prendre la direction du palais, encadrés par Talwin et les cinq agents de police.

— Ce ne sont pas des Keshians, annonça Talwin en refermant la porte.

— Mais alors, pour qui travaillent-ils ? demanda Dash.

Tous deux se trouvaient dans la chambre du jeune homme, qu'il n'utilisait presque plus depuis qu'il avait accepté le poste de shérif.

— Je pense qu'ils travaillent pour les Keshians, mais peut-être sans le savoir.

Dash avait réquisitionné cinq pièces dans le palais pour isoler chaque prisonnier. Il ne voulait pas qu'ils puissent se parler avant que chacun ait été interrogé individuellement. Talwin venait de leur parler brièvement avant d'entreprendre un interrogatoire plus musclé.

— On a un cas intéressant, celui de Pickney, qui fait partie des secrétaires du palais. Les autres sont… étranges. On a un spadassin errant, un boulanger, un palefrenier et un compagnon maçon.

— Pas du tout le genre de types que j'impliquerais dans un complot, reconnut Dash.

— Je pense que ce sont des dupes, répliqua Talwin. Aucun d'eux n'a l'intelligence d'un insecte. Pickney m'inquiète, par contre.

— Celui qui m'inquiète un peu également, c'est ce spadassin…

— Desgarden. Oui, c'est la fine lame qui a tenté de vous tuer.

— Desgarden, répéta Dash. Il a risqué sa vie plutôt que de se laisser capturer.

— Soit il se fait une très haute opinion de ses talents de bretteur, soit il est aussi stupide que je le pense, répondit Talwin.

— Il est peut-être stupide, admit Dash, mais contrairement aux trois autres, il n'est pas ce que j'appellerais un citoyen ordinaire. Il a l'air d'un type habitué aux venelles et aux égouts. Il fait peut-être partie de la bande qui provoque des troubles dans le quartier pauvre.

Talwin acquiesça.

— Laissez-moi leur arracher quelques réponses et voir ce qu'on peut en tirer.

— D'accord, répondit Dash. Pour ma part, je crois que je vais dormir dans mon propre lit cette nuit. Ça va faire un mois que ça ne m'était pas arrivé.

— Au fait, je dois vous annoncer que je quitte votre service à la fin de la semaine.

— Oh, vraiment ? fit Dash avec un léger sourire. Je suis donc si difficile, comme employeur ?

— Le duc Rufio va arriver.

— C'est donc confirmé, il va être nommé duc de Krondor ?

— Ce n'est pas encore officiel, expliqua Talwin. Alors je ne vous ai rien dit.

D'un geste, Dash congédia son prétendu adjoint qui sortit et referma la porte derrière lui. Le jeune homme ôta ses bottes, puis s'allongea sur son lit. Il s'émerveilla de la douceur de son épais matelas en duvet d'oie comparé à la paillasse qu'il utilisait à la prison.

Il s'endormit en se demandant s'il ne ferait pas mieux d'emporter son matelas avec lui quand il retournerait travailler.

Puis il se réveilla en sursaut. Quelqu'un tambourinait à sa porte.

— Que se passe-t-il ? demanda-t-il d'une voix ensommeillée en allant ouvrir.

— Il faut qu'on parle, lui dit Talwin.

Dash lui fit signe d'entrer.

— J'ai dormi combien de temps ?

— Quelques heures.

— Ce n'était pas suffisant.

— On a un grave problème, annonça son adjoint.

— Que se passe-t-il ? s'inquiéta Dash, parfaitement réveillé à présent.

— Les cinq types que nous venons d'arrêter sont bien des dupes, comme je le pensais. Mais ils travaillent pour quelqu'un à l'intérieur du palais et, d'après ce que je peux en dire, c'est un agent de Kesh.

— Ici, au palais ?

Talwin acquiesça.

— Le secrétaire pense à quelqu'un lié au monde des affaires – il croit qu'il pourrait s'agir de votre ancien employeur, Rupert Avery.

— C'est peu probable, rétorqua Dash. Lorsque Roo veut savoir quelque chose, il lui suffit de demander. La couronne lui doit une telle quantité d'or qu'en général, on lui dit tout.

— Je sais. Il a des relations, comme vous, la Lande Noire ou d'autres encore. Mais c'est ce que croit Pickney. Desgarden, pour sa part, pense qu'il travaille pour une bande de contrebandiers originaires de Durbin.

— Pour faire court, dis-moi ce qu'il se passe.

— Ces cinq types, et d'autres avec eux, j'en mettrais ma main au feu, s'occupent de rassembler des informations sur le déploiement de nos ressources, sur nos soldats et l'état de nos défenses, bref, tous les petits détails qui pourraient intéresser nos ennemis. Ils les transmettaient à une personne qui se trouve ici même, au palais.

— Voilà qui me paraît bizarre, s'étonna Dash. Que quelqu'un du palais transmette des informations à quelqu'un de l'extérieur, je peux comprendre, mais l'inverse ?

— Moi aussi, cela m'a intrigué, jusqu'à ce que j'apprenne que la personne à qui ils faisaient leur rapport ne faisait pas partie des serviteurs de Patrick.

— Qui était-ce ?

— Un homme qui travaillait déjà ici quand le prince est arrivé, mais qui a choisi de rester après le départ de Duko, répondit Talwin. C'est un individu qui semblait surgir chaque fois que quelqu'un avait besoin d'aide avec un document ou un message. Nos prisonniers m'ont dit qu'il s'appelle Malar Enares.

— Par tous les dieux ! s'exclama Dash. C'est le type qu'on a rencontré dans les bois l'hiver dernier. Il prétendait être originaire du val des Rêves.

Talwin secoua la tête.

— Si nous avions accès aux documents de votre grand-père, je parie que nous trouverions son nom sur une liste d'espions de Kesh la Grande.

Brusquement, Dash s'inquiéta au sujet de son frère.

— Il faut que je sache si on a reçu un message de Duko en provenance de Port-Vykor ces derniers jours.

— Enares a quitté Krondor en compagnie de votre frère, pas vrai ?

— En effet. Si c'est bien un agent keshian, soit il est reparti pour son pays afin de leur faire savoir comme les choses vont mal dans cette ville, soit il est allé jusqu'à Port-Vykor pour faire encore plus de dégâts.

— Envoyez un message à Duko, suggéra Talwin, et faites-moi savoir si votre frère est arrivé là-bas sain et sauf.

— Tu quittes la police aujourd'hui même ? demanda Dash en enfilant ses bottes et en se dirigeant vers la porte.

— Je pense que oui. Dès que le nouveau duc prendra son poste, il faudra que je répare les dégâts provoqués par la guerre. Certains de mes agents ne savent pas que je suis toujours en vie. Il y en a d'autres dont je ne connais pas le sort. Votre grand-père, avec son esprit merveilleusement retors, avait réussi à créer un réseau d'espionnage et d'information de toute beauté. J'y passerai le reste de ma vie s'il le faut, mais je veux réussir à remettre ce réseau en état.

— Eh bien, tant que je serai shérif de Krondor, si je peux t'aider, n'hésite pas à demander.

— Je le ferai, promit Talwin en suivant Dash hors de la pièce.

Puis, sans rien ajouter, il partit en direction des pièces où étaient détenus les prisonniers. Dash, de son côté, s'en alla vers le bureau du maréchal où l'on triait tous les messages militaires avant de les remettre au prince ou de les envoyer à messire Greylock. Si Jimmy avait écrit une lettre, c'est là que Dash l'y trouverait. Inquiet, il pressa le pas ; il courait presque lorsqu'il arriva devant la porte.

Le secrétaire leva les yeux vers lui d'un air endormi :

— Oui, shérif, que puis-je pour vous ?

— Avons-nous reçu un message de Port-Vykor ces derniers jours ?

Le secrétaire consulta une longue liste sur laquelle était consignée l'arrivée des derniers messages.

— Non, monsieur, nous n'avons rien reçu au cours des cinq derniers jours.

— Si jamais il en arrive un, veuillez m'en informer immédiatement. Merci.

Dash tourna les talons et repartit vers sa chambre. Puis il jeta un coup d'œil par une fenêtre et vit que le soleil se levait. Mettant sa fatigue de côté, il fit à nouveau demi-tour puis se dirigea vers la porte qui donnait sur la cour, afin de regagner la nouvelle prison. Il avait beaucoup à faire et ne pouvait se permettre d'attendre au palais en s'inquiétant pour son frère.

— Shérif le Chiot ! appela une voix à la fenêtre.

Dash se réveilla. À l'issue d'une longue journée de travail, il venait de se retirer dans la petite pièce qui lui servait de chambre à coucher, au fond de la vieille auberge.

— Trina ? s'étonna-t-il en se levant pour regarder à travers les volets.

En les ouvrant, il aperçut le visage de la jeune femme illuminé par le clair de lune. Il sourit, car il était seulement vêtu de son caleçon. Sa chemise, son pantalon et ses bottes gisaient en tas à côté de sa paillasse.

— J'aimerais croire que tu n'arrives pas à te passer de moi, mais bizarrement j'en doute.

Trina lui rendit son sourire et prit un moment pour le dévisager de la tête aux pieds.

— Tu es plutôt joli garçon, shérif le Chiot, mais j'aime les hommes qui possèdent un peu plus d'expérience.

Dash commença à s'habiller.

— J'ai pourtant l'impression d'avoir plus d'expérience qu'un homme qui aurait trois fois mon âge, répliqua-t-il. Bon, ce n'est pas que je n'aime pas plaisanter avec toi, mais pourquoi m'as-tu réveillé ?

— On a un problème.

Dash attrapa son épée, la tendit à Trina puis, d'un bond, attrapa le rebord et sortit par la fenêtre.

— Qu'entends-tu par « on » ? lui demanda-t-il. Tu veux parler de toi et moi, ou des Moqueurs ?

— Je veux parler de la cité de Krondor tout entière. (Brusquement, et de façon apparemment impulsive, elle se pencha et l'embrassa sur la joue.) Je ne plaisantais pas en disant que tu es joli garçon.

Dash tendit la main, prit la jeune femme par la nuque et l'attira vers lui. Puis il lui donna un long baiser passionné.

— J'ai connu beaucoup de femmes, en dépit de mon jeune âge, avoua-t-il en la relâchant. Mais toi, tu es unique. (Il la regarda au fond des yeux pendant un moment avant d'ajouter :) Préviens-moi quand j'aurai assez d'expérience.

— Moi, une voleuse, et toi, le shérif de Krondor, dit-elle doucement. Tu parles d'un couple !

Dash sourit.

— Je ne t'ai jamais parlé de mon grand-père ?

Trina secoua la tête avec irritation.

— Nous n'avons pas de temps à perdre avec ces bêtises.

— Quel est le problème ?

— Nous avons retrouvé la bande qui se sert des égouts et qui a sûrement tué tes agents.

— Où ça ?

— Près de l'endroit où on a retrouvé Kirby, pas loin de Cinq Points. Il s'agit d'une grande tannerie qui a entièrement brûlé pendant la bataille de Krondor. Son second sous-sol possède une évacuation d'eau vers la baie ainsi que l'habituel accès aux égouts.

— Il faut que je voie ça.

— Oui, je m'en doutais.

Dash fit mine de vouloir partir mais Trina ajouta :

— Dash ?

Il s'immobilisa et se tourna vers elle :

— Oui ?

— Le vieil homme…

— Comment va-t-il ?

Trina secoua doucement la tête.

— Il n'en a plus pour longtemps.

— Merde, marmonna Dash, surpris de constater à quel point la disparition prochaine du frère de son grand-père l'attristait. Où est-il ?

— En lieu sûr. Il ne veut pas te revoir.

— Pourquoi ?

— Il ne veut plus voir personne à part moi et un ou deux autres Moqueurs.

Dash hésita avant de demander :

— Qui va lui succéder ?

La jeune femme sourit d'un air malicieux.

— Crois-tu que je le dirais au shérif de cette ville ?

— Oui, tu finirais bien par le lui avouer si tu avais de gros ennuis, répondit Dash d'un ton très sérieux.

— J'y réfléchirais, convint Trina.

Ils s'enfoncèrent dans la nuit. Lorsqu'ils arrivèrent dans le quartier nord à l'abandon, voisin des anciens abattoirs et tanneries de la ville, Trina guida Dash à travers une série de ruelles et de bâtiments désertés. Dash mémorisa le chemin qu'on lui faisait prendre et comprit que celui-ci avait déjà été nettoyé de ses débris par les Moqueurs qui disposaient là d'un moyen d'évasion facile.

Ils atteignirent une série de cabanes incendiées dont il ne restait plus que quelques pans de mur noircis et des parties de toit. Ces ruines longeaient un gros cours d'eau bordé de pierres qui devait inonder le quartier durant la saison des pluies. Grâce aux écluses, il pouvait être alimenté par le fleuve qui bordait la cité au nord-est. Mais on était en été et les écluses avaient été détruites, si bien que seul un petit filet d'eau coulait au centre de ce canal fait de main d'homme. Trina sauta par-dessus le muret en pierre. Dash la suivit, s'émerveillant de son agilité. Elle portait, comme toujours, une chemise d'homme, un gilet en cuir noir, un caleçon moulant et de hautes bottes, une tenue qui permit au jeune homme de constater qu'elle était à la fois souple et musclée.

Elle se dirigea tout droit vers une grosse plaque d'égout à ciel ouvert sur la rive opposée. Elle donnait sur un vieux conduit en argile cuite au feu entouré d'un gros anneau en fer. Des morceaux d'argile s'étaient effondrés au fil des ans à l'endroit où le conduit s'enfonçait dans le sol et l'on apercevait un barreau en métal de moins de un mètre de long sur le dessus de l'ouverture. D'un bond prodigieux, Trina s'élança pour agripper le barreau puis se laissa tomber dans le conduit, disparaissant hors de la vue de Dash.

Ce dernier lui laissa le temps de s'éloigner, puis effectua le même saut qu'elle. Il comprit son utilité en passant par-dessus des débris de verre, de vaisselle et des bouts de métal déchiqueté.

— Ce n'est pas le genre de déchets auxquels on pourrait s'attendre, fit remarquer le jeune homme en atterrissant à côté de Trina.

— C'est pour décourager les curieux.

La jeune femme s'éloigna sans rien ajouter et Dash la suivit.

Ils s'enfoncèrent dans le labyrinthe des égouts, Trina ouvrant la voie avec assurance bien qu'il n'y eût pratiquement pas de lumière filtrant des bâtiments incendiés au-dessus de leurs têtes. Au premier croisement, elle s'arrêta, se tourna vers la droite et sortit à tâtons une lampe de sa cachette. Dash sourit mais ne fit pas de commentaires. Visiblement, le système n'avait pas changé.

La jeune femme alluma la lampe et couvrit son éclat. Le peu de lumière qui s'échappait encore était suffisant pour éclairer leur chemin. Si une personne se tenait à plus de un mètre d'eux, il faudrait qu'elle regarde directement la source lumineuse pour la remarquer.

Trina guida le jeune shérif plus loin encore dans les égouts jusqu'à atteindre un croisement où deux gros tunnels débouchaient sur un troisième tandis que deux conduits plus petits – mais suffisamment larges pour permettre à une personne de s'y déplacer à croupetons – se déversaient dans la grosse caverne de forme circulaire. C'était cet endroit que l'on appelait Cinq Points. Trina désigna le coin supérieur gauche de l'un des deux petits conduits. Comme Dash s'apprêtait à sauter en hauteur pour y entrer, elle chuchota :

— Attention, il y a une alarme.

Dash se hissa alors dans le conduit et se déplaça lentement et en silence dans la pénombre, tâtonnant autour de lui au cas où il y aurait d'autres alarmes. Trina l'aurait averti si elle en connaissait une autre, mais le duc James n'avait cessé de répéter à son petit-fils que les gens qui s'engageaient aveuglément dans ce genre de situation finissaient souvent à l'état de cadavres.

Tout en progressant à petits pas, Dash se surprit à penser à Trina. Depuis l'âge de quinze ans, il avait connu un certain nombre de femmes, car il était beau, d'origine noble et avait pour grand-père l'homme le plus puissant de la nation après le roi. À deux reprises, il s'était entiché d'une femme au point de s'en croire amoureux, mais chaque fois, cette impression avait rapidement disparu. Cependant, il y avait quelque chose chez Trina, avec ses vêtements masculins, sa tignasse mal peignée et son regard perçant, qui retenait l'attention de Dash. C'était sans doute dû au fait qu'il n'avait pas été avec une femme depuis un bon moment, mais il n'y avait pas que ça. Le jeune homme se demanda si les circonstances leur permettraient un jour de dépasser le stade du simple flirt.

Dash s'immobilisa brusquement. Seul dans le noir, peut-être environné de pièges, il trouvait encore le moyen de rêvasser en pensant à une jeune femme. Il se morigéna et entendit la voix de son grand-père dans sa tête. Le vieil homme aurait trouvé à redire sur ce genre d'inattention.

Dash prit une profonde inspiration et se remit en route. Quelques minutes plus tard, il entendit un bruit devant lui. Il ne s'agissait guère plus que d'un murmure, mais le jeune homme attendit. Le bruit revint et Dash put, non sans effort, identifier qu'il s'agissait d'une conversation à voix basse.

Il s'avança de nouveau et s'arrêta. Devant lui, il sentait quelque chose. Il tendit la main et sentit un fil sous sa paume. Il s'immobilisa à son contact et attendit qu'une alarme se déclenche, qu'un bruit ou une voix lui dise qu'il avait attiré l'attention de la personne qui avait placé ce fil en travers de la canalisation. Constatant, au bout d'un long moment, que le silence n'avait pas été brisé, Dash retira sa main et attendit encore.

Puis il toucha de nouveau le fil, aussi doucement que possible, et fit courir son doigt vers la droite. Il rencontra alors un œilleton en métal, enfoncé dans la paroi du conduit, auquel une des extrémités du fil était attachée. À gauche en revanche, le fil passait dans l'œilleton et longeait la paroi dans la direction que suivait Dash.

Celui-ci passa la main au-dessus et en dessous du fil pour s'assurer qu'il n'y en avait pas un deuxième. Puis, lorsqu'il fut certain que ce n'était pas le cas, il recula. En se tortillant, il réussit à se mettre sur le dos et à passer sous le fil. Quand ce fut fait, il se remit à genoux et continua sa progression avec prudence.

Bientôt il aperçut une faible lumière et avança péniblement dans cette direction. De nouveau, il entendit des voix mais, une fois encore, elles étaient trop basses pour qu'il puisse espionner la conversation. Lentement, il continua à progresser.

Il atteignit un gros puisard, surmonté d'une épaisse grille, et entendit au-dessus de sa tête le bruit des bottes sur la pierre. De toute évidence, à en juger par la puanteur qui régnait là, ces hommes utilisaient l'endroit pour se soulager et n'avaient pas assez d'eau pour rincer le conduit.

— C'est quoi ça ? fit une voix au-dessus du jeune homme qui se figea.

— C'est un friand à la viande. Il y a des épices et des oignons à l'intérieur, sous la croûte de pain. Je l'ai acheté au marché.

— C'est quoi, comme viande ?

Dash se rapprocha un peu plus.

— Du bœuf, tiens, qu'est-ce que tu crois ?

— Moi, je trouve qu'on dirait du cheval.

— Comment peux-tu dire ça rien qu'en le regardant ?

— Tu ferais bien de me laisser goûter. Après, je pourrai te dire ce qu'il en est.

Dash avança encore et se tordit le cou pour regarder. Tout ce qu'il vit, c'était du mouvement et une paire de bottes. Une chaise sur laquelle était assis un homme lui bloquait en grande partie la vue.

— Bœuf ou cheval, quelle importance ?

— Tu dis ça juste pour pouvoir goûter, parce que t'as rien apporté à manger.

— Je ne savais pas qu'il faudrait qu'on passe notre vie à attendre ici.

— Les autres ont peut-être eu un problème.

— Peut-être, mais les ordres sont clairs. On doit attendre ici.

— J'espère au moins que t'as apporté un jeu de cartes ?

Dash s'installa aussi confortablement que possible.

Peu avant l'aube, Dash sortit du gros égout au carrefour de Cinq Points. Il fut déçu de voir que Trina ne l'avait pas attendu. Il savait qu'elle était sûrement partie peu de temps après qu'il était entré dans la canalisation, mais il ne pouvait s'empêcher de regretter qu'elle ne se soit pas attardée. Ce sentiment lui parut quelque peu irrationnel comparé à la gravité de ce qu'il venait d'apprendre.

Ne souhaitant pas rester là trop longtemps, il sortit des égouts et se hâta de retourner à la nouvelle prison. Dès son arrivée, il lui faudrait changer de tenue avant de courir au palais. Désormais, ce problème ne concernait plus le shérif et ses policiers, mais Brian de Silden et l'armée.

Dash s'efforçait de garder son calme mais, s'il devait se fier aux paroles qu'il avait entendues, une invasion se préparait. À l'intérieur même de Krondor, des gens étaient en train d'aménager une cache pour des soldats qui, Dash en était certain, n'allaient pas tarder à arriver.

Chapitre 21

La porte s'ouvrit.

Nakor entra en secouant la tête :

— Non, non, et non. Ça ne va pas du tout.

Rupert Avery leva les yeux des plans qu'il tenait à bout de bras. Il se tenait au rez-de-chaussée du *Café de Barret*, qui venait d'être entièrement rénové, et surveillait les artisans qui réparaient les murs et le toit au-dessus de sa tête.

— Qu'est-ce qui ne va pas, Nakor ? demanda-t-il.

L'intéressé redressa la tête, visiblement surpris qu'on lui adresse la parole.

— Comment ? Qu'est-ce qui ne va pas ?

Roo éclata de rire.

— C'est toi qui étais en train de marmonner à l'instant que quelque chose n'allait pas !

— Vraiment ? fit Nakor d'un air ébahi. Comme c'est étrange.

Roo secoua la tête. Visiblement, la situation l'amusait beaucoup.

— Toi, étrange ? Oh non, loin de moi cette idée !

— Peu importe, rétorqua Nakor. J'ai besoin d'aide.

— De quoi s'agit-il ?

— Il faut que je fasse parvenir un message à quelqu'un.

— Qui ?

— Pug.

Roo fit signe à Nakor de l'accompagner à l'écart des artisans.

— Et si tu me racontais tout depuis le début ?

— J'ai fait un rêve, la nuit dernière. Je n'en fais pas beaucoup, alors quand ça arrive, j'essaye de m'en souvenir.

— D'accord, fit Roo, jusque-là, je te suis.

Nakor sourit.

— Je ne crois pas. Mais ça ne fait rien. Je sens qu'il se passe quelque chose. On a affaire à trois éléments, distincts en apparence, mais identiques en réalité. Le problème, c'est qu'ils prétendent tendre vers un même sujet, alors qu'en fait, ils en désignent un autre. À cause d'un événement étrange qui vient d'avoir lieu, il faut que je parle à Pug.

— Là, je ne te suis plus, avoua Roo.

— Ce n'est pas grave, répondit Nakor en lui serrant le haut du bras de manière rassurante. Sais-tu où se trouve Pug ?

— Non, mais je peux me renseigner au palais. Quelqu'un là-bas doit le savoir. Tu ne connais pas une espèce de sortilège... ou un tour susceptible d'attirer l'attention de Pug ?

— Peut-être, mais je ne sais pas si les dégâts que cela provoquerait en vaudraient la peine.

— Je ne veux rien savoir, affirma précipitamment Roo.

— Cela vaut mieux, en effet. (Nakor regarda autour de lui et parut seulement remarquer les travaux.) Qu'est-ce qui se passe, ici ?

— Personne n'a revu l'ancien propriétaire depuis l'invasion. Soit il est mort, soit il ne reviendra pas. Et si jamais il revient quand même, on trouvera un accord. (Roo décrivit un arc de cercle avec la main.) J'essaye de restaurer cet endroit exactement tel qu'il était avant la guerre. J'adore ce café.

— Pas étonnant, répliqua Nakor en souriant. C'est ici que tu as fait fortune.

Roo haussa les épaules.

— C'est vrai, en partie, mais surtout, c'est là que je suis devenu quelqu'un.

— Tu reviens de loin, reconnut Nakor.

— Plus que j'aurais pu l'imaginer, approuva l'ancien prisonnier de la cellule de la mort.

— Comment va ton épouse ?

— Elle s'arrondit, répondit Roo en souriant et en mimant la chose avec ses mains.

— J'ai entendu dire que tu étais arrivé en ville avec messire Vasarius de Queg comme prisonnier.

— Ce n'était pas mon prisonnier.

— C'est une bonne histoire ? s'enquit Nakor.

— C'est une très bonne histoire, répondit Roo.

— Tant mieux, il faudra que tu me la racontes. Mais d'abord, il faut que je sache où trouver Pug.

Roo posa les plans du café en disant :

— Je vais te dire ce qu'on va faire. J'aurais bien besoin de me dégourdir un peu les jambes, alors on n'a qu'à aller faire un tour du côté de la nouvelle prison rendre visite à Dash Jameson.

— Bonne idée, approuva Nakor.

Ensemble, ils sortirent du café. Partout où ils posèrent les yeux, ils virent que la cité retrouvait peu à peu l'animation qu'elle avait connue avant la guerre. Chaque jour, un bâtiment différent achevait d'être rénové et un nouveau magasin ouvrait ses portes. Beaucoup de marchandises entraient en ville par le biais du bac de La Pêche ou par la route des caravanes. La rumeur voulait qu'une grosse caravane arrive cette semaine-là en provenance de Kesh – la première depuis le début des combats. Comme la guerre n'avait pas été officiellement déclarée entre Kesh et le royaume, le commerce reprenait peu à peu entre ces deux pays. Si la guilde des renfloueurs continuait à draguer le port à ce rythme, celui-ci serait à nouveau navigable au printemps suivant et retrouverait sa pleine capacité l'année d'après.

— Cette cité est semblable à une personne, tu ne trouves pas ? fit remarquer Nakor en se déplaçant au sein de la foule.

— On l'a salement amochée, approuva Roo, mais elle récupère, petit à petit.

— C'est plus que ça. Je connais des cités qui ne possèdent pas… je ne sais pas comment appeler ça, une identité, peut-être. Il en existe des tas dans l'empire. On y trouve d'antiques cités qui possèdent une histoire très ancienne mais où chaque jour se ressemble. Par comparaison, Krondor est un endroit très vivant.

Roo se mit à rire.

— Façon de parler.

Ils arrivèrent sur le marché et repérèrent tout de suite la nouvelle prison, dont la façade avait été récemment repeinte et comportait des barreaux à toutes les fenêtres. En franchissant le seuil, ils tombèrent sur un secrétaire qui leva vers eux un regard soucieux :

— C'est pour quoi ?

— On cherche le shérif, expliqua Nakor.

— Il est au marché et devrait rentrer dans un moment, je ne sais pas exactement à quelle heure. Désolé, ajouta-t-il avant de retourner à sa paperasse.

Roo fit signe à Nakor de le suivre au-dehors. Ils se campèrent sur le perron et parcoururent des yeux la foule qui se pressait sur le marché. Les vendeurs avaient disposé leurs étals pour former de grossières allées à la périphérie desquelles on trouvait, au hasard, des marchandises étalées sur des couvertures, des charrettes surchargées de produits, des colporteurs avec des caisses remplies de colifichets et des individus plus discrets qui proposaient quant à eux des articles à la limite de la légalité.

— Il pourrait être n'importe où, soupira Roo.

Nakor sourit.

— Je sais comment attirer son attention.

Roo retint le petit homme par l'épaule avant qu'il ait le temps de descendre du perron.

— Non, attends !

— Pourquoi ?

— Je te connais, mon ami. Si tu crois que tu vas nous aider en déclenchant une émeute pour attirer tous les policiers du marché, tu ferais mieux d'y réfléchir à deux fois.

— Mais ça serait efficace, tu ne crois pas ?

— Tu te souviens du vieux proverbe ?

— Lequel ? J'en connais plusieurs.

— Celui qui recommande de ne pas se servir d'une hache pour ôter une mouche du nez d'un ami.

Le sourire de Nakor s'élargit et se transforma en éclat de rire.

— Ah oui, je l'aime bien celui-là.

— Quoi qu'il en soit, reprit Roo, je pense que nous devrions pouvoir retrouver Dash sans déclencher d'émeute.

— Très bien. Je te suis.

Roo et Nakor se mêlèrent aux passants qui flânaient sur la place. Roo savait que Krondor comptait encore pour le moment moins de la moitié de ses anciens habitants. Pourtant, le marché semblait plus bondé qu'avant, sans doute dû au fait que la majeure partie de la population actuelle s'y pressait. Pendant que l'on réparait la cité, quartier par quartier, les gens venaient faire leurs courses quotidiennes sur ce marché.

Roo et Nakor longèrent des chariots remplis des récoltes tardives du printemps et des premières de l'été : courges, maïs, sacs de blé et même un peu de riz en provenance de la région située au-dessus de Finisterre. On leur proposa également des fruits, ainsi que du vin et de la bière. Un certain nombre de petites cuisines en plein air répandaient des effluves appétissants ou âcres.

Nakor éternua en passant devant un vendeur de *pakashka*, un chausson de pâte fourré à la viande, aux oignons, aux piments et aux pois gourmands.

— Ce type a mis tellement d'épices sur sa viande que j'en ai les yeux qui pleurent ! protesta-t-il en pressant le pas pour dépasser l'étal.

Roo éclata de rire.

— Certains aiment la viande bien épicée.

— Ça fait longtemps que j'ai appris que trop d'épices masquent souvent le goût de la viande avariée, reprit l'Isalani.

— Comme disait mon père, rétorqua Roo, s'il y a suffisamment d'épices dessus, ce n'est pas grave si la viande est avariée.

Nakor éclata de rire. Soudain, au détour d'une allée, ils aperçurent un groupe d'individus debout au pied d'un gros chariot qui faisait office de taverne. Un tonneau avait été déposé à chaque extrémité du véhicule et une planche était posée en travers pour faire office de comptoir. Deux douzaines d'hommes s'y trouvaient occupés à boire et à échanger des plaisanteries. Lorsque Nakor et Roo se rapprochèrent, les conversations se calmèrent et les buveurs regardèrent passer les deux hommes.

— C'est étrange, commenta Nakor quand ils se furent éloignés.

— Quoi donc ?

L'Isalani indiqua le chariot derrière lui.

— Ces types.

— Eh bien, qu'est-ce qu'ils ont ?

Nakor s'arrêta.

— Retourne-toi et dis-moi ce que tu vois.

Roo s'exécuta.

— Je vois un groupe d'ouvriers occupés à boire un verre.

— Non, regarde mieux, l'encouragea Nakor.

— Je ne vois pas…

— Quoi ?

Roo se gratta le menton.

— Il y a quelque chose d'étrange dans leur attitude, mais je n'arrive pas à trouver quoi.

— Suis-moi, lui dit Nakor en guidant Roo à l'écart du trajet qu'ils suivaient jusqu'alors. Pour commencer, ce ne sont pas des ouvriers.

— Comment ça ?

— Ils sont vêtus comme des ouvriers, mais ce n'en sont pas. Ce sont des soldats.

— Des soldats ? répéta Roo. Je ne comprends pas.

— Tu as plus de travail à offrir que de gens intéressés, pas vrai ? demanda Nakor.

— En effet.

— Alors que font là des ouvriers qui boivent de la bière à cette heure de la journée ?

— Je... (Roo s'immobilisa.) Que je sois pendu ! s'exclama-t-il au bout d'un moment. Je croyais qu'ils prenaient leur déjeuner.

— C'est le deuxième truc qui cloche. Il reste une heure avant le déjeuner, Roo. Et tu as vu comme ils se sont arrêtés de parler quand on est passé ? Et comme tout le monde se tient à l'écart du groupe ?

— Tu as raison, maintenant que tu le dis. Je me demande pourquoi des soldats s'amusent à jouer les ouvriers qui s'enivrent au beau milieu de la matinée.

— Oh, ils font ça pour faire croire aux gens qu'ils sont bien des ouvriers occupés à boire. La vraie question, c'est de savoir pourquoi ils essayent de faire croire qu'ils sont des ouvriers...

— J'ai compris, l'interrompit Roo. Allez viens, il faut informer Dash.

Il ne leur fallut qu'une demi-heure pour repérer un groupe d'agents arborant le brassard rouge. Lorsqu'ils les rattrapèrent, ils trouvèrent Dash à leur tête. Ce dernier ordonna à ses hommes de poursuivre leur ronde sans lui.

— Nakor, Roo, qu'est-ce que je peux faire pour vous ?

— Dire à votre arrière-grand-père que j'ai besoin de lui parler, répondit l'Isalani. Mais avant, il faut qu'on vous dise qu'il y a des hommes là-bas près d'un chariot-taverne qui se font passer pour des ouvriers mais qui n'en sont pas.

Dash opina du chef.

— Je sais. Il y en a plusieurs groupes, disséminés sur tout le marché.

— Oh ? fit Roo. Vous le saviez ?

— Quel genre de shérif serais-je si je ne le savais pas ? répliqua Dash.

— Du genre normal, décréta Nakor. Mais puisque vous êtes au courant pour les soldats, on peut parler de Pug.

— Que lui voulez-vous ?

— Il faut que je le voie.

Dash plissa les yeux.

— Et que voulez-vous que j'y fasse ?

— Vous êtes son arrière-petit-fils, comment faites-vous pour le contacter ?

Dash secoua la tête.

— Je ne sais pas. Si père avait un moyen de le contacter à distance, il ne me l'a jamais confié. Jimmy non plus. Grand-mère, par contre, n'avait qu'à fermer les yeux.

Nakor hocha la tête.

— Oui, je sais. Gamina pouvait lui parler même quand il se trouvait à l'autre bout du monde.

— J'aurais cru que vous auriez les moyens de le contacter vous-même, fit remarquer Dash.

— Je ne le vois pas assez pour ça, sauf quand nous nous trouvons tous les deux sur son île. Peut-être qu'il y est en ce moment. (Nakor se tourna vers Roo.) Est-ce que je peux t'emprunter un navire pour me rendre sur l'île du Sorcier ?

— Au cas où tu ne l'aurais pas remarqué, c'est la guerre autour de nous ! protesta Roo. (Il fit un geste en direction de l'océan.) Les navires des Cités libres parviennent peut-être à naviguer sur la Triste Mer sans se faire accoster, mais un vaisseau du royaume, quant à lui, risque d'être attaqué par des pirates keshians ou quegans, ou encore par les hommes de Fadawah. Mieux vaut qu'il soit escorté. Seulement, te prêter un navire, je ne dis pas, mais une flotte au grand complet, ça non.

— Je n'ai pas besoin d'une flotte. Un navire suffira.

— Et les pirates ?

— Ne t'inquiète pas, répondit Nakor en souriant. J'ai plus d'un tour dans mon sac.

— D'accord, j'accepte. Mais dis-nous au moins quel est le problème.

— Oh, je ne vous l'ai pas dit ?

— Non, fit Roo en regardant Dash, qui haussa les épaules.

— Alors il faut que vous voyiez ça, décréta Nakor.

Il se remit en route sans se soucier de savoir si ses compagnons le suivaient.

Roo regarda Dash, qui lui dit :

— On ferait bien d'aller voir de quoi il retourne.

Ils se hâtèrent pour ne pas perdre de vue le petit Isalani. Celui-ci traversa la cité au pas de course jusqu'à atteindre la porte de l'Est, celle qui donnait sur la route du Roi.

Roo arriva à destination pratiquement hors d'haleine.

— On aurait dû y aller à cheval, protesta-t-il.

— Je n'en ai pas, répliqua Nakor. J'en possédais un autrefois, un bel étalon noir, mais il est mort. C'était à l'époque où je me faisais appeler Nakor le Cavalier Bleu.

— Qu'est-ce que vous vouliez nous montrer ? s'enquit Dash.

— Ça, répondit l'Isalani en désignant la statue qu'il avait fait ériger la semaine précédente.

Une douzaine de personnes rassemblées au pied de la sculpture l'observaient en gesticulant.

Dash et Roo quittèrent la route et s'approchèrent pour voir à leur tour ce que contemplaient les voyageurs.

— Qu'est-ce que c'est que ça ? s'exclama Roo.

Un filet rouge s'échappait des yeux de la statue, seul défaut d'un visage de marbre incarnant la perfection.

Dash se fraya un chemin parmi les gens et fit remarquer :

— On dirait du sang !

— C'en est, répondit Nakor. La statue de la Dame verse des larmes de sang.

Roo accourut lui aussi.

— C'est encore un de tes tours, pas vrai ?

— Non ! s'écria l'Isalani, indigné. Je ne m'abaisserais pas à faire un tour aussi minable, du moins en ce qui concerne la Dame. C'est la déesse du Bien et... je ne m'y abaisserais pas, c'est tout.

— D'accord, je veux bien vous croire, fit Dash, mais alors quelle est la cause de ce phénomène ?

— Je ne sais pas, avoua Nakor. Mais ça encore, ce n'est rien. Il faut que vous voyiez le reste.

Il s'éloigna de nouveau à la hâte. Dash et Roo échangèrent un regard interloqué.

— Je suis impatient de voir ce qu'il nous réserve en plus, commenta le shérif.

De nouveau, ils suivirent le petit homme pressé. Ils franchirent en sens inverse la porte de la cité, traversèrent le quartier est de Krondor et reprirent le chemin du marché, sauf que cette fois, ils tournèrent au sud dans la direction de la place des Temples.

Roo se mit à rire tout en s'efforçant de soutenir l'allure que leur imposait Nakor.

— Il ne pouvait donc pas s'arranger pour que ces deux phénomènes se produisent de part et d'autre de la même rue ?

— J'imagine que non, répondit Dash.

Nakor les conduisit jusqu'à la parcelle vide située entre le temple de Lims-Kragma et celui de Guis-wa. Des prêtres appartenant à d'autres ordres étaient rassemblés non loin de là, épiant d'un œil curieux la foule réunie devant une tente érigée sur la parcelle.

Dash n'avait pas la moindre idée de l'endroit où Nakor avait pu trouver cette tente. La veille encore, l'endroit était vide et voilà qu'à présent un énorme pavillon s'y dressait, suffisamment vaste pour héberger confortablement deux cents personnes.

Avec fermeté, Dash se fraya un chemin au sein de la foule. Certains firent mine de protester mais se turent en voyant le brassard rouge. En arrivant à l'entrée du pavillon, avec Nakor et Roo sur les talons, Dash s'immobilisa, bouche bée.

— Par tous les dieux ! s'exclama Roo pour sa part.

Juste devant eux, Sho Pi, qui leur tournait le dos, était assis en posture de méditation en compagnie d'une demi-douzaine d'autres membres du nouveau temple. Au centre de la tente se tenait la jeune femme, Aleta. Seulement, elle n'était pas assise, ni même debout. Elle occupait pourtant une posture identique à celle de Sho Pi : les jambes croisées en tailleur et les mains dans son giron. Mais la jeune femme flottait à près de un mètre du sol, entourée d'un halo de lumière blanche très pure qui semblait émaner de l'intérieur de son corps et inondait la tente de clarté.

Roo posa la main sur l'épaule de Nakor.

— Je vais te donner un navire, promit-il.

— Pourquoi mon arrière-grand-père ? chuchota Dash. Pourquoi ne pas demander aux prêtres des autres temples ?

— À cause de ça, répondit Nakor.

Quelque chose flottait juste au-dessous de la jeune femme. Dash et Roo ne l'avaient pas remarqué au premier abord tant ils avaient été stupéfaits par la vision d'Aleta. Mais à présent, ils distinguaient parfaitement le nuage noir suspendu dans les airs et contenant une substance maléfique et terrifiante. Dash et Roo éprouvèrent alors la même certitude au même moment : la lumière qui émanait de la jeune femme empêchait cette noirceur de se répandre.

— Qu'est-ce que c'est ? demanda Dash dans un murmure.

— Quelque chose de très mauvais, répondit Nakor. Quelque chose que je n'aurais jamais pensé voir de mon vivant. Pug doit en être averti le plus tôt possible. Les prêtres des autres religions le sauront bien assez tôt et auront un rôle important à jouer, mais Pug doit être prévenu. (Il regarda Dash droit dans les yeux et ajouta :) Et vite.

Roo attrapa le bras de Nakor.

— Je vais moi-même te conduire jusqu'à La Pêche, et pas plus tard que maintenant. Je te ferai monter à bord d'un navire et tu n'auras qu'à dire au capitaine où il doit t'emmener.

— Merci. (Nakor se tourna vers Sho Pi.) Prends soin du temple en mon absence. Et dis à Dominic que je le charge de diriger la communauté jusqu'à mon retour.

Si Sho Pi l'entendit, il n'en laissa rien paraître.

— Je ne t'avais jamais vu te rendre quelque part sans ton disciple sur les talons, fit remarquer Roo à Nakor tandis qu'ils sortaient du pavillon.

L'Isalani haussa les épaules.

— Avant, c'est vrai, il ne me quittait pas d'une semelle. Mais c'est fini, je ne suis plus son maître.

— Quand est-ce arrivé ? s'enquit Roo.

Nakor se servit de sa canne pour indiquer, par-dessus son épaule, la tente qu'ils venaient de laisser derrière eux.

— Il y a deux heures, quand elle a commencé à flotter dans les airs.

— Je vois, fit Roo.

— Et c'est de ça que je voulais parler.

— Pardon ?

— Tu sais, quand tu m'as demandé de quoi je parlais, insista Nakor.

— Oui, mais quand ? demanda Roo. On dirait que je te demande de quoi tu parles à peu près à chaque fois qu'on se voit.

— Quand je suis entré dans le café, tout à l'heure, et que j'ai dit que ça n'allait pas du tout, c'est à ça que je faisais allusion. Cette noirceur.

— Je ne sais pas ce que c'est et je ne crois pas que je veuille le savoir, admit Roo. Mais dire que ça ne va pas du tout me paraît résumer la chose de façon simpliste. Rien que de la regarder, je suis terrifié.

— On arrangera ça, promit Nakor. Dès que j'aurai réussi à rejoindre Pug.

En arrivant sur les quais, Roo n'attendit que quelques minutes avant que des marins qui travaillaient pour lui mettent une chaloupe à l'eau. Il leur demanda alors de conduire Nakor à bord de l'un de ses navires les plus rapides.

— Que feras-tu si Pug n'est pas sur son île ?

— Ne t'inquiète pas. Gathis ou quelqu'un d'autre le trouvera pour moi.

Nakor escalada une échelle de corde tandis que Roo s'écriait :

— Capitaine ! Mettez les voiles dès que possible et emmenez cet homme où il voudra !

— Mais monsieur Avery, protesta le capitaine, incrédule, on n'a déchargé que la moitié de la cargaison.

— Le reste devra attendre, capitaine. Avez-vous suffisamment de vivres pour deux semaines supplémentaires en mer ?

— Oui, monsieur.

— Alors, vous connaissez votre nouvel ordre de mission, capitaine.

— Bien, monsieur. À tout l'équipage : préparez-vous à appareiller ! Amarrez la cargaison !

Les marins se précipitèrent à leurs postes respectifs et Roo donna l'ordre à l'équipage de la chaloupe de faire demi-tour puis de le ramener sur le rivage. Comme il atteignait les quais, il vit les voiles se déployer sur son navire et souhaita à Nakor un bon voyage. S'il bénéficiait de vents porteurs, le petit homme atteindrait l'île du Sorcier en une semaine, peut-être moins. Le connaissant, Roo était certain dans tous les cas que les vents seraient de son côté.

En débarquant sur les quais, Roo ne put s'empêcher de penser que les événements qui se déroulaient à Krondor, quelle que soit leur nature, dépassaient à présent de loin les plans qu'il avait bâtis pour retrouver sa richesse et sa puissance. Même l'homme le plus riche de l'Ouest ne saurait influer sur la partie d'échecs qui était sur le point d'avoir lieu, et cela l'effrayait. Il décida de laisser les ouvriers partir plus tôt ce soir-là afin de pouvoir rentrer sur sa propriété. Karli y surveillait les travaux de restauration et Roo éprouvait l'irrépressible besoin de passer la soirée avec sa femme et ses enfants.

Jimmy passa les rapports en revue jusqu'à ce que sa vision devienne floue. Puis il se leva en disant :

— Il faut que j'aille prendre l'air.

— Je comprends, répondit Duko en levant les yeux. Vous êtes là depuis l'aube.

Le duc apprenait à maîtriser de mieux en mieux la langue du roi écrite, si bien qu'il pouvait lire un document pendant que Jimmy ou un autre lui en faisait la lecture à haute voix. Mais les messages qu'il recevait étaient trop importants ; il préférait laisser Jimmy les lire à sa place pour s'assurer qu'il ne commettait pas d'erreur.

Il en résultait deux choses : d'abord, Jimmy avait l'impression de ne plus rien voir à moins de soixante centimètres de lui. Mais surtout, il commençait à bien apprécier la situation stratégique de la frontière méridionale du royaume.

Kesh avait un plan les concernant. Jimmy ne savait pas très bien lequel, mais il était presque certain que cela impliquait le regroupement de troupes du royaume à deux endroits : à Finisterre et à l'est, près de Shamata. Parfois, il lui arrivait de penser qu'il n'était pas loin de comprendre ce que Kesh comptait faire ensuite, mais il n'arrivait pas tout à fait à rassembler les pièces du puzzle dans son esprit.

Un cavalier arriva au galop devant le quartier général et tira sur les rênes de sa monture couverte d'écume.

— Messire ! Des messages en provenance de Shamata !

Jimmy descendit du perron et prit le paquet de documents, qu'il emporta à l'intérieur.

— Voilà une bien courte pause, fit remarquer Duko en le voyant revenir.

— Ces messages viennent d'arriver de Shamata.

— Encore des messages, soupira le duc. Vous feriez mieux de me les lire.

— Le messager était pressé, commenta Jimmy en ouvrant le paquet. Par tous les dieux ! s'exclama-t-il après avoir lu l'unique feuillet que contenait le paquet. L'une de nos patrouilles a aperçu une colonne de Keshians se dirigeant rapidement vers le nord-est à travers le défilé de Tahupset.

— Qu'est-ce que cela signifie ? demanda Duko.

— Que je sois pendu si je le sais, avoua Jimmy.

Il fit signe à l'un des aides de camp présents dans la pièce de lui apporter une carte bien précise, et l'étala devant le duc.

— C'est un défilé qui longe le rivage occidental de la mer des Rêves. Il fait partie de la vieille route des caravanes qui relie Shamata à Landreth.

— Pourquoi les Keshians voudraient-ils s'en prendre à Landreth alors que notre garnison de Shamata peut les prendre à revers ?

Jimmy ne répondit pas pendant un moment, le regard perdu dans le vide.

— Parce qu'ils ne vont pas attaquer Landreth, finit-il par affirmer. Ils veulent seulement nous le faire croire.

— Mais alors, où vont-ils ?

Jimmy étudia la carte.

— Ils sont trop à l'est pour venir renforcer leurs troupes à Finisterre. (Son index suivit une ligne.) S'ils coupaient à cet endroit, ils pourraient venir droit sur nous, mais nous sommes trop bien défendus, surtout avec toutes les troupes que nous cantonnons ici pour renforcer Finisterre.

— À moins qu'ils veuillent nous attirer hors de Port-Vykor avant de s'en prendre à Finisterre ?

Jimmy, fatigué, se frotta les yeux.

— Peut-être.

— Nous couper de Finisterre serait logique, insista Duko.

— S'ils le pouvaient, certes, mais pour cela, il leur faudrait bien plus qu'une simple colonne de cavaliers. Peut-être s'ils faisaient passer d'autres unités en douce dans ce défilé... J'ai un mauvais pressentiment, messire, ajouta Jimmy.

— Lequel ?

L'index de Jimmy traça de nouvelles lignes sur la carte.

— Et si au lieu de se diriger au nord-est vers Landreth, ces cavaliers faisaient route vers le nord ?

— Ça les amènerait ici, répondit Duko. Mais vous venez de dire que vous ne pensez pas qu'ils veuillent nous attirer hors d'ici.

— Je persiste à le penser. S'ils continuent droit vers le nord à partir d'ici, expliqua le jeune homme en indiquant un point sur la carte, ils se retrouveront à quatre-vingts kilomètres à l'est de notre itinéraire de patrouille habituel.

— Il n'y a rien par là-bas, fit remarquer Duko.

— Il n'y a rien à défendre, rétorqua Jimmy. Mais s'ils poursuivent leur montée vers le nord, ils rattraperont une piste qui traverse les contreforts. Elle fait partie d'une ancienne route empruntée par les caravanes qui part des mines des nains de Dorgin pour aboutir ici.

Son index s'immobilisa sur un point précis.

— Krondor ?

— Krondor, répéta Jimmy. Et s'ils faisaient passer en douce des éléments de cavalerie et d'infanterie depuis des semaines ? Nous n'avons fait qu'apercevoir cette colonne-là. (Il relut le communiqué.) On n'y parle pas de bannières ou de signes distinctifs. Ces soldats pourraient venir de n'importe quel endroit de l'empire.

— Ils nous immobilisent avec des troupes que nous avons l'habitude d'affronter pendant qu'ils rameutent d'autres troupes du fin fond de l'empire…

— Et ils s'emparent de Krondor au cours d'une attaque éclair.

Duko bondit sur ses pieds et se dirigea vers la porte de l'auberge transformée en quartier général. Le vieux soldat prénommé Matak n'avait pas encore ouvert la porte que le duc criait déjà ses ordres :

— Que toutes les unités soient prêtes à partir dans une heure ! (Il se tourna vers Jimmy.) J'ai pour mission de défendre et de protéger les Marches du Sud, je ne toucherai donc pas à la garnison. Mais si vous avez raison, le prince va avoir besoin de tous les soldats que nous pourrons envoyer à Krondor.

Avec l'efficacité propre à une longue expérience, Duko réussit, en l'espace de quelques minutes, à faire en sorte que la garnison tout entière participe aux préparatifs de départ.

— Jimmy, prenez la tête de la colonne. J'espère que vous arriverez à temps. Parce que si vous avez raison, Kesh s'apprête à attaquer Krondor d'un instant à l'autre et s'ils réussissent à s'en emparer…

Jimmy savait mieux que Duko ce que cela représenterait. Le royaume serait coupé en deux. L'armée de Greylock serait coincée au sud d'Ylith, celle de Duko serait forcée de rester là pour défendre Finisterre et la garnison de Shamata ne devrait pas bouger non plus afin de prévenir toute attaque contre Landreth. Si Kesh s'emparait de Krondor, Greylock perdrait toute possibilité de renfort par voie de terre en provenance du sud et ne pourrait plus battre en retraite en cas de besoin. Il se retrouverait coincé entre deux armées hostiles. Et si le royaume perdait les armées de l'Ouest…

— Nous serons sur la route dans moins d'une heure, affirma le jeune homme.

— C'est bien, lui dit Duko. Car si Krondor tombe, l'Ouest sera bel et bien perdu.

De la part d'un homme qui, l'année précédente encore, essayait juste-ment de s'emparer de l'Ouest, cette remarque aurait pu paraître ironique, mais Jimmy était trop préoccupé pour y prêter attention. Il retourna en hâte à l'intérieur de l'auberge et s'adressa à l'ordonnance la plus proche :

— Rassemblez mes affaires et allez chercher mon cheval à l'écurie !

Puis il attrapa un bout de parchemin et se pencha sur la table, manquant de faire tomber un secrétaire à bas de son siège.

Jimmy, pas plus que le duc Duko, ne pouvait donner d'ordre formel au maréchal de Krondor, mais il pouvait au moins lui faire une suggestion :

Rapports indiquent forte probabilité d'une offensive majeure de Kesh contre Krondor par l'ancienne route des mines de Dorgin. Vous demandons instamment de détacher toutes unités dont vous pourrez vous passer et de les envoyer au sud au plus vite.

James, comte de Vencar

Il attrapa ensuite un bâton de cire, le fit chauffer à la bougie et apposa son sceau à la fin du message. Puis il plia le parchemin et le mit dans l'une des pochettes destinées au messager.

Le secrétaire qu'il avait bousculé était toujours assis sur sa chaise et avait observé toute la scène. Jimmy se tourna vers lui :

— Quel est votre nom ?

— Herbert, messire. Herbert de Rutherwood.

— Venez avec moi.

Le dénommé Rutherwood regarda les autres secrétaires et aides de camp présents dans la pièce, mais tous lui rendirent un regard étonné ou vide d'expression.

Jimmy passa d'un pas pressé à côté de Duko, qui continuait à assister à la mobilisation de ses hommes, à l'exception de la garnison de Port-Vykor. Il conduisit le secrétaire sur les quais et se rendit à leur extrémité, où un cotre du royaume était ancré.

Il gravit la passerelle et s'écria :

— Capitaine !

— Je suis là, messire ! lui répondit une voix depuis le gaillard d'arrière.

— Voici vos ordres ! Vous devez conduire cet homme dans le Nord.

Le secrétaire se tenait derrière Jimmy sur la passerelle. Jimmy se retourna, attrapa Rutherwood par le devant de sa tunique et le fit monter sur le pont du navire.

— Herbert, prenez cette pochette. Allez dans le Nord, trouvez notre armée et remettez ceci à messire Greylock ou au capitaine de la Lande Noire. C'est compris ?

Le secrétaire, qui ouvrait des yeux ronds, ne put répondre mais hocha la tête en guise d'assentiment.

— Capitaine, conduisez cet homme auprès de messire Greylock. Il se trouve quelque part au sud de Questor-les-Terrasses !

— À vos ordres, monsieur le comte ! répondit le capitaine qui s'adressa ensuite à son équipage : Préparez-vous à lever l'ancre !

Jimmy laissa le malheureux Herbert, stupéfait, debout sur le pont du navire, et retraversa les quais et la ville de Port-Vykor en sens inverse. Il espérait que ses affaires étaient prêtes, car il était impatient de regagner Krondor. Son unique frère se trouvait toujours là-bas. Si Greylock n'arrivait pas à envoyer des troupes au sud, ou si Jimmy ne remontait pas à temps à Krondor, tout ce qui protégeait Dash de la destruction se résumerait à la garde du palais, à la milice de la cité et à des remparts à peine restaurés.

* * *

— Enfoncez-moi cette brèche ! s'écria Erik.

De part et d'autre du front, des catapultes lançaient des pierres et des balles de foin enflammées sur les combattants. De gros épieux tirés par les balistes volaient au-dessus du champ de bataille où gisaient des blessés hurlants ou à l'agonie.

Les combats avaient commencé la veille à l'aube ; avec la tombée de la nuit, la scène avait viré au cauchemar. L'ennemi avait creusé une série de tranchées au pied d'un grand mur sur lequel se trouvaient des machines de guerre montées sur des plates-formes. Des milliers d'esclaves du royaume avaient trouvé la mort en construisant ces fortifications et leurs cadavres étaient restés au pied du mur, sans sépulture. La puanteur imprégnait l'air plusieurs lieues à la ronde, bien avant que la première tranchée soit visible. Celles-ci avaient été remplies d'eau sur laquelle flottait de l'huile en feu. Un épais nuage de fumée noire balayait le sol.

À la vue de ces fortifications, le comte Richard avait été forcé d'admettre que la seule approche valable restait l'attaque de front. Erik avait supervisé la construction de plusieurs passerelles en bois massif destinées à être roulées sur des rondins abattus dans les bois voisins. Les forces du royaume avaient eu du mal à franchir les premières tranchées en raison du tir nourri des archers ennemis postés sur le mur. Mais dès qu'Erik eut réussi à faire passer quelques hommes, les passerelles furent rapidement déposées en travers des obstacles. Avec l'énergie du désespoir, les soldats jetaient des pelletées de terre sur l'huile afin d'étouffer les flammes et de permettre la mise en place des passerelles.

Heureusement pour les troupes du royaume, elles s'aperçurent, en arrivant au pied du mur, qu'il s'agissait d'une palissade en bois. L'ouvrage, aussi robuste qu'on pouvait l'imaginer, avait été brillamment conçu mais le bois pouvait être coupé. De nombreux soldats moururent la hache à la main à des endroits-clés de la palissade, mais lorsque leur travail de sape fut achevé, leurs camarades passèrent dans les brèches de grosses barres de fer reliées à des chaînes qui furent halées par des chevaux de trait.

Une portion de palissade d'environ trois mètres cinquante de large s'effondra et les troupes du royaume s'engouffrèrent par cette brèche. Erik attendit que ses hommes aient ouvert les immenses portes qui se dressaient en travers de la grand-route afin qu'il puisse conduire la cavalerie à l'intérieur.

Brusquement, les portes frémirent sur leurs gonds, puis s'ouvrirent. Erik donna l'ordre d'avancer et éperonna son cheval. Le gros hongre à la robe noisette bondit en avant et s'élança immédiatement au petit galop.

Erik avait les yeux larmoyants en raison de la fumée et de la puanteur du sang et de la mort, mais il distingua clairement ce qui l'attendait de l'autre côté des portes. Pris de panique, il ordonna à ses cavaliers de s'arrêter.

Puis il se remit lentement à avancer et vit que ses fantassins se trouvaient au sommet de la palissade et combattaient leurs adversaires au corps à corps.

— Mettez pied à terre ! ordonna-t-il à ses hommes.

Ils obéirent.

— Suivez-moi !

Erik franchit les portes en courant et les soldats derrière lui virent pourquoi il avait arrêté la charge. Juste derrière les lourds battants se trouvait un fossé de trois mètres de profondeur au fond duquel se dressaient des pieux pointus. Les portes mesuraient seulement deux mètres de plus en largeur que le fossé, un mètre de part et d'autre pour permettre à des hommes de se déplacer autour. Mais un cheval ne pouvait pas passer.

Erik encouragea ses soldats à avancer en dépit de la fumée et battit des paupières pour en chasser les larmes.

— D'où vient toute cette fumée ? s'écria-t-il.

— Par là, lui répondit la voix familière de Jadow Shati.

Erik regarda dans la direction qu'indiquait son vieil ami et s'exclama :

— Oh, merde !

— T'as raison, mec. Merde et merde.

Quatre cents mètres plus loin, sur la grand-route, des milliers d'hommes étaient alignés en rang, avec leurs officiers et la cavalerie sur les côtés et à l'arrière-garde. Erik aperçut davantage de catapultes, de mangonneaux et de balistes. Il ne s'agissait pas d'une position défensive, mais d'une armée qui se préparait à attaquer.

Brusquement, Erik comprit ce qui était sur le point de se passer. Il jeta un coup d'œil à la palissade au pied de laquelle ses hommes avaient combattu et s'aperçut que, si leurs ennemis la faisaient tomber, elle leur fournirait un formidable pont pour franchir les tranchées.

— Battez en retraite ! ordonna Erik.

Cet ordre fut relayé dans les rangs du royaume.

— Arrière ! cria Jadow. Préparez-vous au combat !

Erik retourna en courant chercher son cheval et sauta en selle. Le son des cors et les cris des mercenaires sur la grand-route lui apprirent qu'il allait enfin affronter le général Fadawah sur un champ de bataille. Mais Erik ne pensait plus à la victoire, il n'avait plus qu'une seule idée en tête : survivre.

Chapitre 22

PRISE DE CONSCIENCE

D es hommes arpentaient les bois.
Subai longeait le fleuve en silence mais d'un pas décidé. La plupart de ses hommes étaient morts. Seuls deux d'entre eux avaient peut-être réussi à franchir le sommet et à redescendre le versant oriental des collines pour rejoindre la Lande Noire. Le capitaine espérait que c'était le cas.

Lui-même avait survécu à ce dangereux périple de plusieurs semaines. Sur Midkemia, il n'y avait pas meilleurs Pisteurs que ses hommes, à l'exception des elfes et des rangers du Natal. Mais les défenses de Fadawah ne reposaient pas seulement sur de simples capacités humaines, elles s'appuyaient également sur une terrible magie noire que Subai ne comprenait pas.

Ses Pisteurs et lui avaient commencé à remarquer cet état de fait lorsqu'ils avaient franchi le premier véritable ouvrage défensif depuis Sarth. En plus de la mort et de la destruction, il régnait partout un sentiment de désespoir, comme un nuage de souffrance et d'impuissance planant au-dessus de ces terres. Plus ils étaient montés vers le nord, et plus cette sensation avait empiré.

Au début, ils n'avaient rien vu des défenses côtières, car ils suivaient la direction du nord alors que la route de Questor-les-Terrasses tournait vers le nord-est. Puis, lorsqu'ils avaient croisé la route reliant Questor-les-Terrasses à la combe aux Faucons, ils avaient trouvé de nouvelles preuves de l'utilisation de ténébreux pouvoirs.

Non seulement la crête qui surplombait le côté droit de la route avait été fortifiée, mais celle qui surmontait le côté gauche avait été décorée d'une effroyable série de cadavres. Des croix de bois avaient été érigées et un prisonnier humain cloué sur chacune d'elles. Tous ces malheureux affichaient une expression horrifiée montrant qu'ils étaient morts de leurs blessures et non de la crucifixion et de l'exposition aux intempéries. La plupart avaient eu la gorge tranchée, mais certains s'étaient fait arracher le cœur et leur poitrine n'était plus qu'un trou béant.

Il n'y avait pas que des hommes parmi ces cadavres. Des femmes et des enfants également avaient été assassinés pour permettre cette horrible exhibition.

Deux des Pisteurs étaient morts dans l'heure qui avait suivi cette découverte lorsque des individus terrifiants étaient tombés par hasard sur le camp de Subai. Ces hommes, dont les joues s'ornaient de cicatrices, possédaient une force et une détermination surhumaines. Se souvenant des rapports qu'il avait lus concernant l'armée de la reine Émeraude, Subai avait compris qu'il s'agissait sûrement d'Immortels. À l'origine, ces soldats ordinaires, transformés en fanatiques meurtriers au moyen de rites ténébreux et d'une cure de narcotiques, formaient la garde d'honneur du roi-prêtre de Lanada. La reine Émeraude avait accentué ce processus de dégénérescence en sacrifiant l'un d'eux chaque nuit au cours de rituels de mort qui lui procuraient une jeunesse éternelle.

On avait cru qu'ils étaient tombés en disgrâce avec l'avènement de Fadawah, mais ils semblaient très présents aux abords de Yabon.

Durant la semaine qui avait suivi, les envahisseurs avaient traqué les Pisteurs et tué encore deux d'entre eux. Subai avait dû ordonner à ses deux derniers compagnons de prendre la direction de l'est pour se rendre à Lorièl, que le royaume tenait toujours. Il espérait ainsi semer leurs poursuivants. Il préférait en effet s'isoler dans l'espoir qu'un homme seul réussirait à passer incognito.

Pendant une nouvelle semaine, il avait évité patrouilles et campements. Chaque fois qu'il posait les yeux sur un nouveau régiment ennemi, il trouvait que les chances de récupérer la province de Yabon s'amoindrissaient. L'état-major du prince de Krondor pensait qu'il ne restait plus que vingt ou vingt-cinq mille soldats sous les ordres de Fadawah, mais c'était une erreur. Compte tenu du nombre de mercenaires présents aux environs de Sarth et du nombre de guerriers nécessaires pour conquérir LaMut, Subai était désormais convaincu que l'armée de Fadawah comprenait trente-cinq mille épées au minimum.

Si c'était le cas et si Kesh continuait ses raids sur la frontière méridionale du royaume, obligeant ce dernier à mobiliser des soldats à cet endroit, Greylock n'avait pas assez de troupes pour déloger Fadawah. Il parviendrait peut-être à récupérer Ylith, mais au prix fort.

Subai n'avait pas réussi à atteindre Yabon. La cité était assiégée et il lui fut impossible de s'en approcher suffisamment pour essayer d'y entrer en douce. Le capitaine avait envisagé de tenter de se rendre jusqu'à Tyr-Sog, mais il se trouvait derrière les lignes ennemies. Il avait compris qu'il valait mieux pour lui prendre la direction du lac du Ciel et contourner la pointe septentrionale des Tours Grises afin de descendre au cœur des bois elfiques.

Subai ne se faisait pas d'illusion. On le pourchassait depuis deux jours, un peu avant son arrivée au lac du Ciel. Il ne savait pas si ses poursuivants faisaient partie des fanatiques de Fadawah ou étaient des renégats mais, dans les deux cas, il savait qu'il lui fallait trouver un endroit où se reposer et quelque chose à manger.

Il n'avait plus de provisions depuis une semaine, depuis qu'il avait laissé derrière lui la cité de Yabon. Il avait cueilli des noisettes et des baies et pris un lapin au collet, mais n'avait pas mangé depuis deux jours qu'il avait été pris en chasse. Il perdait du poids et de l'énergie et, dans son état, ne pouvait plus affronter qu'un ou deux adversaires. Si les hommes qui le traquaient étaient au nombre de cinq ou six et réussissaient à le capturer, il mourrait.

Il longeait la rive gauche du fleuve Crydee, qui prenait sa source dans le lac du Ciel. Il savait qu'il se trouverait bientôt face à des bois appartenant aux elfes et que, pour y entrer, il faudrait leur permission. Il savait également qu'il s'agissait de sa seule chance de survie. Il ne pourrait continuer ainsi jusqu'au château de Crydee ou prendre le risque de traverser le Vercors pour rejoindre la garnison de Jonril.

Subai s'arrêta et regarda derrière lui. À environ un kilomètre et demi, il vit des silhouettes noires escalader quelques rochers. Le capitaine se retourna et aperçut un endroit où il pouvait passer à gué.

Ça ne pouvait tomber mieux, songea-t-il.

Il entra dans l'eau qui montait jusqu'à ses genoux. Au plus fort de l'été, le niveau du fleuve était au plus bas. Subai savait qu'à cet endroit, lors du dégel de printemps, ou à l'automne après les pluies d'orage, on ne pouvait traverser.

Il était à mi-chemin de l'autre rive lorsqu'il entendit des cris derrière lui et comprit que ses poursuivants l'avaient vu. Cela renouvela sa détermination et le poussa à accélérer.

Il venait de poser le pied sur l'autre rive quand les autres atteignirent le gué à leur tour. Subai ne regarda pas derrière lui mais plongea dans le sous-bois en regrettant d'avoir perdu son arc. Il l'avait regardé tomber au fond d'une crevasse alors qu'il se trouvait dans les montagnes, deux semaines plus tôt. S'il avait été armé, il aurait pu abattre ses poursuivants.

Il continua sa course.

La lumière déclinante lui fit perdre ses repères. Cependant, il savait qu'il se dirigeait plus ou moins vers l'ouest. Brusquement, une voix s'éleva au-dessus de lui :

— Que venez-vous faire en Elvandar, humain ?

Subai s'arrêta.

— Je cherche asile et j'apporte des messages.

La fatigue le submergea et il se pencha en avant, les mains sur les genoux.

— Qui êtes-vous ?

— Je suis le capitaine Subai, des Pisteurs royaux krondoriens et j'apporte des messages de la part d'Owen Greylock, maréchal de Greylock.

— Entrez, Subai, lui dit un elfe qui sembla surgir de nulle part.

— Je suis suivi par des agents de l'envahisseur. Je crains qu'ils nous tombent dessus d'un instant à l'autre.

L'elfe secoua la tête.

— Personne ne peut entrer en Elvandar sans y être autorisé. Déjà, on les éloigne de nous. S'ils réussissent à ressortir des bois, ils seront à des kilomètres d'ici. Sinon, ils erreront jusqu'à mourir de faim.

— Merci de m'avoir invité à entrer.

L'elfe sourit.

— Je m'appelle Adelin. Je vais vous guider.

— C'est aimable à vous. Je suis presque à bout de forces.

L'elfe plongea la main dans la pochette qu'il portait à la ceinture et en sortit de la nourriture qu'il tendit à Subai :

— Mangez ceci. Cela vous permettra de récupérer.

Subai accepta l'offrande, un carré de pain épais et apparemment dur. Mais lorsqu'il mordit dedans, plusieurs saveurs envahirent son palais : celles de noisettes, de baies, de céréales et de miel. Le capitaine dévora le tout de bon cœur.

— Nous avons encore du chemin à faire, le prévint Adelin.

Il guida le Pisteur vers l'ouest, en direction d'Elvandar.

Erik lava le sang qui lui couvrait le visage et les mains tandis qu'à l'extérieur de la tente, des trompettes résonnaient et des chevaux passaient au trot.

— Nous réussissons à tenir, on dirait, affirma Richard, comte de Makurlic, en regardant la carte.

400

— Non, nous perdons du terrain, répliqua Erik.

La contre-offensive des troupes de Fadawah avait plongé l'armée du royaume dans la plus grande confusion jusqu'à ce qu'Erik ordonne aux troupes de réserve de repousser l'assaut. Ils se trouvaient à présent à plus de huit kilomètres du premier point de collision, et la nuit tombait. Leland, le fils de Richard, entra sous la tente.

— Nous les avons mis en déroute.

Le sympathique jeune homme de dix-neuf ans possédait une tignasse châtain clair et de grands yeux bleus.

— Pas vraiment, rétorqua Erik. Ils se retirent derrière leurs propres lignes jusqu'à demain matin. Ils nous attaqueront à nouveau.

Le jeune Leland faisait preuve de bonne volonté. Erik avait découvert avec plaisir qu'il savait garder son sang-froid au milieu d'une bataille. Officiellement, il détenait le grade d'officier en second d'une compagnie de Taunton censée soutenir l'armée de l'Ouest lorsque celle de l'Est s'était retirée. Mais depuis que son père dirigeait cette même armée de l'Ouest, Leland agissait de façon officieuse en tant qu'adjudant de messire Richard et s'était attribué la responsabilité de relayer les ordres aux unités les plus éloignées.

— Qu'est-ce qu'on fait maintenant ? s'enquit Richard.

Erik s'essuya le visage avec une serviette et s'avança pour examiner la carte.

— On se retranche derrière des fortifications. Jadow !

Quelques instants plus tard, Jadow Shati fit son apparition.

— Oui, Erik ? (Puis il aperçut le comte et se reprit :) Pardon, capitaine. Bonjour, messire.

Erik lui fit signe d'approcher.

— Je veux que l'on installe trois diamants, ici, ici et ici, expliqua-t-il en désignant trois endroits sur la carte, en travers du front sur lequel ils s'étaient battus.

Jadow n'avait pas besoin de détails supplémentaires. Il tourna les talons et sortit sans même prendre la peine de saluer ses supérieurs.

— Qu'est-ce qu'un diamant ? s'enquit Leland.

Richard paraissait intrigué, lui aussi.

— C'est une ancienne formation keshiane, expliqua Erik. Il s'agit de bâtir trois barricades contenant chacune deux cents hommes. Au lieu d'essayer d'ériger une seule grande fortification qu'il nous serait impossible de terminer avant le lever du soleil, nous allons édifier trois petits postes de défense en forme de diamant en travers du champ de bataille. À l'intérieur, nous posterons des piquiers et entasserons des boucliers sur les côtés de chaque barricade.

Les chevaux de nos ennemis ne pourront les renverser et seront obligés de contourner les pointes du diamant.

— Ce qui canalisera le flot de nos adversaires, les obligeant à passer entre ces obstacles et sur les côtés, comprit Richard.

— C'est bien ça, approuva Erik. Avec un peu de chance, ils se bloqueront les uns les autres de sorte que nos archers, postés derrière les diamants, pourront les tirer comme des lapins. Nous posterons une rangée de fantassins avec des boucliers devant les archers au cas où nos adversaires réussiraient à passer en grand nombre.

— Et nos cavaliers ? s'enquit Leland.

— Ils devront tenir leur position de part et d'autre des diamants extérieurs. Avec un peu de chance, ils pourront empêcher tout débordement. De plus, si nos ennemis battent en retraite, nous pourrons nous lancer à leur poursuite.

— Et ensuite ? demanda Richard.

— Ensuite, nous panserons nos blessures et remettrons de l'ordre dans nos rangs. Après, nous verrons ce que l'on peut faire pour solutionner le bordel qui nous attend.

Certains soldats avaient été coupés de leur régiment et avaient erré pendant quelque temps derrière les lignes ennemies. Ils ne cessaient d'arriver et de rapporter à Erik les informations qui lui manquaient quant à la situation qui les attendait. Ajoutées aux rapports de Subai qu'avaient transmis ses deux premiers messagers, ces nouvelles ne rendaient pas le capitaine particulièrement optimiste. Le fait que depuis, aucun autre Pisteur n'était revenu de Yabon, ajoutait encore à son pessimisme. Erik ne savait pas ce qui se passait à proximité d'Ylith et la prudence le poussait à imaginer les hypothèses les plus sombres.

Pour autant qu'ils le sachent, non seulement un vaste réseau de fortifications les attendait au sommet de chaque colline et de chaque hauteur, mais les envahisseurs avaient également creusé des tunnels dans le but de permettre aux renforts de se précipiter d'un endroit à l'autre sans s'exposer aux attaques ennemies. Erik avait flairé le piège que sous-tendait une telle entreprise : s'il tentait de contourner les fortifications, il se retrouvait avec un grand nombre de soldats ennemis dans le dos, mais s'il s'arrêtait pour les déloger un à un, il n'arriverait jamais à temps pour sauver Yabon.

Erik secoua la tête.

— Je suis trop fatigué pour réfléchir. À ce stade, il est possible que notre seul choix réside dans la manière dont nous échouerons : soit nous rentrons chez nous et nous retranchons derrière les murs de Krondor, soit nous nous faisons massacrer en poussant plus au nord.

— Ne peut-on recevoir aucun soutien par voie de mer? s'enquit Richard.

— Là-haut, peut-être, admit Erik, si nous réussissons à dépasser Questor-les-Terrasses. Il existe un certain nombre de criques et de plages où nous pourrions débarquer des hommes, mais nous n'avons pas assez de navires pour y amener des soldats, ni les canots nécessaires à un débarquement. De plus, si jamais Fadawah a posté des sentinelles sur les falaises, aucun de nos hommes n'atteindra jamais la route.

— À vous entendre, c'est sans espoir, s'effraya Leland.

— Pour le moment, c'est l'impression que j'ai, reconnut Erik. Je vais manger, dormir un peu et nous verrons bien ce qu'il en sera demain matin. Quoi qu'il en soit, ne vous inquiétez pas, je ne me fonde pas sur mes sentiments pour prendre des décisions.

— Vous semblez bien connaître les choses de la guerre, vous qui êtes si jeune, fit remarquer Richard.

Erik acquiesça.

— Je n'ai pas encore vingt-six ans, mais je me sens vieux à l'intérieur, messire.

— Allez donc prendre un peu de repos, suggéra Richard.

Erik hocha la tête et sortit de la tente. Il aperçut un soldat revêtu de la tunique noire des Aigles cramoisis et le héla :

— Sean, où se trouve notre campement ?

— Par là-bas, capitaine.

Erik se rendit dans la direction indiquée et tomba sur une douzaine de membres de son unité qui montaient leurs tentes.

— Les dieux te bénissent, Jadow, marmonna-t-il en voyant que son propre pavillon avait déjà été monté.

Il se jeta sur le tapis de sol qui l'attendait et s'endormit en l'espace de quelques secondes.

— Donnez l'alerte, conseilla Dash.

— Pardon ? s'écria Patrick d'un air incrédule.

— Je vous ai demandé de donner l'alerte. Faites savoir qu'une armée keshiane se dirige vers la cité. Ainsi, les soldats qui se cachent dans nos murs s'empresseront d'attaquer les objectifs qu'on leur a désignés. Seulement, au lieu de prendre les nôtres par surprise, ils seront attendus.

— N'est-ce pas quelque peu extrémiste, comme réaction ? demanda le duc Rufio, récemment arrivé de Rodez.

Dash le connaissait un peu, car il l'avait rencontré à la cour du roi, à Rillanon. Il savait qu'il s'agissait d'un homme plein de bon sens, un administrateur compétent, un conseiller militaire avisé, un bon cavalier et un bon bretteur – exactement le genre d'individu dont Krondor n'avait pas besoin à la veille d'une telle crise. Rufio ferait un bon administrateur auprès d'un monarque talentueux secondé par un brillant général, songea Dash. Malheureusement, il ne pouvait s'appuyer que sur Patrick et son shérif. Dash était à présent certain qu'il devrait improviser et se montrer brillant, sinon Krondor serait perdue.

— Si, Votre Grâce, mais mieux vaut les faire sortir au moment que nous aurons choisi plutôt que de les voir apparaître derrière nous au plus fort d'une attaque. J'ai pu constater qu'il y a des caches d'armes et de nourriture dans les égouts pour permettre à une insurrection d'éclater à l'intérieur de nos murs au moment où on nous attaquera de l'extérieur.

— S'il y a la moindre attaque, rétorqua Patrick.

Il en doutait encore, convaincu que les négociations du port des Étoiles finiraient par aboutir à un traité. Dash lui avait pourtant avoué que Malar Enares était un espion et qu'ils n'avaient encore reçu aucune réponse concernant l'arrivée de Jimmy à Port-Vykor. Malgré tout, le prince ne croyait toujours pas au risque d'une attaque surprise contre la capitale du royaume de l'Ouest.

Dash n'avait jamais été proche de Patrick. De par l'âge, il se sentait plus proche de Jimmy et de Francie, qu'il n'avait cessé de suivre durant leur enfance. À l'époque où les deux frères avaient été expulsés du palais pour découvrir la vie à la dure sur les quais de Rillanon, Patrick était en visite dans les cours de l'Est pour apprendre la diplomatie. Même arrivés à l'âge adulte, Dash et Patrick ne s'étaient trouvé que peu d'affinités l'un avec l'autre. Dash était persuadé que le prince possédait des qualités qui compensaient ses défauts mais, pour le moment, il n'avait pas trouvé lesquelles.

— Si vous savez qui sont ces hommes qui s'amusent à cacher des armes et de la nourriture, pourquoi ne les arrêtez-vous pas ? suggéra Patrick.

— Parce que j'ai moins de cent agents à ma disposition alors qu'il y a, d'après mon estimation, plus d'un millier de soldats ennemis disséminés dans toute la cité. Dès que j'aurai arrêté le premier groupe, les autres disparaîtront. Je ne connais pas non plus la cachette de certains d'entre eux. Je crois qu'il y en a qui se dissimulent à bord de navires au large de la côte et que d'autres attendent dans le caravansérail. Et puis, qui sait combien ils sont exactement dans les égouts ?

» Mais si je donne l'alerte et si vous postez vos soldats à des endroits-clés de la cité, entre vos hommes et mes agents, nous pouvons éliminer cette menace.

— Deux cents soldats doivent arriver de Rodez d'ici à la fin de la semaine. Peut-être quand ils seront là… ?

Dash fit de son mieux pour dissimuler sa contrariété et y réussit presque.

— Au moins, laissez-moi engager d'autres agents, supplia-t-il.

— Le Trésor est au plus bas, répliqua Patrick. Tu vas devoir te débrouiller avec ce que tu as.

— Et si je faisais appel à des volontaires ?

— S'ils veulent bien prêter serment, pas de problème. Fais le nécessaire. Peut-être qu'après la guerre, nous pourrons les payer. (Patrick semblait avoir perdu patience.) Ce sera tout, shérif.

Dash s'inclina et sortit du bureau. Perdu dans ses pensées, il faillit heurter Francie au détour du couloir.

— Dash ! s'exclama-t-elle, visiblement ravie de le voir. Ça fait si longtemps !

— C'est que je suis occupé, répliqua-t-il, encore irrité du refus de Patrick.

— Comme tout le monde. Mon père m'a dit que ton travail est aussi ingrat qu'un boulot de fonctionnaire au palais, mais que tu t'en sors bien.

— C'est gentil. Allez-vous rester à Krondor tous les deux à présent que le duc Rufio est là ?

— Père et moi partons pour Rillanon dans une semaine, répondit Francie. Il faut que nous commencions à réfléchir...

— Pour le mariage ?

Francie acquiesça.

— Personne n'est censé le savoir. Le roi l'annoncera quand les choses se seront calmées...

Elle paraissait troublée.

— Qu'est-ce qu'il y a ? fit Dash.

— As-tu des nouvelles de Jimmy ? demanda Francie en baissant la voix.

— Non.

— Je m'inquiète à son sujet. Il est parti très vite et nous n'avons pas vraiment eu le temps de parler... de certaines choses.

Dash n'avait pas de temps à perdre avec une discussion de ce genre.

— Francie, il va bien. Quant à lui parler, eh bien, tu pourras le faire après le mariage, lorsque tu seras devenue princesse de Krondor. Tu pourras l'inviter à un pique-nique.

— Dash ! protesta Francie d'un air blessé. Pourquoi te montres-tu aussi méchant ?

Le jeune homme soupira.

— Parce que je suis fatigué, frustré et parce que ton futur mari... enfin, il est égal à lui-même. Si tu tiens à le savoir, je m'inquiète aussi à propos de Jimmy.

Francie acquiesça.

— Est-il bouleversé par mon mariage avec Patrick ?

Dash haussa les épaules.

— Je ne sais pas. Je crois que oui, dans un sens, mais il sait aussi qu'il ne peut en être autrement. Il est simplement… troublé, comme nous tous.

Francie soupira à son tour.

— Je souhaite simplement que nous restions amis.

Dash s'efforça de sourire.

— Tu ne devrais pas t'inquiéter comme ça. Jimmy est très loyal. Il sera toujours ton ami. (Il s'inclina légèrement.) À présent, demoiselle, je dois m'en aller. J'ai beaucoup à faire et je suis déjà en retard.

— Au revoir, Dash.

Le jeune homme perçut une note de tristesse dans la voix de Francie, comme s'ils n'allaient plus jamais se revoir.

— Au revoir, Francie.

Dash tourna les talons et s'éloigna. Il s'efforçait de protéger la cité et elle, elle s'inquiétait d'avoir blessé Jimmy dans son amour-propre. La mauvaise humeur de Dash risquait d'empirer s'il ne trouvait pas une solution pour neutraliser les forces hostiles à la couronne qui se cachaient déjà en ville.

Subai était époustouflé, comme tous les humains qui voyaient Elvandar pour la première fois. Son guide l'avait conduit à travers bois jusqu'à la grande clairière au cœur des forêts elfiques. Lorsque le capitaine des Pisteurs avait aperçu les arbres géants aux couleurs lumineuses, il avait laissé échapper une exclamation, la plus expressive qu'il ait prononcée depuis des années.

— Par Killian ! Quelle beauté ! avait-il chuchoté.

— De tous ces êtres que vous les humains adorez, c'est Killian que nous respectons le plus, approuva Adelin.

Il conduisit le capitaine épuisé et affamé à la cour de la reine. Le temps d'y arriver, Subai se sentait déjà mieux et ce, sans raison. Il comprit que cela avait quelque chose à voir avec la magie liée à cet endroit.

Il s'inclina devant les deux êtres assis sur l'estrade, une femme d'une beauté stupéfiante et inhumaine et un homme grand et puissamment bâti à l'apparence juvénile.

— Votre Majesté, dit Subai à la reine. Messire, ajouta-t-il à l'intention de l'homme.

— Bienvenue, lui répondit la reine elfe d'une voix douce et musicale. Vous êtes venu de loin, au prix d'un grand danger. Mettez-vous à l'aise et dites-moi quel est le message de votre prince.

Subai balaya la cour du regard. Trois elfes âgés, couronnés de cheveux gris, se tenaient à la droite de la reine. L'un portait une luxueuse robe de cérémonie, le deuxième une impressionnante armure et une épée au côté, et le troisième une simple tunique bleue ceinturée d'une cordelière.

À côté de Tomas, prince consort d'Elvandar, se tenait un jeune elfe qui ressemblait beaucoup à la reine. Subai comprit qu'il devait s'agir de son fils aîné, le prince Calin. À sa gauche se trouvait un visage familier : Calis. Un homme vêtu de cuir et d'une longue cape grise flanquait le demi-elfe.

— Voici le message, belle reine, répondit Subai. « Un ennemi maléfique se tient entre nos deux royaumes. Calis connaît ce mal mieux que quiconque. Il l'a affronté plus souvent qu'à son tour et sait qu'il porte plusieurs visages. »

— Qu'attendez-vous de nous ? demanda Aglaranna.

Subai dévisagea chacune des personnes présentes.

— Je ne sais pas, grande reine. J'avais espéré trouver le magicien Pug parmi vous, car il est possible que nous soyons à la merci de forces obscures qu'il est le seul à pouvoir affronter.

Tomas se leva en disant :

— Si nous avons besoin de Pug, je vous promets de vous conduire rapidement auprès de lui. Il est retourné sur son île, c'est là qu'on peut le trouver.

— Mère, puis-je parler ? demanda Calis. (La reine acquiesça.) Subai, la reine Émeraude est morte, tout comme le démon qui l'a détruite. Le royaume peut sûrement s'occuper des derniers envahisseurs.

— J'aurais aimé que ce soit le cas, Calis, répondit Subai. Mais en venant ici, j'ai vu des choses qui me portent à croire que nous avons à nouveau affaire à des forces dont nous ne soupçonnions pas la présence. J'ai assisté au retour de ces hommes dont vous nous avez parlé, ces Immortels, ainsi que d'autres individus assoiffés de sang. J'ai vu des hommes, des femmes et des enfants sacrifiés à une puissance ténébreuse. J'ai vu des cadavres entassés dans des fossés et des feux magiques brûler dans des villages. J'ai entendu des incantations et des chants qu'aucune oreille humaine ne devrait entendre. Quelle que soit l'aide que vous puissiez nous fournir, je vous en prie, nous en avons besoin maintenant.

— Nous discuterons de tout ceci en conseil, répondit la reine. Notre fils nous a parlé en détail des envahisseurs venus de la mer. Ils ne nous ennuient pas, mais il est vrai qu'ils patrouillent au bord de nos frontières.

» Allez, à présent, et reposez-vous. Nous nous reverrons demain matin.

Calis et l'homme en gris rejoignirent Subai. Le demi-elfe serra la main du capitaine.

— C'est bon de vous revoir.

— Vous ne pouvez pas savoir à quel point c'est bon de vous revoir aussi, Calis, répliqua le Pisteur. Je parie qu'Erik déplore que vous ne soyez plus le capitaine des Aigles cramoisis.

— Voici Pahaman, du Natal.

L'homme en gris tendit la main.

— Nos grands-pères étaient frères, salua Subai.

— Nos grands-pères étaient frères, répéta Pahaman.

— Quelle étrange façon de se saluer, commenta Calis.

Subai sourit.

— C'est un rituel. Les Pisteurs de Krondor et les rangers du Natal partagent un même idéal. Jamais au cours des conflits qui ont opposé le royaume aux Cités libres un Pisteur n'a fait couler le sang d'un ranger et inversement.

— Autrefois, sous le règne de Kesh la Grande, nos ancêtres faisaient partie des guides impériaux, expliqua Pahaman. Quand l'empire s'est retiré, ceux qui sont restés sont devenus les rangers. Ceux qui vivaient près de Krondor ont fondé le régiment des Pisteurs. Nous sommes tous frères, rangers, Pisteurs et guides.

— Si seulement tous les hommes pensaient la même chose, soupira Calis. Venez, allons vous nourrir, Subai, et vous trouver un endroit où dormir. Pendant le repas, vous me raconterez ce que vous avez vu.

Ils quittèrent la cour.

Tomas se tourna vers son épouse.

— Je crains qu'il ne soit pas possible d'éviter de nous impliquer dans ce conflit. Jamais depuis la guerre de la Faille je n'avais pressenti pareil danger.

La reine regarda son plus ancien conseiller.

— Tathar ?

— Nous allons attendre le retour de Calis. Lorsqu'il aura discuté avec l'humain, il pourra nous dire à quel point la situation est grave.

— Je vais rejoindre mon frère et écouter les propos de l'humain, annonça le prince Calin.

Aglaranna acquiesça.

— Que gagnerions-nous à quitter la protection d'Elvandar ? demanda le vieux guerrier, Arbre Rouge. Nous sommes peu nombreux et ne ferons pas pencher la balance.

— Je ne crois pas que l'important soit là, répliqua Tomas. La question, c'est de savoir si moi je dois quitter Elvandar, ajouta-t-il en regardant sa femme.

La reine dévisagea son époux et ne répondit pas.

Chapitre 23

DÉCISIONS

L es policiers se déplaçaient en silence.
Dash conduisit son détachement dans la cave. Chacun de ses compagnons portait une dague et un gros gourdin. Leur mission était simple :
assommer leurs proies si elles résistaient et les tuer si elles sortaient leurs armes.

Des raids identiques, menés par les agents de Dash et des membres de
la garde royale de Patrick, avaient lieu dans toute la cité. Le prince avait refusé
que l'on fasse sonner l'alarme pour alerter la population. Dash n'avait pu lui
arracher pour seule concession que le prêt de deux cents gardes afin de mener
une attaque coordonnée.

Pas moins de sept caches avaient été découvertes, ainsi que trois
navires dans le port. Ces derniers étaient du ressort de la marine royale, qui
possédait de nombreux vaisseaux dans la région. Le soudain abordage de
navires suspects serait donc tout à fait inattendu.

Néanmoins, Dash restait mécontent. Il savait que d'autres espions se
dissimulaient en ville et qu'une grande partie des gardes de caravane dans
le caravansérail étaient probablement des soldats keshians. Il tentait de se
réconforter en se disant qu'ils se trouvaient à l'extérieur des remparts et le
resteraient, car il avait établi des postes de contrôle aux portes de la cité,
sous prétexte d'effectuer un recensement plus précis lié à la reconstruction
de la cité.

Dash et ses compagnons se trouvaient dans la cave d'un bâtiment
situé au nord-est de Krondor. L'édifice gisait toujours en ruine, mais la

409

porte de la cave avait été restaurée et légèrement brûlée pour dissimuler les réparations.

Toute la journée, Dash s'était demandé quel était le meilleur moyen d'approche. Finalement, il résolut de foncer dans le tas.

La première cave était déserte mais il savait que la porte de derrière s'ouvrait sur une rampe menant au deuxième cellier, celui qui donnait sur les égouts. Dash fit jouer la poignée et constata que la porte n'était pas verrouillée. Doucement, il l'ouvrit.

— Très bien, en silence jusqu'à ce que je dise le contraire, chuchota-t-il à ses compagnons.

Il descendit la rampe jusqu'à un palier s'ouvrant sur un vaste cellier, où l'on entreposait autrefois de gros tonneaux de bière et de vin – il s'agissait d'une ancienne auberge. À l'autre bout de la pièce, une vingtaine d'hommes étaient étendus sur des matelas ou assis sur des tonneaux.

— Déployez-vous et ne vous arrêtez pas, ordonna Dash à ses agents.

Il se dirigea d'un air décidé vers l'espion le plus proche. Celui-ci, surpris, leva les yeux vers le jeune homme. Puis il aperçut le brassard rouge et fit mine de se lever.

— Police du prince ! s'exclama Dash. Rendez-vous !

L'homme étendu sur la paillasse la plus proche essaya de se redresser mais Dash l'assomma d'un coup de gourdin. Ses agents se précipitèrent et trois d'entre eux assommèrent un autre espion qui s'apprêtait à tirer son épée. Ses compagnons levèrent les mains en signe de reddition, même si l'un d'eux tenta de forcer le passage. Un policier se baissa alors et fit glisser son gourdin sur le sol, l'envoyant valdinguer dans les jambes du fuyard. Ce dernier tomba et ne put se relever car deux autres agents étaient déjà sur lui.

Avant que les prisonniers aient le temps de résister, Dash les attacha tous ensemble, les mains dans le dos.

— C'était plutôt facile, en fin de compte, shérif, fit remarquer l'un de ses nouveaux agents.

— Ne vous y fiez pas trop, répliqua Dash. Le reste de la nuit ne sera peut-être pas aussi facile.

En se réveillant, à l'aube, Jimmy trouva un Marcel Duval visiblement inquiet debout à côté de lui.

— Comte James, lui dit l'écuyer du Bas-Tyra.

— Qu'y a-t-il ? demanda Jimmy en se levant et en essayant de s'étirer en même temps.

— Certains chevaux ont les sabots dans un sale état, messire. Je me demandais si nous pourrions prendre une journée de repos pour les laisser souffler.

Jimmy battit des paupières en se demandant s'il était bien réveillé.

— Une journée de repos ?

— Nous menons un train d'enfer, messire. Si on continue comme ça, certaines bêtes boiteront en arrivant à Krondor.

Jimmy comprit qu'il était bel et bien réveillé.

— Écuyer, lui répondit-il d'une voix aussi calme que possible, tant que vous étiez à la cour du Bas-Tyra, vous pouviez jouer au soldat comme bon vous semblait. Mais ici, vous êtes un soldat, pour de bon. Alors quand j'aurai fini de seller mon cheval, j'espère bien que vous et vos hommes serez prêts à partir. Aujourd'hui, c'est vous et votre troupe d'opérette qui ouvrez la marche.

— Messire ?

— Ce sera tout ! répliqua Jimmy d'un ton trop brusque.

Il ferma les yeux un moment, compta lentement jusqu'à dix. Ensuite, il prit une profonde inspiration et s'écria :

— Tout le monde en selle !

Autour de lui, les soldats s'empressèrent d'obéir. L'irritation de Jimmy provenait en grande partie du fait qu'il savait qu'il faisait souffrir les chevaux. Les belles montures de Duval ne seraient pas les seules à entrer dans Krondor en boitant. Mais le jeune homme savait qu'à cette allure, il ne lui faudrait plus que trois jours avant d'atteindre la cité.

Lorsque la colonne fut prête, Jimmy regarda derrière lui et effectua un rapide calcul mental. Il disposait de cinq cents cavaliers et soldats d'infanterie montée. Il n'autorisait pas de pause-repas et tout le monde mangeait en selle des rations séchées. Certains soldats donnaient déjà des signes de maladie. Mais Jimmy avait bien l'intention de les mener tous jusqu'à Krondor, qu'ils soient malades ou dispos, fatigués ou reposés. Si la cité tenait encore à leur arrivée, ils pourraient bien faire pencher la balance en leur faveur.

— Mangez un morceau tant que vous le pouvez encore, cria-t-il en ignorant la faim et la fatigue. Dans dix minutes, on accélère. (Il se tourna vers la tête de la colonne.) Écuyer Duval, nous commençons au pas !

— À vos ordres !

Duval et ses cinquante lanciers ouvrirent la marche.

Au même moment, le soleil passa au-dessus de l'horizon et le ciel se teinta de jaune et de rose. Jimmy fut bien obligé de reconnaître que la troupe de Duval avait fière allure.

L'attaque débuta à l'aube, alors même que le soleil n'était pas encore passé au-dessus des montagnes. C'était l'heure où la plupart des soldats n'étaient pas du tout préparés à se battre et risquaient, en toute logique, de réagir lentement. Erik, pour sa part, avait déjà pris son petit déjeuner et inspecté les fortifications dont il avait ordonné la construction. Il avait ensuite donné l'ordre à tout le monde de se tenir prêt.

Richard se tenait devant la tente de commandement et observait la charge de leurs ennemis dans la grisaille matinale.

— Ils cherchent à nous submerger.

— C'est également ce que je ferais si j'étais eux, répondit Erik. (Il coinça son heaume sous son bras et tendit la main droite.) Si nous tenons au centre, nous pourrons gagner. Si l'un des côtés tombe, je peux boucher la brèche. Mais si le centre tombe, alors nous devrons battre en retraite.

— Dans ce cas, nous veillerons à ce que le centre résiste, répliqua Leland, qui se tenait aux côtés de son père. Puis-je rejoindre nos hommes, commandant ? ajouta-t-il en mettant son heaume.

— Oui, mon garçon, répondit son père.

Leland courut rejoindre sa monture, que tenait un palefrenier, et bondit en selle.

— Puissent Tith-Onanka guider ta lame et Ruthia te sourire, ajouta Richard.

Erik trouva cette invocation du dieu de la Guerre et de la déesse de la Chance de circonstance.

Les envahisseurs avançaient à un rythme irrégulier, sans tambours pour marquer la mesure, contrairement à ce qui se passait au sein des armées du royaume ou de Kesh. Du temps où il les espionnait, Erik avait combattu aux côtés de ces hommes qu'il affrontait à présent. Il n'éprouvait guère de sympathie pour eux, mais il les respectait en tant qu'individus, pour leur bravoure. Cependant, Fadawah avait visiblement réussi à unifier ces groupes désordonnés d'infanterie et de cavalerie et à en faire une armée. À présent, ils comptaient dans leurs rangs des régiments d'infanterie lourde et des piquiers, soutenus par des hommes armés d'épées et de haches et protégés par des boucliers. Derrière eux venaient les cavaliers, dont la moitié étaient armés d'une lance et l'autre d'une épée. Erik remercia les dieux en silence, car les archers montés avaient toujours été rares sur Novindus.

Une pensée lui traversa l'esprit. Il se tourna vers un messager.

— Allez trouver Akee et les Hadatis, qu'ils aillent se poster sous les arbres sur notre flanc droit. Qu'ils veillent à ce que des archers n'essayent pas d'infiltrer les bois.

L'estafette partit en courant. Erik se tourna vers Richard.

— Il ne reste plus qu'à combattre.

Il coiffa son heaume et se dirigea vers le palefrenier qui lui gardait sa monture. Il se mit en selle puis se rendit rapidement jusqu'aux diamants pour les inspecter. Comme il s'y attendait, tout le monde était à son poste, grâce à Jadow. Les troupes les plus endurcies, qui comptaient en leur sein les Aigles cramoisis, occupaient le diamant du centre. Jadow se tenait au centre de la fortification et leva la main pour saluer Erik, qui répondit de manière identique à son geste. En tant qu'officier, Jadow aurait pu déléguer cette tâche à un sergent et rester avec les cavaliers. Mais Erik savait qu'au fond de lui, le lieutenant Jadow Shati du val des Rêves resterait toujours un simple sergent.

— Puisse Tith-Onanka soutenir votre bras ! s'écria Erik.

Les Aigles applaudirent leur commandant.

Puis les envahisseurs brisèrent les rangs et chargèrent, et la bataille commença.

Tomas observait Acaila, occupé à méditer. Tathar et un autre elfe étaient assis en compagnie de l'Eldar, formant les trois pointes d'un triangle. Tomas leur avait demandé conseil et Acaila avait accepté d'utiliser ses pouvoirs pour l'aider à prendre une décision.

À la fin de la guerre de la Faille, Tomas avait juré de ne plus jamais laisser Elvandar sans protection. À présent, il se demandait si ce serment ne finirait pas par amener la destruction même de cette cité qu'il avait juré de protéger.

Tomas possédait d'anciennes connaissances, puisées dans les souvenirs de l'être qui lui avait légué ses pouvoirs – pendant un temps, il n'avait fait qu'un avec Ashen-Shugar, le dernier des Valherus. La plus grande partie de sa puissance résidait encore dans l'ancien marmiton de Crydee. Celui-ci faisait partie de ces rares personnes capables d'appréhender ce qui se cachait derrière les événements qui avaient façonné la majeure partie de son existence.

Dans les temps anciens, Ashen-Shugar et ses frères avaient traversé les cieux sur le dos de leurs dragons. Ils chassaient tels les prédateurs qu'ils étaient, créatures à la fois pourvues et dépourvues d'intelligence. Dans leur arrogance, ils pensaient appartenir aux êtres les plus puissants de la création et n'avaient pas conscience de leur propre délire.

Au fil des ans, Tomas avait compris qu'il revivait ces anciens événements à travers la vision qu'Ashen-Shugar en avait. Il savait ce que l'ancien Valheru avait éprouvé – mais ce qu'Ashen-Shugar, dans ses souvenirs, considérait comme la vérité ne l'était pas forcément.

Il avait été le seul, parmi son peuple, à ne pas subir l'influence de Draken-Korin, le pion de ce dieu dont la seule évocation du nom suffisait à provoquer des catastrophes. La part humaine de Tomas trouvait ironique le fait que le Sans-Nom ait exploité la vanité des Valherus et la certitude de leur toute-puissance pour, au bout du compte, les détruire. Mais la part de Valheru qui était en lui enrageait à l'idée que l'on s'était servi des siens et qu'on les avait rejetés comme de vulgaires outils dès qu'ils avaient perdu toute utilité.

Tomas regarda les trois elfes et comprit qu'il s'écoulerait un moment avant qu'Acaila partage sa vision avec lui. Il quitta donc la clairière de méditation et traversa Elvandar. En chemin, il aperçut Subai et Pahaman du Natal en pleine discussion. Les rangers parlaient rarement, sauf à leurs camarades ainsi qu'aux elfes, de temps en temps. Tomas savait qu'en Subai, Pahaman avait trouvé une personne qu'il considérait comme un parent.

Soudain, des rires d'enfants attirèrent Tomas comme un aimant. Une douzaine de petits jouaient à chat non loin de là. Tomas aperçut son fils, Calis, assis à côté d'Ellia, cette femme née de l'autre côté de la Mer sans Fin. Voyant qu'ils se tenaient la main, Tomas éprouva un brusque élan d'affection envers son fils. Il savait qu'il n'engendrerait jamais d'autre enfant car seule une magie très spéciale avait permis la naissance de Calis. En détruisant la Pierre de Vie, ce dernier avait aidé à faire disparaître la grande menace qui pesait sur tous les êtres vivants de Midkemia. À présent, son destin n'appartenait plus qu'à lui. Mais il n'aurait jamais d'enfants. Tomas savait que sa lignée s'arrêtait à son fils. Heureusement, Tilac et Chapac, deux des enfants qui jouaient sous ses yeux, faisaient partie de sa famille à présent. Mais leurs prénoms avaient une consonance étrangère pour les natifs d'Elvandar, ce qui rappelait à Tomas qu'il ne se sentirait jamais vraiment chez lui nulle part. Cependant, il sourit à Calis car, tout comme son fils, il s'était fait une place parmi les elfes et s'en contentait avec joie.

Calis agita la main à l'intention de son père.

— Viens te joindre à nous.

Ellia adressa à Tomas un sourire teinté d'incertitude. Pourtant, le prince consort s'était débarrassé de la conscience d'Ashen-Shugar, qui l'avait habité pendant toute la guerre de la Faille. De plus, la destruction de la Pierre de Vie l'avait purifié de tous les effets secondaires inhérents à sa nature mi-humaine, mi-Valheru. Mais Tomas n'en portait pas moins la marque des Seigneurs Dragons. Celle-ci provoquait chez les Edhels – les elfes – une réponse presque instinctive, un désir de soumission teinté de peur. Tomas s'agenouilla à côté de son fils.

— Je crois que nous pouvons nous réjouir de beaucoup de choses.

— En effet, approuva Calis.

Il regarda la femme à ses côtés et elle lui sourit. Tomas était presque sûr que ces deux-là finiraient par se marier. Le père des garçons avait trouvé la mort au cours de la guerre sur Novindus, celle qui avait servi de prélude à l'invasion du royaume. Compte tenu du faible nombre de naissances et du pourcentage élevé de mariages parmi les elfes qui éprouvaient « la reconnaissance » – ils savaient instinctivement avec qui ils allaient passer leur vie –, une veuve n'avait guère d'espoir de retrouver un compagnon. Mais Calis avait vécu la plus grande partie de sa vie parmi les humains. Étant lui-même à moitié humain, il savait qu'il n'y avait pas de compagne pour lui au sein du peuple de sa mère. Tomas trouvait que le destin s'était montré clément envers son fils en amenant cette femme et ses fils en Elvandar.

— Les nouvelles apportées par Subai m'inquiètent beaucoup, avoua Tomas.

Calis baissa les yeux.

— Je sais. J'ai l'impression qu'il serait sage de ma part de retourner dans le royaume et de prendre de nouveau part au conflit.

Tomas posa la main sur l'épaule de son fils.

— Tu as rempli ta mission. Je crois que c'est pour moi qu'il est temps de repartir.

Calis regarda son père.

— Mais vous avez dit que…

— Je sais, mais si cette menace provient bien de l'entité à laquelle nous pensons tous les deux, nous finirons bien par devoir nous battre. Or cette bataille aura lieu ici même si nous n'allons pas nous en occuper dès maintenant aux portes d'Ylith.

— Il s'agit de la même folie qui a dévasté mon village, soupira Ellia. (Elle s'exprimait avec un accent étrange, mais maîtrisait bien la langue de ses ancêtres.) Ces gens sont extrêmement maléfiques. Ils sont dépourvus de sentiments et ont l'âme noire. (Elle regarda ses fils qui jouaient toujours.) Seul un miracle, en la personne de Miranda, nous a permis d'avoir la vie sauve. Ils ont tué tous les autres enfants du village.

— J'attends d'avoir l'avis d'Acaila à ce sujet, expliqua Tomas. Ensuite, je crois que je m'envolerai pour l'île du Sorcier afin de demander conseil à Pug.

— Avec la disparition du démon, je pensais que ce conflit ne concernait plus que les humains, avoua Calis.

Tomas secoua la tête.

— Si je comprends ne serait-ce qu'un dixième de ce que l'on m'a raconté, ça ne concernera jamais seulement les humains. Il y aura toujours de grandes puissances en jeu et à chaque fois, elles devront être contrebalancées. (Il se leva.) Te verrai-je au dîner ?

— Non, répondit Calis. Je dîne avec Ellia et les garçons.

Tomas sourit.

— Entendu. Je préviendrai ta mère.

Il reprit sa promenade à travers Elvandar, où il avait vécu la plus grande partie de son existence. Comme toujours, il s'émerveilla d'avoir été autorisé à habiter ici. Il ne pouvait imaginer un plus bel endroit dans tout l'univers. C'était en partie pour cette raison qu'il avait juré de ne jamais partir et de toujours protéger la cité, car il ne pouvait envisager un monde sans Elvandar.

Il poursuivit sa promenade et finit par retourner dans la clairière de méditation. Acaila avait justement terminé et se dirigea vers Tomas. Une expression inquiète assombrissait son visage. Tomas en fut surpris, car l'ancien chef des Eldars dévoilait rarement ses émotions, en tout cas jamais à ce point.

— Avez-vous eu une vision ? s'enquit le prince consort.

Acaila se tourna vers Tathar et l'autre elfe.

— Merci de votre aide. (Puis il prit Tomas par le coude.) Venez avec moi, mon ami.

Il l'emmena dans un coin tranquille à l'écart des cuisines et des étals de marché, en bordure du cercle intérieur d'Elvandar. Il ne reprit la parole que lorsqu'il fut certain d'être seul avec Tomas.

— Le mal plane encore sur Krondor. Cependant, il s'y passe également quelque chose de merveilleux. Je ne peux l'expliquer, mais une ancienne puissance bénéfique s'apprête à revenir parmi nous. Peut-être l'univers essaye-t-il de corriger les choses.

Acaila gouvernait les Eldars, cette antique lignée d'elfes qui avaient été les plus proches des Valherus. Tomas appréciait ses conseils car il possédait une vision large et unique.

— Mais le mal libéré par le démon avant que celui-ci soit détruit reste le plus fort, reprit le vieil elfe. Cette entité ténébreuse a des agents qui accumulent de la puissance à Ylith, à Zûn, et aujourd'hui à LaMut.

— Subai nous a parlé de sacrifices humains, reconnut Tomas.

— Oui, ils fournissent de la puissance à cette chose maléfique qui ne cesse de s'étendre de jour en jour. Souvent, les serviteurs d'un tel mal n'ont pas la moindre idée des conséquences de leurs actions, pour eux comme pour les autres. Ils ne savent pas que c'est leur âme qu'ils détruisent en premier lieu. Et comme ils n'ont plus d'âme, ces hommes n'éprouvent plus ni remords, ni honte, ni regret. Ils agissent simplement par impulsion pour obtenir ce qu'ils croient désirer : la gloire, la puissance, la richesse. Ils ne s'aperçoivent pas qu'ils ont déjà tout perdu et que leurs actions ne servent qu'à répandre davantage la mort et la destruction.

Tomas réfléchit quelques instants avant de déclarer :

— Je possède la mémoire d'un Valheru, c'est pourquoi je connais bien ces pulsions.

— Mais les Valherus vivaient à une époque différente de la nôtre, mon ami. L'univers était ordonné autrement. Les Valherus étaient des forces naturelles qui ne servaient ni le bien ni le mal.

» Mais l'entité qui nous préoccupe est bel et bien maléfique, elle doit être détruite. Pour ce faire, les hommes qui se battent pour subsister et survivre à ce massacre vont avoir besoin de nous.

— Je dois donc partir pour leur prêter main-forte, conclut Tomas.

— Vous êtes le seul ici à pouvoir faire pencher la balance en faveur du bien, approuva Acaila.

— Je vais aller voir Pug. Ensemble, nous ferons le nécessaire pour sauver le royaume et empêcher l'avènement de ce mal.

— Allez trouver la reine, et n'oubliez pas : ce que vous faites, vous le faites pour elle et pour votre fils.

Tomas serra très fort la main d'Acaila et partit.

Plus tard, ce soir-là, après avoir dîné en compagnie de son épouse et prolongé leurs adieux, Tomas retourna dans la clairière au nord du cœur de la forêt. Il avait revêtu son armure blanc et or, témoin immaculé d'un passé glorieux. Sa main reposait sur la poignée blanche de l'épée d'or qu'il avait récupérée lorsque son fils avait détruit la Pierre de Vie. Son bouclier blanc frappé d'un dragon doré se trouvait sur son épaule. Tomas leva les yeux vers le ciel et lança son appel, puis attendit.

Des hommes gisaient de toutes parts, morts ou à l'agonie. Erik, épuisé, contempla le monceau de cadavres ennemis devant lui. Au cours de l'après-midi, il avait perdu son cheval, abattu sous lui par une flèche perdue.

À deux reprises, il avait failli donner l'ordre de battre en retraite. Mais à chaque fois, ses hommes avaient reformé les rangs et repoussé leurs adversaires. Il se souvenait vaguement d'avoir bénéficié d'un temps mort au cours duquel il avait bu avidement au goulot d'une gourde et mangé un morceau – mais il ne se rappelait pas quoi.

Quelques minutes plus tôt, des cors avaient résonné dans le camp adverse, provoquant le repli de l'ennemi. Les diamants avaient tenu bon. Un millier d'hommes étaient morts en essayant de s'en emparer, mais Erik ignorait combien de défenseurs avaient également perdu la vie. Il savait qu'on lui donnerait ce chiffre le lendemain matin.

Leland arriva sur son cheval en disant :

— Mon père vous adresse ses félicitations, capitaine.

Erik hocha la tête en s'efforçant de mettre de l'ordre dans ses pensées.

— Dites-lui que j'arrive, lieutenant.

Il se pencha et nettoya son épée sur la tunique d'un cadavre à ses pieds. Puis il remit son arme au fourreau et parcourut le champ de bataille du regard. Il avait fini par se retrouver dans le creux entre le diamant du centre et celui de droite. La pile de corps devant lui s'élevait jusqu'à sa taille. Il se tourna vers Jadow Shati qui, en le voyant, s'écria :

— J'espère qu'on sera pas obligés de remettre ça tout de suite, mec !

Erik agita la main à l'intention de son camarade.

— Non, pas avant demain en tout cas.

Il prit la direction de la tente du comte Richard. Lorsqu'il y parvint, il vit des gardes sortir deux cadavres du pavillon. Le vieux comte était assis à sa table et laissait son aide de camp lui faire un bandage au bras.

— Que s'est-il passé ? lui demanda Erik.

— Certains de nos adversaires ont réussi à contourner notre flanc gauche, capitaine, et sont arrivés jusqu'ici. J'ai fini par m'en servir, de cette épée.

— Comment vous sentez-vous ?

— Ça fait un mal de chien. (Il regarda son aide de camp et le congédia lorsqu'il eut fini de nouer le bandage.) Malgré tout, j'ai au moins l'impression d'être enfin un soldat.

» Vous savez, une fois, en prenant la tête d'une patrouille, j'ai croisé des Keshians qui avaient traversé la frontière. Quand ils nous ont vus, ils se sont empressés de repasser de l'autre côté. Jusqu'aujourd'hui, c'est la seule fois où j'ai failli prendre part à un combat. (Son regard se perdit dans le vague.) C'était il y a quarante ans, Erik.

— Je vous envie.

— Je n'en doute pas. Que va-t-il se passer maintenant ?

— Nous allons attendre qu'ils finissent de battre en retraite. Ensuite, j'aimerais envoyer des éclaireurs dans les collines pour voir comment ils se déploient. Nos hommes se sont bien battus aujourd'hui.

— Mais nous n'avons pas vaincu, souligna Richard.

— Non, en effet, reconnut Erik. Et plus nous restons à nous battre au milieu de la route, plus nos chances d'atteindre Ylith et de libérer la province de Yabon diminuent.

— Il nous faudrait un miracle.

— Je suis un peu à court de miracles, en ce moment, répliqua Erik en se levant. Je vais voir comment se portent nos hommes.

Il salua son officier et quitta la tente. À l'extérieur, il tomba sur Leland et le rassura :

— Votre père va bien, ce n'est qu'une légère blessure.

Le soulagement du jeune homme transparut sur son visage. Il n'en remonta que davantage dans l'estime d'Erik qui comprit que le pauvre avait continué à suivre les ordres sans même savoir comment allait son père.

— Où en sont nos troupes de réserve ? demanda-t-il.

— Elles se tiennent prêtes, répondit Leland.

Cette nouvelle soulagea Erik.

— J'ai perdu la notion du temps au cours de la bataille et je n'arrivais pas à me souvenir si on les avait appelées à la rescousse.

— Non, capitaine, personne ne les a appelées.

— Tant mieux. Relevez les soldats qui sont dans les diamants et dites aux cavaliers de se reposer. Veillez à ce qu'ils aient à manger, puis revenez me voir, j'ai un travail à vous confier.

Leland salua et s'éloigna d'un pas pressé. Erik regagna la modeste tente qu'il occupait parmi celles des Aigles cramoisis et prit le temps de s'asseoir. Des soldats de l'intendance couraient dans tout le camp avec de l'eau et de la nourriture ; l'un d'eux donna à Erik une écuelle de ragoût fumant et une gourde d'eau. Erik accepta l'écuelle et la cuillère et se jeta sur le ragoût sans se soucier de se brûler.

Jadow Shati et les hommes qui avaient défendu le diamant du centre revinrent d'un pas lent et fatigué. Jadow s'effondra plutôt qu'il ne s'assit à côté d'Erik.

— Mec, je veux plus jamais refaire ça.

— Avons-nous perdu beaucoup d'hommes ?

— Quelques-uns, répondit Jadow, dont la fatigue ralentissait l'élocution. Ça aurait pu être pire.

— Je sais, fit Erik. Mais nous devons trouver une idée géniale si nous ne voulons pas perdre cette guerre.

— Je me disais bien…, marmonna Jadow. Peut-être que si on arrive à les saigner suffisamment demain, on pourra lancer une contre-offensive, enfoncer le centre de leur défense et diviser leurs forces.

Erik avait presque fini de manger lorsqu'un messager vint le trouver.

— Le comte Richard vous salue, capitaine. Pourriez-vous le rejoindre immédiatement ?

Erik se leva, suivit le jeune homme et retourna à la tente de commandement. Il y trouva, aux côtés du comte Richard, un secrétaire visiblement terrifié.

— Ceci vient juste de nous parvenir, annonça Richard en tendant une lettre à Erik.

— Par tous les dieux ! s'exclama ce dernier après avoir lu le message de Jimmy.

— À votre avis, que devons-nous faire ? s'enquit Richard.

— Si nous envoyons ne serait-ce qu'une unité dans le Sud, nous perdons Yabon. Mais si nous gardons tous nos soldats ici, nous risquons de perdre Krondor.

— Nous devons préserver Krondor, décréta Richard. Nous pouvons consolider notre position ici même et, s'il le faut, repousser d'un an la reconquête de Yabon.

— C'est impossible. (Erik se tut pendant quelques instants avant de reprendre :) Messire, avec votre permission… ?

— Bien sûr, Erik, je vous en prie. Vous n'avez commis aucune erreur jusqu'à présent.

Le vieux comte avait fini par reconnaître les talents du capitaine et son absence totale d'ambition personnelle. Il était donc prêt à ratifier la moindre de ses décisions.

— Allez me chercher Jadow Shati, ordonna Erik à l'intention du messager.

Puis il se tourna vers le secrétaire et s'aperçut que ce dernier ignorait la plupart des renseignements dont il avait besoin. Le malheureux Herbert réussit cependant à leur faire comprendre à quel point le comte James était inquiet et agité. Erik comprit qu'il ne devait pas rester sourd à cet avertissement.

— Changement de plan, annonça-t-il dès que Jadow fit son apparition.

— Comme toujours, pas vrai ?

— Je veux que tu commences à bâtir une barricade. Un fort doit s'élever ici même avant la fin de la semaine.

— Où exactement ? s'enquit Jadow.

— En travers de la route. Poste une unité dans les collines de l'Est avec les Hadatis d'Akee et dis-leur de tuer tout ce qui descendra vers le sud. Jusqu'à nouvel ordre, ceci est la nouvelle frontière du Nord.

— Quel genre de fortifications veux-tu ?

— Un parapet en terre d'un mètre quatre-vingts à une centaine de mètres au nord des trois diamants. Quand l'ouvrage sera achevé, tu pourras commencer à construire un rempart tout autour. Que nos gars abattent des arbres au sud et qu'ils se mettent au travail. Le mur devra être renforcé, faire trois mètres soixante de haut avec une plate-forme pour les archers tous les vingt mètres. Je veux également deux balistes tous les trente mètres et une ligne de tir dégagée à l'arrière pour que les catapultes puissent lancer des pierres sans assommer nos propres soldats sur le rempart.

— Eh, mec, c'est quoi la longueur de ton truc ?

— Je veux que tu démarres au bord des falaises qui surplombent la mer jusqu'à la colline la plus escarpée possible.

— Mais Erik, ça fait plus de trois kilomètres !

— C'est pourquoi tu ferais bien de t'y mettre tout de suite.

Leland de Makurlic fit son apparition.

— La cavalerie est revenue, capitaine.

— Bien. Demain matin, à la première heure, vous les conduirez jusqu'à Krondor.

— Krondor ? répéta le jeune homme en regardant son père.

Le vieux comte acquiesça.

— Il semblerait que nos vieux amis les Keshians soient sur le point d'attaquer la cité. Le comte James de Vencar a besoin de renforts.

— Mais, et la bataille en cours ?

— Allez sauver Krondor, fiston, ordonna Erik, et laissez-moi me charger de cette bataille.

— Bien, capitaine. Quelles unités dois-je emmener ?

— Tous nos cavaliers. Nous pouvons nous retrancher ici et tenir cet endroit jusqu'à la fin de l'été grâce à l'infanterie, mais des fantassins ne pourront rejoindre Krondor en moins de trois semaines – au mieux.

» À présent, écoutez-moi attentivement. N'allez pas galoper le long de la côte. À cette allure, vous tueriez la moitié de vos montures en moins de trois jours. Commencez par faire quarante minutes de trot, puis mettez pied à terre et menez les chevaux par la bride pendant vingt minutes. À midi, changez le rythme : une demi-heure de trot, une demi-heure de marche. Et donnez-leur beaucoup d'eau et de grain chaque soir. Si vous suivez ces recommandations, vous devriez pouvoir sauver la plupart des bêtes et couvrir une cinquantaine de kilomètres par jour, ce qui vous ferait arriver à Krondor dans une semaine.

— À vos ordres, capitaine !

Leland tourna les talons et s'en alla remplir sa mission.

Erik serra les poings et leva les yeux vers le ciel.

— Eh merde ! s'exclama-t-il. Je venais juste de trouver un moyen de déloger ces bâtards de leur forteresse et voilà qu'une autre tuile nous tombe dessus !

Jadow, qui était sur le point de s'en aller, répliqua :

— Tu sais, on raconte que Tith-Onanka régit la vie d'un soldat. Mais moi, je te le dis, mec, c'est Ban-ath qui règne sur mon existence.

Le lieutenant des Aigles cramoisis s'en alla tandis qu'Erik hochait la tête.

— Il en va de même pour moi, on dirait.

Le dieu des voleurs, également surnommé « le Farceur », était fréquemment jugé responsable quand quelque chose allait de travers.

— On fait ce qu'on peut, rétorqua le vieux comte Richard.

Erik acquiesça et sortit du pavillon en silence. Jamais il ne s'était senti aussi abattu de toute sa vie.

Dash se leva en se frottant les yeux. Il avait renoncé à rester éveillé durant l'après-midi sauf en cas d'urgence. Il y avait trop à faire après la tombée de la nuit.

Il démarrait sa journée au coucher du soleil et travaillait toute la nuit. Ses matinées, il les passait au palais quand il ne réglait pas différents problèmes en ville. Vers midi, si les dieux avaient pitié de lui, il s'effondrait sur son lit dans sa chambre située sur l'arrière de la nouvelle prison. Exténué, il sombrait dans un profond sommeil dont il ne ressortait que six ou sept heures plus tard.

Étonnamment, les Moqueurs l'aidaient à dénicher les soldats keshians infiltrés dans Krondor. Dash avait réussi à mettre au moins deux cents ennemis derrière les barreaux et avait obligé Patrick, en dépit de ses objections, à construire un complexe carcéral temporaire au nord de la cité. Si Kesh attaquait – mais pour Dash, c'était plus une question de date que de probabilité –, les prisonniers seraient libérés par leurs compatriotes. *Au moins*, se disait le jeune homme, *ils seront désarmés et à l'extérieur de Krondor*.

C'était au sujet des Keshians armés et encore cachés en ville que Dash s'inquiétait.

En entrant dans l'ancienne salle commune où ses agents attendaient de prendre leur service, il s'aperçut qu'il avait dormi au moins une heure de plus que prévu.

— Quelle heure est-il ? demanda-t-il à un policier.

— La pendule a sonné huit heures il y a quinze minutes environ. Cela fait une heure qu'il attend, ajouta-t-il en désignant un page de la cour. On n'a pas voulu qu'il vous réveille.

— Qu'y a-t-il ? demanda Dash.

Le garçon lui tendit un message.

— Le prince vous ordonne de venir au palais immédiatement, shérif.

Dash lut le mot et fit la grimace. Il avait complètement oublié le dîner auquel il avait accepté de se rendre ce soir-là au palais.

— J'arrive, j'en ai juste pour un petit moment, assura-t-il.

Ces derniers temps, Patrick l'irritait encore plus que d'habitude, ce qui expliquait sans doute pourquoi Dash avait oublié cette invitation. Il était parfaitement conscient que le prince pouvait agir à sa guise en se passant de son approbation. Mais puisqu'il était de sa responsabilité d'assurer la sécurité dans la cité, Dash en voulait à Patrick de prendre des décisions qui lui compliquaient la tâche.

Cependant, il souhaitait obtenir certaines choses du prince et ce n'était pas en le mettant en colère qu'il y parviendrait. Il devait faire comprendre à Patrick l'ampleur du danger qui pesait sur eux en ce moment même.

Mais il n'arrivait déjà pas à lui faire admettre que la présence de deux agents keshians dans l'enceinte du palais représentait une source d'inquiétude majeure. Si son grand-père avait été de ce monde, Dash savait qu'il aurait réussi à arracher à ces deux hommes le nom de tous les contacts qu'ils possédaient entre Krondor et le gouffre d'Overn. Patrick, pour sa part, ne s'en souciait guère et le duc Rufio estimait avoir la situation en main puisque, dans les faits, ces individus ne se trouvaient plus au palais – l'un était parti et l'autre avait été arrêté. Dash se demandait si Talwin s'était déjà présenté au duc et ce qu'il pensait de ce problème en particulier. Il était persuadé que l'espion de son père ne partageait pas l'avis de Rufio.

Dash donna ses instructions concernant les raids nocturnes à venir et demanda à Gustave de s'occuper du cas le plus délicat. Il se reposait beaucoup sur l'ancien mercenaire qui possédait une certaine influence sur les autres agents. Puis il alla chercher son cheval et se rendit au palais.

En traversant la cité, Dash remarqua que la vie à Krondor reprenait un rythme familier. Cela le mettait d'autant plus en colère d'imaginer que quiconque, qu'il s'agisse des Keshians ou de Fadawah, veuille défaire le travail qu'il avait accompli. Auparavant, c'était Rillanon qu'il considérait comme son foyer jusqu'à ce que, trois ans plus tôt, son grand-père les fasse venir à Krondor, Jimmy et lui. Alors, tout en restant sous les ordres du duc James, il avait travaillé pendant un temps pour Rupert Avery. Et contre toute attente, cette cité était devenue la sienne.

En arrivant aux abords du palais, Dash reconnut qu'il ressemblait bien plus à son grand-père qu'il n'avait voulu l'admettre autrefois. Il passa devant deux gardes en faction à la porte principale ; ces derniers le saluèrent, eu égard à son titre de shérif. Un palefrenier accourut pour lui prendre sa monture. Dash gravit rapidement les marches du palais et dépassa deux autres gardes qui se tenaient à l'entrée du hall.

Il se dépêcha au point qu'il courait presque lorsqu'il tourna dans le couloir qui devait le mener directement à la grande salle de réception. Aussitôt, il sentit que quelque chose n'allait pas.

Il se mit à courir pour de bon, bouscula les deux soldats qui gardaient la porte de la salle et aperçut des gens qui se tordaient de douleur quand ils n'étaient pas déjà inconscients. Une immense table en *U* avait été dressée afin de permettre aux jongleurs et aux bateleurs de se produire devant la cour au grand complet. Le prince et Francie ainsi que les ducs Brian et Rufio étaient assis à la table haute. Dash remarqua une chaise vide tout au bout de cette même table, à la gauche du prince.

Les nobles de la région et les citoyens les plus influents de Krondor siégeaient aux deux autres tables. La moitié d'entre eux gisaient inconscients, affalés sur leurs chaises ou étendus sur le sol. Certains tentaient de se lever tandis qu'un ou deux, encore assis, avaient les yeux dans le vague et l'air désorienté.

Dash traversa la pièce en courant en direction de la table d'honneur et sauta par-dessus le corps incliné du duc Brian. Francie était affalée sur la table entre son père et Patrick, tandis que le duc Rufio gisait sur le sol, étendu sur le dos, le regard fixe. Le prince, pour sa part, avait réussi à rester assis mais suffoquait, les yeux écarquillés.

Dash enfonça son doigt dans la bouche de Patrick qui vomit le contenu de son estomac. Il répéta ensuite ce geste avec Francie, qui rejeta à son tour tout ce qu'elle avait mangé. Il se tourna vers les gardes et les domestiques stupéfaits qui restaient les bras ballants, ne sachant trop que faire.

— Faites-les vomir ! s'écria Dash. Ils ont été empoisonnés !

Il attrapa le duc de Silden et lui fit subir le même traitement, mais Brian rendit bien moins de nourriture que Dash l'aurait souhaité. Puis, quand il se pencha sur le duc Rufio, il n'obtint aucune réaction. Le malheureux respirait laborieusement et son visage paraissait moite au toucher.

Dash leva les yeux et constata que trois domestiques s'efforçaient de faire vomir ceux qui s'étaient évanouis.

— Prenez un cheval et filez à la place des Temples ! cria-t-il à l'intention d'un garde. Ramenez tous les prêtres que vous pourrez trouver. Nous avons besoin de guérisseurs !

Il demanda ensuite aux serviteurs d'apporter de l'eau fraîche. Il ignorait quel poison les convives avaient ingéré mais il savait qu'on pouvait atténuer les effets de certains d'entre eux en les diluant.

— Faites-les boire autant que possible ! cria-t-il. Mais ne forcez pas ceux qui ne veulent pas boire, vous ne feriez que les noyer ! (Il attrapa ensuite un sergent de la garde :) Arrêtez tout le personnel des cuisines.

La personne qui avait empoisonné toute la cour avait sûrement déjà pris la fuite, mais il espérait qu'elle n'en avait pas eu le temps. Elle ne s'attendait sans doute pas à ce que le shérif soit en retard et évite ainsi d'être affecté.

La pièce empestait. Dash ordonna à certains domestiques de commencer à nettoyer pendant que leurs compagnons s'occupaient des malades.

Le premier prêtre, un membre de la confrérie d'Astalon, mit près d'une demi-heure à arriver. Il fit de son mieux pour soigner les victimes, à commencer par le prince.

Dash dressa mentalement une liste des convives. Des nobles de Krondor, il avait été le seul absent. Tous les gens appartenant à la noblesse et se trouvant dans la région, depuis les ducs jusqu'aux écuyers, étaient présents au dîner. Concernant les riches et puissants marchands, seul Roo Avery brillait par son absence, mais Dash le savait dans sa propriété avec sa famille.

Bientôt, d'autres prêtres, appartenant à différents ordres, firent leur apparition. Le père Dominic, l'Ishapien qui servait à présent dans le temple de Nakor, se trouvait parmi eux. Les ecclésiastiques s'occupèrent des malades pendant toute la nuit tandis que Dash interrogeait le personnel des cuisines. Le soleil était sur le point de se lever lorsque le jeune homme regagna la grande salle qui ressemblait à présent à une infirmerie. Dominic se trouvait non loin de la porte. Dash le héla.

— Où en sommes-nous ? demanda-t-il.

— Il s'en est fallu de peu, répondit le moine. Sans votre présence d'esprit, vous seriez le seul noble encore en vie dans toute la cité.

» Le prince vivra, mais il sera malade pendant un moment, tout comme sa fiancée, dame Francine. (Dominic secoua la tête.) Le père de la jeune femme est entre la vie et la mort. Je ne sais pas s'il s'en sortira.

— Et le duc Rufio ?

Le moine secoua de nouveau la tête pour indiquer qu'il n'avait rien pu faire.

— Le poison se trouvait dans le vin et le duc en a bu une grande quantité.

Dash ferma les yeux.

— J'ai pourtant essayé de dire à Patrick que si nous avions un espion au palais…

— Il est vrai que nous avons reçu un coup terrible, mais au moins le prince va s'en sortir.

— Vous avez raison, c'est toujours ça. (Dash regarda les cadavres que l'on emmenait.) Nous avons déjà trop perdu pour supporter cette insulte supplémentaire. Ça aurait pu être pire, mais pas de beaucoup, conclut le jeune shérif épuisé.

C'est alors que dans toute la ville, les cloches se mirent à sonner l'alerte. Dash comprit que l'attaque contre la cité venait de commencer.

Chapitre 24

D ash accéléra.

Les gens couraient affolés dans les rues entre les soldats qui se précipitaient sur les remparts. On était en train de fermer toutes les portes de la cité.

— Shérif ! s'exclama l'agent de police en charge de l'un des postes de contrôle à l'entrée de Krondor. Un cavalier vient d'arriver au grand galop, il prétend qu'une armée keshiane se dirige droit sur la cité.

— Fermez la porte, ordonna Dash. Quel est votre nom ? ajouta-t-il en attrapant l'agent.

— Je m'appelle Delwin, shérif, répondit le jeune homme très agité.

— Je vous nomme sergent, entendu ?

L'autre acquiesça avant de protester :

— Mais il n'y a pas de sergents dans la police, shérif.

— À compter de cette minute, vous êtes dans l'armée, répliqua Dash. Venez avec moi.

Il gravit l'escalier des remparts en compagnie du dénommé Delwin et regarda en direction de l'est. Il dut plisser les yeux à cause du soleil qui se levait dans le lointain au-dessus des montagnes.

Il détecta un mouvement et leva la main pour protéger ses yeux de l'éclat du soleil. Sur la route qui passait au pied d'une lointaine colline, il repéra de nouveau un mouvement, celui d'une longue colonne qui ondulait.

— Par tous les dieux, chuchota-t-il. (Il se tourna vers le nouveau sergent.) Envoyez quelqu'un à la nouvelle prison, que tous les agents de police viennent se poster sur ces remparts aux côtés des soldats. Une armée se dirige vers nous.

Le sergent Delwin s'éloigna en courant. Dash regarda tout autour de lui et aperçut un sergent de la garde qui accourait vers lui.

— Quel est votre nom ? demanda-t-il en l'attrapant par le bras.

— McCally, shérif.

— Votre capitaine est mort ou très malade, je ne sais pas exactement. Y a-t-il d'autres officiers par ici ?

— Le lieutenant Yardley est de garde, shérif, il devrait être sur les remparts du palais.

— Allez le chercher et dites-lui que j'ai besoin qu'il me rejoigne ici de toute urgence.

Le sergent partit en courant et revint quelques minutes plus tard en compagnie du lieutenant.

— Shérif, quels sont les ordres ?

— Il se trouve que je suis le seul noble encore debout dans toute la cité. Combien d'officiers ont échappé à la tentative d'empoisonnement la nuit dernière ?

— Quatre, shérif. Je suis le plus gradé d'entre eux.

— Yardley, je vous nomme capitaine pour la durée de la crise. Combien d'hommes avons-nous ?

Yardley répondit sans hésiter :

— Cinq cents soldats de la garde princière et quinze cents soldats de la garnison. Tous sont déployés en ville. Par contre, je ne sais pas combien vous avez d'agents, shérif.

— Guère plus de deux cents. Qu'en est-il des gardes qui accompagnaient les nobles hier soir ?

— Ça représente peut-être trois cents autres hommes, en comptant les gardes d'honneur et les escortes privées.

— Très bien, envoyez-les en renfort sur les remparts du palais, ordonna Dash. Trouvez-moi le commandant de la garnison et envoyez-le-moi.

Yardley s'empressa d'obéir. Quelques instants plus tard, un vieux sergent aux cheveux gris apparut.

— Je suis le sergent Mackey, shérif. Le lieutenant Yardley m'a dit de venir vous voir.

— Où se trouve votre commandant ?

— Il est mort, shérif, répondit le vieil homme, encore costaud malgré son âge. Il faisait partie des convives du prince.

Dash secoua la tête et reprit d'un ton sec :

— Dans ce cas, sergent, pour les jours à venir, vous allez jouer les maréchaux de Krondor.

Le vieil homme sourit et se mit au garde-à-vous.

— Moi qui espérais obtenir une promotion avant de partir en retraite ! s'exclama-t-il avec une étincelle dans le regard. (Puis son sourire s'évanouit.) Si je peux me permettre, shérif, vous devenez quoi, vous ?

— Moi ? répliqua Dash en laissant échapper un rire amer. Je dois jouer les princes de Krondor jusqu'à ce que Patrick soit suffisamment guéri pour tenir debout.

— Dans ce cas, Votre Altesse, reprit le sergent d'un ton légèrement moqueur, je vous suggère respectueusement d'arrêter tous ces bavardages et de vous préparer à défendre cette cité. (Il désigna la colonne en marche dans le lointain.) Ces gars ne m'ont pas l'air très bien disposés envers nous.

— Vous avez raison, approuva Dash avec un sourire fatigué. Postez trois soldats sur quatre sur les remparts. Gardez les autres en réserve.

— À vos ordres, monsieur ! répondit Mackey en le saluant.

Tandis qu'il s'éloignait en courant, Gustave et des policiers apparurent, remontant la rue Haute en direction de la porte principale. Dash se pencha et cria pour attirer leur attention :

— Comment se sont passés les raids cette nuit ?

— Nous avons pris encore une vingtaine de ces bâtards dans nos filets, répondit Gustave d'une voix forte, mais je sais qu'il y en a d'autres en ville.

— Voilà ce que tu vas faire : décrète la loi martiale et dis aux habitants de se cloîtrer chez eux. Ensuite, demande à nos agents de fouiller tous les endroits dont nous avons parlé. (Il s'agissait de tous les lieux vulnérables à une attaque venue de l'intérieur.) Enfin, patrouillez la cité et arrêtez tous ceux qui se trouveront dans les rues. Quand ce sera fait, retournez à la prison et attendez.

— Attendre quoi, shérif ?

— Qu'on vous annonce que les Keshians ont réussi à percer nos défenses. À ce moment-là, les autres et toi, vous rappliquerez au plus vite.

Gustave salua son officier et donna des ordres à plusieurs groupes de policiers qui partirent dans des directions différentes en criant :

— La cité est sous loi martiale ! Rentrez chez vous ! Ne traînez pas dans les rues !

Dash se retourna et observa la progression de l'armée ennemie tandis que le soleil continuait de se lever.

Erik se pencha en avant, le front dégoulinant de sueur, tandis que l'ennemi se repliait une fois de plus. Il se tenait à la pointe du diamant central. Le tas de cadavres autour du mur de boucliers s'élevait à hauteur de poitrine. Quelqu'un lui mit la main sur l'épaule ; Erik se retourna et vit Jadow, le visage couvert d'un masque rouge – des éclaboussures de sang.

— Nous avons tenu bon, annonça le lieutenant. Nous avons réussi.

Jusqu'au bout, leurs attaquants n'avaient pas faibli, se lançant inlassablement à l'assaut des défenses du royaume. Erik avait réussi à les repousser sans le renfort de la cavalerie partie à la rescousse de Krondor. Le diamant gauche avait failli tomber aux mains de leurs adversaires à un moment donné, mais une compagnie de réserve était arrivée en renfort et avait réussi à repousser les assaillants. Les archers avaient continué à transformer les espaces entre les diamants en un véritable abattoir et deux compagnies volantes avaient réussi à empêcher les hommes de Fadawah de les déborder sur les côtés. Dans l'ensemble, la défense avait été menée de main de maître.

— J'ai peur qu'on finisse par manquer de flèches, confia Erik à Jadow. Demande aux soldats qui rapportent les cadavres d'en récupérer autant que possible.

Jadow s'empressa d'obéir. Erik agita la main à l'intention d'un dénommé Wilks.

— Cours jusqu'au pavillon du comte et avertis messire Richard que j'irai le voir un peu plus tard. Demande-lui si les chariots de l'intendance nous ont rattrapés. Ensuite, reviens faire ton rapport.

Un soldat de l'intendance, justement, tendit une gourde d'eau à Erik. Ce dernier but avidement puis se versa de l'eau sur la figure pour en ôter le plus de poussière et de sang possible.

Autour de lui, ses camarades poussaient les cadavres à l'extérieur des diamants. Leurs ennemis ne semblaient pas vouloir récupérer leurs morts, ce qui inquiétait Erik. Aux problèmes de puanteur et de possible épidémie s'ajoutait l'obligation pour ses hommes de nettoyer l'endroit afin de pouvoir continuer à le défendre.

Erik supervisa les opérations de nettoyage. Jadow revint en disant que l'on était en train de récupérer toutes les flèches susceptibles de servir à nouveau. Certaines, pas trop abîmées, allaient même être réparées par le trio de bougeniers, les fabricants de flèches qui travaillaient dur à l'arrière du camp. Mais ils étaient pratiquement à court de vivres et de fournitures, ce qui ne manquait pas d'inquiéter Erik. Une caravane de l'intendance qui aurait dû arriver la veille n'était toujours pas là. Il avait déjà envoyé une patrouille au sud pour retrouver la caravane et ordonner à ses conducteurs de se presser. À l'époque de son apprentissage à la forge, Erik s'était occupé des mules et des ânes et savait que ces animaux pouvaient parfois se montrer encore plus difficiles et rebelles que des chevaux. Mais il craignait que ce retard ne soit pas seulement dû à un ou deux attelages difficiles.

— C'était un sacré combat, mec, commenta Jadow.

— Il n'y avait pas grand-chose à faire à part tenir notre position et massacrer l'ennemi.

— On se serait cru de retour sur les crêtes du Cauchemar.

Erik indiqua le camp adverse avec son pouce.

— Ils ne sont pas très intelligents, mais ils n'ont peur de rien.

— Justement, j'y ai pensé, avoua Jadow. Avant, les types qu'on devait combattre étaient sous l'emprise d'un sortilège ou d'un démon, à en croire les rumeurs. Il paraît que c'est pour ça qu'ils ont perdu tous leurs moyens après la bataille des Crêtes. Mais on dirait qu'ils ont rien appris au cours de l'hiver.

— Oui, je vois ce que tu veux dire. D'après les renseignements que nous avons sur Fadawah, je m'attendais à quelque chose de différent. Il doit avoir découvert que nous n'allons pas nous lancer à sa poursuite.

Erik se passa la main sur le visage comme s'il pouvait en effacer la fatigue. Au même moment, Wilks revint le voir.

— Capitaine, le comte Richard attend votre rapport et m'a demandé de vous dire que la caravane de l'intendance est arrivée.

— Tant mieux, je commençais à m'inquiéter. Jadow, relève les troupes qui sont dans les diamants et va te chercher quelque chose à manger.

— Bien, capitaine, répondit le sergent en saluant négligemment son officier.

Erik sortit du diamant et prit le temps d'inspecter les trois positions défensives. Les boucliers étaient abîmés, ainsi qu'il fallait s'y attendre, mais les remplacer ne serait pas un problème. Les lances, en revanche, trop abîmées, avaient presque perdu toute leur utilité. Il se tourna vers un soldat.

— Johnson, prenez quelques hommes avec vous et allez dans les bois au bord de la route. Commencez à abattre des arbres pour que nous puissions fabriquer de longues lances.

Le soldat le salua. Erik vit à son expression qu'il ne souhaitait que deux choses : manger et dormir. Mais en temps de guerre, rares étaient ceux qui pouvaient faire ce qu'ils voulaient.

Erik savait qu'ils ne pouvaient fabriquer des pointes de lance. Mais des épieux pointus et durcis au feu feraient tout aussi bien l'affaire pour tenir les chevaux ennemis à l'écart. De plus, il y avait d'autres armes dans la caravane qui venait d'arriver : les pièces nécessaires à la construction de plusieurs catapultes, de l'huile pour incendier les souterrains et les ouvrages défensifs en bois. Erik commençait à se sentir de nouveau optimiste et à se dire qu'ils pourraient tenir cette position. Pour le moment, il n'était plus question d'avancer, pas quand son régiment de cavalerie au grand complet s'apprêtait à rallier Krondor au plus vite.

Il se rendit à la tente de commandement et trouva le comte assis derrière son bureau.

— Comment va votre bras, commandant ?

— Bien, répondit Richard en souriant. Voulez-vous savoir pourquoi la caravane a eu du retard ?

— Je me suis posé la question, reconnut Erik en se servant un verre de bière à l'aide du pichet posé sur le bureau.

— Leland les a obligés à sortir de la route pour que lui et ses gars puissent passer et gagner Krondor au plus vite. Mais certains chariots se sont embourbés et les caravaniers ont mis une demi-journée à les sortir de là.

— Eh bien, fit Erik en riant, j'aurais préféré qu'ils soient là hier, mais puisqu'ils sont arrivés, je me satisferai de cette explication. J'avais peur qu'ils ne soient tombés dans une embuscade.

On apporta des serviettes humides et chaudes, aussi Erik en profita pour faire un brin de toilette. Un domestique se rendit jusqu'à sa tente pour lui rapporter une tunique propre. Puis Erik s'assit en compagnie du comte. La pression insoutenable qu'il avait subie toute la journée commença à se dissiper tandis qu'il se détendait sous l'effet de la bière.

On leur apporta de la nourriture, le régime habituel d'un camp de soldats. Mais c'était chaud et nourrissant et le pain sortait tout juste du four. Erik enfourna une grosse bouchée, qu'il trouva savoureuse, et commenta :

— L'avantage, quand on doit défendre une position comme celle-là, c'est que les gars de l'intendance ont le temps de monter leurs fours.

Le comte Richard se mit à rire.

— Ah, nous y voilà ! Je me demandais s'il y avait un seul côté positif à tout cela et vous avez mis le doigt dessus.

— Malheureusement, c'est bien le seul. J'échangerais volontiers tous les pains frais du monde pour me trouver en ce moment même aux portes d'Ylith, prêt à conquérir la cité à la tête de notre armée.

— Quelqu'un m'a dit une fois qu'on a beau élaborer les meilleurs plans, ils ne servent plus à rien dès que l'on affronte l'ennemi pour de bon.

— D'après mon expérience, je peux vous dire que c'est tout à fait vrai.

— Mais on reconnaît les grands généraux à leur sens de l'improvisation – ce qui est votre cas, ajouta Richard en regardant Erik.

— Je vous remercie mais je suis loin de ressembler à l'idée que je me fais d'un grand général.

— Vous vous sous-estimez, Erik.

— Je voulais devenir forgeron.

— Vraiment ?

— Oui, vraiment. J'étais l'apprenti d'un ivrogne qui a oublié de m'enregistrer comme tel auprès de la guilde. S'il l'avait fait, j'aurais probablement quitté la Lande Noire avant d'avoir eu l'occasion de tuer mon demi-frère.

Il poursuivit en retraçant l'histoire de sa vie et en racontant comment il était devenu soldat après avoir tué Manfred dans un accès de rage. Il expliqua que ce dernier avait violé Rosalyn, la jeune fille qu'il considérait comme sa sœur et qu'il avait été jugé et condamné pour ce meurtre. Le duc James, Bobby de Loungville et le capitaine Calis l'avaient tiré de prison et envoyé en expédition sur Novindus.

— C'est une histoire tout à fait remarquable, Erik, commenta messire Richard après qu'il eut fini. Nous avons entendu parler dans l'Est de certaines des actions du duc James, mais il ne s'agissait que de rumeurs et d'hypothèses. Je sais que mon fils deviendra comte à ma mort et s'élèvera peut-être plus haut pour avoir servi au cours de cette guerre, ajouta-t-il. Mais vous, Erik, êtes susceptible de devenir quelqu'un si vous décidez de profiter de la situation. Greylock étant mort, vous n'auriez pas grand-chose à faire pour devenir le commandant en chef des armées de l'Ouest.

— Je ne suis pas assez qualifié. Il y a tant de choses que j'ignore en matière de stratégie et de planification à long terme. Et puis, je ne saurais pas mesurer les conséquences politiques de mes décisions.

— Le fait que vous ayez conscience de ces problèmes vous place déjà au-dessus de la plupart des candidats à ce poste, Erik. Ces derniers sont choisis pour leur lignée, vous pourriez être choisi pour vos qualités. Encore une fois, ne vous sous-estimez pas.

Erik haussa les épaules.

— Je ne crois pas faire l'affaire, Richard. Je suis le capitaine des Aigles cramoisis, ce qui fait de moi un baron de la cour. C'est un poste et un titre bien plus importants que je ne le souhaitais. Lorsqu'on m'a nommé sergent, je me suis dit que j'avais tout ce que je voulais. Je ne veux que servir mon pays en tant que soldat.

— Quelquefois, on ne nous laisse pas le choix. Moi, je voulais cultiver des roses. J'aime mes jardins. Je crois que mon plus grand bonheur, c'est d'emmener mes invités les visiter. Cela amuse ma femme et ennuie mon paysagiste de me voir à quatre pattes pour semer des graines.

Erik sourit en visualisant le vieil homme à genoux dans la poussière.

— Et pourtant vous continuez, en dépit de leur désapprobation.

— Bien sûr, parce que cela me rend heureux. Trouvez ce qui fait votre bonheur, Erik et tenez-vous-en là.

— Ma femme, le travail bien fait, et la compagnie de mes amis, voilà ce qui me rend heureux. Je ne trouve rien à ajouter à cette liste.

— Vous trouverez, Erik de la Lande Noire, vous trouverez. Si vous êtes appelé à un destin grandiose, je suis sûr que vous vous en sortirez très bien.

Ils continuèrent à bavarder ainsi tard dans la nuit.

Nakor tendit le doigt.

— C'est par là.

— Je ne vois rien avec tout ce brouillard, protesta le capitaine. Vous en êtes sûr ?

— Bien sûr que je le suis, affirma le petit homme. Ce brouillard n'est qu'une illusion. Je sais où nous allons.

— Je me souviendrai de ces paroles, monsieur, répliqua le capitaine d'un air dubitatif.

Nakor avait tenté d'utiliser un ou deux « tours » pour contacter Pug, mais aucun ne semblait fonctionner. Il s'était demandé si de nouvelles défenses avaient été érigées autour de l'île du Sorcier, mais en entrant dans le brouillard, son hypothèse se transforma en certitude.

Visiblement, Pug ne voulait plus être ennuyé par les voyageurs occasionnels. À l'époque où Nakor était chargé de défendre l'île, il s'appuyait essentiellement sur sa réputation, ajoutée à son château menaçant et à la lumière bleue tremblotante qui brillait aux fenêtres de la tour.

Mais, depuis, la magie défensive avait été renforcée. Nakor dut demander au capitaine de rectifier la trajectoire car le marin à la barre laissait le navire s'éloigner de l'île en raison du brouillard.

— Préparez-vous à amener les voiles, capitaine, nous sommes presque arrivés, annonça le petit homme en entendant le son des déferlantes dans le lointain.

— Comment pouvez-vous…

Brusquement, ils sortirent de la brume et retrouvèrent la lumière du jour, éclatante. Les membres de l'équipage regardèrent par-dessus leur épaule et aperçurent un mur de brouillard qui entourait l'île telle une forteresse.

Le château se dressait toujours au sommet des falaises, présence noire et menaçante qui donnait à la côte un caractère lugubre.

— Devons-nous continuer à longer la côte ? demanda le capitaine.

— Oh, ça c'est génial ! s'exclama Nakor. Ils ont créé un nouveau tour. (Il regarda le capitaine.) Tout va bien. Vous n'avez qu'à mettre un canot à la mer et me déposer sur la plage. Après, vous pourrez rentrer à Krondor.

Le soulagement transparut sur le visage de son interlocuteur.

— Quelle trajectoire devons-nous suivre ?

— Contentez-vous de naviguer droit devant vous. Si le brouillard vous dévie de votre route, ce n'est pas grave, parce qu'il voudra vous éloigner de l'île de toute façon. Vous en sortirez plus ou moins en direction de l'est et vous pourrez vous repérer grâce au soleil ou aux étoiles.

Le capitaine tenta de prendre un air rassuré, mais en vain.

Son équipage amena les voiles et mit un canot à la mer. Une heure plus tard, Nakor prit pied sur la plage de l'île du Sorcier. Il ne regarda même pas le navire s'éloigner ; il savait que le capitaine commencerait à hisser les voiles avant même que les marins à bord du canot aient regagné le vaisseau. Pug avait parfaitement réussi à jeter un sortilège de tristesse et de désespoir sur tous ceux qui s'approchaient de son île.

Nakor remonta le chemin qui menait d'un côté au château et de l'autre dans une petite vallée. Il choisit cette dernière direction et ne prit même pas la peine de changer son niveau de perception ; il savait que bientôt, ces bois sauvages laisseraient place à une jolie prairie surmontée d'une villa construite suivant des plans anarchiques.

Mais lorsqu'il eut franchi le voile d'illusion, il faillit trébucher tant le spectacle qui s'offrait à lui le surprit. La prairie et la villa étaient bien là, mais une vision inattendue emplissait le paysage, celle d'un dragon doré, visiblement endormi, qui reposait, confortablement installé, à côté de la villa.

Nakor releva sa tunique orange défraîchie, dévoilant ses jambes grêles, et se précipita vers le dragon.

— Ryana ! s'écria-t-il.

Le dragon ouvrit un œil.

— Bonjour, Nakor. Tu as une raison particulière pour me réveiller ?

— Pourquoi ne te transformes-tu pas ? Tu pourrais m'accompagner à l'intérieur.

— Parce que c'est plus confortable de dormir comme ça, répliqua la femelle dragon d'un ton qui trahissait sa mauvaise humeur.

— Tu t'es couchée tard ?

— J'ai volé toute la nuit. Tomas m'a demandé de l'amener.

— Tomas est là ! Quelle merveilleuse nouvelle.

— Tu dois bien être le seul sur tout Midkemia à penser ça, répliqua Ryana.

— Non, je ne parlais pas de la raison de sa venue, mais du fait qu'il est là, précisément. Ça signifie que je ne vais pas avoir besoin d'expliquer la situation à Pug.

— Je suis sûre qu'il vaut mieux pas.

Un halo de lumière dorée apparut autour du dragon dont la silhouette se mit à miroiter. Ses contours devinrent flous et le halo parut diminuer jusqu'à mesurer la taille d'un humain. Ryana se transforma alors en une très belle jeune femme aux cheveux blond-roux avec d'énormes yeux bleus et un teint doré.

— Tu devrais enfiler des vêtements, conseilla Nakor. Je n'arrive pas à me concentrer quand tu te balades toute nue.

D'un simple geste, Ryana fit apparaître une longue robe bleue qui soulignait la couleur de sa peau.

— Comment peut-on être aussi vieux et continuer à se conduire comme un adolescent ? Ton attitude me dépasse, Nakor.

— Ça fait partie de mon charme, répliqua le petit homme en souriant.

— Non, je ne crois pas. (Ryana passa son bras sous le sien.) Viens, allons rejoindre les autres.

Ils entrèrent dans la maison et se rendirent jusqu'au bureau de Pug. En arrivant, ils entendirent leurs amis discuter à l'intérieur. Nakor frappa à la porte.

— Entrez, lui répondit la voix de Pug.

Ryana entra la première, Nakor sur ses talons. La pièce était vaste et comportait une large banquette installée sous la fenêtre et sur laquelle Miranda avait pris place. Tomas ne semblait pas à son aise, assis sur une chaise visiblement trop petite pour lui. Pug leur faisait face. L'arrivée de Nakor surprit peut-être les deux amis d'enfance, mais ils n'en laissèrent rien paraître. Miranda, quant à elle, sourit d'un air malicieux.

— Pourquoi ta visite ne m'étonne-t-elle pas ?

— Je préfère ne pas répondre, répliqua Nakor en s'asseyant. Bon, qu'est-ce qu'on fait ?

Tous les regards se tournèrent vers lui.

— À toi de nous le dire, suggéra Pug.

Nakor ouvrit son sac et y plongea le bras jusqu'à l'épaule, comme s'il fouillait dedans à tâtons. Toutes les personnes présentes dans la pièce l'avaient déjà vu faire, mais la scène n'en paraissait pas moins toujours aussi comique.

— Quelqu'un en veut une ? demanda-t-il en brandissant une orange.

Miranda tendit la main. Nakor lui lança le fruit et en récupéra un autre pour lui.

— Quelque chose d'extraordinaire s'est produit à Krondor la semaine dernière, expliqua-t-il en pelant son orange, quelque chose de terrible et quelque chose de merveilleux – à moins qu'il ne s'agisse d'un seul et même événement. Quoi qu'il en soit, l'une de mes disciples, une jeune femme très spéciale du nom d'Aleta, était en train d'étudier les bases de la méditation avec Sho Pi quand brusquement une lumière est apparue autour d'elle.

Elle s'est élevée dans les airs et l'on a vu apparaître sous elle une chose extrêmement noire et prise au piège.

— Une chose noire ? répéta Miranda. Tu ne pourrais pas être plus précis ?

— Je ne sais pas quel nom lui donner. C'est de l'énergie, peut-être une sorte d'esprit. Peut-être qu'à l'heure actuelle, les prêtres des différents temples ont trouvé de quoi il s'agit. En tout cas, c'est très mauvais. Il s'agit peut-être d'un résidu laissé par le démon, je ne sais pas. En tout cas, c'était là pour permettre à un événement de se produire à Krondor un peu plus tard.

— Comment ça ? fit Miranda.

Elle regarda Pug, qui haussa les épaules.

— J'étais justement en train de raconter à Pug que Subai, le capitaine des Pisteurs royaux, est venu nous trouver en Elvandar, intervint Tomas. Il semblerait que l'armée de Greylock soit coincée au sud de Questor-les-Terrasses. D'après Subai, les ennemis du royaume utilisent à nouveau la magie noire.

— Oui, cela ne m'étonne pas du tout. (Nakor parut sur le point de dire quelque chose et hésita.) Un moment, je vous prie.

Il décrivit de grands gestes avec ses mains au-dessus de sa tête. De l'énergie crépita alors dans toute la pièce.

Tomas sourit.

— Cette fois, essaye de ne pas enlever cette barrière prématurément.

Nakor sourit d'un air embarrassé. La dernière fois qu'il s'était servi de ce bouclier magique pour les protéger, il l'avait fait disparaître trop tôt, ce qui avait permis au démon Jakan de les localiser.

— Non, j'ai établi le champ de force autour de la pièce, je n'aurai qu'à l'y laisser de manière permanente. Ainsi, les agents de Nalar ne seront jamais capables d'espionner ce qui s'y passe. Maintenant, nous pouvons parler sans craindre de tomber sous sa coupe.

En entendant le nom de Nalar, Pug éprouva comme des picotements à l'intérieur du crâne pendant quelques instants. Brusquement, les barrières érigées dans sa mémoire disparurent. Des images et des voix envahirent sa conscience et certains souvenirs qu'il avait placés à l'écart lui revinrent.

— Oui, nous devons partir du principe que le Sans-Nom a recruté d'autres serviteurs.

— C'est évident, renchérit Tomas. Les sacrifices humains et les massacres lors des batailles sont pour lui le moyen d'accumuler plus de puissance.

— Ce qui me fascine, c'est ce qui est en train de se passer à Krondor, reprit Nakor.

Pug sourit à son occasionnel compagnon d'aventure.

— De toute évidence, ta nouvelle religion a une certaine influence sur les événements.

— C'est précisément ce qui me fascine. (Le petit homme mangea un quartier d'orange.) Je ne suis pas expert en la matière, mais j'avais l'impression très nette que cela prendrait plusieurs siècles, voire davantage, avant que la création du temple puisse avoir un tel effet.

— Ne va pas prendre la grosse tête, Nakor, le prévint Miranda. Si ça se trouve, le pouvoir que tu as éveillé était déjà là depuis longtemps et ton temple n'a été qu'un catalyseur.

— Ce qui paraîtrait plus logique, approuva Nakor. Quoi qu'il en soit, nous devons discuter de ce problème. Quand nous avons vaincu le démon, nous avons cru, à tort, que nous avions vaincu les agents du Sans-Nom. En réalité, nous n'avons fait que détruire leur arme la plus récente.

» Là, dehors, ajouta-t-il en désignant la fenêtre derrière Miranda, au moins une entité maléfique est à l'œuvre et son pouvoir grandit. C'est elle que nous devons vaincre.

— Les informations rassemblées par Subai me laissent à penser qu'Elvandar sera bientôt en danger si nous n'arrêtons pas cette armée tout de suite, admit Tomas.

Nakor bondit de sa chaise.

— Non, vous ne m'écoutez pas ! (Il s'immobilisa.) Ou alors, je m'explique mal. Nous ne devons pas sauver Elvandar, ou Krondor, ou même le royaume. (Il dévisagea chacun de ses compagnons.) Nous devons sauver le monde.

— Très bien, Nakor, tu as toute mon attention, intervint Ryana. Les guerres des humains nous importent peu, à nous les dragons, mais nous partageons ce monde avec vous. Quelle est cette chose qui nous menace ?

— Le Dieu Dément, ce Nalar dont le nom est un danger à lui seul, c'est lui la menace. Quand tu repenseras à tout ce qui s'est passé depuis les guerres du Chaos, souviens-toi de ces paroles ; quand on t'empêchera d'accéder au souvenir de cette conversation pour t'éviter de tomber sous la coupe de Nalar, souviens-toi au moins de ça : il y a toujours quelque chose de plus profond dissimulé sous la surface.

— D'accord, fit Pug. Donc, ce qu'on voit à la surface, c'est l'invasion et les conquêtes de Fadawah. Mais tout ça dissimule une vérité plus profonde, c'est bien ça ?

— Oui, Fadawah n'est qu'une marionnette, comme avant. Il ne fait que remplacer la reine Émeraude et le démon à la tête de cette armée de meurtriers. Nous devons identifier la personne qui, dans l'ombre, tire les ficelles. Je sens le mal grandir à Krondor dans l'attente de Fadawah et ses hommes. Qu'il s'agisse d'un conseiller, d'un serviteur ou d'un membre de sa garde, la personne qui se tient derrière le « roi de la Triste Mer » doit être détruite. Cet individu était déjà là quand mon ex-femme, Jorna, devenue dame Clovis, contrôlait Dahakon et quand elle s'est assise sur le trône d'émeraude. Il était toujours là sous le règne du démon et demeure encore maintenant que Fadawah est devenu le chef. Cette créature, cet homme ou cet esprit, peu importe sa nature, est l'agent de Nalar. C'est lui qui orchestre cette guerre et ne cherche pas à conquérir mais bien à détruire. Il ne souhaite la victoire d'aucun des deux camps mais désire prolonger toutes ces souffrances et laisser les innocents mourir. C'est lui que nous devons retrouver.

— Tu penses à qui ? s'enquit Tomas. Un autre Panthatian ?

— Je ne crois pas. Peut-être, mais il peut très bien s'agir d'un humain, d'un elfe noir ou d'une toute autre créature. Il peut également s'agir d'un esprit qui aurait pris possession d'un corps, celui de Fadawah par exemple. Vraiment, je ne sais pas. Mais nous devons retrouver cette créature et la détruire.

— À t'entendre, on dirait que nous allons devoir nous précipiter au sein même de cette armée ennemie pour affronter son chef, fit Pug.

— Oui et c'est une entreprise dangereuse.

Pug frémit au souvenir du piège que lui avait tendu le démon. Dans son arrogance, il n'avait pas su l'éviter et cela avait bien failli lui coûter la vie.

— Pourquoi ne pas simplement, je ne sais pas moi, tout faire brûler sur une superficie de deux kilomètres autour du quartier général de Fadawah ? proposa Miranda. Cela tuerait cette créature, pas vrai ?

— Peut-être pas, répondit Pug. Il y a des années, j'ai dû affronter un autre agent de Nalar, un magicien fou du nom de Sidi. Quelques prêtres parmi les plus âgés connaissent cette histoire, car nous nous sommes battus pour récupérer le contrôle de la Larme des Dieux.

— Qu'est-ce que c'est ? demanda Ryana.

— Il s'agit d'un puissant artéfact que les Ishapiens utilisent pour canaliser les pouvoirs des dieux contrôleurs. (Il regarda Miranda.) Tu pourrais réduire cette maison en cendres avec Sidi à l'intérieur, tu le retrouverais debout en train de se moquer de toi une fois la fumée dissipée.

— Comment l'as-tu détruit ?

Pug regarda sa femme droit dans les yeux.

— Je ne l'ai pas fait.

— Serais-tu en train de me dire que la personne qui contrôle Fadawah n'est autre que ce Sidi ?

— C'est possible. Mais il pourrait très bien s'agir également de l'un de ses serviteurs, ou d'un autre comme lui.

— Nalar possède de nombreux agents, Miranda, renchérit Nakor. La plupart ne savent même pas qu'ils sont au service d'un dieu dément. Ils font le mal juste parce qu'ils en éprouvent le besoin.

— Que devons-nous faire ? s'enquit Tomas.

— Attirer l'agent de Nalar, répondit Pug. Le pousser à se montrer.

— Comment ? demanda Miranda.

Pug hocha la tête.

— C'est moi la clé. Il faut que je serve d'appât. Le véritable maître de Fadawah doit savoir qu'à un moment donné, je serai obligé d'agir, comme je l'ai déjà fait autrefois. J'imagine qu'une surprise m'attend si je me montre à découvert.

— Non ! protesta sa femme. La dernière fois, je t'ai convaincu d'agir prématurément et tu as bien failli te faire tuer. Depuis, j'ai changé d'avis, il ne faut plus enfoncer les portes et se précipiter dans une pièce, il vaut mieux dénicher des informations avant.

— C'est ce que j'ai fait lorsque je suis allé sur Novindus avec Calis et ses amis, rappela Nakor. J'ai approché la reine Émeraude et je serais bien incapable de dire qui tirait les ficelles. Pug a raison. Nous devons trouver un moyen d'obliger cette personne, ou cette créature, ou cet esprit, à se dévoiler.

— Non ! répéta Miranda. Je continuerai à vous le dire tant que ce ne sera pas entré dans votre tête, non ! (Elle se leva.) Moi aussi, j'ai mené mon enquête derrière les lignes ennemies. Nakor et moi n'avons qu'à recommencer. Nous pouvons nous rendre à l'endroit où campe l'armée de Greylock et voir si nous pouvons nous glisser parmi leurs adversaires. Laissez-moi m'approcher de Fadawah et voir ce que je peux trouver. Si je reviens bredouille, je serai d'accord pour les affronter et les laisser s'en prendre à toi, Pug. Mais pour le moment, je ne suis pas encore prête à courir ce risque, tu comprends ?

Elle leva la main vers le visage de son mari.

— Tu vas finir par te faire tuer à cause de ton caractère, l'avertit Pug.

— Je sais me maîtriser quand il le faut.

Pug se tourna vers Nakor.

— Tu dois me promettre que tu l'avertiras quand ce sera trop dangereux et qu'il sera temps de rentrer à la maison. Et toi, Miranda, je veux que tu me promettes de l'écouter et de vous transporter tous les deux ici quand il te dira de le faire.

Tous les deux promirent.

— Je n'aime pas ça, avoua Pug, pas plus que tu n'aimes mon idée. (Il embrassa Miranda puis ajouta :) Il vaut mieux que vous partiez maintenant, pendant qu'il fait encore nuit là-bas.

Miranda tendit la main.

— Nakor, où devons-nous aller ?

— Aux dernières nouvelles, Greylock se trouvait quelque part au sud de Questor-les-Terrasses.

— Je connais un village sur la côte. Nous allons nous transporter là-bas et nous n'aurons plus qu'à remonter la côte en volant.

— Moi, je vais aller dormir, intervint Ryana. Réveillez-moi quand vous aurez trouvé un ennemi digne d'être combattu.

— Un instant, je vous prie, demanda Nakor.

Pug et les autres sentirent les barrières magiques s'ériger de nouveau autour de leurs souvenirs pour leur faire oublier Nalar.

— Dors bien, mon amie, dit Tomas.

Le dragon sous sa forme humaine quitta la pièce.

Miranda prit la main de Nakor et disparut avec lui, laissant Pug seul avec Tomas. Ce dernier retira son heaume doré et le déposa sur le bureau de Pug.

— Eh bien, mon vieil ami, nous n'avons pas grand-chose d'autre à faire qu'attendre.

— Je n'ai pas très faim, avoua Pug, mais nous devrions manger.

Il se leva et emmena son ami jusqu'aux cuisines.

— J'espère qu'on atterrit bientôt ! cria Nakor. Je commence à avoir mal aux bras.

Miranda et lui survolaient les arbres à l'est de la grand-route. Nakor était suspendu au bâton que la jeune femme tenait sous elle. Ils étaient apparus dans un village de pêcheurs près de Questor-les-Terrasses. Apparemment, tous ses habitants avaient pris la fuite. Miranda avait soulevé Nakor dans les airs et traversé la grand-route. Puis elle avait pris la direction du nord et survolé les feux des deux camps. Nakor avait été surpris de trouver les deux armées ainsi immobiles. Quelque chose de grave avait dû se produire pour que Greylock stoppe ainsi sa progression vers le nord.

Miranda amorça la descente pour l'atterrissage et lâcha le bâton de Nakor. Le petit homme heurta durement le sol et laissa échapper une exclamation, le souffle coupé.

— Désolée, s'excusa Miranda en posant les pieds par terre. Je commençais à avoir mal aux poignets.

— Quand tu disais que tu nous ferais voler tous les deux, je croyais que tu voulais parler d'un sortilège. (Nakor se leva et s'épousseta.) J'ai bien failli me faire mal sur mon propre bâton.

— Oui, mais si tu avais laissé ton bâton comme je te l'avais recommandé, ça ne serait pas arrivé, répliqua la magicienne d'un ton peu compatissant.

Nakor éclata de rire.

— Tu seras une très bonne mère, le moment venu.

— Pas avant que Pug et moi nous ayons l'impression que le monde est plus sûr.

— Vivre, c'est déjà un risque en soi, rétorqua l'Isalani en remettant de l'ordre dans sa tenue et en allant récupérer son bâton. Bon, voyons voir si nous pouvons nous glisser dans le camp de nos ennemis.

— Comment comptes-tu t'y prendre ?

— Comme toujours, faire comme si j'appartenais à ce camp. Tu n'auras qu'à rester derrière moi. Juste une chose, cependant.

— Oui ?

— Évite de perdre ton calme.

L'expression de Miranda s'assombrit.

— Je suis toujours très calme !

Nakor sourit jusqu'aux oreilles.

— On ne dirait pas !

— Oh, tu es insupportable ! riposta la magicienne en s'éloignant de lui.

— Miranda, attends !

— Quoi encore ? explosa-t-elle en regardant par-dessus son épaule.

Nakor courut pour la rattraper.

— Tu te conduis vraiment comme une enfant, parfois. C'est étonnant pour une femme de ton âge.

La magicienne parut sur le point de répliquer vertement. Puis elle se figea un moment et finit par dire :

— Tu ne me connais pas, Nakor. Tu as peut-être été le premier mari de ma mère, mais tu ne sais rien de moi. Tu ne sais pas quelle a été mon enfance, ni ce que c'est que d'être élevé par des agents impériaux. Si je me conduis comme une enfant, c'est peut-être parce que je n'ai jamais eu d'enfance.

— Peu importent les raisons de ta conduite. Ce serait bien si tu évitais de nous faire tuer. (Nakor passa à côté d'elle et ajouta :) Et laisse-moi te dire que, vu ton âge, tu te soucies beaucoup trop de choses qui se sont produites il y a très longtemps.

Miranda pressa le pas pour ne pas se laisser distancer.

— Comment ça ?

Nakor s'arrêta pour lui faire face. Pour la première fois depuis qu'elle le connaissait, Miranda ne décela pas la moindre trace de moquerie dans l'expression du petit homme. Il la dévisagea d'un air intimidant, lui donnant l'espace de quelques instants un aperçu du pouvoir qu'il possédait en lui.

— Le passé peut parfois sembler bien lourd, comme un poids auquel nous serions reliés par des chaînes incassables. Nous le traînons en ne cessant de regarder par-dessus notre épaule toutes ces choses qui nous retiennent. Mais nous pouvons très bien le laisser s'éloigner et aller de l'avant. C'est un choix. Et ce choix a une importance cruciale pour tous ceux qui, comme nous, vivent des siècles.

L'Isalani tourna les talons et s'éloigna.

Miranda resta immobile pendant quelques instants, puis le rattrapa de nouveau. Cette fois, elle ne prononça pas un mot.

Ils se frayèrent un chemin sous les arbres qui recouvraient le versant occidental des Calastius. Ils avaient laissé le champ de bataille à plusieurs kilomètres au sud.

— Il s'est passé quelque chose d'étrange, reprit Nakor. Greylock s'est retranché plus au sud, c'est du moins l'impression que j'ai eue en survolant son camp. On dirait qu'il craint une contre-attaque.

— Je ne sais pas, répondit Miranda. Peut-être attend-il tout simplement qu'on envoie des provisions dans le village de pêcheurs que nous avons visité tout à l'heure.

— C'est une possibilité, mais je n'y crois guère. (La puanteur des milliers de cadavres sur le champ de bataille emplissait l'air nocturne.) Ce n'est pas bien du tout. C'est mal de laisser les morts sans sépulture.

Au nord du champ de bataille, l'armée ennemie était en train de construire un édifice, visiblement une espèce de forteresse. En approchant, Miranda et Nakor purent se rendre compte qu'il s'agissait en réalité d'une série de bâtiments reliés les uns aux autres par d'immenses palissades en bois hautes de sept mètres. Les soldats campaient autour des feux éparpillés à la périphérie du complexe.

— Regarde, fit remarquer Nakor, on dirait qu'ils ne veulent pas camper trop près.

— À ton avis, qu'est-ce que c'est ? demanda Miranda tandis qu'ils parvenaient à la lisière des bois qui les dissimulaient.

— Quelque chose de très maléfique. Peut-être un temple.

— Dédié à quoi ?

— Essayons de le savoir. (Nakor regarda tout autour de lui.) Viens, sortons par là.

Il guida Miranda sous les arbres jusqu'à un endroit proche d'un groupe de tentes de toutes les couleurs et de toutes les tailles. Ils passèrent entre les gros troncs jusqu'à ce qu'ils trouvent une trouée entre deux feux de camp où ils pouvaient se glisser sans attirer l'attention.

On les laissa passer sans leur poser de questions. Nakor guida Miranda entre les feux de camp. Pour les guerriers, ils n'étaient que deux personnes de plus vaquant à leurs occupations. Mais en entrant dans un autre rassemblement de tentes, plus grand celui-là, ils virent un homme venir à eux. Il avait le crâne rasé à l'exception d'une longue queue-de-cheval attachée à l'aide d'un anneau en os. De profondes cicatrices marquaient ses joues. Sur son torse nu, il portait un gilet qui semblait taillé dans de la peau humaine. Nakor préféra ne pas attarder son regard sur son pantalon en cuir teint. L'individu, puissamment bâti, était armé d'un énorme sabre à lame courbe qui se maniait d'ordinaire à deux mains mais qu'il semblait capable d'utiliser d'une seule.

Il s'avança d'une démarche légèrement titubante et s'arrêta devant Miranda. Il la dévisagea ouvertement de la tête aux pieds, puis se tourna avec Nakor et articula d'une voix d'ivrogne :

— Vends-la-moi.

Nakor esquissa un sourire.

— Non, je ne peux pas.

Le guerrier écarquilla les yeux et parut sur le point d'exploser :

— Ah non ? Tu oses dire non à Fustafa !

Nakor désigna le complexe.

— Elle doit entrer là-dedans.

Aussitôt, l'expression du guerrier se modifia. Il regarda Nakor et recula.

— Je ne te demande rien, dit-il avant de s'éloigner à la hâte.

— Qu'est-ce qui lui a fait si peur ? s'étonna Miranda.

— Je ne sais pas. (Nakor regarda le complexe qui se dressait à moins de cent mètres.) Mais je crois que nous allons devoir nous montrer très prudents une fois à l'intérieur.

— Quoi, tu veux qu'on entre là-dedans ?

— Tu as une meilleure idée ? riposta l'Isalani en se dirigeant vers le bâtiment.

— Non, reconnut Miranda en se hâtant de le rattraper.

Une étrange énergie émanait du complexe et ne cessa de croître à mesure que tous deux s'en rapprochaient.

— Ça me donne l'impression d'être sale, comme si j'avais besoin d'un bain, commenta Miranda.

— Si ton mari n'y voit pas d'objection, je me joindrais bien à toi, renchérit Nakor. Par ici, ajouta-t-il en désignant une ouverture dans la clôture.

Dès qu'ils furent entrés, Nakor vit qu'il s'agissait d'un immense carré. Trois petits bâtiments se dressaient à chaque angle tandis qu'au centre se trouvaient six grandes pierres levées couvertes de runes qui donnèrent envie à Miranda de grincer des dents.

— Quel est cet endroit ?

— Un lieu d'invocation, de magie noire, d'où va surgir quelque chose de très mauvais, répondit Nakor.

Ils aperçurent des mouvements dans la pénombre, au centre du cercle de pierres. Ils s'avancèrent en silence et virent un groupe d'hommes revêtus de robes sombres, réunis autour d'une grosse pierre couchée. Derrière elle se tenait un homme, les bras en croix et la tête levée vers le ciel, qui récitait une incantation.

— Maintenant, nous savons pourquoi le guerrier avait si peur, chuchota Miranda. Regarde !

Sur la pierre était étendue une jeune femme bâillonnée, les yeux grands ouverts de terreur. Les mains attachées à des anneaux en fer scellés dans la pierre, elle ne portait qu'une courte robe sans manche de couleur noire.

Nakor écarquilla les yeux devant ce spectacle.

— Nous devons partir ! s'exclama-t-il d'une voix pressante.

— On ne peut pas la laisser mourir, protesta Miranda.

— Des milliers d'autres gens mourront si nous ne partons pas très vite d'ici.

Nakor attrapa la magicienne par le coude et la tira vers la sortie. Brusquement, on entendit comme un grondement dans l'air.

— Cours ! s'écria Nakor.

Sans hésiter, Miranda suivit Nakor hors du complexe. Les soldats à proximité ignorèrent les deux fuyards car ils avaient les yeux rivés sur la scène qui s'offrait à eux. Une faible lueur bleu-vert croissait autour du complexe et tourbillonnait comme si un immense bâton invisible la remuait.

Nakor s'arrêta quelques mètres devant Miranda et leva son bâton au-dessus de sa tête.

— Envolons-nous !

Miranda s'arrêta, ferma les yeux et rassembla ses pouvoirs pour s'envoler. Elle bondit en avant comme si elle voulait plonger mais s'éleva dans les airs au lieu de tomber. Puis elle attrapa le bâton de Nakor et le souleva à son tour dans le ciel.

Elle vola en ligne droite jusqu'au sommet d'une colline, puis amorça un virage en douceur. Lorsqu'elle put de nouveau regarder le complexe, elle laissa échapper un cri :

— Que les dieux aient pitié de nous !

Le long de la côte, une douzaine de lueurs identiques à celle-là venaient d'apparaître, illuminant la nuit de leur couleur bleu-vert maléfique. Une ligne de force apparut, reliant chacune des constructions, débutant quelque part près d'Ylith et s'achevant à l'endroit que survolait Miranda.

Une note douloureuse se mit à résonner. En contrebas, le son fit tituber les soldats qui campaient tout près du complexe. Une faible lueur se déploya autour du complexe et devint de plus en plus pâle à mesure qu'elle s'étendait en direction du camp du royaume. Elle passa par toutes les couleurs du spectre, virant au rouge avant de redevenir verte puis de passer au violet. Elle s'évanouit après avoir viré à l'indigo ; l'effroyable grincement qui l'accompagnait cessa.

Alors, sur le champ de bataille, les morts commencèrent à se relever.

Chapitre 25

CONFRONTATION

Des hommes hurlaient.

Erik prit à peine le temps de s'habiller et sortit de sa tente en courant, son épée à la main. Il vit des vétérans de l'armée de l'Ouest s'enfuir, l'air terrifié, tandis que d'autres luttaient sur le front pour sauver leur vie.

— Que se passe-t-il ? s'écria-t-il en attrapant un soldat.

Les yeux agrandis par l'horreur, ce dernier fut seulement capable d'indiquer du doigt le champ de bataille. Puis il échappa à la poigne de son capitaine et s'enfuit. Erik se précipita au front et ne parvint tout d'abord pas à appréhender la scène qu'il avait sous les yeux.

Il crut que ses hommes tentaient de repousser une attaque brutale d'envahisseurs, si bien qu'il bondit en avant en s'écriant :

— Toutes les unités sur le champ de bataille !

Puis il se rendit compte que l'un de ses hommes était aux prises avec un autre soldat du royaume qui portait l'uniforme d'un régiment différent. L'espace d'un instant, il se demanda si l'ennemi n'avait pas réussi à infiltrer leurs rangs. Puis il distingua le visage du deuxième individu et sentit les poils de ses bras et de sa nuque se hérisser. Jamais de sa courte vie, il n'avait éprouvé pareil sentiment de dégoût.

Le soldat qui essayait de tuer son ancien camarade était mort. Ses yeux sans vie étaient toujours révulsés à l'intérieur de leurs orbites et la chair de son visage pendouillait, pâle et flasque. Mais il maniait son épée avec détermination.

447

Erik bondit de nouveau et trancha la tête de la créature d'un seul coup de lame. Le crâne alla rouler un peu plus loin, mais le corps continua d'avancer. Erik abattit de nouveau son épée et trancha le bras de la créature, mais celle-ci poursuivit son chemin.

Jadow Shati surgit à côté d'Erik et faucha les jambes du cadavre qui s'effondra.

— Oh mec, ils veulent pas s'arrêter.

Erik reconnut qu'il avait raison. Au-delà de l'horreur que tout le monde éprouvait à combattre des hommes déjà morts – ce qui avait fait fuir un soldat sur quatre – se dissimulait un autre problème : les cadavres les pressaient sans merci. On ne pouvait les arrêter à moins de les tailler en pièces. Or, le temps d'en abattre un, un soldat du royaume mourait.

Puis Erik vit un soldat qui venait tout juste de mourir se relever, les yeux révulsés, et attaquer ses anciens compagnons.

— Comment faisons-nous pour les repousser ? hurla Jadow.

— Par le feu ! s'écria Erik. Tenez bon ! ajouta-t-il à l'adresse de ses hommes.

Puis il courut à l'arrière des lignes. D'autres soldats se précipitaient pour répondre à l'alarme qui venait d'être sonnée. Erik leva les mains et arrêta une vingtaine d'entre eux.

— Courez à l'arrière et rapportez-moi toute la paille laissée par la cavalerie. Ensuite, répandez-la à cet endroit, ajouta-t-il en désignant un point où la route se rétrécissait.

Puis il partit rapidement trouver une autre escouade qui s'apprêtait à monter au front :

— Démontez les tentes ! Prenez la toile et tout ce qui peut brûler et allez les déposer sur la paille.

— Quelle paille, capitaine ?

— Quand vous reviendrez avec la toile de tente, vous verrez la paille.

Erik se précipita à l'arrière, à l'endroit où les ingénieurs dormaient sous leurs catapultes en cours de construction. Les hommes étaient déjà levés, les armes à la main, prêts à défendre leurs engins de guerre en cas de besoin.

— Est-ce qu'au moins l'un de ces engins est terminé ? demanda Erik.

Ce fut le capitaine des ingénieurs, un type costaud avec une barbe grise, qui lui répondit :

— Oui, celui-ci est prêt, capitaine, et cet autre, là-bas, est presque fini. Qu'est-ce qu'il se passe ?

Erik pressa le bras de l'officier.

— Allez au front et voyez où sont nos positions avancées. Puis revenez ici et faites tirer votre catapulte dans cette direction.

Le capitaine des ingénieurs s'empressa d'obéir tandis qu'Erik s'adressait au reste de son équipe :

— Combien d'entre vous faut-il pour terminer cette deuxième catapulte ?

— Juste nous deux, capitaine, répondit un ingénieur en désignant l'un de ses camarades. Tout ce qu'il reste à faire, c'est installer les cliquets sur le bras. On aurait pu la finir hier soir, mais on voulait avoir notre dîner.

— Allez la terminer. Les autres, suivez-moi.

Il les conduisit jusqu'aux chariots de l'intendance et cria à l'intention des soldats qui les gardaient :

— Certains d'entre vous sont-ils capables d'atteler ces chevaux ?

Tous répondirent par l'affirmative.

— Portez la moitié de cette huile au front, à l'endroit où l'on construit une barricade, et l'autre moitié aux catapultes, poursuivit Erik.

Il retourna ensuite en courant vers le front. Le plan ne marcherait que si les soldats du royaume parvenaient à empêcher les morts de franchir la barricade. Jusqu'à ce que les catapultes soient prêtes à tirer, Erik ne pouvait mieux servir sa cause qu'en utilisant sa force pour tailler en pièces les cadavres qui essayaient de passer entre les diamants.

— Il faut ramener Pug et Tomas ! affirma Miranda.

Postés sous les arbres à flanc de colline, Nakor et elle regardaient les troupes du royaume se rassembler pour repousser la première vague de zombies. Nakor entendit des cors résonner à l'arrière de l'armée de Fadawah. Des guerriers, bien vivants ceux-là, formèrent les rangs derrière la bataille qui faisait rage autour des diamants.

— Tu as raison, approuva-t-il. Va chercher Pug et Tomas, et ramène Ryana aussi si elle est encore là.

Miranda disparut.

Le petit homme entendit sonner une trompette. Les troupes du royaume qui occupaient les diamants se replièrent derrière une barricade qui avait été érigée à la hâte derrière eux. Ils bondirent par-dessus cette palissade, hissant à la force des bras les camarades blessés qui ne pouvaient faire de même. Personne n'avait envie de mourir et de se relever pour affronter un ami.

Brusquement, on alluma un feu, puis un autre. Tout d'un coup, la palissade entière s'embrasa. *C'est un coup du capitaine de la Lande Noire*, songea Nakor. *Le jeune Erik ne perd pas le nord.*

Les zombies, pris au piège des flammes, se débattirent en silence jusqu'à ce qu'ils s'effondrent sur le sol. Les quelques rares cadavres animés qui réussirent à s'accrocher à la barricade enflammée furent repoussés à coups de lances et de perches.

Puis Nakor entendit le bruit d'un engin de guerre que l'on actionne et vit quelque chose survoler le camp dans les ténèbres et atterrir près des diamants. Une minute plus tard, un autre projectile passa au-dessus des soldats du royaume et atterrit plus près encore de la barricade. Nakor vit qu'il s'agissait d'un tonnelet qui explosa lors de l'impact, projetant de l'huile tout autour. Celle-ci s'enflamma au contact de la barricade ; le feu engloutit alors les cadavres qui se dirigeaient d'un pas titubant vers la palissade. Bientôt, ils s'effondrèrent à leur tour.

Pug, Tomas, Ryana et Miranda apparurent brusquement à côté de Nakor.

— Par tous les dieux ! s'exclama Pug.

— Ces cadavres ne sont pas un problème, affirma Nakor. Erik de la Lande Noire a su faire le nécessaire. Toi, c'est au nord que tu dois te rendre. Trouve la source de cette énergie et tu trouveras celui que tu dois détruire.

Des cors de guerre résonnèrent et l'armée de Fadawah se mit en marche alors même que l'incendie commençait à se calmer.

— Où serai-je le plus utile ? s'enquit Tomas.

— Il ne servira à rien de tuer les guerriers qui sont ici. En revanche, supprimer la source de notre problème permettra peut-être de sauver l'Ouest.

Ryana se métamorphosa de nouveau et redevint un énorme et imposant dragon.

— Je vais tous vous porter.

Les humains grimpèrent sur son dos. D'un puissant coup d'ailes, elle s'élança vers le ciel. Les soldats qui levèrent les yeux à ce moment-là vers les arbres furent stupéfaits de la voir apparaître et prendre de l'altitude. Beaucoup poussèrent des cris en désignant Ryana du doigt. Mais comme la bataille gagnait en intensité et l'armée de Fadawah marchait sur les diamants abandonnés, la plupart des soldats, préoccupés par leur propre survie, ne remarquèrent pas le dragon.

Celui-ci survola le champ de bataille et prit la direction du nord.

Dash entendit résonner les tambours des Keshians sur la plaine. Mais il lui faudrait attendre avant de savoir ce que l'ennemi réservait à Krondor, car la pénombre dissimulait les préparatifs des Keshians et le soleil ne se lèverait pas avant plusieurs heures. D'après les guetteurs sur les remparts, ils n'avaient affaire qu'à des régiments de cavalerie et d'infanterie montée, sans infanterie lourde ni engins de guerre. Mais difficile d'en être sûr dans le noir. Dash se disait que, depuis des semaines, les Keshians faisaient passer des unités rapides dans le royaume, évitant les compagnies qui avançaient trop lentement. Sinon, ils n'auraient jamais pris le risque de lancer une attaque à si grande échelle, même en l'absence de la moitié de la garnison. C'était à la fois une bonne et une mauvaise nouvelle : les défenseurs de Krondor devraient affronter des bretteurs et des archers montés uniquement, mais ces derniers étaient nombreux.

Cela signifiait que l'officier keshian en fuite dont Duko parlait dans son message avait réussi à rejoindre les siens et à leur faire part de la vulnérabilité de Krondor. Ce même message ne contenait que deux bonnes nouvelles : Malar était mort et Jimmy encore en vie.

Les nouvelles en provenance du palais semblaient tout aussi mitigées : Patrick, Francie et le père de cette dernière survivraient à leur empoisonnement – mais messire Brian risquait d'en garder des séquelles. Messire Rufio et quelques nobles de la région étaient quant à eux décédés. Deux officiers avaient suffisamment récupéré pour prendre position sur les remparts, mais Dash savait qu'ils manquaient cruellement d'hommes pour repousser l'armée keshiane. Tout au plus seraient-ils capables de retenir l'ennemi pendant quelques heures, une journée ou deux dans le meilleur des cas.

La défense de la cité comportait encore trop de faiblesses. Nul besoin d'être un Moqueur pour dénicher certains moyens d'entrer en ville. L'aqueduc asséché qui longeait l'enceinte au nord de la cité fournissait plus d'une demi-douzaine d'entrées si l'on prenait le temps de bien l'explorer. Dash regrettait de ne pas avoir pu réparer les écluses pour pouvoir inonder l'aqueduc en question. Mais en faisant cela, il aurait également inondé plus d'une centaine de caves. Brusquement lui vint une idée.

— Gustave !

L'ancien mercenaire le rejoignit.

— Oui, shérif ?

— Prends deux hommes avec toi et cours à l'armurerie. Vois si tu peux me trouver du feu quegan. Voilà ce que tu dois faire avec s'il en reste. (Dash lui expliqua les grandes lignes de son plan, puis appela Mackey :) Prenez le contrôle en mon absence. Je serai de retour dès que possible.

Dash descendit du mur d'enceinte en courant et remonta la rue Haute jusqu'au croisement du chemin de la porte du Nord. Il coupa à travers les bâtiments en ruine jusqu'à la voie dégagée par les Moqueurs. Il s'y engouffra en courant toujours, en dépit de l'obscurité.

Au risque de se blesser, il sauta par-dessus des clôtures et plongea sous des obstacles pour atteindre sa destination aussi rapidement que possible. Enfin, il trouva la porte qu'il cherchait, celle d'un cellier apparemment, qui servait en réalité de couverture à l'un des tunnels qu'utilisaient les Moqueurs pour se rendre à leur quartier général.

Il dévala les marches en pierre d'un pas aussi léger que possible tout en gardant une certaine vitesse. Puis, de la main gauche, il s'appuya à l'arête d'un mur en pierre pour reprendre son souffle avant de se précipiter de l'autre côté.

Un homme se tourna vers lui, l'air surpris. Sans s'arrêter, Dash le frappa de toutes ses forces et le laissa tomber sur le sol en pierre où il atterrit sans un bruit. Dash s'engagea dans le large passage qui surplombait le cours d'eau. Seul un mince filet d'eau y coulait, mais Dash savait que cela changerait si Gustave parvenait à trouver du feu quegan et à suivre ses instructions.

Il s'arrêta devant un pan de mur qui paraissait identique à ses voisins, mais qui céda sous la pression de sa main et s'ouvrit grâce à des gonds parfaitement huilés pour lui permettre de pivoter facilement. Puis le jeune homme remonta un court tunnel et arriva devant une porte banale. À cet endroit, il le savait, il risquait de se faire tuer avant même de pouvoir ouvrir la bouche. Il fit jouer le loquet de son côté puis recula au lieu d'ouvrir la porte. Le cliquetis dut avertir quelqu'un car, au bout de quelques instants, la porte s'ouvrit et un visage curieux apparut dans l'entrebâillement. Dash attrapa le voleur et l'attira en avant puis profita qu'il avait perdu l'équilibre pour lui faire faire demi-tour et le propulser dans la pièce.

Le voleur alla heurter deux de ses camarades qui se tenaient de l'autre côté de la porte ; tous les trois s'affalèrent sur le sol.

Dash franchit le seuil et leva les mains pour bien montrer qu'il n'était pas armé. Cependant, il joignit la parole au geste pour s'assurer qu'il n'y avait aucun doute dans l'esprit des voleurs :

— Je ne suis pas armé ! Je suis venu pour vous parler !

Les résidents de chez Maman, le quartier général des Moqueurs, se retournèrent, visiblement surpris à la vue du shérif de Krondor, dont l'épée reposait dans le fourreau, comme il l'avait affirmé.

— Eh bien, shérif le Chiot, lança Trina depuis l'autre bout de la pièce. À quoi doit-on cet honneur ?

Dash dévisagea chacun des occupants de la pièce. Chez la plupart, la surprise laissait place à la colère.

— Je suis venu vous avertir.

— De quoi ? répliqua un homme. De la présence de Keshians dans les tunnels ?

— Ça, c'est votre problème, rétorqua Dash. Moi, je m'occupe de ceux qui se rassemblent en ce moment même sous les remparts. Non, je suis venu vous prévenir que d'ici une heure, cette pièce et l'ensemble de chez Maman vont se retrouver sous les eaux.

— Quoi ? s'exclama un voleur.

— Mensonge ! jura un autre.

— Non, c'est la vérité, affirma Dash. Je vais inonder l'aqueduc du nord et le canal de dérivation qui se trouve sous l'Avenue qui Pue. Les conduits qui passent au-dessus de votre entrée sont brisés et toute l'eau va inonder cet endroit, ajouta-t-il en désignant la porte qu'il venait juste de franchir. D'ici à midi, toute cette partie des égouts sera submergée.

Trina s'avança vers lui, encadrée par deux grosses brutes visiblement menaçantes.

— Tu ne dirais pas cela pour nous faire sortir de chez nous, shérif le Chiot ? Ça te rendrait service si, en s'enfuyant dans les égouts, on se battait contre les Keshians que t'as pas réussi à dénicher.

— Je ne le nie pas, mais ce n'est pas mon intention.

— Alors tu veux peut-être qu'on aille dans les rues ralentir les Keshians une fois qu'ils auront réussi à casser les portes ? s'enquit un Moqueur tout proche en tirant sa dague.

— Non plus. Il y a déjà bien assez d'obstacles dans les rues pour les ralentir. Je n'en ai pas besoin d'autres.

— Je te croirais, reconnut Trina, si je ne savais pas que l'écluse au nord de la cité a été endommagée pendant la guerre et ne pourra pas fonctionner tant qu'elle n'aura pas été réparée.

— Je n'ai pas l'intention de la réparer, répliqua Dash, je vais juste y mettre le feu.

Plusieurs individus se mirent à rire.

— C'est ça, tu vas incendier une porte qui est à moitié sous l'eau ! fit l'un de ces types. Et comment tu comptes t'y prendre ?

— Avec du feu quegan.

— Ça brûle même sous l'eau ! s'écria un autre voleur.

Trina fit aussitôt volte-face et lança des ordres. Autour d'elle, les voleurs commencèrent à attraper paquets, baluchons et sacs. Puis la jeune femme vint se camper devant Dash.

— Pourquoi as-tu pris la peine de venir nous avertir ?

Il la prit par le bras et la regarda droit dans les yeux.

— Je commence à m'attacher à certains d'entre vous. (Il l'embrassa.) Tu as le droit de me traiter d'idiot, ajouta-t-il lorsqu'elle recula. Vous n'êtes peut-être qu'une bande de bons à rien en guenilles, mais vous êtes mes bons à rien à moi.

— Où devons-nous aller ?

Dash comprit qu'elle ne faisait pas allusion aux Moqueurs.

— Emmène le vieil homme au *Café de Barret*. Les réparations y sont presque terminées et Roo Avery y a entreposé de la nourriture. Tu connais les égouts qui passent sous le boulevard Arutha ? Tu y trouveras un tunnel qui conduit sous la cave du café. Cachez-vous là-bas.

Trina regarda le jeune homme droit dans les yeux.

— Tu risques de m'apporter plus d'ennuis que tu n'en vaux la peine avant qu'on en ait fini tous les deux, shérif le Chiot. Mais pour l'heure, j'ai une dette envers toi.

Dash fit mine de tourner les talons, mais la voleuse l'attrapa et lui rendit son baiser.

— Tu as sacrément intérêt à rester en vie, chuchota-t-elle à son oreille.

— Et toi donc, répondit-il dans un murmure.

Puis il s'en alla et regagna le tunnel. Il s'arrêta pour réanimer le voleur qu'il avait assommé et se réjouit de n'avoir pas tenté d'entrer ainsi chez Maman lorsque les Moqueurs étaient au sommet de leur puissance : ce n'était pas un garde qu'il aurait trouvé dans ce tunnel, mais bien une douzaine.

Le voleur, à moitié dans les pommes, ne comprit pas tout ce que Dash lui racontait mais réussit à saisir l'essentiel du message : il devait regagner la surface, et vite.

Dash courut le long du canal qui passait à côté de chez Maman et atteignit un endroit où les conduits des égouts avaient percé le mur au-dessus de lui. Il attrapa le rebord déchiqueté d'un gros tuyau en argile et se hissa dessus. Il suivit le tuyau jusqu'à une brèche dans le mur à peine assez large pour qu'il puisse y entrer. Cependant, Dash prit le risque de rester coincé à l'intérieur et s'y glissa en se contorsionnant jusqu'à ce qu'il aperçoive un gros trou au-dessus de sa tête. De nouveau, il se hissa et se retrouva à l'extérieur, dans le lit du canal au nord de la cité. Il regarda tout autour de lui sous cette lumière grise qui précède l'aurore et ne vit personne. Il courut alors en direction de l'est.

Il atteignit l'extrémité de l'aqueduc et aperçut Gustave et ses hommes debout devant la grande porte en bois. Deux d'entre eux assénaient déjà des coups de haches sur les supports de part et d'autre de la porte abîmée.

— Comment ça se passe ? demanda Dash.

Gustave sourit d'un air contrit.

— Si jamais ces supports cèdent trop tôt, on va tous se noyer. Mais en dehors de ça, ça peut marcher.

— Tu as trouvé du feu quegan ? En quelle quantité ?

— Il y en avait plusieurs tonnelets. Certains de nos gars sont en train de le verser dans des jarres en terre, comme tu me l'as demandé.

Dash courut à l'endroit qu'indiquait Gustave et vit qu'effectivement, deux hommes versaient du naphte, un liquide gluant et malodorant, dans de grandes jarres en terre.

— Ne les remplissez qu'au tiers de leur capacité, recommanda le jeune shérif. Et ne les rebouchez pas. On veut justement que l'air puisse y entrer.

Les policiers acquiescèrent. Dash retourna vers Gustave mais ajouta par-dessus son épaule :

— Vous allez devoir rester éloignés de la moindre flamme jusqu'à ce que vous ayez pu vous laver. Ne lésinez pas sur le savon, n'oubliez pas que ce truc brûle sous l'eau.

Les deux policiers qui maniaient la hache sursautèrent en même temps lorsqu'un craquement retentit et que la porte en bois commença à donner des signes de faiblesse. De petits filets d'eau jaillirent par des fentes dans le bois et un peu de poussière et de gravier s'écoulèrent dans le lit du cours d'eau.

— On dirait que ça va céder sous le poids de l'eau, commenta Gustave.

— C'est vrai, mais on ne peut pas se permettre d'attendre jusqu'à la prochaine grosse averse. Tu as apporté les chiffons ?

— Ils sont là, répondit Gustave en désignant un autre policier qui se trouvait sur le bord avec un carton à ses pieds.

— Bien, fit Dash en se hâtant d'aller examiner les dégâts de la porte. Entaillez-moi encore un peu cette poutre, ordonna-t-il à l'un des types armés d'une hache.

La poutre en question était énorme et mesurait bien trente centimètres d'épaisseur. Prise entre les pierres des fondations, elle soutenait la partie droite de la porte de l'écluse. L'homme fit tournoyer son énorme hache et l'enfonça dans le bois que l'âge rendait presque aussi dur que de la pierre. Cependant, à chaque nouveau coup, la hache faisait jaillir des éclats et le bois se fendillait un peu plus.

Dash fit signe à ses hommes de dégager le passage et leur demanda de rapporter les chiffons et le reste de naphte. Il ajouta que les jarres devaient être déposées sur le bord. Les policiers se hâtèrent de grimper sur la bordure en pierre de l'aqueduc. Dash prit à part celui qui maniait la hache et lui ordonna de monter lui aussi. Puis il déposa deux tonnelets sur les pavés et souleva le troisième. Soigneusement, il choisit plusieurs chiffons, les noua ensemble en une longue corde à nœuds et l'imbiba de naphte. Puis il enfonça l'une des extrémités de cette corde dans un des tonnelets et déposa le troisième sur les deux autres, formant une petite pyramide juste à l'endroit où la hache avait entamé la poutre qui étayait la porte. Dash courut alors jusqu'à l'autre extrémité de la corde en chiffons et sortit de sa poche une pierre à briquet. Il en fit jaillir des étincelles à l'aide de son couteau jusqu'à ce que l'une d'elles enflamme le chiffon imprégné de naphte.

Dash ne savait pas trop à quoi s'attendre. Il se souvenait des histoires de son grand-père, mais ce liquide n'avait été utilisé devant lui qu'une seule fois, et avait été distillé à l'époque avec du soufre et de la poudre de calcaire.

Avec un « woosh », la flamme se mit à remonter la corde de chiffons. Dash prit ses jambes à son cou.

Il grimpa sur le rebord de l'aqueduc tandis que les flammes remontaient rapidement vers le bout de la corde. Dash prit position à côté de Gustave.

— Si ça brûle aussi violemment qu'on le prétend, ça devrait venir rapidement à bout du bois. La pression de l'eau devrait alors faire céder la...

Les flammes atteignirent les tonnelets, qui explosèrent.

Dash ne s'attendait pas à une telle déflagration, croyant plutôt qu'il aurait droit à un gros incendie. Au lieu de quoi, des hommes furent projetés sur le sol et deux d'entre eux blessés par des éclats de bois.

— Par tous les dieux ! s'exclama Gustave en se relevant. C'était quoi, ce truc ?

— Je n'en suis pas sûr, répondit Dash. Mon grand-père m'a dit que c'était dangereux si le naphte rentrait en contact avec trop d'air d'un seul coup. C'était peut-être de ça qu'il voulait parler.

— Regardez ! s'écria l'un des policiers.

L'explosion avait emporté la majeure partie de la grosse poutre qui pliait à présent sous le poids des millions de litres d'eau de rivière piégés derrière la porte. En gémissant bruyamment, la porte de l'écluse commença à céder tandis que l'eau se déversait déjà par les fentes du bois. La pression de l'eau ne cessant de croître, le bois se mit à bouger plus rapidement. Les grincements et les gémissements du bois furent remplacés par des craquements. La poutre se brisa en deux et la porte disparut brusquement sous un mur d'eau.

Assis sur le bord, Dash regarda ce mur d'eau s'engouffrer dans l'aqueduc. Lorsqu'elle arriva au niveau de la fissure dans les pavés qui allait permettre à l'eau d'inonder les égouts, la vague ne s'immobilisa même pas et poursuivit sa course.

— Voilà qui devrait noyer quelques rats, commenta Gustave.

— Espérons-le, renchérit Dash en prenant la main que lui tendait son adjoint pour l'aider à se relever. Tant qu'il ne s'agit pas des nôtres, ajouta-t-il en pensant aux Moqueurs.

— Qu'est-ce que vous voulez qu'on fasse de ces jarres, shérif ? demanda l'un des policiers.

— Au début, je pensais qu'on aurait droit à une jolie petite flambée, là en bas, et qu'on pourrait les jeter dedans. Maintenant, je crois qu'il vaut mieux les emporter avec nous. Je trouverai bien à les employer. (Comme ses hommes s'apprêtaient à soulever les jarres, il ajouta :) Maniez-les avec précaution.

Il désigna l'eau qui coulait à flots à travers la porte de l'écluse détruite.

Ils traversèrent à nouveau la cité et tournèrent au coin de la rue Haute.

— Il faut ériger des barricades à cet endroit, cria Dash à l'intention de Gustave. Et là-bas aussi, ajouta-t-il en montrant un autre pâté de maisons. Quand les Keshians réussiront à entrer, je veux qu'on les repousse avant que leurs cavaliers atteignent la place du marché. Dès que les portes céderont, postez des archers sur les toits, là, là et là.

Il désigna trois des angles du croisement. Gustave acquiesça.

— Je remarque que vous n'avez pas dit « si » mais « quand » ils réussiront à entrer.

— Ce n'est qu'une question de temps. À moins que des renforts inespérés arrivent, j'ai bien peur que des jours sombres nous attendent.

Gustave haussa les épaules.

— Je suis un mercenaire, shérif. C'est pour ça qu'on me paye.

Dash hocha la tête tandis que Gustave s'éloignait en courant pour remplir sa nouvelle mission. Les autres policiers apportèrent les jarres de naphte à la porte de la cité. Dash balaya du regard les rues de la cité désertées par ses habitants. Ces derniers se terraient chez eux en espérant, contre toute attente, qu'ils n'auraient pas à subir une nouvelle vague de folie destructrice telle qu'ils en avaient connu l'année précédente. Dash secoua la tête. Mercenaires, soldats et policiers étaient peut-être payés pour endurer ce genre de choses, mais pas les simples citoyens du royaume. C'étaient eux qui souffraient. Or, en devenant shérif de la cité, Dash avait créé un lien avec le peuple de Krondor, un lien comme il n'en aurait jamais imaginé. À présent, il commençait à comprendre pourquoi son grand-père avait tant aimé cette ville et ses habitants, qu'ils appartiennent à la noblesse ou au bas peuple. C'était sa cité. Et qu'il soit damné jusqu'au Septième Cercle de l'enfer avant de laisser un autre envahisseur s'en emparer à nouveau.

Dash se précipita vers la porte en entendant résonner des cors. Il devina qu'un héraut keshian s'approchait, un drapeau blanc à la main, pour annoncer sous quelles conditions son général était prêt à accepter la reddition de la cité. Dash grimpa les marches du corps de garde et arriva sur les remparts au moment où le soleil apparaissait au-dessus des montagnes qui se découpaient derrière le héraut keshian. Il s'agissait d'un homme du désert, encadré de part et d'autre par un Chien Soldat portant une bannière – celle du Lion de l'empire et l'autre ornée de l'emblème d'une noble maison keshiane. Dash savait que son père et son grand-père auraient désapprouvé le fait qu'il ne l'ait pas reconnue immédiatement.

— Ils veulent entamer des pourparlers, annonça le sergent Mackey.

— Il serait impoli de refuser de les écouter, commenta Dash.

Il savait qu'il risquait fort d'être tenté de jeter une jarre de naphte sur le héraut avant la fin des pourparlers. Mais chaque minute gagnée avant l'attaque leur donnait un peu de temps supplémentaire pour se préparer.

Le héraut arrêta sa monture devant la porte et s'écria d'une voix forte :

— Au nom de l'empire de Kesh la Grande et de son puissant général Asham ibn Al-tuk, ouvrez les portes et rendez-vous !

Dash regarda autour de lui et s'aperçut que tout le monde sur les remparts avait les yeux posés sur lui. Il se pencha donc entre deux merlons et répliqua :

— De quel droit osez-vous réclamer une cité qui n'est pas à vous ? (Il jeta un coup d'œil à Mackey et ajouta à mi-voix :) Autant aller jusqu'au bout de ces formalités.

— Ces terres appartenaient autrefois à Kesh, voilà pourquoi ! Qui parle au nom de la cité ?

— Moi, Dashel Jameson, shérif de Krondor.

— Et où se trouve votre prince, ô geôlier des mendiants ? riposta le héraut d'un ton plein de mépris. Se cacherait-il sous son lit ?

— Je pense qu'il dort encore, répondit Dash, qui ne souhaitait souffler mot de l'empoisonnement. Si vous voulez bien attendre, il viendra peut-être vous voir un peu plus tard.

— Tout va bien, je suis là, fit une voix derrière Dash.

Ce dernier se retourna et vit Patrick, qu'un soldat aidait à se tenir debout. Le prince avait mis son armure royale, composée d'une cuirasse bordée d'or et d'un heaume dépourvu de visière, ainsi qu'une écharpe pourpre et or en travers de l'épaule.

— Si je perds conscience, chuchota Patrick en passant devant Dash, dites-leur qu'indigné, j'ai quitté les lieux.

Il s'approcha du parapet et s'y appuya d'une main pour ne pas perdre l'équilibre. Dash put constater à quel point il était difficile pour le prince de tenir debout, même avec l'aide du soldat visiblement costaud. Cependant, Patrick trouva en lui la force de crier d'une voix pleine d'autorité :

— Me voici, chiens de Keshians ! Qu'avez-vous à me dire ?

Le héraut eut du mal à dissimuler sa surprise à la vue du prince de Krondor. De toute évidence, il croyait que l'empoisonneur avait réussi sa mission.

— Très gracieux prince… Mon… maître vous prie d'ouvrir vos portes et de vous retirer. Il vous escortera vous et votre suite jusqu'aux frontières de votre nation.

— C'est-à-dire Salador, commenta Dash à voix basse.

— Les frontières de ma nation ! s'époumona Patrick. Je me tiens sur les remparts de la capitale du royaume de l'Ouest !

— Ces terres appartenaient à Kesh autrefois et nous sommes venus en reprendre possession.

— Je sais que nous essayons de gagner du temps, chuchota Dash, mais pourquoi nous donner toute cette peine ?

Patrick avala une grande goulée d'air et hocha la tête. Puis il répondit d'une voix forte :

— Dans ce cas, faites ce que vous avez à faire. Nous rejetons votre demande et méprisons votre maître.

— N'agissez pas à la hâte, bon prince, protesta le héraut. Mon maître est généreux. Il renouvellera son offre trois fois. Ce soir, au coucher du soleil, nous reviendrons vous demander votre réponse. Si celle-ci devait de nouveau être négative, nous reviendrions une dernière fois, demain matin à l'aube. Ensuite, il faudra laisser parler les armes.

Le héraut fit demi-tour et talonna sa monture pour regagner son camp.

Dash se tourna vers Patrick et vit qu'il peinait à garder conscience. Le soldat le soutenait toujours.

— Bien joué, bon prince, commenta le jeune shérif d'un ton dépourvu de sarcasme. Soldat, reconduisez-le à ses appartements et veillez à ce qu'il se repose.

» Mackey, dites à nos hommes de descendre des remparts pour se nourrir. Laissez-en quelques-uns pour monter la garde, mais les Keshians seront probablement fidèles à leur parole et n'attaqueront pas avant demain matin. (Dash s'assit et se sentit brusquement épuisé.) Au moins, maintenant, nous savons quand leurs espions passeront à l'action. Ce soir, ils tenteront d'ouvrir les portes de la cité à leurs camarades, ajouta-t-il en regardant le vieux sergent droit dans les yeux.

Le soleil se levait au-dessus des collines au moment où le dragon traversa les cieux à tire-d'aile. La ligne d'énergie qui longeait la côte ressemblait à une carte qu'il suffisait de suivre. Grâce à Tomas, et au savoir qui lui restait de l'héritage valheru, Pug, Miranda et Nakor n'avaient aucun mal à rester sur le dos de Ryana sans tomber.

L'Isalani, assis derrière Miranda sur la nuque du dragon, prit la parole et dut élever la voix pour se faire entendre par-dessus le vacarme du vent.

— Vous savez, en plus d'être un engin de mort, cette démonstration de magie est aussi destinée à nous mener à une espèce de confrontation.

— Je le pense aussi, approuva Pug, assis juste derrière Tomas.

459

— Regardez, fit ce dernier en désignant quelque chose sur sa gauche.

En contrebas s'étendait le littoral orienté sud-ouest entre Questor-les-Terrasses et Ylith. Il régnait une grande animation dans le port d'Ylith où de nombreux navires levaient l'ancre et s'apprêtaient à sortir de la rade.

— Les capitaines de ces vaisseaux n'ont pas aimé ce qu'ils ont vu la nuit dernière et s'en vont avec la marée du matin, commenta Nakor.

— Ryana, pose-toi là-bas, ordonna Tomas en montrant la porte de l'Est.

On avait érigé à l'extérieur de cette porte un grand bâtiment qui n'était autre que la source de l'énergie qui circulait le long de la côte pour catalyser la magie maléfique qui animait les cadavres.

Lorsque le dragon atterrit, des hommes s'enfuirent en courant dans toutes les directions, ne sachant que faire.

— Laissez-moi y aller le premier, demanda Tomas.

— Essayons de ne verser le sang que si nous y sommes obligés, supplia Pug.

— Nous y serons obligés, rétorqua Miranda.

— Je sais, mais en attendant...

Pug fit un geste en direction du sol juste avant que Ryana y pose les pattes. Ses compagnons virent la terre onduler comme un lac dans lequel on aurait jeté une pierre. Un grondement sourd résonna et de la poussière s'éleva dans les airs en suivant la trajectoire du cercle d'ondulations qui ne cessait de croître rapidement. Lorsque le dragon atterrit, le cercle était suffisamment grand pour l'englober sans difficulté. Sous les pattes de Ryana, le sol ne bougeait pas.

Mais partout où la bordure du cercle s'étendait, on eût dit qu'un tremblement de terre avait eu lieu. Chaque soldat qui se laissait prendre par la vague ondulante se retrouvait jeté au sol puis impitoyablement projeté plusieurs fois dans les airs.

Beaucoup prirent leurs jambes à leur cou et s'enfuirent. Parmi les envahisseurs, il ne resta bientôt plus que les plus courageux pour affronter le dragon et ses cavaliers.

Alors Ryana rugit, faisant bourdonner les oreilles des soldats. Puis elle cracha un jet de flammes en direction des cieux et les derniers guerriers s'enfuirent. Aucun homme sain d'esprit n'avait envie d'affronter un grand dragon doré.

— Merci, dit Miranda en mettant pied à terre avec ses compagnons. Voilà qui devrait nous permettre de gagner du temps.

— De rien, répondit Ryana. Tomas, quand le danger sera écarté, je m'en irai. En attendant, appelle-moi si tu as besoin, je ne serai pas loin.

Elle s'élança dans les airs d'un puissant coup d'ailes et disparut en direction du nord. Tomas se dirigea d'un air résolu vers le bâtiment. Pug,

Miranda et Nakor le suivirent. Le dragon n'étant plus là, quelques-uns des guerriers les plus courageux revinrent en courant leur barrer la route. Tomas détacha le bouclier qu'il portait dans le dos d'un mouvement si fluide et si naturel qu'il parut presque impossible à Pug. Aucun mortel n'aurait pu réaliser pareil exploit. Tomas sortit également son épée avant même que le premier guerrier se jette sur lui.

L'individu en question était trapu et maniait une grande épée à deux mains. Il se jeta sur Tomas en poussant un cri de guerre inarticulé, mais ce dernier continua d'avancer à son allure normale. Le guerrier lui porta un coup puissant dirigé vers le bas. Tomas déplaça légèrement son bouclier, faisant glisser la lame de son adversaire dessus. Des étincelles jaillirent, mais aucune entaille n'abîma la surface du bouclier. Puis Tomas donna un léger coup, comme s'il enlevait une mouche de son épaule, et le guerrier humain mourut avant d'avoir touché le sol.

Les deux hommes qui le suivaient hésitèrent. L'un se mit alors à crier et chargea Tomas tandis que le dernier prenait peur et s'enfuyait. Celui qui attaqua mourut comme son camarade. De nouveau, on aurait dit que Tomas se débarrassait de simples insectes et non de guerriers endurcis.

Tomas atteignit le bâtiment, tout en pierre noire avec une façade en bois. Il se découpait telle une terrible pustule noire sur le paysage et ne possédait aucune caractéristique harmonieuse ou agréable à l'œil. Il empestait le mal.

Tomas s'avança jusqu'à la grande porte en bois noir et s'immobilisa. Puis il leva le poing et l'abattit sur le battant de droite. La porte explosa comme si elle n'avait jamais eu de gonds.

En entrant, Nakor contempla les gonds en fer tordus.

— Impressionnant.

— Rappelle-moi de ne jamais le mettre en colère, lui souffla Miranda.

— Il n'est pas en colère, juste déterminé, rétorqua Nakor. S'il était en colère, il abattrait jusqu'aux murs.

Le bâtiment avait la forme d'un immense carré avec deux rangées de sièges alignés le long des murs. Il comportait deux issues, la porte par laquelle ils étaient entrés et une autre qui lui faisait face.

Au centre de la pièce béait une fosse carrée au fond de laquelle on voyait briller une lueur rougeâtre. Au-dessus de la fosse se balançait une plate-forme en métal.

— Par tous les dieux ! s'exclama Miranda. Quelle puanteur !

— Regardez, fit Nakor en désignant le sol.

Par terre, devant chaque siège, gisait un corps, celui d'un guerrier aux joues marquées de cicatrices. Tous avaient la bouche ouverte et les yeux écarquillés, comme s'ils étaient morts en poussant des hurlements de terreur.

Nakor courut jusqu'à la fosse et jeta un coup d'œil à l'intérieur, puis recula.

— Il y a quelque chose en bas.

— On dirait qu'il s'agit d'un moyen de descendre, dit Pug en regardant la plate-forme.

— Mais aussi un moyen de monter, ajouta Miranda en désignant le sang séché qui la recouvrait.

— La chose ou la personne qui a utilisé la nécromancie cette nuit se trouve en bas, affirma Tomas.

— Non, il ne s'agit que d'un outil, comme tous ces pauvres fous, rectifia Nakor.

— Où se trouve Fadawah ? demanda Miranda.

— Quelque part en ville, je pense, répondit Nakor. Sûrement dans la citadelle du baron.

Une étrange lamentation s'éleva des profondeurs de la fosse. Pug sentit ses cheveux se dresser sur sa nuque.

— On ne peut pas laisser ça ainsi.

— On pourra toujours revenir plus tard, suggéra Nakor.

— Bonne idée, approuva Miranda. Quittons cet endroit.

Elle se rendit à la porte fermée qui faisait face à celle par laquelle ils étaient entrés et l'ouvrit en grand.

Aussitôt, ses compagnons et elle aperçurent les soldats postés de l'autre côté. Ils avaient posé leurs boucliers contre un mur et tenaient les quatre humains en joue. Derrière eux se trouvait la cavalerie.

Le temps d'appréhender la scène qui s'offrait à eux, ils entendirent quelqu'un donner l'ordre de tirer. Les archers décochèrent leurs flèches.

Dash proféra un juron.

— Il nous reste entre douze et dix-huit heures pour trouver les derniers espions keshians si nous ne voulons pas qu'ils ouvrent une brèche.

Thomas Calhern, écuyer à la cour du duc Rufio, avait suffisamment récupéré de la tentative d'empoisonnement pour reprendre du service. Dash l'avait donc nommé capitaine suppléant.

— Pourquoi vous donner cette peine ? Par tous les dieux, vous avez vu cette armée, là, dehors ?

— Vous n'avez jamais pris part à une bataille ? lui demanda Dash.

— Non, répondit le jeune homme, qui paraissait du même âge que le shérif.

— Si les remparts sont intacts, les types qui attendent dehors devront lancer dix hommes à l'assaut du mur pour un soldat du royaume sur le chemin de ronde. Nous devrions pouvoir les retenir quelques jours, peut-être même une semaine. Si mon frère est aussi intelligent que je le pense, une petite armée devrait arriver d'un jour à l'autre de Port-Vykor.

» Mais si un groupe de rufians keshians arrive à ouvrir une brèche et à faire entrer les leurs dans la cité, c'en sera fini de la bataille avant même qu'elle n'ait commencé.

Ils étaient assis dans la salle de réunion du prince. Dash se tourna vers Mackey.

— Envoyez un message aux gars qui sont restés dans la nouvelle prison. Je veux que tous les agents patrouillent dans les rues.

— D'accord, fit Mackey, mais qu'est-ce qu'on fait pour les égouts ?

— Je m'en occupe personnellement, répondit Dash.

Dash se glissa dans l'entrebâillement d'une porte et se retrouva brusquement avec une dague sous la gorge.

— Range-moi ça, souffla-t-il.

— Shérif le Chiot, fit Trina d'un ton joyeux. J'aurais été très peinée si je t'avais tué.

— Pas autant que moi. Comment va-t-il ?

D'un signe de tête, la jeune femme désigna l'un des recoins de la cave où s'étaient regroupés une vingtaine de Moqueurs. Dash sentit une odeur de café et de nourriture.

— Vous, vous avez été faire un tour dans la cuisine, pas vrai ?

— On est dans un café et on avait faim. Il y avait de la nourriture là-haut. Tu t'attendais à quoi ? riposta Trina.

Dash secoua la tête.

— Ces jours-ci, je ne sais plus.

Trina l'emmena à l'endroit où le vieil homme était étendu sur une paillasse dont on s'était servi comme d'une civière pour l'amener jusque chez *Barret*.

— Il ne va pas bien, chuchota-t-elle.

Dash s'agenouilla auprès du vieil homme, qui le regarda sans rien dire et finit par lever la main. Dash la prit dans la sienne.

— Bonjour, mon oncle, dit-il doucement.

Le vieil homme lui serra gentiment les doigts, puis relâcha sa main et referma son œil valide.

Trina se pencha sur lui.

— Il s'est rendormi, annonça-t-elle au bout de quelques instants. Quelquefois, il nous parle mais à d'autres moments, il ne peut pas.

Dash se leva et se rendit avec Trina dans un coin de la cave un peu moins bondé, entre des piles de caisses.

— Combien de temps lui reste-t-il ? demanda le jeune shérif.

— Quelques jours, peut-être moins. Pendant qu'il se remettait de ses brûlures, le prêtre-guérisseur nous a dit que seul un vœu très puissant ou le don d'un dieu permettrait de le sauver. Depuis, il a toujours su que ce moment viendrait.

Dash contempla cette étrange jeune femme qui avait réussi à le captiver.

— Combien de Moqueurs reste-t-il ?

Elle parut sur le point de le railler, puis décida de répondre avec franchise :

— Je ne sais pas. Nous sommes peut-être deux cents éparpillés dans toute la cité. Pourquoi ?

— Peux-tu faire savoir à tout le monde que nous avons besoin de toutes les épées que nous pourrons trouver ? Les Keshians vous vendront tous comme esclaves, tu le sais.

— S'ils nous trouvent, protesta Trina.

— S'ils s'emparent de la cité et parviennent à la garder pendant plus d'une semaine, ils vous trouveront.

— Peut-être.

— Dis-leur que quiconque viendra se battre se verra pardonner ses crimes, offrit Dash.

— Quelle garantie nous offres-tu ?

— Ma parole.

— D'accord, je le ferai savoir aux autres, promit-elle.

— Pour le moment, j'ai un problème plus urgent à régler. Les Keshians nous ont donné jusqu'à demain matin à l'aube pour nous rendre, après quoi ils passeront à l'attaque. On pense que ça signifie que leurs espions tenteront d'ouvrir l'une des portes d'ici là.

— Et tu veux qu'on surveille les portes et qu'on te prévienne s'il se passe quelque chose.

— Oui, quelque chose comme ça. (Dash se rapprocha de la jeune femme et la regarda au fond des yeux.) Vous allez devoir les ralentir.

Trina se mit à rire.

— Tu veux dire qu'il faudra défendre les portes jusqu'à ton arrivée.

Dash sourit.

— Oui, quelque chose comme ça, répéta-t-il.

— Je ne peux pas demander cela à mes frères et à mes sœurs. Nous ne sommes pas des guerriers. Bien sûr, il y a des brutes parmi les Moqueurs, mais la plupart d'entre nous ne savent même pas tenir une épée.

— Dans ce cas, vous feriez mieux d'apprendre, et vite.

— Je ne peux pas leur demander ça, répéta Trina.

— Non, mais tu peux leur en donner l'ordre, affirma Dash.

Elle ne répondit pas.

— Je sais que le vieil homme est incapable de diriger les Moqueurs depuis quelque temps, ajouta Dash. Je te parie mon héritage que c'est toi l'actuel maître de jour.

La jeune femme continua à garder le silence.

— Je ne te le demanderais pas si je n'avais pas un marché équitable à t'offrir en échange, insista Dash.

— Que proposes-tu ?

— Défendez la porte qu'ils tenteront d'attaquer jusqu'à ce que je puisse y envoyer une compagnie volante. Si vous le faites, je gracierai tout le monde.

— Tu parles d'une amnistie générale ?

— Oui. C'est le même marché que j'ai passé avec le vieil homme au début.

— Ça ne suffit pas.

— Que veux-tu de plus ? s'enquit Dash.

Trina désigna ses compagnons.

— Sais-tu comment sont nés les Moqueurs de Krondor ?

— Je n'étais qu'un enfant quand mon grand-père me racontait déjà des histoires au sujet des Moqueurs.

— Mais t'a-t-il jamais raconté la naissance de la guilde ?

— Non, reconnut Dash.

— Le premier dirigeant de la guilde se faisait appeler le Carré. Il jouait les conciliateurs et mettait fin aux disputes qui divisaient les différents gangs de la cité. Nous nous entre-tuions au lieu d'assassiner les honnêtes gens. Nous nous volions les uns les autres au lieu de cambrioler les habitants de cette ville. Et on nous pendait pour ça.

» Le Carré a mis bon ordre dans tout cela. Il a commencé à conclure des trêves entre les différents gangs et à organiser tout le monde.

» Il a créé un endroit pour nous réunir et l'a baptisé chez Maman. Grâce à des pots-de-vin, il a fait sortir certains d'entre nous de prison, nous évitant parfois la potence.

» Le Juste a pris la relève juste avant la naissance de ton grand-père. Il a consolidé le pouvoir du Carré et a fait de la guilde l'organisation qu'a connu Jimmy les Mains Vives lorsqu'il arpentait les toits de cette ville.

» Rares sont ceux qui aiment mener cette vie de brigand, Dash, mais ils existent. Il y en a aussi qui aiment fracasser des crânes et ceux-là n'ont pas d'excuses. Mais la plupart d'entre nous n'ont jamais eu le choix. La plupart d'entre nous n'ont pas d'autre endroit où aller.

Dash balaya la cave du regard. Des hommes et des femmes de tous âges s'y trouvaient réunis. Il se souvint des histoires que lui racontait son grand-père au sujet des gangs de mendiants, des gamins des rues, des filles qui travaillaient dans les tavernes, et d'autres encore.

— Si tu nous gracies, tu nous retrouveras dans la rue dès le lendemain ; la plupart d'entre nous recommenceront à violer la loi et tout sera de nouveau comme avant. Le cas de Jimmy les Mains Vives est unique. Ce n'est pas tous les jours qu'un prince vous tend la main et vous élève jusqu'au sommet.

» Tu ne vois donc pas ? ajouta Trina en agrippant le bras de Dash. Si ton grand-père n'avait pas sauvé le prince cette nuit-là, il y a longtemps, il aurait vécu toute sa vie parmi les gens que tu as devant toi. Ça pourrait être lui, étendu sur ce lit, et non son frère. Et toi, tu pourrais bien te trouver dans ce coin, là-bas, parmi les autres jeunes hommes, à te demander comment survivre à la guerre qui s'annonce et comment trouver à manger. Tu redouterais de tomber dans les griffes du shérif au lieu d'être le shérif, justement.

» Seul un caprice du destin t'a permis de naître au sein de la noblesse, Dash.

Trina regarda le jeune homme au fond des yeux, puis lui donna un autre baiser, long et passionné.

— Tu dois me promettre quelque chose, Dash. Promets-le-moi et je ferai tout ce que tu demanderas.

— Quelle est cette promesse ?

— Promets-moi de sauver les Moqueurs, Dash. Tous jusqu'au dernier.

— Les sauver ?

— Oui. Veille à ce qu'ils soient nourris, vêtus et qu'ils aient un abri et de quoi se chauffer. Veille à les protéger du danger.

— Oh, Trina, pourquoi ne me demandes-tu pas de déplacer la cité pendant que tu y es ?

La jeune femme l'embrassa de nouveau.

— Avant toi, je n'avais jamais ressenti ça pour personne, chuchota-t-elle. Après toutes ces années, voilà que je me mets à jouer la fille éperdument amoureuse. Peut-être que, dans mes rêves les plus fous, je m'imagine sous les traits de l'épouse d'un noble, vivant dans le confort. Mais peut-être aussi que demain, je serai morte.

» Mais si tu veux qu'on se batte pour Krondor, tu dois nous sauver tous. Voilà le marché que je te propose, et non une stupide amnistie. Tu dois prendre soin des Moqueurs. Tu dois me le promettre.

Dash contempla Trina pendant un long moment, s'attardant sur chacun de ses traits comme pour mieux les mémoriser.

— Je te le promets, dit-il enfin.

Elle leva les yeux vers lui. Des larmes apparurent sous ses paupières et dévalèrent sur son visage.

— Marché conclu, dit-elle. Que veux-tu que nous fassions ?

Dash le lui expliqua, ce qui leur permit de passer un autre moment ensemble. Puis il s'arracha à sa compagnie, la chose la plus difficile qu'il ait jamais faite, et quitta le *Café de Barret* en sachant que sa vie ne serait plus jamais la même.

Au fond de lui, Dash savait qu'il avait fait une promesse impossible à tenir, car s'il la tenait, il trahirait son devoir et sa charge.

Il essaya de se dire que, compte tenu de l'urgence de la situation, il y avait été obligé, que la sauvegarde de la cité passait avant tout. De toute façon, si Krondor tombait, ils mourraient tous et cette promesse n'aurait plus aucune valeur. Mais, au fond de lui, Dash savait qu'il ne se regarderait plus jamais de la même façon et qu'il y réfléchirait à deux fois avant de prêter un nouveau serment.

Chapitre 26

DÉCOUVERTE

L e bras de Pug se leva aussitôt.

Une vague d'énergie surgit et se précipita en avant tel un mur de forces en mouvement qui distordait l'air sur son passage. Un instant avant que ce mur les heurte, les archers qui venaient juste de tirer virent leurs flèches se briser en mille morceaux sous leurs yeux.

Les soldats furent projetés à la renverse comme des jouets balayés par le bras d'un enfant. Des hommes moururent lorsque leurs montures furent soulevées dans les airs et retombèrent quelques mètres plus loin sur leurs propres cavaliers. Les chevaux terrifiés se mirent à hennir ; ceux qui réussirent à retomber sur leurs pattes ruèrent avant de s'enfuir.

Pug, Tomas, Miranda et Nakor s'avancèrent dans l'espace que la magie de Pug venait de dégager et passèrent à côté d'hommes gémissant sur le sol. Un guerrier plus valeureux que les autres se releva, son épée à la main, et voulut se jeter sur eux. La lame de Tomas jaillit en silence de son fourreau blanc et mit fin à la vie de cet homme avant même que le malheureux ait fait un pas.

Ils marchèrent ainsi jusqu'aux portes d'Ylith.

Un garde qui avait assisté à la scène venait de donner l'ordre de fermer les portes, si bien que les envahisseurs poussèrent de toutes leurs forces sur les lourds battants. Ces derniers commençaient à bouger pesamment quand Tomas se présenta devant eux. Il leva les bras, posa son bouclier contre le battant de gauche et son épée contre celui de droite. Puis, d'une violente poussée, il rouvrit les portes, assommant plusieurs dizaines d'hommes qui se trouvaient derrière.

— Si seulement il avait quitté Elvandar plus tôt, regretta Nakor.

Pug hocha la tête.

— Mais un vœu est un vœu. Jusqu'à présent, il ne savait pas que son foyer aussi était menacé.

— Le fait de posséder des pouvoirs extraordinaires n'empêche pas d'être aveugle parfois, renchérit Miranda.

— Ce n'est pas de l'aveuglement, protesta son mari. C'est juste une appréciation différente de la situation.

— Où va-t-on maintenant ? demanda Miranda.

— Si je me souviens bien du tracé de la ville, nous devons descendre cette rue pour retrouver la grand-route, puis prendre à droite et monter directement à la citadelle, répondit Nakor.

Les archers sur les remparts décochèrent une nouvelle série de flèches, ce qui obligea Pug à ériger une barrière protectrice autour de ses compagnons.

— Ignore-les, conseilla-t-il à Tomas. Nous avons des problèmes plus importants à régler.

Tomas sourit à son ami d'enfance.

— Je suis d'accord.

Ils traversèrent calmement la cité d'Ylith. Les dégradations que lui avait infligées l'ennemi étaient visibles de toutes parts. Certains édifices avaient été reconstruits mais d'autres gisaient à l'abandon, les portes dégondées et les fenêtres brisées semblables à des visages vides.

Des gens s'enfuirent à la vue de ces quatre personnes entourées d'une sphère d'énergie bleue. Des archers abrités dans les rues et ruelles voisines leur tirèrent dessus, mais cette pluie de flèches rebondit sur le bouclier magique sans provoquer de dégâts.

Pug et ses compagnons atteignirent le croisement où ils devaient tourner pour trouver une autre compagnie d'archers qui les attendaient. Des douzaines de flèches rebondirent à nouveau sur la sphère. Puis, quand Tomas arriva à quelques mètres du premier rang d'archers, ceux-ci cédèrent et s'enfuirent.

— Ces hommes ne représentent aucun danger pour nous tant qu'on fait attention à eux, affirma Nakor. Par contre, quelqu'un de vraiment très dangereux nous attend plus loin.

— S'agit-il d'un fait avéré ou d'une hypothèse ? demanda Tomas.

— Une hypothèse, répondit l'Isalani.

— Mais tu soupçonnes quelque chose, devina Miranda.

— De quoi s'agit-il ? ajouta Pug.

— Je préfère ne pas en parler pour l'instant, répondit Nakor. Mais il est vrai que j'ai ma petite idée.

— Au fil des ans, j'ai appris à prendre tes « petites idées » au sérieux, fit remarquer Pug. Que suggères-tu ?

Ils approchaient d'un nouveau grand croisement où des guerriers poussaient des chariots en travers de la route pour élever une barricade.

— Juste d'être prudents, dit Nakor.

De nouveau, les flèches se mirent à pleuvoir. Nakor et Miranda ne purent s'empêcher de frémir, même en se sachant protégés.

— C'est énervant, à la fin, soupira l'Isalani.

— Je suis d'accord, approuva Pug. Et comme vous avez pu le remarquer, ça pourrait devenir dangereux si ma concentration venait à faiblir. Arrêtons-nous un moment.

Ses compagnons obéirent. Pug leva la main et pointa l'index en direction du ciel. À l'extérieur de la sphère protectrice, directement au-dessus de son doigt, apparut une étincelle blanche. Pug fit tournoyer son index un moment et le minuscule point lumineux, blanc et brûlant, se mit à tourbillonner.

— Protégez-vous les yeux ! recommanda le magicien.

Brusquement, la scène tourna au noir et blanc et offrit un contraste brutal tandis que le point lumineux devenait aussi brillant que le soleil à son zénith, puis plus éclatant encore. Cela ne dura qu'un moment mais cela eut un effet littéralement aveuglant.

Pug et ses compagnons rouvrirent les yeux et virent les guerriers s'enfuir en poussant des cris de panique et de terreur. Certains se déplaçaient les mains tendues devant eux tandis que d'autres tombaient à genoux, les mains sur les yeux.

— Je suis aveugle ! répétaient de tous côtés les mercenaires pris de panique.

Tomas se glissa entre deux chariots, les guerriers devenus aveugles ayant complètement oublié la défense de la cité.

— Combien de temps cela va durer ? demanda Miranda.

— Pas plus d'une journée pour certains, quelques heures pour d'autres, répondit Pug. Au moins, ce groupe-là ne nous ennuiera plus.

Ils contournèrent la dernière série d'obstacles et remontèrent la rue en direction de la citadelle. Les derniers soldats qui n'avaient pas été aveuglés s'enfuirent à la vue de ces quatre êtres puissants qui se dirigeaient vers eux d'un pas décidé.

Une sentinelle paniquée demanda à ce que l'on relève le pont-levis.

Pug, Miranda et les autres se trouvaient à moins d'une centaine de mètres lorsqu'ils le virent commencer à s'élever. Tomas se mit à courir avec aisance, son épée à la main et sortit de la sphère protectrice. Comprenant qu'elle ne servait plus à rien, Pug la fit disparaître. Elle ne lui demandait pas un gros effort de concentration, mais elle lui prenait de l'énergie dont il pourrait avoir besoin par la suite.

Tomas bondit sur le pont qui s'élevait déjà à près de deux mètres au-dessus de la route. D'un rapide coup d'épée, il trancha l'épaisse chaîne en fer sur sa droite. Des maillons gros comme une tête humaine cédèrent dans un bruit assourdissant et une pluie d'étincelles.

Tomas trancha l'autre chaîne, sur sa gauche, et le pont retomba à son emplacement habituel. Les soldats à l'intérieur de la citadelle coupèrent les cordes qui bloquaient le treuil permettant d'abaisser ou de remonter la herse. La lourde grille en fer se ferma sous le nez de Tomas et de ses compagnons, ses pointes en fer s'insérant brutalement entre les pierres dans un grand fracas.

— Je peux la soulever pour vous permettre de passer dessous, proposa Tomas.

— Non, laissez-moi faire, intervint Miranda.

Avec ses mains, elle esquissa une série de gestes. Puis elle tendit le bras droit, paume en avant en direction de la herse. Une boule de lumière scintillante, blanche et argent, se forma autour de sa main puis s'envola telle une balle qu'un enfant aurait jetée d'un geste négligent. Elle décrivit un joli arc de cercle avant d'atterrir au centre de la herse. L'énergie se répandit le long des barreaux en crépitant et en lançant des étincelles. Le fer se mit à fumer puis vira d'abord au rouge avant de chauffer à blanc. Même à plusieurs mètres de distance, Pug et ses compagnons pouvaient sentir la chaleur du métal en fusion qui s'effondra sous leurs yeux. Les hommes qui se trouvaient dans le corps de garde situé au-dessus de la herse sortirent en criant, chassés par l'énorme quantité de chaleur que dégageait la grille en fondant.

Lorsque le métal en fusion toucha le bois de la porte, celui-ci s'enflamma. Il suffit de quelques minutes pour qu'un trou suffisamment grand pour les laisser passer tous les quatre apparaisse.

— Fais attention où tu mets les pieds, Nakor, recommanda Miranda.

— Toi aussi.

— Ce n'est pas moi qui porte des sandales.

Ils entrèrent dans la cour désormais déserte. La garnison avait perdu tout désir de se battre en assistant à la destruction de la herse. Pug et ses compagnons traversèrent la petite cour et entrèrent dans la citadelle.

À l'origine, seul un simple donjon dominait le port d'Ylith, car les premiers dirigeants de la ville n'étaient guère plus que des pirates et des marchands pour qui le port représentait tout. Mais après l'annexion de la province de Yabon par le royaume, le nouveau baron avait décidé de bâtir une citadelle au nord de sa cité pour la protéger des gobelins et de la confrérie de la Voie des Ténèbres. Depuis cinq générations, c'était donc de là que les seigneurs d'Ylith gouvernaient la baronnie.

Pug et les autres gravirent une volée de grandes marches qui menait à une imposante porte en chêne à doubles battants sur lesquels Tomas appuya fermement. La barre en bois, épaisse comme un bras d'homme, qui maintenait les battants fermés se brisa avec fracas et la porte s'ouvrit.

— Faites attention, recommanda Nakor avant de franchir le seuil. Cet endroit est le réceptacle d'un pouvoir.

— Je le sens moi aussi, renchérit Tomas. Mais c'est un pouvoir qui m'est étranger. Aucun Valheru ne l'a jamais rencontré.

— C'est tout dire, commenta Pug. Si un Seigneur Dragon n'a jamais rencontré ce qui se trouve de l'autre côté de cette porte…

Il ferma les yeux et tendit son esprit. Un piège leur barrait l'entrée. S'ils avaient franchi le seuil sans protection, ils auraient été instantanément réduits en cendres. Pug détermina rapidement la nature du sortilège et trouva une parade.

— Nous pouvons passer en toute sécurité, assura-t-il.

L'épée levée, le bouclier devant lui, Tomas entra le premier dans la pièce. Pug le suivit en compagnie de Miranda et Nakor.

Dès qu'ils entrèrent dans la grande et vieille salle baronniale, ils eurent l'impression de pénétrer dans un autre monde. La pièce empestait la mort, du sang maculait les dalles. Des crânes et des os éparpillés jonchaient le sol et une légère brume assombrissait l'atmosphère. Des torches brûlaient aux murs, répandant une lueur d'un rouge violent, comme si un sort avait aspiré toute la lumière des flammes.

Des hommes qui n'avaient plus rien d'humain se tenaient alignés de part et d'autre de la grande salle. Leurs yeux ressemblaient à deux gemmes rouges et brillantes et leurs muscles élargis de manière peu naturelle leur étiraient la peau. Des cicatrices marquaient leur visage recouvert d'une expression de démence. Certains étaient animés de tics faciaux tandis que d'autres bavaient. Tous, en revanche, avaient le torse couvert de tatouages mystiques. Certains portaient des haches à double tranchant, d'autres encore tenaient des épées et des boucliers de poing.

Ils semblaient prêts à attaquer et paraissaient pourtant attendre quelque chose. Les grandes fenêtres à arcades avaient été peintes en rouge et noir et ne laissaient filtrer que très peu de lumière du dehors. Les runes qu'on y avait gravées n'appartenaient pas à ce monde et inspiraient de la répulsion.

Le regard de Nakor passa d'une fenêtre à l'autre.

— Ce n'est pas bon, murmura-t-il.

— Comment ça ? lui demanda Miranda.

— Celui qui a peint ces runes essaye de créer quelque chose de très... très mauvais. Mais il ne l'a pas fait... correctement.

— Comment le sais-tu ? demanda Tomas, l'épée levée, en regardant d'un côté puis de l'autre tout en avançant lentement vers le centre de la pièce.

— J'ai passé des années à dormir sur le Codex de Wodar-Hospur... Je me souviens de certaines choses quand j'en ai besoin. Mais si j'y réfléchis trop, ça risque de me rendre fou.

Alors qu'ils traversaient la salle, ils aperçurent une silhouette à la droite du trône baronnial qui les fit s'arrêter tous les quatre. De toute évidence, il ne s'agissait pas d'un humain, même si son corps y ressemblait grossièrement. Sa peau avait une légère teinte bleutée et de grandes ailes couvertes de plumes blanches et brillantes saillaient de son dos. À la gauche du trône se tenait un homme, habillé de robes noires rebrodées de runes, avec un collier d'argent autour du cou.

Un vieux guerrier, puissant malgré son âge, était assis sur le trône. Ses cheveux gris coupés court s'ornaient malgré tout de la longue queue-de-cheval commune à ceux qui avaient choisi de servir les pouvoirs des ténèbres. Quant aux cicatrices rituelles, elles ressortaient sur ses joues pâles.

Il couvrit les quatre intrus d'un regard méfiant et prit la parole :

— L'un d'entre vous doit être le magicien Pug.

L'intéressé s'avança.

— C'est moi.

— On m'avait bien dit que vous finiriez par venir m'ennuyer.

— Vous êtes le général Fadawah.

— Non, je suis le roi Fadawah, protesta l'homme avec une colère qui ne parvenait pas à masquer sa peur.

— C'est précisément là le cœur du problème, commenta Nakor.

Le regard de Fadawah s'arrêta sur Tomas.

— Qu'est-ce que c'est que ça ? demanda-t-il.

— Je suis Tomas, chef de guerre d'Elvandar.

L'être qui se trouvait à la gauche de Fadawah sourit. Il possédait des traits cruels et diaboliques en dépit de leur beauté stupéfiante, ce qui le rendait encore plus terrifiant. Des boucles dorées venaient encadrer son front haut et son nez droit et fin. Ses yeux d'un bleu pâle brillaient, sa bouche pleine et sensuelle souriait. Il émanait de son corps puissant, visiblement très musclé, une aura de danger alors même qu'il se tenait assis, immobile.

Lorsqu'il parla, le désespoir résonna dans toute la pièce à chacun de ses mots :

— Le Valheru ! (La créature se leva et s'avança en disant :) Écartez-vous, Majesté.

Fadawah se leva et alla se poster derrière l'autre homme, qui observait l'échange en silence.

La créature vint se camper devant Tomas. Chacun put se rendre compte qu'ils possédaient tous deux la même stature.

— Voilà longtemps que j'attendais l'occasion d'affronter un Seigneur Dragon ! s'exclama la créature d'une voix tonitruante et rieuse.

Brusquement, elle abattit son poing nu sur le bouclier de Tomas. Ce dernier fut projeté à la renverse à travers la salle, et les dizaines de gardes qui, jusque-là, se tenaient immobiles entrèrent en action.

Miranda réagit plus vite que Nakor et Pug. Elle tournoya sur elle-même et décrivit un cercle complet, paume tournée vers le bas, puis prononça un mot de pouvoir : un diamant d'énergie jaillit de sa main et traversa les airs en hurlant pour aller heurter le mur derrière l'un des guerriers. Il ricocha sur la pierre et blessa un autre guerrier dans le dos, le coupant en deux comme s'il tranchait dans du beurre. Puis il continua son parcours dans la pièce.

— Reste par terre ! cria Miranda à Tomas.

Pug choisit d'ignorer la lame d'énergie destructrice de sa femme pour faire face au monstre. Il leva les mains devant lui, comme le faisaient les moines qui combattaient à mains nues. Mais au lieu de porter un coup, il ramena les mains devant la poitrine et cria un mot. Un jet d'énergie jaillit de ses deux mains, invisible mais puissant comme un millier de coups de poing réunis. La créature ailée fut soulevée dans les airs et retomba durement contre le trône. Fadawah et l'homme au collier d'argent s'écartèrent précipitamment pour ne pas être atteints par les ailes du monstre.

Nakor se précipita en avant, comme s'il désirait lui aussi attaquer. Mais au lieu de frapper à l'aide de son bâton, il préféra affronter la créature avec des mots :

— Qu'êtes-vous ?

Le monstre se releva en riant et repoussa Nakor sur le côté comme s'il était trop insignifiant pour déclencher sa violence contre lui.

— Je suis Celui Qui A Été Appelé !

— Qui êtes-vous ? répéta Nakor depuis le sol.

Le monstre se pencha et approcha son beau visage à quelques centimètres à peine de celui de Nakor :

— Je suis Zaltais, le porteur du Désespoir Éternel.

— Tomas ! s'écria Nakor. Il faut le vaincre !

D'un simple geste du doigt, Zaltais parut soulever Nakor et le propulser à l'autre bout de la salle. Le vieux joueur originaire d'Isalan heurta le mur et s'effondra sur le sol.

Tomas, pour sa part, restait étendu et suivait du regard le parcours de la lame magique qu'avait créée Miranda et qui rebondissait de mur en mur en tuant sur son passage les guerriers encore debout.

Pug leva la main, paume tournée vers Zaltais, et lui envoya une nouvelle décharge d'énergie qui le projeta une fois de plus sur le trône.

L'arme de Miranda disparut brusquement et Tomas bondit sur ses pieds. Il restait une dizaine de guerriers autour de lui qu'il attaqua avec son épée. Ses sens surhumains lui permirent d'éviter chaque coup qu'on lui portait. Par contre, son épée d'or, qu'il n'avait pas maniée depuis la guerre de la Faille, fauchait un membre ou une tête à chaque fois qu'elle retombait.

Miranda passa à côté de Tomas et de ses adversaires, qui se battaient au centre de la pièce, pour aller voir comment se portait Nakor. Celui-ci gisait évanoui sur le sol. Miranda n'aurait su dire s'il était sérieusement blessé.

Pug avança en direction de Zaltais, qui resta assis à battre des paupières pendant quelques instants, comme s'il était sonné. Puis sa vision redevint nette et il sourit – sourire à la vue duquel Pug sentit le désespoir l'étreindre.

— Je t'ai sous-estimé, Pug de Crydee, Milamber de l'Assemblée. Tu n'es pas Macros le Noir, mais tu es toi aussi puissant ! Dommage que tu ne sois pas à la hauteur de ton mentor !

Pug hésita un instant, ne sachant trop comment réagir. Zaltais en profita pour faire un petit geste de la main, envoyant des serpents d'énergie noire en direction de Pug. Ceux-ci atteignirent leur cible et Pug éprouva, à chaque fois qu'ils le frappèrent, une douleur comme il n'en avait jamais connue. À la douleur physique que lui causait chaque morsure, comme si des crocs lui arrachaient des morceaux de chair, s'ajoutait le doute quant à ses propres talents. Il hésita à nouveau, puis recula.

— Pug ! s'écria Miranda en voyant son mari battre en retraite.

Tomas tua le dernier guerrier tandis que Nakor commençait à bouger.

Comme Pug continuait à reculer, Tomas le dépassa d'un bond et abattit de nouveau sa lame dorée. Zaltais leva le bras et para l'attaque de Tomas sur un large bracelet d'or à son poignet, ce qui fit jaillir des étincelles dorées. Cette parade eut pour effet de déséquilibrer Tomas qui laissa ainsi une ouverture à la créature ailée. Cette dernière lui porta un coup au visage, du revers de son poing droit, faisant chanceler le guerrier en armure blanc et or.

En trente ans, jamais Tomas n'avait eu à affronter une créature aussi puissante. Jamais il n'avait autant douté de lui depuis l'époque où il avait dû se battre contre l'esprit de tous les Valherus réunis. Même le démon Jakan n'était rien comparé à ce monstre.

Tomas tomba sur le sol et sentit le goût du sang sur ses lèvres.

— Qu'es-tu donc ?

— Moi ? Je suis un ange du Septième Cercle ! Je suis un agent des dieux !

Nakor se leva et s'écria :

— Tomas, recule ! Ne te fie pas aux apparences ! Il s'agit d'une créature née pour mentir et tromper !

Miranda voulut soutenir l'Isalani mais celui-ci repoussa la main qu'elle lui tendait. Le vieil homme se précipita auprès des corps ensanglantés qui jonchaient la pièce et ajouta :

— Ceux-là sont morts parce que ce monstre les a convaincus que leur seule chance était de lui obéir. Regarde comme cela leur a réussi ! Il continuera à tromper, à fourvoyer les gens et à semer le doute au plus profond de chacun. Si tu l'écoutes, il finira par te convaincre de le servir.

Tomas se leva. Le sang qui coulait de sa lèvre déchirée tomba sur sa cuirasse mais glissa sans y faire la moindre tache.

— Je ne serai jamais le serviteur d'une telle créature, affirma-t-il.

— D'abord, il commencera par te faire douter de tes capacités. Puis il te fera douter de tes motivations. Alors, tu te demanderas quelle est ta place dans l'univers et il finira par te donner une réponse toute faite que tu croiras aveuglément.

— Tu parles trop, vieil homme ! protesta l'ange de l'enfer.

Il fit disparaître les serpentins noirs qui avaient attaqué Pug et tendit la main en direction de Nakor. Il y eut un éclair aveuglant et l'Isalani bondit sur le côté pour éviter un jet d'énergie brûlante qui traversa la salle. Miranda s'écarta à son tour et l'énergie franchit la porte.

Tomas bondit sur ses pieds, ramena son épée en arrière et l'abattit en direction du crâne de la créature. Mais Zaltais recula brusquement, si bien que la pointe de la lame l'atteignit au visage. Il recula en chancelant et poussa un hurlement de rage et de douleur. Une entaille rouge lui barrait le visage du crâne au menton. Alors, comme si les muscles poussaient sous la peau, l'entaille s'élargit puis se divisa et descendit le long de sa gorge puis de sa poitrine et de son estomac. Zaltais hurla, en un son qui n'avait rien d'humain.

On eût dit une lamentation stridente, qui fit grincer les dents de Pug. Ce dernier s'aperçut que la balafre de Zaltais descendait désormais jusqu'à l'aine. La peau et les ailes du monstre s'écartèrent comme une cosse de petit pois.

La chose qui émergea de cette enveloppe ressemblait à une mante religieuse géante, pourvue d'une carapace chitineuse noire et de grandes ailes diaphanes.

— Cette apparence n'est pas plus réelle que la précédente ! s'écria Nakor depuis l'endroit où il était allongé. On ne peut pas tuer ce monstre, on ne peut que le contenir. Il faut l'emprisonner et le rejeter dans la fosse qu'on a vue en dehors de la ville.

— Cela, vous n'y arriverez jamais, promit la nouvelle créature qu'était devenu Zaltais.

Elle émit un bourdonnement plein de colère. Ses ailes devinrent une masse indistincte lorsqu'elle s'élança de l'estrade. De nouveau, Tomas leva son épée et lui trancha une aile.

Zaltais atterrit violemment sur les dalles de pierre. Nakor se leva et recula tandis que Miranda avançait en prononçant une incantation. De son côté, Pug se prépara à lancer un sort.

Nakor contourna le duel qui se déroulait à présent au centre de la salle. Il ne voulait pas se retrouver en travers du chemin des deux adversaires. Il regarda en direction de l'endroit où était le général Fadawah, l'épée à la main comme s'il songeait à prendre part au combat au côté de son serviteur infernal. L'autre homme était accroupi derrière le trône. Nakor se dirigea vers les deux humains, son bâton levé devant lui au cas où il aurait besoin de se défendre.

Miranda et Pug finirent leur incantation à quelques secondes d'intervalle. Des bandes cramoisies apparurent autour de l'insecte et se refermèrent sur lui avec un claquement métallique. Zaltais se débattit en crachant sa rage et sa douleur. Puis le sortilège de Pug se manifesta à son tour, sous la forme d'un halo de lumière blanche au sein duquel le corps de Zaltais se détendit brusquement. Il s'effondra sur le sol.

— Vite ! s'écria Nakor. Ramenez-le à la fosse et jetez-le dedans. Puis scellez la fosse.

— Comment ? demanda Miranda.

— Par n'importe quel moyen ! Pendant ce temps, je vais m'occuper de ces deux-là, ajouta-t-il en se tournant vers Fadawah et son compagnon.

Tomas ramassa la créature emprisonnée tandis que Pug jetait un regard par-dessus son épaule en direction de Nakor.

— Allez-y, maintenant ! s'écria ce dernier.

Il avança droit sur Fadawah, son bâton à la main tandis que le général l'attendait avec son épée.

— Je n'ai pas besoin de démons sortis de l'enfer pour me débarrasser d'un vieux fou dans ton genre, ricana le chef des envahisseurs. J'étais encore un enfant que je tuais déjà de meilleurs hommes que toi.

— Je n'en doute pas, mais vous n'allez pas tarder à vous rendre compte que, malgré mes défauts évidents, je suis très difficile à tuer. (L'Isalani jeta un coup d'œil à l'individu qui se tenait à côté de Fadawah.) Demandez à votre compagnon, il en sait quelque chose.

— Quoi ? fit Fadawah en jetant un coup d'œil sur sa gauche.

Nakor n'attendait que ça. D'un geste vif comme l'éclair, il frappa la main armée de Fadawah d'un coup de bâton suffisamment violent pour lui briser les jointures. Les doigts engourdis, le général lâcha son épée et recula, renversant Kahil.

De la main gauche, Fadawah tenta de prendre une dague à sa ceinture, mais Nakor lui asséna un nouveau coup de bâton. Le général, désormais affligé de deux mains inutiles, poussa un nouveau cri de douleur.

Le bâton de Nakor virevolta une troisième fois et brisa la rotule de Fadawah. Ce dernier tomba en laissant échapper un cri atroce.

— Pour les innombrables crimes que vous avez commis, en plus de ceux que la reine Émeraude et le démon Jakan vous ont forcé à commettre, vous avez mérité la mort. Mais je vais me montrer clément et vous épargner les souffrances que vous méritez.

Brusquement, le bâton jaillit à nouveau en avant et frappa Fadawah, réduit à l'impuissance, au centre du front. Nakor entendit le crâne du général se fracasser. Ses yeux se révulsèrent et le roi autoproclamé de la Triste Mer mourut.

Nakor contourna le corps de Fadawah et s'agenouilla à côté de l'individu accroupi près du trône. C'était un homme maigre avec des pommettes saillantes – son trait le plus marquant.

— Bonjour, mon amour, lui dit Nakor.

— Tu m'as donc reconnue ? chuchota l'autre.

— Toujours. Qui es-tu cette fois ?

— Je suis Kahil, capitaine du service de renseignement.

— L'éminence grise, hein ? fit Nakor. Voici donc ce que tu es devenue lorsque le démon a pris ta place ?

— Non, avant. J'ai senti que quelque chose n'allait pas avec le corps de la reine quand je portais la couronne d'émeraude. Quelque chose venait corrompre mes pouvoirs... Quoi qu'il en soit, Kahil connaissait Fadawah et ce dernier lui faisait confiance. C'était un homme intelligent, mais avide. Je n'ai guère eu d'efforts à faire pour m'emparer de ce corps. Pendant un temps, la reine Émeraude est restée quasiment débile, mais personne n'a paru le remarquer. Puis ce maudit démon est apparu et l'a dévorée. (Kahil haussa les épaules.) J'étais la seule à voir à travers l'illusion et à savoir qu'un démon régnait à ma place. Mais j'ai patienté en sachant qu'un jour, j'aurais à nouveau l'occasion de régner.

— Mais les événements qui s'ensuivirent ont dépassé tes rêves les plus ambitieux. Vois-tu à présent à quel jeu dangereux tu as joué ?

— Oui, Nakor, répondit l'homme d'une voix faible. Mais je n'arrive pas à m'en empêcher, ajouta-t-il avec une petite lueur dans les yeux.

Nakor se releva et aida Kahil à faire de même.

— Qu'est-il arrivé à Fadawah ?

— Il est devenu fou. Son esprit a été totalement anéanti. J'ai voulu fabriquer une arme, un engin magique qui me permettrait de créer une armée de cadavres – il y en avait tellement. J'y suis arrivée, mais cela a permis à Zaltais de sortir de la fosse. Fadawah a réussi à le contrôler, du moins pendant un temps, alors que j'en étais incapable. J'étais, comme on dit, « prise entre le marteau et l'enclume. » Je me serais débarrassée de Fadawah dès que le royaume aurait été vaincu et que la province de Yabon aurait été entièrement sous mon contrôle, mais avec l'arrivée de Zaltais, je n'ai pas pu aller jusqu'au bout de mon projet.

— Tu n'as jamais réussi à prévoir les conséquences de tes actes, Jorna.

— Appelle-moi Kahil, je te prie.

— Ça fait quoi d'être un homme, cette fois-ci ?

— C'est utile, de temps en temps. Mais mon précédent corps me manque. C'était de loin le plus beau que j'aie jamais eu. (L'être qui avait été l'épouse de Nakor, ainsi que dame Clovis et la reine Émeraude leva les yeux vers son ancien mari :) Toi, ça fait très longtemps que tu te sers du même corps.

— Je l'aime bien, répondit Nakor. C'est celui dans lequel je suis né. Par contre, je change de nom de temps en temps. (Il indiqua la porte par laquelle étaient sortis ses compagnons.) As-tu reconnu ta fille ?

— C'était Miranda ? s'étonna Kahil. Par tous les dieux !

Nakor sourit.

— L'autre homme, c'était son mari.

— Est-ce que j'ai des petits-enfants ?

— Non, pas encore. (Le sourire de Nakor s'évanouit.) Tu sais, cela fait si longtemps que tu t'es engagée sur le chemin du mal que j'ai du mal à me souvenir de celle que tu étais au début. Je me souviens d'une fille vaniteuse, mais pas plus mauvaise qu'une autre. Seulement, tu as trop longtemps fréquenté les puissances des ténèbres. Tu ne sais même pas ce que tu as provoqué, n'est-ce pas ? Tu ne sais même pas qui contrôle ton destin.

— C'est moi !

— Oh non, femme vaniteuse. Tu n'es guère plus que le pitoyable jouet d'une entité si puissante que tu ne peux l'appréhender. Elle s'est emparée de ton âme il y a si longtemps que plus rien ne te sauvera désormais. Tu ne peux que subir les tourments qu'elle réserve aux serviteurs qui échouent. Tu sais ce qu'il me reste à faire ?

— Je sais ce que tu vas essayer de faire, rectifia Kahil en reculant.

— Ta vanité a failli mener ce monde à sa perte. Ta quête de la beauté et de la jeunesse éternelle t'a amenée à détruire des nations. Je ne peux te permettre de continuer ainsi.

— Tu vas donc enfin te résoudre à essayer de me tuer ? Il faudra plus qu'un coup de bâton sur la tête pour débarrasser l'univers de ma présence.

— Non, je ne vais pas essayer, je vais te tuer.

Kahil entama une incantation, mais Nakor le frappa au visage, avec l'extrémité de son bâton. L'ancienne reine Émeraude, qui habitait désormais le corps d'un homme, chancela, rompit sa concentration et ne put terminer le sortilège. Nakor leva de nouveau son bâton et en fit jaillir un jet de lumière blanche qu'il dirigea sur Kahil. Ce dernier se figea, cloué sur place, tandis qu'un son lugubre s'échappait de ses lèvres. Celui-ci ne cessa de faiblir tandis que son corps disparaissait peu à peu, devenant pâle, puis translucide, puis enfin transparent. Lorsqu'il disparut pour de bon, le bruit s'arrêta. Il n'y avait plus de Kahil dans la pièce.

— J'aurais dû le faire il y a un siècle, commenta Nakor d'une voix attristée. Mais à ce moment-là, je ne savais pas comment te tuer.

Il médita quelques instants sur ce qui venait de se passer. Puis il tourna les talons et se mit à courir pour rattraper les autres. La guerre ne prendrait pas fin avant que Zaltais soit jeté dans la fosse et que celle-ci soit refermée derrière lui.

Une pluie d'étincelles jaillit de la paume de Miranda, éclaboussant la douzaine de soldats qui traînaient encore près des portes de la cité. Commençant à éprouver des piqûres, ils tournèrent les talons et s'enfuirent.

— Ce n'est pas très dangereux, commenta Miranda, mais ça fait toujours son effet.

Elle regarda par-dessus son épaule et vit que Tomas n'avait pas trop de sa force considérable pour maintenir Zaltais sur son épaule. Pug, quant à lui, ne pouvait pas faire grand-chose d'autre que le suivre.

Alors même qu'ils franchissaient les portes d'Ylith et arrivaient en vue du bâtiment qui recouvrait la fosse, Zaltais déséquilibra Tomas, passa par-dessus son épaule et atterrit durement sur le sol.

— Mon sortilège s'affaiblit ! s'écria Miranda tandis que la créature se débattait.

Brusquement, les bandes cramoisies volèrent en éclats et disparurent. Le monstre se redressa d'un bond et porta un coup à Tomas de son avant-bras tranchant comme une lame de rasoir. Tomas para avec son épée et un tintement résonna, comme si deux épées d'acier s'étaient heurtées.

Un halo de lumière orange apparut autour de Zaltais tandis qu'il reculait pour frapper de nouveau.

— Il va lancer un sort ! cria Miranda.

Pug prononça alors un mot de pouvoir qui aurait dû lui donner la capacité de percevoir la magie du monstre. Au lieu de quoi, il ressentit une violente douleur au crâne et tomba à genoux.

Les joues inondées de larmes, il se prit la tête à deux mains et s'efforça de retrouver sa respiration. Les images et les sensations qui envahissaient son esprit lui étaient si étrangères qu'elles ne pouvaient que provoquer toujours plus de souffrance. Le sortilège qu'il avait lancé était destiné à lui permettre de connaître la nature du sort de son adversaire afin, si possible, de pouvoir le contrer. Cependant, même les visions qu'il avait eues en sondant le maître de la Terreur qui était apparu sous Sethanon ou les rois démons, Jakan et Maarg, paraissaient relativement familières comparées à celles qu'il avait en ce moment même. Pug se recroquevilla, les yeux fermés et les poings pressés sur les tempes.

Miranda choisit une approche plus directe et s'efforça simplement de brûler la créature en lui lançant son sortilège incendiaire le plus puissant sous la forme d'un jet d'énergie si brûlante qu'elle en devenait aveuglante.

Zaltais se débattit au cœur de cette flamme magique et en oublia sa propre incantation. On eût dit un insecte pris au piège au centre d'une toile.

Tomas contourna le monstre en feu et s'agenouilla auprès de Pug pour l'aider à se relever.

Brusquement, le feu magique disparut, au moment où Nakor rejoignait ses compagnons en courant.

— Vite ! Portons-le jusqu'à la fosse !

La créature avait gonflé et paraissait cuire dans ses propres fluides vitaux. Sa carapace s'était craquelée en plusieurs endroits. Tomas attrapa l'une des pattes avant et essaya de traîner Zaltais. Ce ne fut pas facile, mais il parvint à franchir la grande porte du bâtiment et à tirer la créature en direction de la fosse.

Alors, dans un grand fracas, la carapace chitineuse se fendit et tout le monde vit quelque chose se tortiller à l'intérieur. Les débris de carapace s'écartèrent et une nouvelle créature semblable à un ver blanc géant commença à en sortir.

— Je n'ai plus la force de le brûler à nouveau, annonça Miranda.

— Pas besoin de le brûler, répondit Nakor. Il suffit de le jeter dans la fosse !

Tomas se jeta sur la créature alors que celle-ci n'était qu'à moitié sortie de la carapace d'insecte fumante. Il la frappa aussi fort qu'il put à l'aide de son bouclier et Zaltais fut projeté à la renverse, la partie inférieure de son nouveau corps coincé dans la carcasse de l'insecte.

Le monstre hurla, un son strident qui donna à chacun l'impression de recevoir un coup de couteau dans le crâne. Tomas faiblit un instant puis se reprit et frappa de nouveau la chose, la projetant encore une fois en arrière, à une douzaine de mètres seulement de la fosse béante.

Zaltais agita frénétiquement l'extrémité de son corps pour se débarrasser de la carapace. Tomas donna un coup de pied dans la région du thorax et fit tournoyer la créature au sein de la carapace qui se mit à glisser vers la fosse.

Pug se passa la main sur les yeux. Ses idées commençant à s'éclaircir, il put formuler un simple sortilège qui créa, à partir de l'air, un poing capable de briser les côtes d'un homme. La créature tomba au bord de la fosse.

Sous les yeux du magicien et de ses compagnons, des bras commencèrent à pousser sur le corps du ver en s'agitant frénétiquement.

— Cela suffit ! s'exclama Nakor.

Il courut, le bâton levé et ramené derrière son épaule, et frappa la partie supérieure du corps du monstre aussi fort qu'il le put.

Zaltais tomba dans la fosse en poussant un hurlement qui faillit leur crever les tympans à tous.

Miranda tomba à genoux, comme Pug à nouveau. Tomas dut faire appel à toute sa volonté pour rester debout et Nakor agrippa son bâton comme si c'était la seule chose qui lui permettait de rester en vie.

Puis le son s'évanouit.

— Nous devons sceller la fosse ! décréta l'Isalani.

— Comment ? s'écria Pug. Jusqu'aujourd'hui, je n'avais jamais rien vu de tel.

— Mais si, protesta Nakor, c'est juste que tu ne reconnais pas sa nature.

Pug prit une profonde inspiration et utilisa le peu d'énergie qui lui restait pour sonder la fosse.

— C'est une faille ! s'exclama-t-il enfin.

— Oui, mais d'un genre que tu n'avais encore jamais rencontré, approuva Nakor.

— Comment le savais-tu ? s'étonna Miranda.

— Je vous expliquerai tout ça plus tard, promit l'Isalani. En attendant, il faut la refermer.

Une faible brise s'éleva.

— Vous avez senti ? demanda Miranda.

— Oui, répondit Tomas, mais d'habitude je ne sens pas le vent à l'intérieur d'un bâtiment.

— Quelque chose essaye de passer dans notre monde ! s'écria Nakor.

— J'ai besoin d'aide ! s'exclama Pug.

— Que pouvons-nous faire ? demanda Miranda.

— Donnez-moi autant d'énergie que possible !

Pug ferma les yeux et entra dans la faille en esprit. Il sonda les énergies utilisées et fut de nouveau assailli par le sentiment que quelque chose n'allait pas. Cependant, il réussit à repérer un schéma. Bien que celui-ci lui soit complètement étranger, comme le reste, il réussit à l'étudier dès qu'il l'eut appréhendé. Alors la structure de la faille lui apparut.

— J'ai trouvé ! s'exclama-t-il enfin.

Il laissa les connaissances acquises lors de son séjour sur Kelewan revenir à sa mémoire car il avait passé beaucoup de temps à étudier les failles lorsqu'il était un Très-Puissant. La nature de cette faille était telle que Pug avait le choix entre canaliser davantage d'énergie pour la refermer qu'il n'en avait fallu pour l'ouvrir ou se servir du pouvoir qui la maintenait ouverte. Le magicien choisit cette dernière solution, se sentant trop fatigué pour tenter la première. De plus, il pressentait que, même au mieux de sa forme, la première solution risquait de requérir une puissance qui dépassait la sienne. Il sonda alors un filament d'énergie et remonta à la source de la faille.

Brusquement, une présence apparut de l'autre côté, puissante et massive, dépassant tout ce que Pug aurait cru possible. Il émanait de cette présence une haine si pure et une telle malfaisance que cela défiait la compréhension humaine. Une part de Pug frémit et voulut se laisser tomber sur le sol en gémissant, comme l'avait fait Fadawah. Mais la discipline mentale du magicien fut la plus forte et lui permit de tenir bon face à cette nouvelle horreur.

Quelle que soit sa nature, celle-ci cherchait Pug. Elle le savait tout proche, mais ne l'avait pas encore trouvé. Pug sentit une pression d'urgence monter en lui tandis qu'il cherchait à défaire la matrice d'énergies qui maintenait la faille ouverte. Il savait que si cette nouvelle entité le trouvait, il serait perdu à jamais.

Une faible quantité d'énergie s'ajouta soudain à la sienne. Pug comprit que Miranda avait réussi à joindre son pouvoir au sien. Lorsqu'elle entra en contact avec lui, il sentit qu'elle essayait de le rassurer. Alors, il envoya dans la partie de son esprit qui était capable de la percevoir toute la gratitude qu'il éprouvait envers elle.

L'entité qui se trouvait de l'autre côté de la faille devenait de plus en plus consciente de la présence de Pug à chaque seconde qui passait. Mais le magicien avait fini d'élaborer son sortilège.

Il ouvrit les yeux et, pendant un moment, eut l'impression de voir deux images à la fois. Devant lui se tenait Tomas, l'épée au clair, avec Nakor et Miranda à ses côtés. Mais par-dessus cette image, il voyait un pan déchiré de l'espace-temps à travers lequel une chose terrifiante regardait dans sa direction. Pug fut frappé par la vision d'un œil immense regardant à travers un trou de serrure.

Pug tira sur son propre filament de pouvoir, perturbant la matrice qui soutenait la faille. Il perçut alors une terrible colère de l'autre côté du portail mystique.

— Sortez ! s'écria-t-il.

Il voulut faire demi-tour pour s'enfuir et s'aperçut qu'il pouvait à peine bouger. Tomas rejeta son bouclier dans le dos et passa son bras autour de Pug, le soulevant presque du sol.

Ils sortirent en courant du bâtiment au moment où Ryana atterrissait.

— Je l'ai appelée, expliqua Tomas.

Le sol se mit à trembler tandis que le chef de guerre d'Elvandar et ses compagnons grimpaient sur le dos du dragon. Au moment où Ryana s'élança dans les airs, un énorme coup de tonnerre retentit à l'intérieur du bâtiment.

Ryana battit des ailes et prit de l'altitude. Pug se retourna pour contempler la scène en contrebas. Un grand vent était apparu autour du bâtiment qui frémit et trembla sur ses bases. Les poutres de la charpente se brisèrent et le toit s'effondra.

— On dirait que la faille est en train de tout aspirer ! s'exclama Miranda.

— J'espère que ça va s'arrêter, ajouta Pug.

— Oui, je le pense, répondit Nakor. Mais il y aura un très gros trou à combler dans le sol lorsque tout ça sera fini.

Un nouveau grondement retentit et, ainsi que le petit homme l'avait prédit, un immense trou apparut dans le sol et avala le reste du bâtiment. Un énorme nuage de poussière s'éleva dans les cieux et davantage de terre continua à tomber dans le trou. Puis le grondement cessa.

— C'est fini ? demanda Miranda.

Pug ferma les yeux et reposa sa tête contre le dos de Tomas.

— Ce ne sera jamais fini.

Un gamin en haillons passa par-dessous les bras tendus d'un garde qui protesta :

— Hé !

— Il faut que je parle au shérif ! expliqua le gamin en esquivant le garde.

Dash se retourna au moment où le garçon gravissait les marches au pas de course. Le jeune shérif se tenait sur les remparts au-dessus de la porte de la cité et contemplait le déploiement de l'armée keshiane dans l'obscurité annonciatrice de l'aube.

— Qu'est-ce que tu veux ? demanda-t-il au gamin.

— Trina m'a chargé de vous dire qu'ils attaquent le palais, la porte du Sud ! Dépêchez-vous !

Aussitôt, Dash comprit qu'il avait omis de vérifier s'il restait d'autres espions au sein du palais. La porte du Sud était celle qu'utilisaient les commerçants pour effectuer leurs livraisons. Elle s'ouvrait sur la grande cour où se déroulaient autrefois les entraînements des Aigles cramoisis de Calis. Elle fournissait également un accès direct à une partie du palais qui n'était pas protégée par une enceinte. Si les Keshians parvenaient à entrer par cette porte, ils ne prendraient pas seulement pied à l'intérieur de la cité, mais à l'intérieur même du palais. Or, la plupart des défenseurs ne se trouvaient pas au bon endroit.

— Gustave ! s'écria Dash. Envoie tes hommes au palais, à la porte du Sud !

Gustave disposait d'une compagnie volante prête à venir en renfort n'importe où sur le front. Ses membres partirent en courant dès que Dash leur eut indiqué leur destination.

Le jeune shérif se tourna vers un officier voisin :

— Gardez le contrôle de la situation. Tant que leurs agents ne leur auront pas annoncé que la porte est ouverte, ils continueront à faire semblant de vouloir exiger notre reddition une dernière fois.

Dash dévala les escaliers et se lança à la poursuite de Gustave et de ses hommes. Il courut dans les rues jusqu'à ce qu'il puisse entendre des bruits de combat.

— Où se trouve la garde du palais ? demanda-t-il.

— On leur a donné l'ordre d'aller prêter main-forte aux soldats à la porte principale, répondit Gustave.

— Qui a donné cet ordre ? s'étonna Dash.

— Je croyais que c'était vous.

— Quand nous aurons trouvé la personne qui a donné cet ordre, je parie que nous tiendrons notre empoisonneur.

Dash et ses agents coururent jusqu'à l'entrée du palais située le plus au nord. Personne n'y montait la garde. Dash fit signe à ses hommes de prendre à gauche et de contourner les écuries pour entrer dans la cour d'entraînement par le nord. Il constata qu'une bagarre avait éclaté devant la porte du Sud, à l'autre bout de la cour. Dash y avait amené de nombreux chariots à l'époque où il travaillait pour Roo Avery – époque qui lui paraissait désormais bien lointaine, comme s'il s'agissait d'une autre vie. Mais jamais la cour ne lui avait semblé si vaste que ce jour-là.

Il avait à peine traversé la moitié du terrain lorsqu'il comprit que l'issue du combat était déjà presque certaine. Seuls des vieillards, des enfants et de rares hommes en âge de se battre luttaient pour repousser des mercenaires armés et entraînés à tuer. Il n'y avait qu'à voir avec quelle terrible efficacité ils balayaient cette maigre résistance.

Campée devant l'immense barre en bois qui maintenait la porte fermée se trouvait Trina. Elle tenait d'une main une épée et de l'autre une dague. Un homme gisait couvert de sang à ses pieds. Dash comprit que l'espion avait déjà payé le prix fort en essayant de passer outre la détermination de la jeune femme.

Mais les mercenaires n'allaient pas tarder à venir à bout des voleurs. Dash tenta de courir plus vite encore et se trouvait à vingt mètres à peine lorsqu'il vit un type barbu et solidement charpenté tuer un très jeune voleur avant de rejoindre l'un de ses camarades qui faisait face à Trina.

Le premier lui porta une botte par au-dessus qu'elle para en hauteur, laissant ainsi une ouverture au grand costaud qui passa sous sa garde et enfonça la pointe de son épée dans le ventre de Trina.

— Non ! s'écria Dash qui se jeta sur les deux hommes sans même ralentir et les précipita sur le sol.

Il tua le plus corpulent alors même qu'il se trouvait encore à terre puis roula sur lui-même pour se relever et affronter l'autre adversaire de Trina, celui qui l'avait attaquée le premier.

Ce dernier tenta une attaque combinée et fit mine de porter un coup à la tête avant de tourner le poignet pour atteindre Dash au flanc. Le jeune homme recula lestement puis avança à nouveau tandis que l'épée de son adversaire passait à côté de lui. Alors, avant que le Keshian ait le temps de corriger la trajectoire de sa lame, Dash le tua en le poignardant à la gorge.

Les policiers écrasèrent les assaillants tandis que les voleurs commençaient à emporter leurs blessés. Les espions keshians se battirent jusqu'au bout mais finirent par être tous tués ou désarmés.

Dash regarda autour de lui. Constatant que ses hommes avaient la situation en main, il courut à l'endroit où gisait Trina. La porte n'avait pas été ouverte.

Dash s'agenouilla, prit la jeune femme dans ses bras et s'aperçut qu'elle avait la peau pâle et moite. Le sang coulait à flots de sa blessure au ventre, emportant sa vie avec lui.

— Que quelqu'un aille chercher un guérisseur, vite ! s'écria Dash.

Un agent partit en courant tandis que le jeune shérif berçait la voleuse dans ses bras. Il tenta d'arrêter l'hémorragie en faisant pression sur la blessure, mais la douleur fut presque intolérable pour la jeune femme.

— Je t'aime, shérif le Chiot, murmura-t-elle en levant les yeux vers lui.

Dash laissa couler librement ses larmes.

— Tu es folle, je t'avais dit de rester en vie !

Il la serra contre lui. Trina gémit puis chuchota :

— N'oublie pas, tu m'as promis.

Dash serrait toujours le cadavre de la jeune femme lorsque le prêtre arriva dans la cour. Gustave prit Dash par les épaules et lui fit poser le corps en disant :

— Venez, shérif, on a encore du travail devant nous.

Dash leva les yeux et vit que le ciel s'éclaircissait. Les circonstances exigeaient qu'il mette de côté son chagrin et cette sensation de perte qui l'engourdissait. Le héraut keshian n'allait pas tarder à s'approcher de la porte pour répéter sa demande de reddition. Car lorsque les Keshians comprendraient que leurs espions avaient échoué et que la porte du Sud n'avait pas été ouverte, ils sauraient qu'il ne leur restait plus qu'une seule option : l'attaque.

Chapitre 27

INTERVENTION

L es chevaux étaient à bout de souffle.

Pourtant, les cavaliers les encourageaient à avancer, priant pour que leurs montures tiennent une journée de plus. Jimmy leur imposait à tous une allure éprouvante, de l'aube au crépuscule, en ne ménageant que de petites pauses, aussi courtes que possible. Les conséquences de cette marche forcée commençaient à apparaître sur les pauvres bêtes dont les côtes saillaient là où elles possédaient d'amples réserves de graisse et une robe bien lisse à peine quelques jours auparavant.

Six chevaux s'étaient mis à boiter, obligeant leurs cavaliers à les reconduire à Port-Vykor en les menant par la bride ou à suivre les autres à pied, dans l'espoir qu'ils trouveraient une armée du royaume à leur arrivée. Deux autres bêtes étaient si mal en point que l'on avait été obligé de les abattre.

La troupe n'allait pas tarder à arriver en vue de Krondor. Ce n'était plus qu'une question de minutes. Jimmy se surprit de nouveau à espérer qu'il s'était trompé et qu'ils allaient trouver la cité paisible et ses habitants vaquant à leurs occupations quotidiennes. Il endurerait volontiers les plaisanteries et les railleries qui ne manqueraient pas de le poursuivre pendant des années si c'était le cas. Mais au fond de lui, il sentait qu'il était sur le point de se jeter tête la première dans une bataille.

Il gravit une petite hauteur et se retrouva devant une caravane appartenant à l'intendance keshiane. La plupart de ses membres n'étaient que des gamins, mais ils comptaient également quelques gardes prêts à défendre les fournitures de leur armée.

— Laissez la vie sauve aux enfants ! s'écria Jimmy en tirant son épée.

Les gamins de l'intendance s'éparpillèrent, mais les Chiens Soldats qui gardaient la caravane firent face à la troupe de Jimmy et engagèrent le combat.

Dash courait sur les remparts. Les Keshians se préparaient à attaquer. Leur héraut s'était montré poliment méprisant, une qualité que Dash aurait pu admirer si la mort de Trina ne l'avait pas plongé dans une rage quasi-meurtrière. Il avait dû se maîtriser pour se retenir de prendre un arc et d'abattre le héraut lorsqu'il s'était présenté une troisième fois sur son cheval pour exiger la reddition de Krondor.

Patrick était de retour au palais et sous bonne protection, au cas où d'autres agents keshians tenteraient une nouvelle fois de le tuer. Dash songea que, s'ils réussissaient à survivre à l'attaque de la cité, il leur faudrait entreprendre de longues et pénibles recherches pour découvrir tous les espions infiltrés par Kesh. Il chassa de ses pensées le découragement que cela lui inspirait.

Des trompettes retentirent et des cors de guerre résonnèrent. Alors les fantassins keshians s'avancèrent. Par groupes de dix en file indienne, ils apportèrent des échelles. Dash avait du mal à croire qu'ils apportaient les échelles dès le premier assaut, sans lourdes machines de guerre ni tortue pour protéger les hommes. Puis une centaine d'archers montés s'avancèrent à leur tour.

— Préparez-vous à plonger ! s'écria Dash.

De nouveau, un cor résonna. Les soldats qui portaient les échelles se mirent à courir tandis que les archers éperonnaient leurs montures et passaient entre les rangées de fantassins. Ils décochèrent une volée de flèches et Dash se prit à espérer que tout le monde avait entendu son avertissement. Le fracas des flèches sur la pierre et les boucliers et quelques rares jurons et cris de douleur lui permirent de comprendre que la plupart avaient bien entendu. Puis ses propres archers se relevèrent et firent pleuvoir les flèches à leur tour sur les assaillants au pied des murs de la ville.

— Faites passer la consigne, ordonna Dash, accroupi derrière un merlon : il faut viser les types avec les échelles. On s'inquiétera des archers montés plus tard.

Les soldats qui l'entouraient firent passer le mot et les archers krondoriens se relevèrent encore pour tirer sur les porteurs d'échelle. Puis ils se baissèrent pour éviter une nouvelle volée de flèches ennemies. Dash, toujours accroupi, se déplaça au bord du chemin de ronde et s'adressa à l'un de ses policiers en contrebas :

— Continuez à patrouiller la ville. On ne sait jamais, s'ils tentaient encore d'entrer par les égouts.

L'agent partit en courant. Dash retourna prendre place sur le rempart. Un garde du palais accourut :

— Nous avons trouvé l'espion, shérif.

— Qui est-ce ?

— Un autre secrétaire, un dénommé Ammes. Il est rentré dans la salle des gardes en disant que vous ordonniez à tout le monde de se rendre aux portes de la ville.

— Où est-il à présent ?

— Il est mort, répondit le garde. Il faisait partie des types qui ont tenté d'ouvrir la porte du Sud et il est mort au cours du combat.

Dash acquiesça et prit note de veiller à ce qu'aucun serviteur ou fonctionnaire du palais ne garde ses fonctions sans avoir subi d'enquête approfondie. Il s'était montré trop négligent durant la période où le prince se trouvait encore à la Lande Noire et où lui, Dash, avait assuré la transition entre le règne de Duko et le retour de Patrick. Malar et les autres avaient réussi à infiltrer le personnel du palais trop facilement – ce qui signifiait que Kesh prévoyait cette offensive bien avant de signer le traité de paix à la Lande Noire l'année précédente.

Mais Dash continua à contenir sa rage, sa frustration et la colère que lui inspiraient la mort de Trina et l'attaque de la cité. Il jura que si les Keshians réussissaient à passer sur les remparts, il en tuerait plus que tout autre défenseur de Krondor.

Et si la cité échappait à cette invasion keshiane, Dash veillerait à tenir sa promesse envers Trina.

Ils atterrirent dans une clairière à quelques kilomètres d'Ylith. Pug descendit du dos du dragon d'un pas chancelant et alla s'asseoir dans l'herbe.

Miranda prit place à côté de lui :

— Est-ce que ça va ?

— J'ai encore la tête qui tourne, répondit son mari.

— Où va-t-on maintenant ? demanda Tomas.

— Dans plusieurs endroits, et pas tous ensemble, répondit Nakor. Toi, Tomas, pourquoi ne pas demander à ton amie de te ramener auprès de ton épouse ? Il y a encore beaucoup à faire, mais tu peux rentrer chez toi en sachant que tu as sauvé Elvandar et ses habitants, du moins dans un avenir proche.

— J'aimerais d'abord avoir quelques explications, protesta Tomas.

— Il a raison, renchérit Miranda. C'était quoi, cette créature ?

— Je n'avais jamais rien vu de tel, avoua le guerrier. Pourtant, la mémoire d'Ashen-Shugar est vaste.

— C'est parce qu'aucun Valheru n'a jamais rencontré un être comme Zaltais, répondit Nakor en s'asseyant sur l'herbe à côté de Pug. Principalement, sans doute, parce qu'il ne s'agit pas d'une créature.

— Comment ça ? fit Miranda. Tu ne pourrais pas essayer de nous donner une explication simple et sans fioritures, pour une fois ?

Nakor sourit.

— Tu me rappelles ta mère, dans ses bons côtés.

— Parce qu'elle en avait ? répliqua la magicienne sans chercher à dissimuler son mépris.

— Oh oui, mais c'était il y a très très longtemps, répondit Nakor du ton le plus joyeux que ses compagnons aient jamais entendu chez lui.

— Alors, qu'en est-il de Zaltais ? intervint Pug en ramenant la conversation à son point de départ.

— Fadawah a commencé à pratiquer la magie noire sous l'influence de son conseiller, Kahil, expliqua Nakor. Je crois que ce dernier se trouve à l'origine de tout ce qui s'est passé sur Novindus depuis le début de cette histoire. Au départ, il n'était que la marionnette des Panthatians, mais il a réussi à gagner une certaine liberté qu'il a utilisée pour atteindre une position d'influence et manipuler les autres à son tour... (Il hésita, puis poursuivit :) De la même façon que Jorna est devenue dame Clovis et a contrôlé le Chef Suprême et le magicien Dahakon il y a vingt ans. Kahil se tenait aux côtés de Fadawah depuis le départ. Il a réussi à survivre et a continué à conseiller le général... Bref, je suppose qu'il a réussi à le convaincre de faire appel aux mêmes pouvoirs qui ont détruit la reine Émeraude et le Roi Démon. Mais en réalité, Kahil agissait au nom de cette entité dont nous ne devons pas parler. Comme tous les serviteurs du Sans-Nom, il ne savait même pas qu'on le manipulait encore... Il se sentait juste poussé à agir comme ça.

— Et Zaltais ? insista Miranda. Que voulais-tu dire par « Ce n'est pas une créature » ?

— Il n'appartient pas à notre réalité, encore moins que les démons ou les terreurs. Il est issu du Septième Cercle de l'enfer.

— Oui, mais quelle est sa nature ? demanda Pug.

— Ce n'était qu'une pensée, probablement un rêve.

— Une pensée ? répéta Tomas.

— Et la chose que j'ai vue à travers la faille ? ajouta Pug.

— Tu as vu l'esprit d'un dieu, répondit Nakor.

— Je ne comprends pas, avoua le magicien.

— Cela viendra, dans quelques centaines d'années, assura Nakor. Pour le moment, dis-toi qu'un dieu est en train de dormir et que, dans son sommeil, il a rêvé et que, dans ce rêve, il s'est imaginé qu'une minuscule créature a prononcé son nom, devenant par-là même sa marionnette. Toujours dans son rêve, cette marionnette a provoqué le chaos et l'a appelé, et il a envoyé son ange du désespoir répondre à l'appel. Et l'ange s'est mis au service de la marionnette.

— Mais pourquoi est-ce qu'on ne pouvait pas tuer Zaltais ? demanda Miranda.

Nakor sourit.

— Parce qu'on ne peut pas tuer un rêve, Miranda, même un rêve aussi maléfique. On ne peut que le renvoyer d'où il vient.

Tomas se tapota la lèvre.

— Moi, je l'ai trouvé plutôt réel, pour un rêve.

— Oh, mais le rêve d'un dieu est la réalité, rétorqua Nakor.

— Nous devrions repartir, intervint Pug.

— Où allons-nous ? demanda sa femme. On rentre sur l'île ?

— Non, dit Nakor. Il faut avertir le prince que le chef de l'armée ennemie est mort.

— D'accord, partons pour Krondor, décréta Pug.

— Juste une chose encore, intervint Miranda.

— Oui ? fit Nakor.

— Il y a quelque temps, tu m'as dit que le démon Jakan avait remplacé ma mère à la tête de cette armée. Mais tu ne m'as jamais dit ce qui lui était arrivé.

— Ta mère est morte, affirma Nakor.

— Tu en es sûr ?

— Sûr et certain, acquiesça l'Isalani.

Pug se leva. Il se sentait encore secoué.

— Ryana va me ramener en Elvandar, annonça Tomas.

Pug donna l'accolade à son vieil ami.

— Encore une fois, on se dit au revoir.

— Nous nous reverrons, assura Tomas.

— Porte-toi bien, mon vieil ami, lui souhaita Pug.

— Et vous trois aussi, répondit le guerrier.

Il grimpa de nouveau sur le dos du dragon qui s'élança dans les cieux. En deux battements d'ailes, elle vira vers l'ouest et entreprit de regagner Elvandar.

— Tu te sens de nous mener tous à Krondor ? demanda Pug à Miranda.

— Oui, ça va aller.

La magicienne prit ses deux compagnons par la main et ferma les yeux. Autour d'eux, le monde se mit à tournoyer.

Tous trois apparurent alors dans la grande salle du palais princier de Krondor, au moment où les cors de guerre appelaient les troupes de réserve à rejoindre la porte principale.

— Si vous n'arrivez pas à vous glisser derrière la porte pour la déverrouiller de l'intérieur…, commença Gustave.

— Il ne vous reste plus qu'à l'enfoncer, acheva Dash.

Un grondement s'éleva tandis que les Keshians faisaient rouler leur bélier en direction de la porte principale. La route de l'Est qui permettait d'accéder à la cité descendait d'une série de collines. L'énorme bélier, comprenant cinq troncs attachés ensemble par de lourdes cordes, prit de la vitesse dans cette longue descente. Des cavaliers chevauchaient de part et d'autre, le guidant à l'aide de cordes. Lorsqu'ils parvinrent au dernier bout de route juste avant la porte, ils lâchèrent les cordes et partirent sur les côtés tandis que le bélier gagnait encore de la vitesse.

Le grondement se fit plus fort alors que l'engin arrivait à moins de cinquante mètres de la porte. Par réflexe, Dash agrippa les pierres du rempart dans l'attente de l'impact.

Puis quelqu'un se glissa entre Gustave et Dash, les bousculant au passage, et tendit la main par-dessus le mur. Un voile de lumière jaillit de sa paume. Dash se tourna vers lui et vit qu'il s'agissait de son arrière-grand-père.

— Assez ! s'écria Pug, la colère inscrite sur le visage, tandis que le bélier explosait en un millier d'échardes enflammées.

Les Keshians s'attendaient à tout sauf à cette démonstration de magie. Leur attaque tourna court lorsque les cavaliers se retrouvèrent brusquement face à un très haut mur d'enceinte abritant des archers au lieu d'une porte ouverte par laquelle ils auraient pu charger.

Ils tirèrent sur les rênes de leurs montures et tournèrent sur place, indécis, tandis que les défenseurs de la cité décochaient une volée de flèches.

— Non ! cria Pug.

D'un geste de la main, il fit apparaître un rideau de feu qui transforma les flèches en cendres brûlantes juste sous le nez de leurs cibles.

— Je ne vois ici aucun officier, ajouta-t-il en se tournant vers Dash. C'est toi qui es en charge de la défense ?

— Oui, pour le moment.

— Dans ce cas, ordonne à tes hommes de ne plus tirer.

Dash s'exécuta et les Keshians retournèrent sains et saufs vers leurs propres lignes.

— Envoie un héraut parler au commandant keshian. Dis-lui que je veux le rencontrer au palais princier dans une heure.

— Au palais ? répéta Dash.

— Oui. Quand il se présentera, ouvre-lui la porte et laisse-le entrer.

— Et s'il ne vient pas ?

Pug se retourna, agita la main à l'intention de Nakor et Miranda qui se trouvaient derrière le corps de garde et répliqua :

— S'il ne vient pas, j'anéantirai son armée.

— Mais qu'est-ce que je lui dis ? insista Dash.

— Dis-lui que la guerre est finie.

Patrick, pâle et visiblement affaibli, se tenait debout devant son trône lorsque le général Asham ibn Al-Tuk entra dans la salle, flanqué d'un garde du corps et d'un serviteur.

— Je suis là, Votre Altesse, dit-il en s'inclinant sans enthousiasme.

— Je n'ai pas demandé à vous rencontrer, protesta Patrick.

Pug s'avança.

— Moi, si.

— Et vous êtes ?

— On m'appelle Pug.

Le général haussa les sourcils, preuve qu'il connaissait ce nom.

— Le magicien du port des Étoiles.

— Lui-même.

— Pourquoi m'avez-vous fait venir ?

— Pour vous intimer de rappeler votre armée et de rentrer chez vous.

— Si vous croyez que votre petite démonstration de tout à l'heure suffira à…

Brusquement, un garde entra en courant dans la pièce :

— Votre Altesse, des combats ont éclaté !

— Je suis venu sous drapeau blanc ! protesta le général.

— Où se déroulent les combats ? demanda Patrick au garde.

— À l'extérieur de la ville ! On dirait que des régiments de cavalerie venant à la fois du nord et du sud ont attaqué les Keshians.

— Général, il ne s'agit pas de régiments sous mes ordres actuellement, expliqua le prince. Il s'agit de toute évidence de troupes envoyées en renforts et qui n'ont pas connaissance de cette tentative de pourparlers. Vous êtes libre de rejoindre vos hommes.

Le général s'inclina et fit mine de tourner les talons, mais Pug s'interposa :

— Non !

— Comment ? s'écrièrent le prince et le général d'une seule voix.

— Tout ceci doit s'arrêter ! s'exclama Pug.

Il disparut.

— Il s'en sort bien pour quelqu'un d'aussi fatigué, tu ne trouves pas ? commenta Nakor, qui se tenait dans un coin de la pièce en compagnie de Miranda.

— Oui, c'est vrai, reconnut la magicienne avec un faible sourire.

Pug réapparut dans les airs au milieu du champ de bataille et vit des chariots de l'intendance en feu à l'arrière des lignes keshianes. Une autre compagnie de cavalerie dévalait la route du Nord qui longeait la côte, prenant les Keshians en tenailles entre deux régiments du royaume.

Pug s'éleva à trente mètres au-dessus de la bataille et frappa dans ses mains. La foudre tomba à ses pieds, projetant les cavaliers qui se trouvaient juste en dessous de lui à bas de leur selle.

Les soldats levèrent les yeux et virent un homme flottant dans les airs. Une brillante lumière apparut autour de lui, un halo doré aussi éclatant que le soleil. Lorsqu'il parla, sa voix retentit partout et chacun eut l'impression de l'entendre comme s'il se tenait juste à côté de lui :

— C'est terminé ! annonça-t-il.

D'un geste de la main, il fit naître dans les airs une vague qui balaya tout sur son passage, heurtant les chevaux et les jetant à terre, précipitant d'autres cavaliers au sol.

Les soldats tournèrent les talons et s'enfuirent.

Jimmy resta fermement assis sur son cheval qui se mit à ruer, pris de panique. Il tenta de reprendre le contrôle de l'animal qui, après deux nouvelles ruades, s'élança au galop. Jimmy le laissa faire, puis le fit virevolter et l'amena enfin à s'arrêter. Il lui fit de nouveau faire demi-tour et vit d'autres chevaux s'enfuir dans toutes les directions tandis que les Keshians regagnaient à la hâte leurs chariots en feu.

Jimmy jeta un coup d'œil en direction de son aïeul suspendu dans les airs. De nouveau, la voix de Pug répéta :

— C'est terminé.

Puis le magicien disparut.

— Bah, au moins tu as obtenu qu'ils arrêtent de se battre pour l'instant, déclara Nakor.

Pug, Miranda et lui se trouvaient dans une salle déserte du palais. Le prince s'était retiré dans ses appartements et le général avait rejoint son armée.

— Je vais veiller à ce qu'ils cessent les combats pour de bon, répliqua Pug.

— Sinon quoi ? s'enquit Miranda.

— Je suis las de ces tueries. Toute cette destruction m'écœure. Mais surtout, j'en ai marre de ces gens stupides que je vois partout où je pose le regard.

Pug songea à toutes les pertes qu'il avait subies à cause de la guerre, de Roland, son ami d'enfance, et du duc Borric jusqu'à Owen Greylock, un homme qu'il n'avait pas bien connu mais qu'il en était venu à apprécier au cours de l'hiver passé ensemble à la Lande Noire.

— Trop de gens bien ont péri. Trop d'innocents aussi. Cela ne peut pas continuer. S'il faut… je ne sais pas, s'il faut ériger un mur entre les deux armées, je le ferai.

— Tu trouveras un moyen, le consola Nakor. Quand le prince et le général auront eu le temps de se calmer, tu pourras leur dire tout ce que tu souhaites.

— Quand devez-vous vous réunir à nouveau ? demanda Miranda.

— Demain, à midi.

— Tant mieux, fit Nakor. Cela me laisse le temps de vérifier si ce qui devait se produire s'est bien réalisé.

— Voilà que tu recommences à te montrer énigmatique, l'avertit Miranda. Nakor sourit.

— Venez avec moi et voyez par vous-même. On en profitera pour prendre quelque chose à manger.

Il conduisit ses compagnons hors de la pièce, puis du palais, et passa devant des soldats troublés qui montaient la garde en sachant qu'il leur faudrait peut-être à tout moment retourner sur les remparts prendre part à un terrible combat.

Au moment où ils sortaient du palais, ils virent des cavaliers entrer dans la cour d'entraînement par la porte du Sud. À leur tête, Pug aperçut son arrière-petit-fils et le salua d'un geste de la main.

Jimmy talonna sa monture pour rejoindre son aïeul et ses compagnons.

— Jolie démonstration, Pug. (Il sourit et le magicien sentit son cœur se serrer lorsqu'il décela un écho de Gamina dans ce sourire.) Vous avez sauvé la vie de mes hommes. Je vous en remercie.

— Je suis content de voir que tu fais partie de ceux qui ont bénéficié de mon intervention.

— Est-ce que Dash… ?

— Il est ici et il va bien. Jusqu'à ce que Patrick retrouve ses forces, c'est lui qui gouverne la cité, lui apprit Pug.

Jimmy se mit à rire.

— C'est bizarre, je ne crois pas qu'il apprécie beaucoup cette situation.

— Va le voir, lui conseilla Pug. Nous, de notre côté, on va passer la nuit au temple et on reviendra demain matin. Nous devons nous réunir à midi pour mettre un terme à cette stupide affaire.

— J'en serai plus que ravi, confia Jimmy. Duko fait des merveilles et réussit à garder le Sud sous contrôle, malgré les Keshians. Mais nous sommes durement mis à l'épreuve sur nos deux frontières et je n'ai pas la moindre idée de ce qui se passe dans le Nord.

— Là-bas aussi, la guerre est finie.

— Je suis soulagé de l'apprendre, arrière-grand-père. Je vous verrai demain matin.

— Venez, fit Nakor. Je veux savoir ce qui s'est passé.

Ils traversèrent d'un bon pas la cité dont l'activité revenait peu à peu à la normale à mesure que les habitants osaient sortir de chez eux. Cependant, il n'y avait pas encore grand monde dans les rues, ce qui leur permit d'atteindre la place des Temples rapidement.

Il n'y avait personne en vue aux abords de la tente. En revanche, lorsqu'ils entrèrent, ils trouvèrent une foule de gens assis par terre. Au centre se tenait Aleta, non plus en lévitation dans les airs, mais assise à même le sol elle aussi. La lumière qui l'entourait avait disparu, ainsi que cette noirceur maléfique qui planait au-dessous d'elle.

Dominic se précipita pour saluer les nouveaux arrivants.

— Nakor ! Je suis si content de vous revoir.

— Quand est-ce arrivé ? demanda Nakor.

— Il y a quelques heures. Aleta flottait dans les airs et puis, l'instant d'après, la noirceur a disparu, comme avalée par un trou ; Aleta s'est alors posée sur le sol, a ouvert les yeux et a commencé à parler.

Pug et ses compagnons se tournèrent pour écouter les paroles de la jeune femme.

— Elle n'a plus la même voix, s'écria aussitôt Nakor.

Pug ne savait pas à quoi ressemblait la voix de la jeune femme auparavant mais il était certain qu'elle ne ressemblait en rien à ce qu'il entendait à présent, car cette voix contenait de la magie. Aleta s'exprimait doucement mais on l'entendait bien si l'on prenait le temps de l'écouter. Sa voix avait quelque chose de musical.

— De quoi parle-t-elle ? s'enquit Miranda.

— Elle discourt de la nature du bien depuis qu'elle s'est réveillée, répondit Dominic. Quand vous avez créé ce temple, ajouta-t-il en regardant

Nakor, et quand vous nous avez avoué vos intentions, j'étais sceptique, mais je savais que nous devions tenter le coup. Mais nous avons en ce moment sous les yeux la preuve absolue de la nécessité de partager le pouvoir d'Ishap avec l'ordre d'Arch-Indar, car devant nous se tient un avatar vivant de la déesse.

Nakor éclata de rire.

— Non, je n'irais pas jusque-là. Venez.

Il guida ses compagnons au sein de la foule et vint se camper devant la jeune femme. Celle-ci l'ignora et continua à parler. Nakor s'agenouilla et la regarda droit dans les yeux.

— Est-ce qu'elle répète toujours la même chose ?

— Eh bien, oui, je crois que oui, répondit Dominic.

— Quelqu'un a-t-il pris soin de noter ses paroles ?

— Deux de nos disciples enregistrent tout ce qu'elle dit, maître Nakor, répondit Sho Pi, assis sur le côté non loin de la jeune femme. C'est la troisième fois qu'elle nous répète la même leçon, elle en est juste au début.

— Tant mieux, parce que je parie qu'elle commence à se fatiguer et à avoir faim.

Nakor posa la main sur l'épaule d'Aleta qui s'arrêta au beau milieu de son discours.

Elle battit des paupières et regarda Nakor en disant :

— Que se passe-t-il ?

Sa voix avait changé, débarrassée de la magie qui la rendait apaisante et merveilleuse à peine quelques instants plus tôt. Elle était redevenue plus humaine, conforme à ce qu'on pouvait attendre chez une femme de son âge.

— Tu as dormi, expliqua Nakor. Pourquoi ne vas-tu pas manger quelque chose ? Nous parlerons plus tard.

— Oh, je me sens raide, se plaignit la jeune femme en se levant. J'ai dû rester assise comme ça un bon moment.

— Environ deux semaines, en fait, précisa l'Isalani.

— Deux semaines ! Tu n'es pas sérieux !

— Je t'expliquerai tout plus tard. Pour l'instant, va manger quelque chose. Puis je te conseille de faire une longue sieste.

— Si elle n'est pas un avatar, alors qu'est-ce qu'elle est ? demanda Dominic après le départ d'Aleta.

Nakor sourit d'un air malicieux.

— C'est un rêve – un rêve merveilleux, ajouta-t-il en regardant Pug et Miranda.

— Mais Nakor, elle est encore ici, elle, alors que Zaltais est parti, protesta la magicienne.

Nakor acquiesça.

— Zaltais était une créature de l'esprit. Il appartenait à une autre dimension et s'est retrouvé projeté dans la nôtre. Aleta est une femme tout à fait normale, mais quelque chose est passé entre les mondes pour l'atteindre et s'est servi d'elle pour contenir cette noirceur.

— C'était quoi, d'ailleurs, cette noirceur ? s'enquit Dominic.

— Un très mauvais rêve. Je vous expliquerai tout au dîner. Allons nous chercher quelque chose à manger.

— Très bien, soupira le prêtre. Il y a tout ce qu'il faut à la cuisine.

— Au fait, il va falloir effectuer quelques changements par ici, prévint Nakor tandis qu'ils partaient tous se restaurer.

— Lesquels ? demanda Dominic.

— En premier lieu, il va falloir avertir les Ishapiens que vous n'appartenez plus à leur ordre.

— Je vous demande pardon ?

Nakor passa un bras autour des épaules du prêtre.

— Vous paraissez très jeune, mais je sais que vous êtes un vieil homme comme moi, Dominic. Pug m'a raconté que vous vous êtes rendus tous les deux sur Kelewan, le monde des Tsurani. Je sais que vous avez vu beaucoup de choses.

» Sho Pi est parfait pour apprendre aux jeunes disciples comment devenir des moines, mais c'est vous qui devrez servir de professeur à Aleta.

— Et que dois-je lui apprendre ? s'enquit Dominic.

— Ce que doit faire la haute-prêtresse de l'ordre d'Arch-Indar, bien sûr.

— Quoi, vous voulez que cette fille devienne haute-prêtresse ?

— « Cette fille » ? répéta Nakor d'un ton indigné. Il me semble qu'il y a quelques minutes, vous la preniez pour l'avatar de la déesse, n'est-ce pas ?

Miranda éclata de rire. Pug passa un bras autour des épaules de sa femme. C'était la première fois depuis bien longtemps qu'il avait envie de rire lui aussi.

— Tout ce qu'on peut supposer, c'est que Subai a réussi à prévenir le magicien, déclara Erik. D'après nos informations, les combats ont cessé partout au moment où les cadavres sont retombés sur le sol.

— Que les dieux en soient remerciés, dit le comte Richard.

— Si seulement nous avions encore notre cavalerie, ajouta Erik d'un air songeur. J'ai le sentiment qu'on pourrait envoyer nos troupes jusqu'à Ylith sans rencontrer trop de résistance.

— Vous n'avez qu'à envoyer des fantassins et vous verrez bien jusqu'où ils peuvent aller.

Erik sourit.

— C'est déjà fait. Et je vais demander à Akee et à ses hommes de traverser les collines pour se rendre à Yabon.

— Vous croyez qu'un jour on saura ce qui s'est vraiment passé ? lui demanda Richard.

Erik secoua la tête.

— Sans doute pas. J'ai déjà pris part à des batailles où je ne sais toujours pas ce qui s'est passé. Nous lirons sûrement plus de rapports sur ce conflit que nous ne le souhaitons, et j'en rédigerai sans doute quelques-uns moi-même mais, pour être franc, je n'ai pas la moindre idée de ce qui s'est vraiment passé.

» On s'efforçait de repousser une armée de zombies et de tueurs fous lorsque brusquement les cadavres sont retombés et les tueurs se sont mis à errer la bouche ouverte comme s'ils étaient devenus débiles. Je n'ai jamais entendu parler d'une bataille qui soit passée de désespérée à facile en l'espace d'une seconde. Mais, pour être honnête, je m'en moque, avoua le jeune capitaine, extrêmement fatigué. Tout ce qui compte, c'est que ce soit fini.

— Vous êtes un jeune homme remarquable, Erik de la Lande Noire. Je ne manquerai pas de le mentionner dans le rapport que je présenterai au roi.

— C'est gentil, mais il y a beaucoup de soldats dehors qui méritent plus de louanges que moi. (Il soupira et regarda à l'extérieur de la tente.) Et il y en a beaucoup aussi qui ne rentreront pas chez eux.

— Qu'est-ce qu'on fait maintenant ? demanda le comte Richard.

— Puisqu'on n'a pas de cavalerie, je serais enclin à dire qu'il vaut mieux rester là en attendant d'avoir des nouvelles de Krondor. Mais mon instinct me souffle qu'il faut pousser vers le nord aussi rapidement que possible. Fadawah s'est peut-être enfui, à moins qu'il ait été tué, mais ça ne veut pas dire que l'un de ses capitaines ne va pas essayer de s'emparer du pouvoir et de se tailler un petit royaume. En plus, à ma connaissance, la cité de Yabon est toujours assiégée.

— Je suis moi-même fatigué de rester immobile, avoua le comte Richard. Informez nos hommes que nous partons.

Erik sourit et se leva.

— Oui, messire, dit-il en s'inclinant.

Il sortit de la tente de commandement et trouva Jadow Shati près du campement des Aigles cramoisis.

— Levez le camp ! ordonna-t-il. Et préparez-vous au départ !

— Vous avez entendu le capitaine ! beugla l'ancien sergent. Tout le monde doit être prêt à partir dans une heure !

Jadow se retourna et sourit à son vieux compagnon. Erik s'aperçut alors une fois de plus qu'il ne pouvait résister au sourire du brave homme et le lui rendit.

De toute évidence, Patrick était en voie de guérison complète. Il avait retrouvé un teint normal et se tenait fermement assis sur son trône.

Le général keshian Asham ibn Al-Tuk se trouvait quant à lui debout devant le prince et paraissait encore moins ravi que lors du dernier entretien, car il faisait face à une armée renforcée par des unités de cavalerie venues du Nord et de Port-Vykor.

Pug entra dans la salle.

— Vous nous avez demandé d'être là à midi, Pug, déclara Patrick. Qu'avez-vous à nous dire ?

Pug regarda Patrick, puis le général, avant de répondre :

— Cette guerre est terminée. Général, vous allez permettre à vos soldats de se reposer une journée supplémentaire sous les remparts de cette cité. Ensuite, demain à la première heure, vous repartirez pour le sud. Vous repasserez l'ancienne frontière au sud de Finisterre et donnerez l'ordre aux troupes keshianes de mettre fin aux attaques contre cette région. Vous porterez également à votre empereur le message suivant : « Si Kesh devait à nouveau monter vers le nord sans y être invité, tout homme qui serait pris à franchir la frontière les armes à la main serait exécuté. »

Le général, livide et tremblant de rage, ne répondit pas mais hocha la tête.

Patrick, quant à lui, rayonnait et affichait un sourire triomphant.

— Ne traînez pas, Keshian, sinon mon magicien détruira votre armée sur-le-champ.

Pug se retourna.

— « Votre magicien » ? (Il s'avança droit sur le jeune prince et gravit les marches de l'estrade pour se camper devant lui.) Je ne suis pas « votre » magicien, Patrick. J'appréciais votre grand-père, que je compte parmi les plus grands hommes que j'aie rencontrés et je chéris le souvenir de votre arrière-grand-père Borric, qui m'a donné le nom de ConDoin. Mais mon âme ne vous appartient pas. Il existe dans l'univers des forces qui sont à vos misérables rêves de gloire et de pouvoir ce qu'une inondation est à une goutte d'eau. Ce sont ces forces qui retiennent mon attention. Je refuse de continuer à regarder des femmes et des enfants innocents se faire massacrer et de braves hommes mourir parce que leurs souverains sont trop stupides pour admettre l'abondance qui est la leur.

Pug se tourna de nouveau vers le général keshian :

— Vous pouvez également dire à votre empereur que si un soldat du royaume passait vos frontières sans y avoir été invité, lui aussi serait détruit.

— Comment ! se récria Patrick en se levant. Vous osez menacer le royaume ?

— Je ne menace personne, répondit Pug. Simplement, je vous avertis que je ne vous laisserai pas mener de représailles contre Kesh. Chacun va s'en retourner du bon côté de la frontière et agir en voisin civilisé.

— Vous êtes un duc du royaume, un membre de la famille royale par adoption et un vassal de la couronne ! Si je vous demande de détruire cette armée à nos portes, vous le ferez !

Pug sentit la colère monter en lui et regarda droit dans les yeux le jeune homme, pourtant plus grand que lui.

— Non, je ne le ferai pas. Vous ne sauriez m'obliger à agir contre ma volonté. Si vous voulez tuer les Keshians qui campent sous vos remparts, prenez une épée et faites-le vous-même.

Patrick explosa.

— Traître !

Pug posa la main sur l'épaule du jeune homme et le repoussa sur son trône. Dans toute la salle, les gardes portèrent la main à leur épée pour protéger leur prince. Aussitôt, Miranda s'avança en levant la main :

— Je ne ferais pas ça si j'étais vous.

Nakor la rejoignit en levant son bâton.

— Ne vous inquiétez pas pour le garçon.

Pug se pencha jusqu'à se retrouver presque nez à nez avec Patrick.

— Vous n'avez jamais pris part à une bataille digne de ce nom. Vos plus hauts faits d'armes se limitent à quelques escarmouches contre les gobelins dans le Nord. Et vous osez me donner le nom de « traître » ? C'est moi qui ai sauvé votre royaume, espèce d'imbécile. Je ne l'ai pas sauvé pour vous faire plaisir, pas plus que je n'ai sauvé l'empire pour plaire au maître de cet homme, ajouta-t-il en désignant le général keshian. Je l'ai fait pour les innombrables vies qui auraient été perdues sans mon intervention.

» Dites bien à votre père, Patrick, et à votre maître, général, que le port des Étoiles est désormais indépendant. Si l'un de vous deux tentait d'y imposer sa loi, je me verrais dans l'obligation d'intervenir. J'ai donné ma parole aux habitants de l'île et je veillerai à préserver leur indépendance. (Pug tourna les talons et s'éloigna du trône.) Peu m'importe de savoir qui montera sur le trône de votre père, Patrick. Rassemblez donc les fragments de votre couronne et rebâtissez votre nation. Je me moque de vos titres et de vos rangs. J'en ai fini avec votre royaume. (Il écarta les bras et Miranda et Nakor vinrent se mettre chacun d'un côté.) Je renonce à mon titre de duc du royaume. Je retire mon serment de vassalité à la couronne. Je me soucie de choses plus importantes que la vanité ou l'ambition des souverains. Je suis ici pour protéger ce monde en totalité et non en partie seulement.

» Sachez donc que Pug de Crydee n'existe plus. Désormais, je ne suis plus que le Sorcier Noir. Mon île ne sera plus ouverte à ceux qui n'y auront pas été invités. Quiconque croisera au large de ma maison sera en danger et quiconque posera le pied sur mon rivage sans ma permission sera détruit !

Alors, dans un grondement de tonnerre et un épais nuage de fumée noire, il disparut avec ses compagnons.

* * *

— Patrick s'est bel et bien fait botter les fesses par notre arrière-grand-père, tu ne trouves pas ? commenta Dash.

— J'ai connu des après-midi plus agréables, reconnut Jimmy.

Ils venaient juste de sortir d'une réunion avec le prince. Il avait été question du retrait des troupes keshianes ainsi que du rapport que Patrick devait faire à son père. La réunion s'était prolongée bien au-delà du dîner jusque tard dans la nuit.

Les deux frères se dirigeaient vers les appartements de Jimmy pour y passer un moment en tête à tête avant d'aller dormir.

— Tu as parlé à Francie ? demanda Dash.

— Non. Je l'ai croisée, mais je n'ai pas eu l'occasion de lui parler.

— Elle a peur que tu ne lui parles plus du tout une fois qu'elle sera mariée à Patrick. Elle ne veut pas perdre ton amitié.

— Ça n'arrivera pas, assura Jimmy. Ce qu'il y a de bien avec cette guerre, c'est qu'elle m'a permis de différencier ce qui est important de ce qui ne l'est pas.

— Je sais, répondit Dash.

Il y avait dans sa voix une note que Jimmy ne lui avait encore jamais entendue.

— Qu'est-ce qu'il y a ?

— C'est juste qu'une personne à laquelle je tenais ne s'en est pas sortie.

Jimmy s'immobilisa.

— Quelqu'un qui comptait beaucoup pour toi ?

Dash se détourna.

— Je ne veux pas en parler maintenant. Un jour, je te raconterai tout, mais pas aujourd'hui.

— Très bien. (Jimmy garda le silence une minute tandis qu'ils reprenaient leur marche dans les couloirs. Puis il reprit :) Je crois que j'ai appris quelque chose et que c'est peut-être important aussi.

— De quoi s'agit-il ?

— Francie est… quelqu'un qui compte beaucoup pour moi. Mais je crois surtout que j'ai envie de partager quelque chose de spécial avec quelqu'un et que je l'avais choisie pour être ce quelqu'un.

— Tu veux vivre une relation comme celle de grand-père et grand-mère ?

— Oui, ils avaient un lien très spécial. Quand je pense à leur relation, surtout comparée à la distance qui existait entre nos parents, ça me donne envie de connaître la même chose.

— Peu de personnes connaissent ce privilège, rétorqua Dash.

Les deux frères arrivèrent devant la porte de Jimmy et l'ouvrirent. Trois personnes étaient assises dans les appartements du jeune homme.

— Entrez et refermez la porte, ordonna Pug.

Les deux frères obéirent.

— Je ne pouvais pas partir sans vous parler à tous les deux, expliqua le magicien. Vous êtes les derniers de ma lignée.

— Je vous en prie, ne formulez pas les choses comme ça, plaisanta Jimmy pour essayer de détendre l'atmosphère.

Miranda se mit à rire.

— Et puis, on a de la famille dans l'Est après tout, renchérit Dash.

Ce fut au tour de Pug d'éclater de rire.

— Vous possédez beaucoup de traits de caractère de votre grand-père, tous les deux. (Il regarda Dash.) Toi, tu ressembles parfois au gamin qu'il était. Et toi, Jimmy, tu ressembles parfois tellement à ma Gamina que j'en ai la gorge serrée.

Il ouvrit les bras. Chacun leur tour, Jimmy et Dash s'avancèrent et lui donnèrent l'accolade.

— Je ne reviendrai pas dans le royaume, à moins qu'une raison bien plus importante que les caprices d'un roi m'y oblige, expliqua Pug. Mais vous êtes de mon sang, tous les deux, et vous et vos enfants serez toujours les bienvenus sur mon île.

— Vous possédez une certaine influence sur le roi. Étiez-vous obligé de couper ainsi vos liens avec le royaume ? protesta Dash.

— J'ai connu le roi Lyam quand il était adolescent, à Crydee. Je connaissais mieux Arutha, mais tous deux savaient ce qu'il y a dans mon cœur. Tout ce que le roi Borric sait de moi, il l'a appris par son père.

— Borric me connaît bien, intervint Nakor, et ma parole a un certain poids en ce qui le concerne. Mais ce que Pug essaye, par délicatesse, de ne pas mentionner, c'est qu'un jour Patrick sera roi, à moins d'une catastrophe inattendue.

— J'évite de faire éclater une dispute encore plus terrible en provoquant cette rupture maintenant, ajouta Pug. Le royaume est en ruine. Les circonstances obligent Patrick à accéder à ma demande. Si cette confrontation avait eu lieu plus tard, combien d'innocents seraient morts pour que je fasse respecter ma volonté ?

— Ce qui ferait de lui un tyran, compléta Miranda. Certes, d'un genre différent de ceux dont nous nous sommes occupés aujourd'hui, mais un tyran tout de même.

— Mais vous vous coupez de tant de choses, protesta Jimmy.

— J'ai visité d'autres mondes et voyagé dans le temps, mon garçon. Et il me reste beaucoup de choses à voir. Ce royaume des Isles n'est qu'un des nombreux endroits qui me sont chers désormais.

— Et s'il le faut, nous reviendrons, ajouta Nakor.

— Bah, nous avons beaucoup de travail à faire et, si vous voulez mon avis, ce que vous faites est juste, déclara Dash.

Pug sourit.

— Je te remercie.

— Je ne peux pas dire que je sois d'accord avec Dash, reconnut Jimmy, mais je sais que c'est votre choix et je ne vous souhaite que du bien. (Il sourit à Miranda.) Dois-je vous appeler arrière-grand-mère ?

— Pas si tu tiens à la vie, répliqua la magicienne avec un sourire.

— Je penserai beaucoup à vous, promit Dash.

— Et moi aussi, ajouta Jimmy.

Pug se leva.

— Prenez soin de vous.

Il tendit la main à Nakor et à Miranda et disparut avec eux.

Dash s'assit sur le lit de Jimmy et s'appuya contre son oreiller rempli de plumes.

— Je crois que je vais dormir pendant une semaine entière.

— Alors attends la semaine prochaine, shérif, ordonna Jimmy. Nous aurons beaucoup à faire demain. C'est qu'on a un sacré foutoir à remettre en ordre.

Il regarda par-dessus son épaule et s'aperçut que son frère s'était déjà endormi. Pendant quelques instants il envisagea de le réveiller, puis il haussa les épaules, sortit de la pièce et s'en alla dans l'appartement voisin dormir dans le lit de Dash.

Chapitre 28

G athis s'inclina.

— Je suis ravi de vous revoir tous sains et saufs.

Pug, Miranda et Nakor venaient juste d'apparaître près de la fontaine qui se dressait au centre du jardin de la *Villa Beata*, sur l'île du Sorcier.

— Nous sommes tout aussi heureux de vous revoir, affirma Pug. Comment ça va par ici ?

Gathis sourit de toutes ses dents, ce qui lui donna plus que jamais l'air d'un gobelin.

— Très bien. Si vous n'y voyez pas d'inconvénient, je pense qu'il y a quelque chose que vous devriez voir avant d'aller vous reposer. Ça ne prendra qu'un petit moment.

Pug acquiesça et suivit Gathis hors de la maison, puis traversa la prairie en direction de la grotte secrète qui servait de temple au défunt dieu de la Magie. Seulement, cette fois, elle était ouverte et exposée à tous les regards.

— Que se passe-t-il ? s'étonna le magicien.

— Maître Pug, vous avez fait remarquer, il me semble, que la personne destinée à devenir le prochain serviteur de Sarig finirait par trouver ce temple, répondit Gathis.

— Et cette personne est arrivée ? devina Miranda.

— Pas comme nous le pensions, répliqua Gathis.

Pug entra dans la grotte, ses compagnons sur les talons, et regarda la statue qui portait autrefois les traits de Macros le Noir. Il faillit trébucher à la vue de ses propres traits sur le visage de la statue.

— Comment ?

Miranda regarda par-dessus l'épaule de son mari et vit, quant à elle, son propre visage.

— Mais c'est moi !

— Observez la statue un moment, leur conseilla Nakor.

Le visage de pierre se brouilla de nouveau et adopta cette fois les traits de Robert d'Lyes, puis ceux d'autres étudiants de l'île.

— Qu'est-ce que ça signifie ? demanda Miranda.

— Ça signifie que vous êtes tous les serviteurs de la magie, répondit Nakor. Avant, le dieu ne possédait qu'un seul agent sur Midkemia. Désormais, de nombreuses personnes œuvreront pour permettre au défunt dieu de la Magie de retrouver sa place dans l'univers.

Pug contempla la statue tandis que d'autres visages continuaient à apparaître, ceux de magiciens qu'il connaissait et d'autres qu'il n'avait jamais rencontrés. Au bout de quelques minutes, son visage réapparut.

— Rentrons à la maison, proposa-t-il alors.

Tous s'en retournèrent vers la villa.

— Nakor, je n'ai pas vu ton visage sur la statue, fit remarquer Pug en marchant.

Nakor sourit et haussa les épaules.

— C'est parce que je sais que la magie n'existe pas.

Pug éclata de rire.

— Tu sais, c'est tout ou rien, Nakor. Soit la magie n'existe pas, soit tout est magie.

L'Isalani haussa les épaules.

— Ces deux hypothèses me paraissent tout aussi probables l'une que l'autre, mais esthétiquement parlant, je préfère croire qu'il n'y a pas de magie, qu'il n'existe que le pouvoir et la capacité de s'en servir.

— Voilà qui se rapproche dangereusement des longs débats que vous aimez tant faire autour d'une bouteille de vin, commenta Miranda. Or, je vous rappelle que je suis vraiment affamée.

— Un repas et du vin vous attendent dans votre bureau, maître Pug, intervint Gathis.

— Joignez-vous à nous, proposa le magicien à son serviteur.

Lorsqu'ils entrèrent dans la maison, ils y trouvèrent un superbe buffet en leur honneur. Miranda prit une assiette et y déposa des fruits et différentes sortes de fromages. Pug, quant à lui, prit une grosse carafe de vin et remplit les verres tout en reprenant la discussion :

— Gathis, c'est vous le gardien de ce temple. Quelle est votre opinion sur ce que nous venons de voir ?

— La même que maître Nakor : désormais, ce ne sera plus un seul individu qui agira au nom du dieu de la Magie. Peut-être les puissances ont-elles compris que trop s'appuyer sur une seule personne était une erreur. Ce sont ceux qui pratiquent cet art qui permettront le retour de la magie.

Nakor haussa les épaules.

— Ça signifie que le dieu de la Magie a compris qu'il était trop risqué de confier cette responsabilité à un seul individu. Macros, en dépit de toute sa puissance, a commis des erreurs.

— Cette nouvelle situation me plaît, car j'en ai moi-même commis quelques-unes, avoua Pug.

— Maintenant que tu n'es plus un duc du royaume, que vas-tu faire ? lui demanda Miranda.

— Je dois encore transporter plusieurs milliers de Saaurs sur l'Ethel Du-ath. En fin de compte, il faudra aussi que je retourne sur Shila pour détruire les démons qui auront survécu, puis restaurer suffisamment de vie pour que les Saaurs puissent rentrer là-bas dans quelques siècles. (Pug sourit.) Ensuite, il y a les étudiants, ici, sur l'île du Sorcier. Il faut leur apprendre, tout comme nous devons apprendre d'eux. Et puis, il va falloir retrouver et détruire les agents de Nalar, où qu'ils se cachent. En dehors de ça, je songe à me mettre à la pêche.

Nakor éclata de rire.

— La pêche nous enseigne la patience. C'est pour ça que je ne m'y suis jamais mis.

— Des dizaines de milliers de personnes sont mortes durant la guerre de la Faille, reprit Pug d'un ton grave. Mais la guerre des Serpents a bien dû faire le double de victimes. Ces événements catastrophiques ne doivent plus se reproduire.

— Comment allons-nous empêcher ça ? demanda Miranda.

— Il faut que j'y réfléchisse, reconnut Pug. Mais c'est une réflexion à laquelle nous devons tous participer. Je crois bien avoir quelques idées dont j'aimerais vous faire part, ainsi qu'à tous ceux qui vivent sur l'île. Avant toute chose, nous devons veiller à ne pas manipuler ceux qui agissent en notre nom, car ce sont là les tactiques de notre ennemi. D'ailleurs, j'ai moi-même été manipulé par ton père, mon amour, et je trouve cette pratique méprisable. C'est pourquoi cette île doit devenir notre bastion et ceux qui servent ici doivent le faire de leur plein gré – il faudra également veiller à leur révéler tout ce qu'il est possible de leur dire sans compromettre leur sécurité.

— Et pour le port des Étoiles, que vas-tu faire ? s'enquit Miranda.

— J'ai créé le port des Étoiles avec de bonnes intentions, mais j'y ai commis trop d'erreurs. Je voulais donner aux étudiants la possibilité de s'impliquer dans l'organisation de l'académie mais, pour être franc, j'étais un pur produit de l'Assemblée tsurani. Mais beaucoup d'années se sont écoulées depuis et je crois avoir identifié mes erreurs.

» Le port des Étoiles continuera à représenter un atout pour nous. Lorsque j'y ai créé cette communauté, les magiciens étaient encore souvent persécutés par ceux qui craignaient leurs talents. On chassait les « sorcières » et on incendiait leurs misérables huttes dans les bois ; on emmurait les « sorciers » dans des grottes et on les y laissait mourir de faim et de soif. Pour survivre, il fallait être assez puissant pour tenir les gens à l'écart au moyen de la peur, ou bénéficier de la protection d'un mécène noble ou riche. Maintenant, au moins, ces gens-là ont un refuge, à condition de se rendre au port des Étoiles.

» De plus, nous gagnerons peut-être des magiciens à notre cause parmi ceux qui viendront étudier au port des Étoiles pendant quelque temps et qui repartiront, en quête d'autre chose.

— Comment s'assurer que nous ne répéterons pas les mêmes erreurs ? demanda Miranda.

— Il y a beaucoup de choses que nous ferons différemment. Pour commencer, c'est moi qui dirigerai la communauté. Je vous demanderai conseil, à vous ainsi qu'aux étudiants, mais je serai le seul à prendre les décisions importantes. Quand j'étais au port des Étoiles, je trouvais cette façon de faire ignoble et arbitraire, mais je sais maintenant que j'avais tort et que c'est tout le contraire. En l'absence d'une vue d'ensemble, nous devenons une société qui ne cesse de débattre et un endroit où l'habitude devient rapidement tradition. Celle-ci devient vite une excuse qui mène à la répression, la bigoterie ou à des pensées réactionnaires.

— Mes Cavaliers Bleus les empêcheront de trop s'accrocher à la tradition, assura Nakor.

— Mon ami, tes Cavaliers Bleus vont devenir l'une de ces traditions, rétorqua Pug. Et ceux qui survivront à la querelle de traditionalistes entre « La Main de Körsh » et « La Baguette de Watume » deviendront tout aussi rigides que ces deux factions. Même Körsh et Watume seraient horrifiés de voir ce que leurs adeptes ont fait de leurs enseignements.

— Je devrais peut-être y retourner, suggéra Nakor en ne plaisantant qu'à moitié.

— Peut-être pas. Le port des Étoiles continuera à subsister sous la forme qu'on lui connaît et il y aura des jours où nous lui en serons reconnaissants.

» Nous sommes sur le point de nous embarquer dans un long conflit, ajouta Pug en dévisageant chacun de ses compagnons. Il existe dans l'univers des forces gigantesques et terribles que nous n'avons fait qu'entrapercevoir. Les deux grandes guerres que nous avons subies jusqu'ici ne sont que le premier mouvement d'une partie d'échecs.

— Et les dieux qui sont de notre côté, que font-ils dans tout ça ? demanda Miranda.

— Ils vous aident, répondit Nakor.

— Comment ?

— De façon à la fois évidente et subtile.

— Durant les guerres du Chaos, la nature même des choses a changé, expliqua Pug. Depuis, les dieux ont agi par l'intermédiaire de leurs agents et de leurs favoris. Nous sommes ce que nous sommes parce que les dieux nous ont choisis pour agir en leur nom.

— Même les dieux ont besoin d'apprendre, renchérit Nakor. La relation de ton père et de Sarig n'était pas particulièrement efficace, du point de vue du dieu, c'est pourquoi il a choisi de tester une nouvelle tactique, plutôt que de reproduire la même erreur.

— Mais on dirait qu'il y a beaucoup de futilité dans ce que nous tentons d'entreprendre, objecta Miranda.

— Peut-être, répondit l'Isalani, mais nous avons aussi assisté à des choses merveilleuses. La création du temple d'Arch-Indar est un exploit de taille. Bien sûr, cela restera une toute petite secte insignifiante pendant des siècles et la plupart des gens qui en entendront parler se diront qu'elle n'est pas aussi importante que les cultes établis depuis longtemps, comme Astalon, Dala, Sung et tous les autres dieux inférieurs. Mais le fait est qu'il s'agit déjà d'un miracle en soi. En permettant à la pureté de la déesse d'imprégner l'univers, le temple et ses fidèles nous aident à contrecarrer les projets de Nalar et à l'empêcher de semer à nouveau le chaos sur notre monde. Il n'y aura sans doute pas d'autre manifestation comme celle-là d'ici plusieurs siècles, mais maintenant nous savons que cela peut arriver.

— Et toi, Nakor ? lui demanda Pug. Quels sont tes projets ?

— Mon travail ici est terminé, du moins pour un temps.

— Où vas-tu aller ? s'enquit Miranda.

— Ici et là... Je vais tenter de débusquer les pions de Nalar et vous préviendrai si j'y parviens. Parfois, je sais que je rencontrerai des gens qui pourraient rejoindre votre communauté et je vous les enverrai. Et puis, de temps en temps, je reviendrai manger votre nourriture, boire votre vin et me tenir au courant de ce qui se passe ici.

— Tu seras toujours le bienvenu, Nakor, assura Pug.

— Mais qui sers-tu ? ne put s'empêcher de demander Miranda.

Le petit homme sourit jusqu'aux oreilles.

— Moi. Nous tous. Tout. (Il haussa les épaules.) Je ne sais pas. Peut-être qu'un jour, je le découvrirai, mais pour l'instant je suis content d'errer de par le monde en apprenant de nouvelles choses et en donnant un coup de main là où on a besoin de moi.

— Eh bien, fit Pug en tendant la main pour prendre un autre verre de vin, reste encore un peu, le temps que je crée mon nouveau conseil ici, sur l'île. Ainsi, je pourrai profiter de ta sagesse.

— Si tu trouves que je suis sage, alors il est vrai que tu as bien besoin de mes conseils, répliqua l'Isalani.

Miranda éclata de rire.

Le prince et sa fiancée quittèrent la salle du trône au son des trompettes et des tambours. Au bout de six semaines d'une paix relative depuis que Pug avait mis un terme à la guerre, la couronne avait jugé qu'il était temps d'annoncer officiellement les fiançailles du prince. Ce dernier venait juste d'informer la cour que Francine et lui quitteraient Krondor à la fin du mois pour regagner Rillanon en vue du mariage royal. Les nobles et les riches roturiers présents dans la salle avaient applaudi et attendirent pour se disperser que Patrick ait escorté sa future reine hors de la pièce.

Jimmy alla trouver Erik de la Lande Noire.

— Capitaine, je voulais juste vous dire à quel point je suis impressionné par ce que j'ai lu dans les rapports. Vous avez particulièrement bien agi à Yabon.

Erik haussa les épaules.

— Nous n'avons guère rencontré d'opposition après le passage de Pug, de Nakor et de leurs compagnons.

— Malgré tout, ces marches forcées ont dû être éprouvantes.

— Elles l'ont été, admit Erik, mais surtout pour nos pieds, puisque nous n'avions plus de chevaux. Nous n'avons presque pas eu de problèmes pour sécuriser la région au fur et à mesure de notre progression. De plus, dès que nous avons libéré les prisonniers d'Ylith et de Zûn, nous avions suffisamment d'hommes qui pouvaient rester en arrière et servir de geôliers. Le temps d'arriver à LaMut, nous chassions essentiellement des bandits, rien de plus. Maintenant que le général Nordan a accepté de prendre la tête des troupes qui veulent rentrer sur Novindus – ainsi que des quelques soldats qui s'y refusent – et que les autres s'apprêtent à rejoindre Duko dans le Sud, les choses commencent à se calmer.

— Malgré tout, vous avez vécu trois semaines impressionnantes, insista Jimmy.

— Je regrette seulement que nous n'ayons pas eu davantage de navires, déplora Erik. Quand je pense que nous avons dû traiter avec les Quegans pour renvoyer les envahisseurs chez eux ! Ça me hérisse à chaque fois que j'aperçois un navire quegan à l'ancre au large de La Pêche.

— C'est votre vieux copain qu'il faut blâmer, répliqua Jimmy en désignant Roo qui bavardait en compagnie de sa femme avec un membre de la petite noblesse.

— Roo a toujours su flairer les bonnes affaires. Si seulement je savais comment il a réussi à convaincre les Quegans de passer cet accord. Il est généralement impossible de négocier avec eux.

Jimmy haussa les épaules.

— Il a sûrement dû trouver quelque chose qu'ils voulaient vraiment et a accepté de le leur procurer. C'est comme ça qu'on fait des affaires, en général.

— Je laisse ça à Roo. Moi, je suis content de rester le capitaine des Aigles cramoisis.

— Je suis surpris que vous ayez refusé cette promotion, avoua Jimmy.

— Mon poste me plaît. Si j'avais accepté de devenir le capitaine de la garde princière, j'aurais assisté à plus de cérémonies et passé moins de temps à agir comme un vrai soldat.

— Mais c'était la dernière étape avant d'être promu maître d'armes d'un duc ou maréchal de Krondor.

Erik sourit.

— Je suis heureux comme ça. J'aime diriger les Aigles cramoisis et je crois que le royaume a besoin d'au moins un régiment indépendant de la noblesse. La guerre aurait été différente s'il y avait eu des soldats du royaume cantonnés à Sarth, Ylith et Zûn.

— Vous avez sûrement raison, mais les ducs refusent d'abriter sur leurs terres des garnisons qu'ils ne contrôlent pas.

— J'y réfléchirai quand je reviendrai à Krondor. Pour le moment, je vais à Ravensburg retrouver ma femme. Voilà des mois qu'on ne s'est pas vus, je me demande si elle sait encore à quoi je ressemble.

— Difficile de vous oublier, capitaine, protesta Jimmy. Il existe peu d'hommes aussi costauds que vous.

Erik se mit à rire.

— Et vous, qu'allez-vous faire ?

— Je suis au service du roi. Je vais rentrer à Rillanon avec Patrick et demander à Sa Majesté où il compte m'envoyer ensuite. J'imagine que je serai très vite de retour à Krondor. Avec la mort de Rufio et le handicap de Brian – vous saviez qu'il n'est plus capable de marcher depuis l'empoisonnement ? –, nous aurons rapidement besoin d'un nouveau duc de Krondor. Le duc Carl de Yabon a réussi à s'en sortir vivant, mais entre ces deux duchés, il y a suffisamment de travail à faire pour occuper une vingtaine de nobles pendant un siècle.

» On me donnera sûrement un titre, de maigres ressources et trop de travail. C'est généralement comme ça que ça marche.

Erik sourit et tapota l'épaule du jeune homme.

— Je ne le sais que trop bien, Jimmy.

Roo et Karli les rejoignirent et furent chaleureusement accueillis par les deux hommes.

— Quand les Keshians ont traversé votre propriété, comment avez-vous réussi à éviter d'être capturés, contrairement à tant d'autres ? leur demanda Erik.

Roo éclata de rire.

— Nous dormions dans l'une des dépendances, le temps de faire reconstruire la maison. Quand les cavaliers keshians sont arrivés, ils s'y sont installés, ce qui nous a permis de nous enfuir dans les bois. J'y ai fait construire une jolie petite cave pour pouvoir se cacher. J'y ai entreposé des armes et des vivres dès que nous sommes revenus de la Lande Noire. Il y a trop d'armées sur les chemins de l'Ouest à mon goût.

— Nous tentons de résoudre ce problème, Roo, répliqua Erik.

Karli dissimula son sourire derrière sa main.

— Je n'ai pas vu votre frère dans les parages, Jimmy, reprit Roo.

— Oh, il est là, quelque part. Comme tout le monde s'en va assister au mariage, il doit rester ici, on lui a confié la cité pour quelque temps.

— Je suis sûre qu'il doit regretter de manquer le mariage, commenta Karli.

Jimmy sourit.

— Il s'en inquiète sans doute moins que du travail qui lui reste à accomplir pour remettre à nouveau de l'ordre dans cette ville.

— Je sais, soupira Roo. Quelqu'un s'est introduit dans la cave du *Café de Barret* et a mangé jusqu'à la dernière miette de nourriture et pris jusqu'au dernier grain de café. Comment voulez-vous que j'ouvre un café si je ne peux même pas en servir à mes clients ?

— J'imagine que tu n'auras qu'à en acheter d'autre, répliqua Erik en serrant l'épaule de son ami. Tu réussis toujours à trouver le moyen de négocier des accords.

Roo sourit.

— Je dois travailler un peu plus dur maintenant que le grand-père de Jimmy n'est plus là, mais au moins, je vais pouvoir garder l'argent que je gagne au lieu de payer des impôts.

— Je peux en toucher un mot au prince, si vous le souhaitez, proposa Jimmy.

Roo leva les mains comme s'il voulait se rendre.

— Non, je vous remercie. Je vais prendre mon temps pour aborder le sujet de la dette qu'a contractée la couronne auprès de la compagnie de la Triste Mer. Commençons par remettre l'Ouest en ordre avant d'entreprendre ce long bras de fer.

— Voilà votre frère, Jimmy, annonça Karli. Mais qui est cette personne avec qui il parle ?

Jimmy se retourna et vit Dash entrer dans la pièce tout en continuant à bavarder avec un autre homme.

— Il s'agit d'un fonctionnaire de la cour nommé Talwin. Je ne sais pas vraiment ce qu'il fait pour Patrick, mais je l'ai souvent vu dans les parages ces dernières années. Il servira d'intendant de la principauté pendant que tout le monde sera à Rillanon pour le mariage. Je suis sûr que Dash et lui ont beaucoup de choses à se dire.

— Vous ne pouvez pas avoir les deux, Dash, protesta Talwin. Soit vous faites votre devoir, soit vous ne le faites pas.

Dash dévisagea le chef du service de renseignement du roi avant de répondre :

— Écoute, nous allons sûrement rester coincés ici tous les deux pendant plus d'un mois, le temps du mariage, alors pourquoi ne pas accepter de travailler en partenariat ? Tu prendras soin de la principauté et du palais lui-même pendant que je m'occuperai de la cité.

— Je m'y refuse parce qu'on ne peut pas vous faire confiance, répliqua Talwin.

Dash rougit de colère.

— Explique-toi.

— J'ai appris qu'à deux reprises, la semaine dernière, vous vous êtes arrangé pour faire libérer de petits criminels sans qu'ils passent en jugement.

— Mais ces gens mouraient de faim ! protesta Dash, en élevant la voix au point que quelques membres de la cour qui s'étaient attardés regardèrent dans leur direction. Nous avons suffisamment de mal à gérer les prisonniers, ajouta-t-il plus bas. Je refuse de jeter en cellule avec des meurtriers un enfant qui a volé du pain. (Puis il éclata de rire.) Et que je sois pendu si je l'enferme avec ces Jikanjis, ces satanés cannibales que Fadawah nous a laissés sur les bras.

Talwin rit à son tour.

— D'accord, je veux bien admettre qu'il y ait un certain sens derrière vos décisions. Mais depuis que les combats ont cessé, j'ai remarqué que la criminalité a augmenté dans les rues de Krondor et que vous êtes bien moins vigilant qu'avant.

— Je suis fatigué, avança Dash. Oui, c'est exactement ça, ajouta-t-il soudain. (Il sourit.) Grâce à toi, je viens juste de réaliser quelque chose d'important. Merci.

— Pour quoi ?

— Pour m'avoir permis de comprendre quelque chose que je refusais d'admettre depuis des semaines. (Il tapota le bras de Talwin.) Tu trouveras ma démission sur ton bureau demain matin.

— Pardon ?

— Je ne veux plus être le shérif de Krondor. Trouve quelqu'un d'autre pour ce boulot, Talwin.

Il tourna les talons et traversa la salle pour rejoindre son frère, Erik, Roo et Karli. Puis, après les avoir salués, il déclara :

— Roo, j'aurais besoin d'un emploi.

— Comment ? s'écria Jimmy.

— J'ai démissionné de mon poste de shérif.

— Mais pourquoi ? insista Jimmy.

— Nous en parlerons plus tard, répondit Dash avant de se tourner vers Roo. Vous n'auriez pas besoin d'aide, par hasard ?

— J'ai toujours besoin de gens aussi doués que vous. Mais la dernière fois, quand je vous ai engagé, ça a fini par me coûter beaucoup d'argent.

Dash sourit.

— Parce qu'à l'époque, je travaillais en fait pour mon grand-père. Cette fois, je travaillerai pour moi.

— Ce qui signifie ?

— Je crois que je préfère chercher fortune par moi-même plutôt que de continuer à mettre en avant mon titre de noblesse en travaillant pour la couronne. Je pense qu'au sein de la compagnie de la Triste Mer, je trouverai une place qui me permettra un jour de commencer à gérer mes propres intérêts financiers.

— Nous pouvons tout à fait en discuter, répondit Roo. Venez chez *Barret* demain et nous en parlerons. (Il prit Karli par le bras.) Maintenant, si vous voulez bien nous excuser, nous devons repartir chez nous.

Le couple s'en alla après qu'Erik eut promis de s'arrêter chez eux en partant pour Ravensburg. Puis le jeune capitaine se tourna vers Dash :

— Vous êtes sûr de vouloir démissionner ? Le roi pourrait vous obliger à rester.

— Pas si je renonce à mes titres.

— Je vous laisse en discuter tous les deux, annonça Erik aux deux frères. Je dois partir rejoindre ma femme et ma famille à Ravensburg.

Jimmy attrapa son jeune frère par le bras et l'entraîna près d'une fenêtre, loin des autres courtisans qui s'attardaient dans la pièce.

— Tu es fou ? Tu voudrais renoncer à tes titres héréditaires ?

— Je suis peut-être fou, grand frère, mais je suis aussi on ne peut plus sérieux. Je déposerai ma démission sur le bureau de Talwin demain matin pour qu'il puisse la transmettre à Patrick. À moins que le roi révoque la Grande Liberté, aucun homme ne peut être obligé à conserver une charge s'il ne le désire pas. Je n'ai pas besoin de titre de noblesse. Je peux gagner ma vie par moi-même.

Jimmy paraissait horrifié.

— Après tout ce que nous avons fait ? Après tout ce qu'ont accompli notre grand-père et notre père ? Seraient-ils morts en vain ?

Dash se mit en colère.

— Ne me jette pas leur mort à la figure, Jimmy. Ils sont morts pour ce en quoi ils croyaient. Ce n'est pas parce que je souhaite mener une vie différente que leur sacrifice s'en trouve diminué. Je suis juste fatigué de me conformer à la vision qu'ils avaient de moi – de la personne que je devrais être.

— Pourquoi est-ce que tu ne viendrais pas à Rillanon avec moi ? proposa Jimmy. Je pourrais demander à Patrick de nommer un autre shérif. Nous assisterions au mariage et puis nous prendrions un navire à destination de Roldem pour rendre visite à notre mère. Une semaine ou deux en sa compagnie te redonneraient envie de revenir t'occuper de tes criminels.

Dash éclata de rire.

— Je n'en doute pas. Mais non, vas-y, toi. Embrasse notre mère, tante Magda et tous les autres pour moi. Dis à notre mère que je viendrai lui rendre visite un jour. Je sais bien qu'elle ne remettra jamais les pieds au royaume.

— Si, elle reviendrait si on me couronnait roi, plaisanta Jimmy.

— Oui, dans ce cas-là peut-être, admit Dash.

Les deux frères éclatèrent de rire. Puis Jimmy passa un bras autour des épaules de son cadet.

— Tu es sûr que ça va aller ?

— Oui, dans quelque temps. Pour le moment, je veux seulement vivre ma propre vie et mettre mon intelligence à profit pour une cause qui ne provoquera pas la mort de plein de gens.

— Je ne vois rien à y redire, répondit Jimmy, qui gardait encore en mémoire le souvenir de cette charge héroïque contre l'arrière des lignes keshianes. C'est juste que...

— Que quoi ?

— Eh bien, que si nous étions les dignes fils de notre père...

— Je sais. Ça n'a pas été facile mais, dès que j'ai pris ma décision, j'ai su que c'était la bonne. Nous avons envers nous-mêmes des obligations qui dépassent celles que l'on a envers un drapeau ou un roi. Peux-tu dire en toute honnêteté que tu travailles pour Patrick sans te poser de questions ?

— Je ne travaillerai jamais pour Patrick en tant qu'homme, répliqua aussitôt Jimmy. C'est la couronne que je sers.

Dash appuya son index sur la poitrine de son frère.

— Voilà, mon cher frère, la seule différence entre nous. J'ai vu des hommes et des femmes ordinaires mourir pour protéger cette cité. Peux-tu me dire comment on les en a récompensés ?

— Cela leur a permis de garder leur liberté ! protesta Jimmy. Tu sais ce que le règne de Kesh apporterait à Krondor : esclavage, enrôlements de force dans l'armée et des enfants vendus à des bordels.

— Nous sommes donc si nobles que ça ?

— Nous avons des problèmes, évidemment, mais nos lois sont justes.

— Ça fait un petit moment que je fais respecter ces lois, Jimmy, rappela Dash. Je ne suis pas sûr qu'il soit très juste de condamner un gamin de dix ans aux travaux forcés parce qu'il a volé de la nourriture.

— C'est un cas extrême, protesta Jimmy.

— Si seulement tu avais raison.

— Il faut que j'y aille. Nous avons été invités à dîner en compagnie de Patrick et Francine. Tu viens aussi ?

— Non, répondit Dash. Je leur ferai parvenir un mot exprimant mes regrets. J'ai beaucoup de choses à faire d'ici demain matin si je veux transmettre mon poste à quelqu'un d'autre.

— J'aimerais qu'au moins tu attendes que Patrick rentre de Rillanon. Peut-être auras-tu changé d'avis d'ici là. Il n'est pas trop tard, tu sais.

Dash garda le silence quelques instants avant de répondre :

— Si je fais ça, ça me donnera plus de temps pour mettre mes affaires en ordre. Très bien, j'attendrai jusqu'à ce que le prince et la princesse rentrent de Rillanon. Ensuite, je leur présenterai ma démission et renoncerai à mes titres.

Jimmy sourit d'un air malicieux.

— Je réussirai à te convaincre de ne pas le faire.

— Malgré tout, je ne t'accompagne pas au dîner. On se reverra demain matin avant ton départ.

Les deux frères se donnèrent l'accolade. Puis Dash sortit de la grande salle, passa par l'entrée principale et traversa la cour d'honneur pour regagner la nouvelle prison.

C'étaient les heures les plus noires de la nuit, juste avant que le ciel commence à s'éclaircir à l'est. Un homme seul marchait, prenant soin de se dissimuler au sein des ombres qui régnaient près des quais. Il ne cessait de regarder derrière lui comme s'il craignait d'être suivi. Puis il finit par se glisser dans l'embrasure d'une porte et attendit de voir si quelqu'un se trouvait derrière lui.

De longues minutes s'écoulèrent. Ensuite il quitta l'abri de la porte, uniquement pour se faire violemment repousser contre le battant, un couteau sous la gorge.

— Tu vas quelque part, Reese ?

Le voleur écarquilla les yeux.

— Shérif ? Je faisais rien de mal, promis. Je regagnais juste ma tanière pour dormir toute la journée.

— J'ai besoin d'informations et tu vas me les donner, déclara Dash.

— Bien sûr, tout ce que vous voulez.

— Qui est devenu maître de jour depuis la mort de Trina ?

— On me tuerait si je vous le disais, protesta Reese.

— Je te tue si tu ne me le dis pas. Et je ne parle pas de te ramener à la nouvelle prison pour te pendre à l'issue d'un procès expéditif. Si tu te tais, je te tranche la gorge, là, tout de suite.

— Bah, de toute façon, quelle importance ? fit Reese. Il n'y a pas de nouveau maître de jour. De toute façon, les Moqueurs n'existent pratiquement plus depuis que le Juste et Trina sont morts.

— Qui est le maître de nuit ?

— Il est mort pendant la guerre. Il n'y a plus personne pour nous diriger désormais. Quelqu'un est en train de monter un nouveau gang du côté de La Pêche, afin de voler les marchandises qu'on décharge des navires. Et puis quelques gros bras se sont installés près des anciens quais. Les temps ont changé, Dash.

— Dis-moi où trouver les gangs de La Pêche et des anciens quais.

Reese lui raconta tout ce qu'il savait.

— Très bien, voilà ce qu'il faut que tu saches, reprit Dash. Les choses vont changer à Krondor et c'est nous qui allons tout faire bouger.

— Nous ? répéta Reese.

— Toi et moi.

— Si on apprend que je travaille pour le shérif, je suis un homme mort.

— Oh, avant que tout ça soit fini, tu regretteras que ce ne soit pas si simple. Tu es du genre malin, Reese, suffisamment pour nous coller aux basques, à Talwin et à moi, pour pouvoir échapper aux travaux forcés.

— C'est vrai, j'ai vu une bonne occasion et j'en ai profité.

— Est-ce que tu connais un type très malin ou une fille rusée, quelqu'un qui s'entend bien avec les enfants ?

— Il y a Jenny. Elle a la tête sur les épaules, les mendiants et les pickpockets l'aiment bien.

— Parfait. Jenny et toi, venez me retrouver sur le vieux débarcadère, sous le réservoir de la muraille nord, une heure après le coucher du soleil demain.

Dash lâcha la chemise du voleur et rangea sa dague.

— Et si je ne viens pas ?

— Dans ce cas, je te retrouverai et je te tuerai. Une heure après le soleil, rien que toi et la fille.

— Je l'amènerai, promit Reese avant de disparaître en courant dans l'obscurité.

Dash regarda tout autour de lui pour s'assurer que personne ne l'observait, puis s'en alla de son côté.

* * *

Jimmy se leva pour prendre congé, mais Francine le retint :

— Jimmy, est-ce que je pourrais te parler en privé ?

Le jeune homme sourit.

— Quand tu veux, Francie.

La jeune femme le rejoignit en disant :

— Si nous avions encore un jardin, nous pourrions aller nous promener.

— Que dirais-tu d'un tour dans la cour d'entraînement ?

Francine se mit à rire.

— Il faudra s'en contenter. (Elle se tourna vers son père et le prince.) Nous ne serons pas longs.

Ils remontèrent le long couloir qui reliait la grande salle du palais au balcon surplombant la cour d'entraînement. L'air nocturne conservait la chaleur de la journée et portait des effluves de fleurs en pleine éclosion.

— Quand nous reviendrons de Rillanon, je veillerai à ce que le jardin soit remis en état le plus vite possible.

— Ce sera bien, répondit Jimmy.

— Est-ce que tu seras rentré à Krondor à temps pour la fête du Solstice d'été ? demanda Francie.

— Sans doute pas. Je vais m'embarquer pour Roldem, afin de rendre visite à ma mère. Maintenant que mon père est mort, elle ne reviendra jamais au royaume.

Francie soupira.

— Ils n'ont donc jamais appris à s'aimer ?

Jimmy secoua la tête.

— Je crois qu'au mieux, ils appréciaient certains traits de caractère chez l'autre. Ma mère admirait les talents de diplomate de mon père – il ne faut pas oublier que Roldem est une nation de courtisans. Tu savais que mon père était un très bon danseur, aussi ?

— Je me souviens de l'avoir vu danser lors d'une fête donnée en l'honneur du roi. Il offrait un spectacle éblouissant. J'avais le béguin pour lui quand j'étais petite.

— C'était un très bon père, reconnut Jimmy en prenant conscience à quel point Arutha lui manquait. Lui, de son côté, il a toujours apprécié le sens de l'organisation de ma mère. Lorsqu'on invitait des gens à dîner, tout était toujours prêt à temps et comme il fallait, qu'il y ait un convive ou qu'il y en ait cent. Il plaisantait souvent en disant qu'elle ferait un meilleur duc que lui.

— Mais ils n'ont jamais été proches l'un de l'autre ?

— Non, répondit Jimmy avec tristesse. Je sais que ma mère a pris des amants, même si elle est toujours restée très discrète. Quant à mon père, je ne sais pas. Il semblait toujours très occupé par les tâches que lui confiait mon grand-père. Il travaillait tellement qu'il ne s'en souciait guère, j'imagine.

— Mais il vous aimait, toi et Dash, assura Francie.

Jimmy acquiesça.

— Je le sais. Il s'est toujours montré prodigue de son affection envers nous.

Francie posa la main sur le bras du jeune homme.

— Je ne sais pas ce que je vais faire, Jimmy. J'aime bien Patrick – nous avons toujours été amis tous les trois. Mais quand j'étais petite, je croyais qu'un jour, je me marierais avec toi.

Il sourit.

— Je sais. Au début, ça m'irritait, mais ensuite, cette idée me plaisait.

Francie se pencha vers lui et l'embrassa, longuement mais avec légèreté.

— Je veux que tu sois mon ami. Je ne sais pas si je finirai par ressembler à ta mère et ignorer Patrick ou si je consacrerai ma vie à l'éducation du futur roi des Isles. Peut-être que je me mettrai au jardinage et que j'aurai une succession d'amants – si c'est le cas, tu seras le premier d'entre eux. Mais c'est surtout d'amis dont j'aurai besoin.

» Tous les gens que je connais essayent de gagner mon amitié parce qu'ils voient en moi la prochaine reine des Isles. Toi, Dash et quelques autres amis à Rillanon, vous êtes tout ce que j'ai.

Jimmy acquiesça.

— Je comprends, Francie. Je serai toujours ton ami.

Elle se glissa dans les bras du jeune homme et appuya la tête contre son épaule.

— Merci, Jimmy. Viens, rentrons et allons rejoindre le prince.

Jimmy savait qu'un jour, il finirait par se marier au nom de la raison d'État lui aussi. Il adressa une prière silencieuse au dieu qui voudrait bien l'écouter, dans l'espoir que l'épouse que lui réservait le destin serait l'égale de la femme qui s'accrochait à son bras à ce moment précis. Il pria également pour qu'elle se révèle une amie aussi précieuse que Francine.

Deux nuits plus tard, les voleurs s'entassèrent chez Maman. Beaucoup regardèrent autour d'eux à la recherche d'une issue permettant de s'enfuir rapidement car, de l'avis général, chez Maman n'était plus un endroit sûr désormais. Malgré tout, quelques sentinelles restèrent à l'extérieur au cas où les agents du prince décideraient de se montrer.

— Tout le monde est là ? demanda Reese, debout sur une table.

— Tous ceux qui ont décidé de venir, répliqua une voix à l'autre bout de la pièce.

Cette remarque souleva quelques gloussements discrets dans l'assistance, mais personne ne se sentait suffisamment à l'aise pour rire franchement de cette piètre tentative de plaisanterie.

— Nous avons un nouveau règlement, annonça Reese.

— Ah oui ? fit un gros homme posté dans un coin. Lequel ?

— Celui des Moqueurs ! répliqua une jeune femme en entrant par une porte dérobée.

Elle possédait un corps robuste et un visage banal, mais avait la réputation d'être l'une des voleuses les plus malines de la guilde. Elle s'appelait Jenny.

— Et qui dit que les Moqueurs existent encore et ont besoin d'un règlement ? demanda un autre type.

— Le Juste ! riposta Reese. C'est lui qui le dit.

— Le Juste est mort ! s'écria un autre voleur au fond de la pièce. Tout le monde le sait.

Une voix grave s'éleva au sein des ombres derrière Reese.

— Le Juste est déjà mort avant ça, mais il est toujours réapparu.

— Qui parle ? demanda le gros costaud qui se tenait dans le coin.

— Quelqu'un qui te connaît, John Tuppin. C'est toi qui diriges les gros bras.

L'intéressé pâlit en regardant en direction de l'obscure silhouette qui connaissait son nom.

— Tout le monde connaît Tuppin ! protesta un grand maigre au fond de la pièce. Il est si large qu'on peut pas le rater !

Certains se mirent à rire mais quelques-uns jetèrent des regards furtifs autour d'eux, l'air inquiet.

— Je te connais aussi, Rat, répliqua la voix surgie de l'ombre. Tu es la meilleure sentinelle des Moqueurs. Je vous connais tous – tous les voleurs, les pickpockets, les gros bras et les putains qui considèrent chez Maman comme leur foyer. Et vous me connaissez aussi.

— C'est le Juste, chuchota quelqu'un.

— Tu peux prétendre tout ce que tu veux, riposta John Tuppin, c'est pas pour ça qu'on va te croire. Je pourrais prétendre que je suis le satané duc de Krondor mais ça ne serait toujours pas vrai pour autant.

— Le gang de La Pêche a été démantelé ce matin, annonça la voix dans l'ombre.

Brusquement, les gens se mirent tous à parler en même temps. Reese ramassa un gros gourdin en bois et en donna un coup contre le mur.

— Silence !

Tout le monde obéit.

— Demain, le shérif démantèlera le gang des « gros bras », celui qui travaille sur les anciens quais. Personne ne travaillera dans les rues de Krondor sans ma permission.

— Si ces types se font bien arrêter demain, je vous croirai, promit Tuppin.

— Moi aussi, renchérit le dénommé Rat.

— Prévenez tout le monde, reprit la voix. Les Keshians renégats qui vendent des drogues à l'extérieur du caravansérail seront écrasés. Le salaud qui enlève les enfants pour les revendre aux marchands d'esclaves de Durbin sera écrasé. Tous ceux qui refuseront de faire affaire avec les Moqueurs seront écrasés.

Quelques-uns dans la pièce applaudirent.

— Reese est le nouveau maître de nuit, et Jenny le nouveau maître de jour. Si vous avez un problème, allez les voir.

Il y eut d'autres applaudissements, puis Reese reprit la parole :

— Allez, tout le monde dehors ! Allez répandre la nouvelle ! Le Juste est de retour !

Les voleurs se dispersèrent jusqu'à ce qu'il ne reste plus que trois personnes chez Maman. Dash sortit de l'ombre.

— Vous vous en êtes bien sortis. Dites à Tuppin et à Rat qu'ils se sont bien débrouillés eux aussi.

— Ce sera dur, prédit Reese. Vous allez devoir arrêter pas mal de gens avant que tout le monde vous accepte.

— Il me reste deux mois avant que le prince revienne et nomme un autre shérif, répondit Dash. D'ici là, on réussira à s'organiser.

— Je ne comprends toujours pas pourquoi vous voulez ce boulot, avoua Jenny. Vous êtes le fils du duc de Krondor ! Vous ne deviendrez jamais aussi riche en menant cette vie-là que si vous étiez resté sur le droit chemin. Si on se fait attraper, on passera quelques années en prison, ou aux travaux forcés. Si vous vous faites prendre, vous serez pendu pour trahison. Pourquoi faites-vous ça ?

— À cause d'une promesse. (Jenny parut sur le point de poser une autre question, mais Dash la coupa :) Vous avez beaucoup de travail à faire, tout comme moi. Il va falloir introduire quelqu'un au palais dans l'entourage de Talwin. Il va falloir le faire suivre et ce ne sera pas facile. Nous devons découvrir qui sont ses contacts et identifier ses espions. C'est lui qui représente la plus grande menace.

— J'ai la fille qu'il nous faut, répondit Jenny. Jeune, l'air innocent, elle sait laver et coudre et serait capable de vous arracher le cœur pour une pièce en cuivre.

— Moi, je connais un type que je peux faire entrer dans les cuisines, ajouta Reese.

— C'est moi qui les ferai entrer au palais, répliqua Dash. Allez-y, maintenant.

Ils s'en allèrent tandis que Dash sortait par-derrière. Il attendit puis, lorsqu'il se fut assuré que personne ne l'avait vu sortir du quartier général des voleurs, il comprit que sa vie ne lui appartiendrait jamais vraiment.

Il savait qu'il deviendrait un riche marchand et qu'il épouserait une jeune femme de bonne condition, dont il serait probablement amoureux et avec laquelle il aurait des enfants. En apparence, il mènerait une vie agréable. Publiquement, il deviendrait un homme important, de ceux que l'on envie. Mais il savait aussi qu'il vivrait dans deux mondes différents et que la majeure partie de sa vie ne lui appartiendrait pas. Il n'éprouvait qu'indifférence vis-à-vis de son devoir envers la couronne, car son père et son grand-père le lui avaient transmis à sa naissance sans lui demander son avis. En revanche, il se sentait davantage tenu par son devoir envers cette bande de voleurs et de rufians, car cette responsabilité, il l'avait choisie. C'était une question d'honneur et Dash savait qu'il n'y faillirait jamais, jusqu'à sa mort.

Il s'engagea dans les égouts qui allaient devenir son second foyer pour le reste de son existence.

Épilogue

Pug se tenait au centre de la grotte en compagnie de Miranda, de Nakor et de Gathis.

Les étudiants qui les avaient accompagnés regardaient tout autour d'eux avec curiosité. Deux torches brûlaient dans la caverne, repoussant l'obscurité.

— Nous sommes réunis ce soir pour ratifier une promesse que chacun d'entre vous a déjà faite en privé, déclara Pug. D'autres nous rejoindront au fil des ans et quelques-uns parmi vous s'en iront, mais ce groupe continuera d'exister.

» Nous nous réunissons en conclave, car personne en dehors du groupe ne doit connaître notre existence. Nous devons demeurer dans l'ombre, dissimulés à la vue de ceux qui vivent dans le monde de la lumière.

» Chacun d'entre vous agira pour le compte de personnes qui ne sauront jamais que vous existez et qui pourraient même, par peur ou par ignorance, vous craindre ou vous combattre s'ils découvraient ce que vous faites.

» Parmi ceux qui choisiront cette voie, pour beaucoup, la mort sera la seule récompense.

Pug désigna l'entrée de la grotte et poursuivit :

— Là-dehors se trouvent des hommes qui ont choisi de suivre un chemin qui les mène dans les ténèbres. Certains sont alliés, mais la plupart ne se connaissent pas entre eux. Certains ne savent même pas qui est leur véritable maître tandis que d'autres servent de leur plein gré le mal que nous combattons. Tous chercheront à nous détruire.

» Certains d'entre vous vont quitter l'île à la recherche de nos ennemis. D'autres chercheront de nouveaux étudiants qui viendront ici suivre notre enseignement. D'autres encore resteront sur l'île pour enseigner et organiser tout cela.

» L'école de la *Villa Beata* demeurera la même et ceux qui nous trouveront sans que nous l'ayons cherché, comme beaucoup d'entre vous l'ont fait, continueront à être les bienvenus, comme avant. Encore une fois, je le répète, personne en dehors de ce groupe ne doit connaître notre existence.

» Nous allons devoir affronter des rêves et des cauchemars, dans le cadre d'une guerre que peu de gens sont capables d'imaginer. Nous sommes tous frères et sœurs dans cette épreuve et devons obéir aux besoins de ce conclave. Aucun d'entre nous ne doit se sentir au-dessus de cette exigence. Si nous devons le payer de notre vie, qu'il en soit ainsi.

Personne dans la pièce ne protesta.

— Nous sommes le conclave des Ombres et nous nous opposons à la folie du Sans-Nom et de ses agents.

» Nous avons subi la guerre de la Faille et survécu à celle des Serpents. Nous nous préparons à présent pour le prochain combat, dont peu de gens auront connaissance car il se déroulera à l'abri de la plupart des regards. Ce sera une guerre de l'ombre.

Pug tendit la main à Miranda qui la prit dans la sienne. Puis il hocha la tête à l'intention de Nakor et de Gathis et conduisit ses partisans à l'extérieur de la grotte, sur le chemin qui menait à leur foyer.

REMERCIEMENTS

Comme toujours, il me faut remercier de nombreuses personnes sans lesquelles ce livre n'existerait pas :

Les créateurs de Midkemia, Steve Abrams, Jon Everson et tous les autres Noctambules du Vendredi. Sans leur créativité, le monde de Midkemia serait loin d'être ce qu'il est aujourd'hui.

Mes éditeurs, pour avoir cru en moi et travaillé très dur. Leur enthousiasme et leur soutien dépassent tout ce qu'on peut imaginer. Je tiens tout particulièrement à remercier Jennifer Brehl qui, en plus d'être une amie, est très douée pour ce métier.

Mon ami et agent, Jonathan Matson, parce qu'il est toujours à mes côtés.

Ma femme, Kathlyn S. Starbuck, pour des raisons si nombreuses que je ne peux les détailler ici, et parce qu'on ne pourrait souhaiter mieux comme premier lecteur.

Je remercie également tous les lecteurs qui m'envoient des lettres de louanges ou de récriminations. Grâce à eux, je sais qu'il y a quelqu'un, quelque part, qui lit mes écrits. Je n'ai pas le temps de répondre à la plupart de ces courriers, mais je peux vous assurer que tous sont lus.

Enfin, je remercie Sean Tate pour avoir inventé le personnage de Malar.

Achevé d'imprimer sur rotative
par l'Imprimerie Darantiere à Dijon-Quetigny
en octobre 2005

Dépôt légal : octobre 2005
N° d'impression : 25-1375
4949-1

Imprimé en France